JN058779

# 心理学検定 公式問題集

## 公式問題集 2025年版

一般社団法人**日本心理学諸学会連合**
心理学検定局●編

実務教育出版

# 本書の刊行に当たって

　一般社団法人日本心理学諸学会連合（以下「日心連」）が主催する心理学検定は、2008年に始まり、2024年の第19回（夏試験）が終わりました。毎年受検者が着実に増え、社会的知名度も上がってまいりました。受検者は学生の方が過半数を占めますが、社会人の方も2割ほど受検されています。

　主催団体の日心連は、1999年に結成され、2024年7月現在で56の心理学関係の学会が加盟している連合体であり、他の学問分野と連携を取りつつ、わが国の人文、社会、自然科学を推進する要の役割を担ってまいりました。

　日心連は公認心理師制度の創設にも関わり、他の関連団体とともに行政府および立法府に働きかけ、2015年の公認心理師法の成立に貢献してきました。2018年に開始された公認心理師国家試験の内容は、心理学検定の内容と似ているといわれます。心理学検定は、もちろん公認心理師制度よりも前に開始しましたが、心理学の領域全体を視野に入れた試験ですので、公認心理師に必要な学部25科目の趣旨とかなりよく一致します。詳しくは、検定局のホームページに心理学検定科目と公認心理師科目の対応関係の表を掲載していますのでご確認ください（https://jupaken.jp/faq/question.htmlのQ35）。

　心理学を修めた実力の証としての心理学検定の資格は、最近多くの大学で注目され、心理学教育の成果を客観的に確かめるために活用されています。心理学を学ぶ人にとっては、心理学検定への挑戦が学習意欲の向上や確かな自信につながり、ひいては就職、転職、大学院進学、あるいは心理関係の他の資格試験を受験する際に大いに役立つものと私たちは確信しております。

　新型コロナウイルスの感染拡大は、私たちの日常生活に大きな影響を与えました。一か所に大勢の受検者が集まって行う方法は感染の危険度が高く、2020年の第13回検定は取り止めとせざるをえませんでした。その対策として、2021年の第14回からはCBT（Computer Based Testing）すなわちコンピュータを用いた試験方式を導入いたしました。受検者は、所定の期間の希望する日に、全国47都道府県から選択した会場で、コンピュータ画面に表示された試験問題に対してマウスやキーボードを用いて解答する試験が受けられます。もちろん、本人確認とカンニング等の不正防止を担保する試験であり、試験結果の成績が公的証明書として評価されます。2023年からは春試験と夏試験の年2回実施方式に移行し、今後もCBT試験を継続します。

心理学検定は、心理学の全領域を網羅する10科目からなっております。各科目ともその領域で日本を代表する先生方に問題の作成を依頼しています。その先生方は、日心連に加盟する学会から推薦された方々であり、その意味において心理学検定は、高いレベルを有する、信頼性のある検定試験です。このような試験に合格することは、受検者にとってこのうえない自信になることと思われます。

　本書は、この心理学検定への挑戦の手助けとして編集されました。過去の問題や模擬問題を解くことは、ご自身がこれまで学んできた学習が確かなものであるかどうかをチェックするうえで、なくてはならないものです。

　まずは自ら考え、そのうえで解答や解説をご覧ください。特に解説で書かれていることとご自身の理解内容とが食い違ってはいないかをご確認ください。もしも解答がご自身の考えと異なった場合、その原因は心理学の専門用語の中途半端な理解か誤解に基づくものがほとんどです。複数の事典や辞典に当たってその専門用語を調べたり、心理学関係の教科書をもう一度きっちりと読み直したりすることが求められます。

　本書に加えて、姉妹書の『心理学検定　基本キーワード』『心理学検定　専門用語＆人名辞典』『心理学検定　一問一答問題集（A領域編／B領域編）』も併用していただければ、学びの効果はいっそう高まります。

　いくつかの大学では、これらの本をテキストにして勉強会や研究会を作り、検定合格をめざしてともに頑張っておられると聞いています。そうした仲間との励まし合いは、勉強の継続だけでなく、心理学そのものの深さにも触れるチャンスであると思います。

　本書を手にした皆さん、この機会に心理学検定に向け、ご自身にいっそうの磨きをかけてみませんか。そしてその挑戦が皆さんの今後の人生をますます充実させることに結びつくよう願ってやみません。

2024年9月

編者代表
一般社団法人日本心理学諸学会連合
理事長　阿部　恒之
心理学検定局長　子安　増生

# 2025年版 心理学検定 公式問題集

## 目次

本書の刊行に当たって／❷

# Contents

# Part **1**

# 2024年検定 CBT出題例と解説

●本パートでは、2024年の心理学検定において実際に出題された問題の中から、標準的難易度で、かつ学習効果が高いと思われる問題50問（各科目5問）を精選して公開し、各問題に解説を付けています。

●問題はすべて4肢選択問題で、正答は1つです。

●解説は、なるべくわかりやすく、詳しい説明を心がけました。解説の右欄に、各問題・解説文中に登場または関連する重要キーワードを抜き出して列記していますので、理解度チェックや発展学習の際に利用してください。

# 1 ［A領域：原理・研究法・歴史］

〔問1〕　帰納的な考え方の例として、最も適切なものはどれか。

1．噂で聞いたので、大学生は自己肯定感が高いと考える。
2．全国の大学生対象の自己肯定感が高いことが示されたので、A大学の学生も自己肯定感が高いと考えられる。
3．B大学の学生の自己肯定感が高いので、A大学の学生の自己肯定感も高いと考えられる。
4．A大学学生を対象とした調査で高い自己肯定感が示されたので、全国の大学生の自己肯定感も高いと考えられる。

〔問2〕　「図形に対する接触回数」と「図形の複雑さ」が「図形の好ましさ」に与える影響を調べた。「図形の好ましさ」は「全く好ましくない」を1点とし、「好ましい」を5点とする5件法で測定した。以下の表は好ましさ得点を水準ごとに平均したものである。この実験における独立変数及び従属変数の組み合わせとして妥当なものを選べ。

| 図形の複雑さ＼接触回数 | 5回 | 15回 | 25回 |
|---|---|---|---|
| 単純な図形 | 2.6 | 3.0 | 3.2 |
| 中程度の図形 | 3.4 | 4.1 | 4.4 |
| 複雑な図形 | 3.5 | 4.2 | 4.8 |

　　　　　　独立変数　　　　　　　　　　　　従属変数
1．接触回数、図形の好ましさの平均　　　図形の複雑さ
2．接触回数　　　　　　　　　　　　　　図形の好ましさの平均
3．図形の複雑さ、接触回数　　　　　　　図形の好ましさの平均
4．図形の好ましさの平均　　　　　　　　接触回数、図形の複雑さ

〔問3〕 以下のA、Bに当てはまる数として正しいものはどれか。

　　ウェクスラー式知能検査では、素点のIQを知能指数の平均値が（　A　）、標準偏差が（　B　）になるよう得られた標準得点である偏差IQに換算する。

| | A | B |
|---|---|---|
| **1.** | 100 | 15 |
| **2.** | 100 | 20 |
| **3.** | 50 | 15 |
| **4.** | 50 | 20 |

〔問4〕 1896年にアメリカのペンシルベニア大学に心理学的クリニックを開設した心理学者は誰か。

1．ホール（Hall, G. S.）
2．ウィトマー（Witmer, L.）
3．ミュンスターバーグ（Münsterberg, H.）
4．ティチナー（Titchener, E. B.）

〔問5〕 次の出来事の順序として最も適切なものはどれか。

1．福來友吉が東京帝国大学助教授として変態心理学の研究を行う→元良勇次郎がジョンズ・ホプキンズ大学で博士号を取得する→日本で最初の心理学実験室が東京帝国大学に設置される→日本心理学会が組織される
2．元良勇次郎がジョンズ・ホプキンズ大学で博士号を取得する→福來友吉が東京帝国大学助教授として変態心理学の研究を行う→日本で最初の心理学実験室が東京帝国大学に設置される→日本心理学会が組織される
3．元良勇次郎がジョンズ・ホプキンズ大学で博士号を取得する→日本で最初の心理学実験室が東京帝国大学に設置される→福來友吉が東京帝国大学助教授として変態心理学の研究を行う→日本心理学会が組織される
4．元良勇次郎がジョンズ・ホプキンズ大学で博士号を取得する→日本で最初の心理学実験室が東京帝国大学に設置される→日本心理学会が組織される→福來友吉が東京帝国大学助教授として変態心理学の研究を行う

## 2 ［A領域：学習・認知・知覚］

〔問6〕 弁別学習の説明として、最も妥当なものはどれか。

1. 同時に存在する複数の弁別刺激の一つに反応し、正反応であれば強化子を提示する手続きや過程を継時弁別と呼ぶ。
2. 弁別刺激とは、訓練時に反応が正解だったかどうかを実験参加者に提示するフィードバック刺激のことである。
3. 訓練の初期から正反応率は高いままで維持され、ほとんど誤反応が生じないで弁別学習が成立する弁別を無誤弁別学習と呼ぶ。
4. 刺激性制御とは、訓練時に弁別刺激を様々に変化させる手続きを意味する。

〔問7〕 記憶に関する以下の文章の空欄A〜Cに当てはまる語句の組み合わせとして、正しいものはどれか。

　　2つのことを続けて記憶すると、それぞれの想起に影響が生じることがある。先に覚えた記憶が後の記憶を阻害することを（　A　）という。逆に、後に覚えた記憶が先の記憶を阻害することを（　B　）という。このような現象を（　C　）という。

|  | A | B | C |
|---|---|---|---|
| 1. | 順行抑制（順向抑制） | 逆行抑制（逆向抑制） | 記憶の干渉 |
| 2. | 順行抑制（順向抑制） | 逆行抑制（逆向抑制） | 記憶障害 |
| 3. | 逆行抑制（逆向抑制） | 順行抑制（順向抑制） | 記憶の干渉 |
| 4. | 逆行抑制（逆向抑制） | 順行抑制（順向抑制） | 記憶障害 |

〔問8〕　認知バイアスに関する記述として、**誤っている**ものはどれか。

1．確証バイアスとは、自分の考えや期待に沿うような情報にばかり注目し、そうでない情報を軽視する傾向をいう。
2．正常性バイアスとは、異常な出来事に対して、正常の範囲内の出来事と思い込む傾向をいう。
3．後知恵バイアスとは、必要なときには良い考えが思いつかず、後になってから良い考えが思いつく傾向をいう。
4．現状維持バイアスとは、変化を避けて現状の維持を選択する傾向をいう。


〔問9〕　運動残効の具体例として、正しいものはどれか。

1．深い暗闇の中で固定された弱い光点を見つめていると、静止しているはずの光点がフラフラと動いて見えるようになる。
2．上から下に流れ落ちる滝の様子をしばらく見てから横の岩場に目を移すと、岩場が下から上に動いているように見える。
3．電光掲示板は、実際には静止した電球が点滅しているにもかかわらず、その光は動いているように見える。
4．駅で停車中の列車の窓から隣の線路の列車が動き出すのを見ると、自分が乗っている列車が反対方向に動いたように感じる。


〔問10〕　古典的な精神物理学（心理物理学）的測定法の一種である調整法の説明として、正しいものはどれか。

1．実験者は上昇か下降の刺激系列で段階的に刺激の強度を変化させ、その都度参加者の反応を取得して閾値を求める。
2．事前に決められた数段階の刺激値を実験者がランダムに繰り返し呈示し、強制選択で参加者の反応を取得して心理測定関数を描き、そこから閾値を求める。
3．実験者は段階的に刺激の強度を変化させるが、参加者の反応が変化した試行で刺激変化の方向を反転させ、この反転を複数回繰り返して閾値を求める。
4．参加者が自分自身で刺激の強度を変化させ、目標となる知覚状態が生じる刺激強度を閾値や主観的等価値として求める。

# 3 [A領域：発達・教育]

〔問11〕　初期経験や臨界期に関する記述として、最も妥当なものはどれか。

1. ボウルビィ（Bowlby, E. J. M.）は、代理母親へのアカゲザルの幼体の反応から、接触による快が母親への愛情形成において重要であることを明らかにした。
2. ハーロウ（Harlow, H. F.）は、人間が運動能力の発達した状態で生まれるには、もう一年胎内で育てられなければならないが、本来より早く誕生するようになったと考えられるとして、生理的早産の考えを提唱した。
3. ヘッブ（Hebb, D. O.）は、個体発達のごく初期に繰り返し与えられた感覚刺激によって、脳に細胞集成体という神経回路網ができることを仮定し、実証的に研究した。
4. ポルトマン（Portmann, A.）は、家庭から分離されて施設で養育される子どもの精神衛生の調査研究を行い、アタッチメント理論を提唱した。

〔問12〕　ヴィゴツキー（Vygotsky, L. S.）の発達理論に関する記述として、**誤っているもの**はどれか。

1. 発達過程を社会、文化、歴史的に構成された人間関係や文化的対象を獲得していく過程として説明した。
2. 「発達の最近接領域」という考え方を提唱した。
3. 人間の高次精神機能は、言語という道具を媒介にして社会との関わりの中で形成していくものであると考えた。
4. 内言が最初に出現し、その後、発達とともに内言と外言が分化していくと仮定した。

〔問13〕　発達理論に関する記述として、最も妥当なものはどれか。

1．ブロンフェンブレンナー（Bronfenbrenner, U.）は、子どもの発達を社会システムのなかでとらえる生態学的発達理論を提唱した。
2．エリクソン（Erikson, E. H.）は、エス・自我・超自我による心的構造論など多数の概念を提唱した。
3．フロイト（Freud, S.）は、人間の発達を乳幼児期、幼児前期、幼児後期、児童期、青年期、成人前期、成人期、老年期の8つの段階に分け、各段階に発達課題があるとした。
4．ハヴィガースト（Havighurst, R. J.）は、心理社会的発達理論を生み出し、人生（ライフサイクル）を8段階に分け、発達課題と危機を示した。

〔問14〕　学習に関する諸概念について述べたものとして、最も妥当なものを選べ。

1．プログラム学習とは、学習課題達成に至るプロセスにおいて先行オーガナイザーの通りに順序立て進める学習方法である。
2．適性処遇交互作用（ATI）とは、学習法の効果が学習者によって異なることである。
3．年長者や知的能力が高い者を対象にした場合には、全習法よりも分習法のほうが一般的に適しているとされる。
4．コンピュータ支援教育は、ブルーナー（Bruner, J. S.）によって開発された発見学習の影響を受けている。

〔問15〕　アンダーアチーバーの説明として、**誤っている**ものはどれか。

1．社会スキルなど適応性の発達に関しては問題がないことが多い。
2．潜在的な学習能力に対して著しく学力の低い者を指す。
3．学業で失敗しても、それを努力不足のためではないと考える傾向がある。
4．指導に際しては、原因や学習のつまずきがどこにあるのか、他にどのような課題があるのかを包括的に診断する必要がある。

# 4 ［A領域：社会・感情・性格］

〔問16〕　以下の記述のうち、多元的無知の例として最も妥当なものはどれか。

1．納豆ダイエットに夢中になり、成功した人の話を聞くたびに「納豆ダイエットは本当に効くんだ」と確信するが、逆に納豆ダイエットには効果がないとする情報や失敗の話はあまり気にしない。
2．大雨により避難の指示が出たが、「我が家はきっと大丈夫だろう」と思い込み、逃げ遅れてしまう。
3．ソーシャルゲームのガチャに何度も課金してしまい、「そろそろやめよう」と思うものの、これまでにかけたお金のことを考えるとなかなかやめることができない。
4．学生同士の飲み会で、「アルコールを飲まないと場がしらけてしまう」という誤った思い込みから、全員が望まずにアルコールを頼み続けてしまう。

〔問17〕　トロープとリバーマン（Trope, Y. & Liberman, N.）が提示した解釈レベル理論の内容について、もっとも妥当な説明はどれか。次の選択肢の中から一つ選びなさい。

1．人の認識は低度から高度なものへと階層構造（レベル）になっている
2．客観的な指標のよしあしよりも、主観的な解釈のよしあしを重視する
3．遠い将来よりも、近い将来の方が、より現実的な目標を選びがちである
4．意思決定の際に、利得よりも損失を重視する

〔問18〕　文化的自己観について説明した、次の文章のA、Bの正しい組み合わせを選びなさい。

　　文化的自己観とは、東洋と西欧の文化差を説明しようと（　A　）によって、提案された自己（主体）に関する認識の違いを示したものである。この考え方だと、東洋での自己は（　B　）。

| | A | B |
|---|---|---|
| 1． | ベネディクト＆土居（Benedict, R. & Doi, T.） | 他者によって自己のあり方が変化する |
| 2． | マーカス＆北山（Markus, H. R. & Kitayama, S.） | 他者によって自己のあり方が変化する |
| 3． | ベネディクト＆土居（Benedict, R. & Doi, T.） | 他者と独立して自己は一定である |
| 4． | マーカス＆北山（Markus, H. R. & Kitayama, S.） | 他者と独立して自己は一定である |

〔問19〕 理論の名称とその理論を実証するために行われた実験の内容として最も妥当な組み合わせはどれか。

1. 選択ヒューリスティックス―細工したルーレットを使用して65か10の数値を表示し、参加者にその値と国連のアフリカ諸国の割合のどちらが大きいか比較させた。続けて割合の具体的な数値を回答させた結果、ルーレットの値が大きいほうが、回答した数値も大きくなった。

2. 情動の2要因理論―吊り橋実験の結果、不安定な吊り橋を渡る途中で魅力的な女性に声をかけられた男性は、より高いレベルの興奮を経験し、これをこの女性の存在のせいだと考える傾向があることが示された。

3. 認知的評価理論―学生に単純作業をさせ、作業の感想を聞いたところ、全員が「つまらない」と評価した。その後、報酬を与えて同じ作業をさせた結果、高額報酬のグループは評価が変わらなかったのに対して、少額報酬のグループは「おもしろかった」と評価を変えた。

4. 集団成極化―絵の好みで分けられた2つの集団を用いて報酬分配課題を行った。その結果、自分の所属する集団（内集団）に対してより多くの報酬を分配する傾向が見られた。


〔問20〕 次の文中のA、Bにあてはまる用語の組み合わせとして、最も妥当なものはどれか。

人間‐状況論争において、（　A　）は、社会的学習理論の立場から論点を提供した。主な論点は、人の行動がさまざまな社会的状況を超えて推測できるかという、（　B　）に関するものであった。

|   | A | B |
|---|---|---|
| 1. | ミシェル（Mischel, W.） | 継時的安定性 |
| 2. | ミシェル（Mischel, W.） | 通状況的一貫性 |
| 3. | クロニンジャー（Cloninger, C. R.） | 継時的安定性 |
| 4. | クロニンジャー（Cloninger, C. R.） | 通状況的一貫性 |

# 5 ［A領域：臨床・障害］

〔問21〕　臨床心理学の歴史に関する記述として、**誤っている**ものはどれか。

1．臨床心理学という用語を最初に用いたのは、ウィトマー（Witmer, L.）である。
2．精神分析の発展には、スキナー（Skinner, B. F.）らの行動変容の研究が大いに寄与している。
3．ロジャーズ（Rogers, C. R.）は非指示的療法を発展させ、クライエント中心療法を始めた。
4．世界で最初の知能検査は、ビネー・シモン知能検査法と言われている。

〔問22〕　自我の防衛機制や精神分析に関連する記述として、最も妥当なものはどれか。

1．クライン（Klein, M.）は、精神病水準の防衛機制を原始的防衛機制として整理した。
2．投影とは、自分が受け入れたくない衝動や空想、思考などを無意識の世界へ投げ出し、閉じ込める防衛機制である。
3．クライエントにとって重要な人との関係性が治療者との間に移し変えられることをエディプス・コンプレックスと言う。
4．フロイト（Freud, S.）による局所論にしたがえば、超自我は主に両親への反抗心を経て形成される価値観を示している。

〔問23〕　行動療法や認知行動療法に関連する記述として、最も妥当なものはどれか。

1．行動療法や認知行動療法は心理療法であり、教育とは異なるため、ホームワークを課すことはない。
2．フラッディング法では、不安階層表を用いて本人にとって不安が低いイメージなどから順に曝露させ、不安や恐怖を軽減させる。
3．ソーシャルスキル・トレーニングは、自分に対する他者の接し方を変えるための技能を習得するトレーニングである。
4．フラッディング法や系統的脱感作法は、レスポンデント条件づけの応用技法とされる。

〔問24〕 PARS-TRに関する記述として、最も妥当なものはどれか。

1. 注意欠如多動症の症状を精査することを目的とする自記式の質問紙による心理検査である。
2. 自閉スペクトラム症の症状を精査することを目的とする自記式の質問紙による心理検査である。
3. 注意欠如多動症の症状を精査することを目的とし、主に保護者等本人をよく知る者を対象として実施する半構造化面接による心理検査である。
4. 自閉スペクトラム症の症状を精査することを目的とし、主に保護者等本人をよく知る者を対象として実施する半構造化面接による心理検査である。

〔問25〕 DSM-5に関する記述として、最も妥当なものはどれか。

1. WHOが作成した、メンタルヘルスに関する診断と統計マニュアルである。
2. 不安症群は、精神分析の無意識と防衛機制を診断基準にしている。
3. もとは死亡統計（死因や疾病の分類）から発展した、疾病分類である。
4. 知的能力障害は神経発達症群に分類される。

## 6 [B領域：神経・生理]

〔問26〕 脳の働きや構造に関する説明で、**適切ではない**ものはどれか。

1. 右・左半球の一次視覚野は反対側に位置する眼に投射される視覚情報の処理を担っている。
2. 側頭葉を両側切除・損傷すると、恐怖や怒りの表出が適切に行われなくなる、クリューバー＝ビューシー症候群が生じる。
3. 紡錘状回顔領域（FFA）は視覚の腹側経路に含まれる。
4. 中脳に位置する上丘は眼球運動の制御に関与している。


〔問27〕 大脳辺縁系の一部の損傷により生じる障害として、最も妥当なものはどれか。

1. クリューバー＝ビューシー症候群
2. コルサコフ症候群
3. 相貌失認症
4. アルツハイマー型認知症


〔問28〕 グリア細胞に関する記述として最も妥当なものはどれか。

1. 脳内のグリア細胞の数は神経細胞より多く、神経細胞の樹状突起に存在する髄鞘はグリア細胞から形成されている。
2. 脳内のグリア細胞の数は神経細胞と同程度であり、神経細胞の樹状突起に存在する髄鞘はグリア細胞から形成されている。
3. 脳内のグリア細胞の数は神経細胞より多く、神経細胞の軸索に存在する髄鞘はグリア細胞から形成されている。
4. 脳内のグリア細胞の数は神経細胞と同程度であり、神経細胞の軸索に存在する髄鞘はグリア細胞から形成されている。

〔問29〕　遺伝子に関する記述として最も適切なものはどれか。

1．DNAからmRNAが作られる過程を転写と呼ぶ。
2．mRNAによるタンパク質合成は細胞核の中でおこなわれる。
3．合成されたタンパクはリボソームを介して細胞外に分泌される。
4．DNAを構成するヌクレオチド塩基はアデニン（A）、シトシン（C）、ウラシル（U）、グアニン（G）の4つである。

〔問30〕　脳の可塑性について**妥当でない**ものはどれか。

1．ある脳領域が損傷を受けたとき、他の脳領域が損傷部位の機能を担うことがある。
2．軸索に損傷を受けた神経細胞の軸索切断部位からシナプス末端までの変性は順行性変性と呼ばれる。
3．神経細胞の新生は胚や胎児期で最も多く、発達に伴い徐々に減少し、成体期になると不可能になる。
4．神経細胞が変性すると、シナプス結合する他の神経細胞にまで変性が及ぶことがある。

# 7 ［B領域：統計・測定・評価］

〔問31〕 平均値が10である4人分のデータ甲 ｛9, 9, 10, 12｝ と、同じく平均値が10である4人分のデータ乙 ｛8, 8, 10, 14｝ がある。この2つのデータの、標本分散（平均からの偏差の2乗を平均したものとして定義される分散）と不偏分散について述べた次の4つの文のうち、正しいものはどれか。

※この問題は、CBT受検の画面上に電卓を表示して使用することができます。

1. 標本分散も不偏分散も、甲より乙の方が大きい。
2. 標本分散は甲より乙の方が大きいが、不偏分散は乙より甲の方が大きい。
3. 標本分散は乙より甲の方が大きいが、不偏分散は甲より乙の方が大きい。
4. 標本分散も不偏分散も、乙より甲の方が大きい。

〔問32〕 この散布図が示す相関係数の値として、最も妥当なものはどれか。ただし、1つの点は1人のデータを表し、点の重複はない、すなわちデータ数が10だとする。

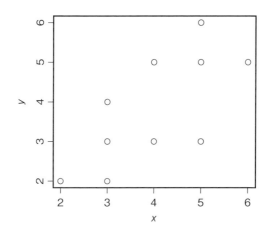

1. $-0.6$
2. $0$
3. $0.2$
4. $0.7$

〔問33〕 データから計算される共分散とその推定値とのずれができるだけ小さくなるようにパス係数を推定する統計的手法として、最も妥当なものはどれか。

1. 対数線形モデル
2. 多次元尺度構成法
3. 共分散分析
4. 共分散構造分析

〔問34〕 偏差値の説明として、最も妥当なものはどれか。

1. 偏差値は標準得点の一種ではない。
2. 偏差値の平均は100である。
3. $z$ 得点を線形変換すると偏差値になる。
4. 偏差値の標準偏差は15である。

〔問35〕 現在の高等学校（全日制の課程）生徒指導要録について述べた次の4つの文章のうち最も妥当なものはどれか。

1. 指導要録は学籍に関する記録と指導に関する記録で構成され、個人情報保護のため、どちらも学期末に破棄される。
2. 指導要録の作成は法的に義務づけられていないが、大学への進学に際して、入学者選抜に用いられる資料として在籍校から大学に提出する目的で任意に作成されることが多い。
3. 指導要録の作成は法的に義務づけられていないが、指導に役立てるために、学校教育法で作成を法的に義務づけられている通知表から評定を転記することが多い。
4. 2022（令和4）年度の新1年生から、高等学校の指導要録でも観点別学習状況を記載するようになった。

# 8 ［B領域：産業・組織］

〔問36〕 キャリア理論における次の組み合わせのうち、**誤っている**ものはどれか。

1. キャリア・アンカー ――――――――― シャイン（Schein, E. H.）
2. キャリア・アダプタビリティ ―――― サビカス（Savickas, M. L.）
3. ライフ・キャリア・レインボー ―――― スーパー（Super, D. E.）
4. プロティアン・キャリア ――――――― ホランド（Holland, J. L.）

〔問37〕 以下の（　）に入ることばとして最も妥当なものはどれか。

　　アレン（Allen, N. J.）とメイヤー（Meyer, J. P.）によれば、組織コミットメントの強さは、（　　）コミットメント、存続的コミットメント、規範的コミットメントの3つの要素の組み合わせとその程度により決定される。

1. 帰属的
2. 情緒的
3. 動機的
4. 関与的

〔問38〕 以下の（　）に入ることばとして適切なものはどれか。

　　トーマス（Thomas, K. W.）によれば、葛藤解決方略は（　　）と協調性の2つの次元とその組み合わせにより、競合、回避、譲歩、協働、妥協の5つに整理される。

1. 独立性
2. 他者への関心
3. 自己主張性
4. 課題の重要性

〔問39〕 スリップの事例研究に基づき、スリップの分類およびその発生メカニズムを明らかにしたノーマン（Norman, D. A.）の理論として最も妥当なものはどれか。

1．ATS理論
2．機能共鳴事故モデル
3．包括的エラーモデリングシステム
4．エラーマネジメント


〔問40〕 以下の（　）に入ることばとして最も妥当なものはどれか。

　　アサエル（Assael, H.）は、購買行動を定義する際に関与水準と（　　　　）という2つの次元を設定した。

1．生活様式
2．ブランド間の知覚差異
3．パーソナリティ
4．モチベーション

## 9 ［B領域：健康・福祉］

〔問41〕 「健康日本21（第三次）」の「国民の健康の増進の総合的な推進を図るための基本的な方針」に関する以下の記述のうち、最も**不適切**なものはどれか。

1．インフルエンザの感染に関する目標が定められている。
2．歯・口腔の健康に関する目標が定められている。
3．休養・睡眠に関する目標が定められている。
4．身体活動・運動に関する目標が定められている。


〔問42〕 生物心理社会モデルに関する以下の記述のうち、適切なものに○、不適切なものに×をつける場合、最も適切な組み合わせはどれか。

　　A：インフルエンザに感染した患者の症状軽減に役立つ。
　　B：最先端の高度医療技術の開発に役立つ。
　　C：難病患者の支援に役立つ。
　　D：がんサバイバーの生活支援に役立つ。

　　A　B　C　D
1．○—○—×—×
2．○—×—○—×
3．×—○—×—○
4．×—×—○—○


〔問43〕 エイジズムの説明として、最も適切なものはどれか。

1．社会が豊かになるほど少子化が進み、社会全体の高齢化をもたらすこと
2．高齢化社会では、選挙権が高齢者に偏るため、政治家が若者向けの政策をとらないという問題
3．サクセスフル・エイジングを得られたかどうかで、高齢者の人生満足度に生じる大きな格差
4．年齢を理由とした偏見や差別で、特に高齢者を対象としたものを指すことが多い

〔問44〕 ストレングスモデルを提唱したラップ（Rapp, C. A.）の6原則に関する記述として、**誤っている**ものはどれか。

1. 焦点は欠陥ではなく、個人の強みである。
2. 地域は資源のオアシスとしてとらえる。
3. カウンセラーは支援関係の監督者である。
4. クライエントはリカバリーし、生活を改善し、高められる。

〔問45〕 障害者差別解消法による合理的配慮に関する記述のうち、最も適切なものはどれか。

1. 障害者手帳を持っている人が対象となる。
2. あらゆる差別が禁止されているため、事業者や学校は、たとえ非常に重い負担がかかるとしても、障害者からの申し出には必ず応じなければならない。
3. 合理的配慮を求められる「事業者」には、企業などの他に、ボランティア団体も含まれる。
4. 対象は、身体障害、知的障害、精神障害であり、難病は含まれない。

# 10 ［B領域：犯罪・非行］

〔問46〕 ハーシ（Hirschi, T.）の社会的絆理論に最もよく当てはまる記述は、以下のうちどれか。

1. 少年時代から窃盗や傷害を繰り返していたが、結婚して子どもが生まれるなど、自分にとって大切な人ができたことから犯罪をやらなくなった。
2. 一度万引きをしてしまったところ、周囲から非行少年という目で見られるようになり、社会から疎外されているという気持ちを強めて、非行を繰り返した。
3. 経済的にとても苦しい家庭で育ち、常に裕福な周りの人に妬みや嫉妬を抱いていた。こうした中流階級の家庭が有利な社会に嫌気がさし、非行グループを作って、非行を繰り返した。
4. 父親や兄が粗暴な行動によって自分の望みをかなえることを見て育ち、自らも恐喝などの粗暴な行為によって望みを達成するようになった。


〔問47〕 法務省矯正局が開発した非行少年向けリスク・ニーズ・アセスメント・ツールの略称として最も妥当なものは、以下のうちどれか。

1. MJCA
2. MMPI
3. SAPROF
4. LS/CMI


〔問48〕 我が国における子どもに対する虐待の中で、統計上、最も多いのは以下のうちどれか。

1. 性的虐待
2. 心理的虐待
3. 身体的虐待
4. ネグレクト

〔問49〕 日本の警察で行われているポリグラフ検査については、次のような批判が
　　　ある。この中で適切な批判はいくつあるか。

①裁判で証拠として認められない。
②正確性が低い。
③正確性を担保するデータが学術雑誌などに報告されていない。
④承諾無しに行われることが多い。

1．0個
2．1個
3．2個
4．3個


〔問50〕 次のような非行少年を送致する少年院として、最も妥当なものは以下のう
　　　ちどれか。

　　　「知人に対する被害的な思い込みから傷害事件を起こし少年院送致となった
　　　17歳女子少年。なお、被害的な思い込みについては人格障害によるもので、医
　　　療的な措置を優先すべきとの診断が出ている。」

1．第1種少年院
2．第2種少年院
3．第3種少年院
4．第4種少年院

## 問1　帰納・演繹・類推　　　　　正答　4

KEY WORD

1. **帰納**は、推論する対象の**事例**に基づいて行われるので、大学生について推論するのに一人の事例もない噂によるのでは、正当な帰納とはいえない。

2. このような、一般法則から個別の事例について論証する方法は、**演繹**（えんえき）と呼ばれる。演繹は、前提が正しい限り、必ず正しい結論を導く。ただし、認知心理学では、人間が行う演繹的推論が、しばしば誤ることが知られている。

3. ある事物における事実が、それとの間に共通点のある別の事物においても成り立つという考え方は、**類推**である。類推は、正しい結論を導くとは限らないが、新しい知識を生み出すうえで有用である。

4. 適切である。帰納は、事例から一般的な法則を導くものである。これも類推と同様で、正しい結論を導くとは限らないが、新しい知識を生み出すうえで有用であるといえる。アリストテレス（Aristotelēs）は、推論の方法として演繹と帰納を示したが、実験による知識の探究を重視した哲学者ベーコン（Bacon, F.）によって、帰納は科学の考え方の基礎となり、ロック（Locke, J.）の**経験論**の哲学を通しても、心理学に影響を与えた。

□帰納
□事例
□演繹
□類推
□経験論

## 問2　独立変数と従属変数　　　　正答　3

　**実験**は、変数間の**因果関係**を見るための研究手法である。実験においては、原因に当たると考える変数を、実験者側で操作する。そして、結果が現れると考えた変数において、実験者側の操作による相違が得られるかどうかをとらえることで、因果関係があるかどうかを判断できる。このとき、実験者の側で操作した変数を**独立変数**、その影響による相違を見る変数を**従属変数**と呼ぶ。

　本問で挙げた実験では、「図形に対する接触回数」と「図形の複雑さ」が「図形の好ましさ」に与える影響を調べているので、図形の接触回数と複雑さとの両方ともが、独立変数に相当する。そして、図形の好ましさが5件法で評定され、その平均値を見て独立変数の影響をとらえているので、これが従属変数に相当する。

□実験
□因果関係
□独立変数
□従属変数
□リッカート法

したがって、正答は **3** である。

なお、5件法のような**リッカート法**（評定尺度法）の回答の値は、厳密には順序つきカテゴリカルデータと表現される性質のもので、その平均値を計算させることは、統計学的な厳密性を欠く手続きではある。しかし、心理学においては、尺度水準を間隔尺度とみなすことで、平均値の算出を含む一般的な統計学的手法を適用することが多い。

## 問3 知能の測定 　　　　正答 1

知能をとらえる試みは19世紀からあったが、今日の**知能検査**の出発点となったのは、1905年に発表された**ビネー式知能検査**である。1908年版では、子どもの知的能力が何歳相当であるかを**精神年齢**として示した。この検査をアメリカで改訂し標準化したスタンフォード・ビネー法は、精神年齢を生活年齢で割って100をかけて求める**知能指数**（IQ）を導入した。

一方で、成人向けとして始まった**ウェクスラー式知能検査**では、生活年齢で割ったのでは値が年々下がってしまうため、同年齢集団の中での相対的位置を示す**偏差IQ**（DIQ）を用いる。これは標準得点の一種で、平均値が100、標準偏差が15となるように作られている。すると、正規分布を前提とすることで、たとえば偏差IQが85から115までの中に、対象範囲の3分の2強が含まれることとなる。よって、偏差IQの値から、その個人の相対的な位置が把握できる。

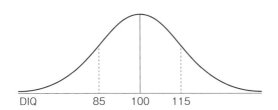

したがって、正答は **1** である。なお、平均値が50となるものとしては、**学力偏差値**が知られている。学力テストの結果に対して、単に「偏差値」と称して得られるものがこれであり、標準偏差は10となっている。

□知能検査
□ビネー式知能検査
□精神年齢
□知能指数
□ウェクスラー式
　知能検査
□偏差IQ
□学力偏差値

KEY WORD

1. **ホール**（Hall, G. S.）はハーヴァード大学のジェームズ（James, W.）、ライプツィヒ大学のヴント（Wundt, W. M.）それぞれのもとで学んだのち、1883年にジョンズ・ホプキンズ大学に心理学実験室を開設した。ホールは**青年心理学**を提唱し、心理学研究の成果によって教師や保護者を啓蒙することを目的とした**児童研究運動**を推進した。また、アメリカ心理学会（APA）の設立やクラーク大学の創設にも携わった。クラーク大学開学20周年記念に**フロイト**を招聘し、**精神分析**がアメリカに伝播するきっかけを作った人物でもある。

2. 正しい。**ウィトマー**（Witmer, L.）はアメリカの心理学者で、**臨床心理学**領域の創始者として知られている。ペンシルベニア大学で1896年に世界初の**心理学的クリニック**を設立し、1907年に創刊した学術雑誌『心理学的クリニック（The Psychological Clinic）』の中で「臨床心理学（clinical psychology）」という語を使用した。ウィトマーが臨床心理学的視点を得たきっかけが児童の学習障害の事例であったため、心理学研究の理論や成果を教室や学習場面で実践することをめざすという意味で「臨床（clinical）」という語を用いたと考えられている。

3. **ミュンスターバーグ**（Münsterberg, H.）はアメリカの心理学者で、**応用心理学**の先駆者として知られている。ヴントのもとで博士号を取得後、ジェームズの招きで渡米しハーヴァード大学の心理学実験室の責任者となった。その後、心理学を実生活で応用することを志向し、**産業心理学**や法心理学の分野を開拓した。言語連想法中の血圧や**皮膚電気反射**（GSR）計測による虚偽検出が彼の研究成果の一つとして挙げられる。

4. **ティチナー**（Titchener, E. B.）はイギリス生まれの心理学者で、**構成心理学**の創始者として知られている。また、ヴントの弟子であり、実験心理学をアメリカに導入した人物の一人でもある。ティチナーは心理学の主題として意識的経験を想定し、**内観法**を用いて意識経験を要素に分解し分析する方法を提唱した。構成主義アプローチは機能主義や行動主義の台頭により批判され衰退したが、厳密な実験手法は心理学の科学的基盤の確立に貢献した。

KEY WORD
- □ホール
- □青年心理学
- □児童研究運動
- □フロイト
- □精神分析
- □ウィトマー
- □臨床心理学
- □心理学的クリニック
- □ミュンスターバーグ
- □応用心理学
- □産業心理学
- □皮膚電気反射（GSR）
- □ティチナー
- □構成心理学
- □内観法

日本の心理学史初期の出来事を時系列順に解説すると、以下のとおりである。

1888年、ジョンズ・ホプキンス大学の**ホール**のもとに留学していた**元良勇次郎**が心理学研究で博士号を取得し、日本人初の心理学博士となった。帰国後、元良は帝国大学（東京帝国大学を経て現東京大学）に勤務し、1893年に「心理学、倫理学、論理学」第一講座の教授となった。この講座からは**松本亦太郎**ら次世代の日本人心理学者たちが誕生することとなった。その後1903年に日本初の心理学実験室（当時の名称は**精神物理学**実験室）が開設され、翌年から心理学専修が成立し心理学を専修として卒業論文を書くことが制度として認められた。

松本亦太郎は留学先のライプツィヒ大学で**ヴント**に師事した後、1906年に京都帝国大学に開設された心理学講座の初代教授に就任した。日本で最初の心理学単独の講座が生まれたのはこの時点である。

松本亦太郎が京都帝国大学の教授に就任したのとほぼ同じ時期、**変態心理学**を研究していた**福来友吉**が東京帝国大学に講師として就任した（のちに助教授）。当初は**催眠**研究に取り組んでいた福来だが、次第に千里眼や透視などの超常現象を科学的に検証しようと試み始めた。御船千鶴子ら能力者とされる人々を対象とした公開実験を繰り返した結果、彼の研究は好ましくないものと認識された。元良の死後1913年に『透視と念写』を出版した後、福来は東京帝国大学助教授の職を追われた。

1920年代に入ると国内における心理学の組織化が進み、1926年に学術雑誌『**心理学研究**』が創刊され、翌年1927年に**日本心理学会**が設立した。日本心理学会設立には教育心理学者の**城戸幡太郎**の働きかけが大きく影響し、初代会長に松本亦太郎が就任した。この学会の設立により日本の心理学研究は新たな段階に入り、研究の体系化と専門化が一層進展することとなった。

以上の経緯を踏まえると、**3**「元良勇次郎がジョンズ・ホプキンス大学で博士号を取得する→日本で最初の心理学実験室が東京帝国大学に設置される→福来友吉が東京帝国大学助教授として変態心理学の研究を行う→日本心理学会が組織される」が正答となる。

□ホール
□元良勇次郎
□松本亦太郎
□精神物理学
□ヴント
□変態心理学
□福来友吉
□催眠
□心理学研究
□日本心理学会
□城戸幡太郎

## 問6 弁別学習　　　　　　　　　　　　　　　正答　3

**弁別学習**は、2種以上の刺激のうちの、あるものにのみ反応する行動を獲得させる学習である。オペラント条件づけにおいては、選択すべき反応（正反応）のみに強化子を随伴させる、分化強化の手続きによって行われる。

1. すべての刺激が同時に提示された中で、そのうちの特定のものを選択する行動を学習させるのは、**同時弁別**と呼ばれる。**継時弁別**は、刺激が1つずつ提示されていき、正しい刺激が提示されたときにのみ反応し、そうでないときには反応しないようにさせるものである。

2. 弁別学習の手続きにおいては、被験体や実験参加者から見て正反応であったかどうかがわかるフィードバックに相当するのは、反応後の強化子の提示の有無となる。弁別刺激は、反応の前の時点で提示されている先行刺激であるため、フィードバックとしては機能しえない。

3. 妥当である。正反応の側を目立たせる、ヒントを添えるといった、正反応を誘導する**プロンプト**を加えて、正反応だけを導いては強化することで、誤反応やそれに伴う情動的反応を避けて、効果的に弁別を形成するのが**無誤弁別学習**である。学習が進むごとにプロンプトを徐々に低減していく**溶化**（ようか）（フェイディング）を行えば、意図的な手がかりなしに弁別が行えるように導くことができる。

4. 行動が、先行する刺激によってコントロールされることを、**刺激性制御**と呼ぶ。弁別学習の結果として、弁別刺激がある環境では反応が生じ、ないと生じないようになった状態を、刺激性制御が確立されたと表現する。

## 問7 記憶の干渉　　　　　　　　　　　　　　　正答　1

ある記憶が、他の記憶に対して妨げとなるように働くことがある。これを、記憶の**干渉**と呼ぶ。影響の方向が、時間の流れに順じるものか、逆らうほうへ向くのかによって、さらに呼び分ける。先に覚えたものがその後の記憶に対して妨げとなるのが、**順行抑制**（順向抑制、順向干渉ともいう）である。これに対して、

**KEY WORD**

- □ 弁別学習
- □ 同時弁別
- □ 継時弁別
- □ プロンプト
- □ 無誤弁別学習
- □ 溶化
- □ 刺激性制御

- □ 干渉
- □ 順行抑制
- □ 逆行抑制
- □ 干渉説
- □ 記憶障害

後に覚えたものがそれより前の記憶を妨げるのが、**逆行抑制**（逆向抑制、逆向干渉）である。覚えた直後にははっきりしていた記憶が思い出せなくなるのを、単に消えてしまうというよりは、このような抑制がその他の無数の記憶から重なることで起きていると考えるのが、忘却の**干渉説**である。

したがって、正答は**1**である。なお、記憶の干渉はどんな人にも常に起きている現象であるが、**記憶障害**は、脳損傷やトラウマ（心的外傷）などによって起こる、記憶機能に対する障害である。そのうち、他の認知機能は以前と変わらず、記憶のみが障害されるものを健忘と呼ぶ。

**問8** 認知バイアス　　　　　　　　　　**正答　3**

1．認知における系統的な偏りや歪みである**認知バイアス**については、**トヴェルスキーとカーネマン**（Tversky, A. & Kahneman, D.）のヒューリスティックスの議論から研究が盛んになった面があるが、**確証バイアス**は、ウェイソン（Wason, P. C.）による2-4-6課題などを通して、以前から知られていたものの一つである。

2．**正常性バイアス**は、災害の際の避難、不審者の通報、心身の不調に対しての受診などの行動を、その場の心理的な安定と引き換えに見送って、重大な事態を招く。

3．誤り。**後知恵バイアス**は、すでに解き方や答えを知っている問題には、簡単な問題であると感じやすくなるものである。他者にとっての難易度が、すぐ解けてしまう自分のメタ認知からはとらえにくいためである。結果が見えてからの政策批判や、過去問を繰り返して解くごとに感じる自己成長感など、さまざまな場面で注意すべきバイアスである。

4．**現状維持バイアス**（現状バイアス）は、一時の安心や認知資源の節約をもたらす一方で、新たな発見や成長へつながる機会を遠ざけてしまう。カーネマンとトヴェルスキーの**プロスペクト理論**によれば、人間は利得よりも損失に敏感であるため、変えることで得るもの、失うものの両方が想定されるのなら、損失を避けようと、変えない方向の意思決定にとどまりやすくなる。

KEY WORD

□認知バイアス
□トヴェルスキー
□カーネマン
□確証バイアス
□正常性バイアス
□後知恵バイアス
□現状維持バイアス
□プロスペクト理論

**KEY WORD**

□自動運動
□滝の錯視
□仮現運動
□誘導運動

1. このような現象は光点の**自動運動**と呼ばれる。眼球運動や、空間枠組みの認識の失調などが要因として挙げられているが、他の観察者の報告に同調した見え方も起こることが知られている。

2. 正しい。このような現象は**滝の錯視**と呼ばれており、運動残効の代表的な例である。特定方向に動く対象に応答する視覚系の運動検出器の選択的順応によって生じるとされる。

3. 光点を適切な空間距離と時間間隔をおいて順次に提示すると、見かけ上の運動が知覚される現象は**仮現運動**と呼ばれている。最適な条件下では、実際の動きと変わらない運動知覚が生じ、アニメーションなどの基本原理となっている。

4. この現象は**誘導運動**の一例である。周囲の視覚対象が動いているときに、空間枠組みが変換されて、自分が運動するような体験が生じる。視覚優位現象を表す例でもあり、ベクションとも呼ばれ、アトラクションやシミュレーターにも利用されている。

KEY WORD
□極限法
□恒常法
□上下法
□階段法
□調整法

1. このような方法は**極限法**、または極小変化法とも呼ばれる。実験者が刺激系列を操作するので、参加者側の恣意的な操作を防ぐことができるが、思い込みや期待などのバイアス効果は、調整法よりは低減するものの、完全には除去できない。

2. このような方法は**恒常法**と呼ばれる。実験者がランダムに刺激を提示して、その都度回答を求めるので、参加者側に起因するバイアスが最も入りにくい正確な測定法といわれる。ただし、刺激のランダム提示に手間を要したり、信頼できる心理測定関数を得るためには多くの試行数が必要だったりして、測定に時間がかかる欠点がある。

3. このような方法は**上下法**、あるいは**階段法**と呼ばれる。観察者の回答が変化した時点で、提示する刺激の強度段階を反転させることを回答の変化が一定回数生じるまで繰り返し、変化が生起した刺激値の平均を算出して閾値を求めるやり方である。極限法の変法でもあり、上昇系列と下降系列を別々に測定するのではなく、両系列を交互に細かく繰り返して測定するので、コンピュータ制御によって効率的に短時間で行える利点がある。

4. 正しい。**調整法**では、参加者が自ら刺激の強度などを操作して判断を行うので、最も簡便な測定法とされている。一方で、操作が恣意的になったり、思い込みや期待などの効果が混じりやすくなったりするなど、測定値が不正確になる場合がある。予備的な観察や実験ではよく使われる手法である。

**問11** 初期経験　　　　　　　　　　　　　　**正答　3**

　ボウルビィ（Bowlby, E. J. M.：1907-1990）は、イギリスの児童精神科医。第二次世界大戦後、戦災孤児の健康と発達の調査を行い、母性剥奪（はくだつ）の問題と**アタッチメント**（**愛着**）の重要性を指摘した。

　ハーロウ（Harlow, H. F.：1905-1981）は、アメリカの心理学者。生後すぐのアカゲザルを母ザルから分離する実験を行い、哺乳瓶（にゅうびん）つきの針金製の**代理母親**よりも、哺乳瓶なしの布製の代理母親にしがみつく結果から接触のぬくもりの大切さを示した。

　ヘッブ（Hebb, D. O.：1904-1985）は、カナダの神経心理学者。神経細胞間の連絡の仕組みを研究し、反復刺激に対応してまとまって活動する細胞群を**細胞集成体**（cell assembly）と名づけた。

　ポルトマン（Portmann, A.：1897-1982）は、スイスの生物学者。動物の子を妊娠期間が長く生後すぐに動き回る離巣性と、多胎で妊娠期間が短く巣で育つ就巣性に分け、人間の子どもは妊娠期間が長いのに生後すぐに動けないことを**生理的早産**と考えた。

1．記述の内容は、ハーロウの研究である。
2．記述の内容は、ポルトマンの説である。
3．妥当である。
4．記述の内容は、ボウルビィの理論である。

□ボウルビィ
□アタッチメント
　（愛着）
□ハーロウ
□代理母親
□ヘッブ
□細胞集成体
□ポルトマン
□生理的早産

**問12** ヴィゴツキーの発達理論　　　　　　　**正答　4**

　ヴィゴツキー（Vygotsky, L. S.：1896-1934）は、ロシア帝国に生まれ、旧ソ連時代に活躍した心理学者。芸術心理学の研究から発達心理学の研究に進み、発達を社会、文化、歴史的視点から考察した。教育は、現在の発達水準ではなく、予測的発達水準に働きかけるのが有効ということを**発達の最近接領域**という概念で説明した。高次精神機能は言語を媒介として発達し、**外言**（がいげん）（言葉）の発達が**内言**（ないげん）（思考）の発達につながると考えた。

1．記述の内容は正しい。
2．記述の内容は正しい。
3．記述の内容は正しい。
4．ヴィゴツキーは、外言から内言への発達を主張したので、

□ヴィゴツキー
□発達の最近接領域
□外言
□内言

「内言が最初に出現し」という記述は誤っている。

## 問13　発達理論　　　　　　　正答　1

　ブロンフェンブレンナー（Bronfenbrenner, U.：1917-2005）は、ロシア帝国に生まれアメリカで活躍した心理学者。子どもの発達に影響を与える環境要因を分析し**生態学的発達理論**を提唱した。

　**エリクソン**（Erikson, E. H.：1902-1994）は、ドイツ生まれのアメリカの心理学者。人生を8段階の**ライフサイクル**とし、各段階の課題と危機を分析する**心理社会的発達理論**を提唱した。

　**フロイト**（Freud, S.：1856-1939）は、オーストリアの精神科医で精神分析の提唱者。心をエス（イド）、自我、超自我の3領域に分け、無意識の果たす役割を分析する**心的構造論**を提唱した。

　**ハヴィガースト**（Havighurst, R. J.：1900-1991）は、アメリカの教育学者。乳児から高齢者までの**発達課題**を検討した。

1．妥当である。
2．記述の内容は、フロイトの提唱した概念である。
3．記述の内容は、ハヴィガーストの主張である。
4．記述の内容は、エリクソンの理論である。

□ブロンフェンブレンナー
□生態学的発達理論
□エリクソン
□ライフサイクル
□心理社会的発達理論
□フロイト
□心的構造論
□ハヴィガースト
□発達課題

## 問14　学習に関する諸概念　　　正答　2

　**プログラム学習**は、学習課題の解決に至るプロセスにおいて、**オペラント条件づけ**を応用した学習法である。**スモールステップの原理**、**即時確認**（即時強化）の原理に基づき学習者のペースで進めるもので、**スキナー**（Skinner, B. F.：1904-1990）により提唱された。

　**適性処遇交互作用**は、性格、知能、学力など学習者の特徴（**適性**）により、教授法や学習法など教育・学習の方法（**処遇**）の効果が異なることを示したもので、**クロンバック**（Cronbach, L. J.：1916-2001）により提唱されたものである。

　**全習法**は学習課題の全部を一括して学習する方法で、まとまりを持った課題で有効とされる。**分習法**は学習課題をいくつかに区切り、少しずつ学習する方法である。知的能力の高い者では適度な難易度と分量の課題のとき、分習法より全習法が優れているとされる。

　コンピュータ支援教育（CAI）は、スキナーによって開発され

□プログラム学習
□オペラント条件づけ
□スモールステップの原理
□即時確認（即時強化）の原理
□スキナー
□適性処遇交互作用
□適性
□処遇
□クロンバック
□全習法
□分習法

たもので、プログラム学習の影響を受けている。

1. 「先行オーガナイザー」という記述は妥当でない。

2. 妥当である。

3. 「全習法よりも分習法のほうが」という記述は妥当でない。

4. 「ブルーナー（Bruner, J. S.）によって開発された発見学習」という記述は妥当でない。

### 問15 アンダーアチーバー　　　　　　　　正答　1

　知能と学力の関係が著しくアンバランスな状態を示す者を、アンダーアチーバー（学力不振児）とかオーバーアチーバー（学力進捗児）と呼ぶ。前者は知能の水準から推測される学力が著しく低い者、後者は知能の水準から推測される学力が著しく高い者をさす。「学力偏差値－知能偏差値」から推定される回帰成就値が用いられることが多い。アンバランスの原因としては、性格、障害など本人の特徴や家庭・学習環境などの問題が考えられている。

1. 誤り。アンダーアチーバーは「知能水準に対して学力水準が著しく低い者」をさす。したがって、社会スキルなど適応性の発達にも影響し問題となることが多い。

2. 「知能」は学習や適応を可能とする潜在的な能力である。

3. 学業で失敗したとき、努力不足のためと考える傾向はオーバーアチーバーのほうが高いとされる。

4. アンダーアチーバーは、知能水準から推測される学力が著しく低いと考えられるので、知能水準に相応した学力水準にならない原因を診断する必要がある。

# 4 ［A領域：社会・感情・性格］ 解 説

## 問16 多元的無知　　　　　　　　　　正答　4

　**多元的無知**とは、自身が必ずしも賛同していないのに、周囲の他者が皆、積極的に支持しているとみなしてしまうために、多くの人が実際は支持していないルールや行動規範が持続してしまう現象を称する。

1．納豆ダイエットの効果について、自分が信じたいことについての確証バイアスを説明している。

2．正常性バイアスである。

3．認知的不協和理論によって説明されるコミットメントの効果を示す事態である。

4．妥当である。この事例における過度の飲酒が、プレンティスとミラー（Prentice, D. A. & Miller, D. T.）の挙げた多元的無知の典型例に当てはまる。自分自身が積極的に大量飲酒を好んで行っているのではないときにも、周りの者は積極的に飲酒するので、周囲は心からそれを楽しくて行っているのだと考えて同調してしまう。しかしながら、実は周囲も同様であって、周りに合わせているだけという現象が見られたときに、「裸の王様」と似た情報が伝わらない内心の表明の沈黙が起こり、**社会的規範**への表面的同調が維持されてしまうのである。

## 問17 解釈レベル理論　　　　　　　　　正答　3

　**解釈レベル理論**は、距離の遠さと高次（抽象的）解釈レベル、距離の近さと低次（具体的）解釈レベルを対応させた理論である。距離には、**空間的距離、時間的距離、社会的距離**がある。社会的距離でいえば、よく知らない人物や集団を抽象的な形容語で表現し、身近な人物についてはより具体的な行動記述がなされやすい。空間的距離でいえば、遠くの国の被災者については親身な同情心がより生じにくいが、近所や隣県などでの被災は、より具体的で深刻なことと感じられるなどの現象がこれによって説明される。認識の抽象性、具体性という次元を扱っており、**1**の説明は、認識の水準（レベル）については説明がなされているが、それがどういった対応や効果を生じるかという肝心の部分を説明し

ていない。**2**は客観、主観を論じており、この理論と直接かかわりがないが、社会的距離は主観的な概念と考えられる。しかし、そこに必ずしもよしあしはないと考えられる。

　**4**の説明は、カーネマンとトヴェルスキー（Kahneman, D. & Tversky, A.）のプロスペクト理論に含まれるテーゼであり、同じ額であっても損失を重大視しがちな人の心理を指摘するものであるが、解釈レベル理論とは関係がない。

　**3**は、解釈レベル理論に含まれる時間的距離と解釈レベルを題材に説明したものであり、時間的距離の大きい遠い未来は抽象的にしか構想できないが、時間的距離の小さい近い将来では、具体的な目標を考えることができることを記している。遠い将来では、人の役に立つ仕事に就こうとか、有名になろうといった漠然とした目標を抱きがちであるが、就職活動中の近い時期では、どんな業種・企業に就きたいか目標は具体的で現実的になる。

　したがって、正答は**3**である。

### 問18　文化的自己観　　　　　　　　　　　　正答　2

KEY WORD

　**マーカスと北山忍**（Markus, H. R. & Kitayama, S.）は、**相互独立的自己観**と**相互協調的（依存的）自己観**を対比させる**文化心理学**を構築した。文化は幼少時からその社会での人のあり方を形成し、またそのように形成される人それぞれが文化を支持、実践、伝達する役割を担う。文化と人は相互構成的に働き合うと考えた。主に西洋で見られる相互独立的自己観においては、個人は他者とは独立し、切り離された個体として、その特性や能力を保持し、個人で責任を担い、したがって物事の原因も個人に帰属しがちである。また、個人の一貫性を重視する。これに対して、東洋で見られる相互協調的自己観では、自己と他者は影響を及ぼし合い、自己の定義に他者や集団が関与しがちである。そのため、他者や集団の意向の影響を受けるため、個人の態度は必ずしも一貫せず、状況によって変化する。そのため、行為の原因が状況に帰属されることも自然に生じる。

　このような考えに基づき、理論の叙述に当たるのは、空欄Bにおいて「他者によって自己のあり方が変化する」が妥当であり、「他者と独立して自己は一定である」は西洋での自己のあり方となるので、本問において正しくない。

□文化的自己観
□マーカス
□北山忍
□相互独立的自己観
□相互協調的自己観
□文化心理学

空欄Aの提唱者について、土居健郎は『「甘え」の構造』で著名であり、日本文化の特徴を「甘え」の現象を切り口にして描いている。ベネディクト（Benedict, R.）は、『菊と刀』の書により、東洋の「恥の文化」を西洋の「罪の文化」と対照させることで論じた文化論で知られる。空欄Aはマーカス＆北山が正しい。

したがって、正答は **2** である。

**KEY WORD**

### 問19　情動の2要因理論　　　　　　　正答　2

1. この実験例で挙げられているのは、係留と調整の**ヒューリスティックス**をトヴェルスキーとカーネマンが示したものである。したがって、選択ヒューリスティックスではない。

2. **妥当である。** この実験例は、ダットンとアロン（Dutton, D. G. & Aron, A. P.）の吊り橋実験と呼ばれるもので、対象群として、川の上流にある丈夫な木の橋を渡った男性たちを参加者とする条件が設定されている。参加者が感じる生理的喚起（交感神経系の賦活）を眼前の女性実験者の存在のためと誤帰属する、すなわち状況手がかりを用いて情動の解釈をすることによって、女性への関心（かすかな恋愛）と誤った解釈をすることを示したものである。したがって、生理的喚起に加えて「状況の認知」が加わり、2つの要因によって情動が決定されるという**情動の2要因理論**と対応した実験例とみなすことができる。

3. この実験例は、**認知的不協和理論**の実験に近い状況を模したものである。**認知的評価理論**は、経験される状況に応じて喚起される感情が異なる、あるいは、状況の受け止め方次第で、対処し難い大きなストレスととらえられるかどうかを論じる理論であり、実験例と齟齬をきたしている。

4. この実験例は、タジフェルら（Tajfel, H. et al.）が行った**社会的アイデンティティ理論**に基づく内集団びいきの現象を最小条件集団パラダイムによって示した実験である。**集団成極化**は、一人で判断するよりも集団で討議したほうが、結論が極端なものとなりやすいという現象であり、実験例は対応していない。

□ヒューリスティックス
□情動の2要因理論
□認知的不協和理論
□認知的評価理論
□社会的アイデンティティ理論
□集団成極化

選択肢を見ると、Aは**ミシェル**（Mischel, W.）か**クロニンジャー**（Cloninger, C. R.）、Bは**経時的安定性**か**通状況的一貫性**を選ぶことが求められている。問題文の内容に合致する正答は**2**である。

ミシェルはよく知られているように、1968年に出版された『パーソナリティと評価』という著作の中で、**社会的学習理論**的立場から特性論的研究を批判し、「状況的アプローチ」の重要性を主張した。クロニンジャーは、生物学的な基盤に基づく気質の4因子と後天的な学習を通じたパーソナリティの3因子を区別した性格の7因子構造と、それを測定する**TCI**と呼ばれるツールを提唱した研究者で、**人間－状況論争**とのかかわりは薄い。したがってAとしてはミシェルを選択するのが正しい。

ミシェルの批判の一つは、人の行動が時間を越えて安定したものか（経時的安定性）、さまざまな状況を越えて一貫したものと考えられるか（通状況的一貫性）という論点を含んでいた。これらの問題に関してさまざまな論考が加えられ、経時的安定性はおおむね保証されるが、通状況的一貫性は支持されないという結論が得られている。問題文にある「人の行動がさまざまな状況を越えて推測できるか」という側面は、通状況的一貫性に関連する主張である。

1．Bが妥当でない。

2．妥当である。

3．A、Bとも妥当でない。

4．Aが妥当でない。

## 5 ［A領域：臨床・障害］　解説

### 問21　臨床心理学の歴史　正答　2

**1.** アメリカの心理学者**ウィトマー**（Witmer, L.）は、1896年にペンシルベニア大学で**心理学的クリニック**を開設し、1907年には論文「**臨床心理学**（Clinical psychology）」を発表し、今日の臨床心理学の先駆となった。

**2.** 誤り。**スキナー**（Skinner, B. F.）は徹底的行動主義の立場から、人の行動の変化要因として**強化理論**を重視した（**オペラント条件づけ**）。精神分析における行動変容は、クライエントの主に無意識にあって意識されにくい**防衛**や**抵抗**の意識化と理解による。

**3.** アメリカの心理学者**ロジャーズ**（Rogers, C. R.）は精神分析へのアンチテーゼとして、**非指示的療法**（非指示的カウンセリング）を創始した。のちに**クライエント（来談者）中心療法**と呼ばれるようになり、さらに**パーソンセンタードアプローチ**（person-centered approach; PCA）として、個人にとどまらず、集団へのアプローチまでその可能性を追求していくことになった。

**4.** 1905年にフランスの心理学者である**ビネー**（Binet, A.）と医師の**シモン**（Simon, T.）によって世界初の**知能測定尺度**（ビネー・シモン法）が開発された。のちに、**スタンフォード・ビネー知能検査**としてアメリカで発展し、わが国では1947年に心理学者の田中寛一が日本版として改良した**田中ビネー知能検査**が発表され、現在も適宜改良が加えられながら用いられている。

### 問22　精神分析　正答　1

**1.** 妥当である。**クライン**（Klein, M.）は、エディプス期以前の二者関係に着目し、**原始的防衛機制**について記述した。クラインの重要な仕事である**妄想分裂ポジション**と抑うつポジションは、発達段階ではなく、自らの体験を組織化するものとして、生涯にわたって用いられる様式である。前者では、**スプリッティング**を用いた投影同一視、否認、原始的理想化が出現しやすい。抑うつポジションは対象関係が部分的ではな

### KEY WORD

□ウィトマー
□心理学的クリニック
□臨床心理学
□スキナー
□強化理論
□オペラント条件づけ
□防衛
□抵抗
□ロジャーズ
□非指示的療法
　（非指示的カウンセリング）
□クライエント（来談者）中心療法
□パーソンセンタードアプローチ
□ビネー
□シモン
□知能測定尺度
　（ビネー・シモン法）
□スタンフォード・ビネー知能検査
□田中寛一
□田中ビネー知能検査

□クライン
□原始的防衛機制
□妄想分裂ポジション
□抑うつポジション
□スプリッティング

く、全体的なものに移行するプロセスであり、**抑うつ不安**や
**罪悪感**が体験され、その苦痛に耐えられないときに**躁的防衛**
が用いられることがある。

2．**投影**は病的なものだけではなく、子どもの発達や成人になっ
ても用いられる自我の防衛機制である。自分がその時に受け
入れ切れない葛藤を体験したとき、それを無意識ではなく、
別の人の言動に帰することで、その葛藤を和らげようとする
ものである。通常は自我の働きによって、「**投影の引き戻し**」
が生じ、社会生活に支障をきたすことは少ない。

3．これは**転移**を説明するものである。エディプス・コンプレッ
クスとは、主として三者関係における葛藤を示すものであ
る。

4．**超自我**は養育者の価値観などが取り込まれて形成されるもの
であり、反発とは異なる。超自我は通称、自我の監視役であ
り、良心や道徳心などと近い機能を有する。青年期では超自
我が**自我理想**として自らの指針になることもある。

□投影同一視
□否認
□原始的理想化
□抑うつ不安
□罪悪感
□躁的防衛
□投影
□投影の引き戻し
□転移
□超自我
□自我理想

**問23** 行動療法・認知行動療法　　　　**正答　4**

1．**ホームワーク**（home work）は、**行動療法**（behavior therapy）
や**認知行動療法**（cognitive behavior therapy）で用いられ
る治療技法であり、治療セッションで得られた成果をもとに
次回のセッションまでにクライエントが実行する課題を設定
するものである。

2．**フラッディング**（flooding）**法**とは、不安・恐怖反応の減少を
目的として、強い不安・恐怖反応を喚起する刺激に、クライ
エントの身を比較的長い時間さらす治療技法のことをさす。
持続的の曝露法（prolonged/intense exposure）とも呼ばれる。

3．**ソーシャルスキル・トレーニング**（social skills training:
SST）は、社会的スキルの習得や遂行を推進するための治療
技法であり、他者に対する自分の接し方を変えるための技法
を習得するトレーニングである。

4．妥当である。**系統的脱感作法**（systematic desensitization）
とは、不安・恐怖を軽減することを目的に、ウォルピ（Wolpe, J.）
が開発した治療技法である。ある刺激によって不安・恐怖が
誘発されたところで、不安・恐怖と相いれない反応が引き出

□ホームワーク
□行動療法
□認知行動療法
□フラッディング法
□ソーシャルスキ
　ル・トレーニン
　グ（SST）
□系統的脱感作法
□レスポンデント
　条件づけ

されれば、その刺激と不安・恐怖反応との結合が弱まってい
くという考えに立つ。フラッディング法や系統的脱感作法
は、**レスポンデント条件づけ**（respondent conditioning）の
応用技法とされる。

---

**問24** 心理検査　　　　　　　　　　　　正答　**4**

1．**PARS**（パース）は自閉スペクトラム症の評定に使用する心
理検査である。注意欠如多動症の症状を精査する検査には、
成人用の**CAARS**（カーズ）、6〜18歳の子どもに施行される
**Conners 3**（コナーズ・スリー）などがある。

2．PARS（パース）は自記式の質問紙ではない。

3．1でも述べたように、PARSは注意欠如多動症ではなく、自
閉スペクトラム症を対象にした検査である。

4．妥当である。**PARS-TR**(Parent-interview ASD Rating Scale-
Text Revision）は、「親面接式自閉スペクトラム症評定尺度
テキスト改訂版」という名のとおり、母親（母親に聞くこと
が困難な場合は他の養育者）に対し半構造化面接を通じて、
自閉スペクトラム症の発達と行動の症状について尋ねていく
ものである。

□PARS
□CAARS
□Conners 3
□PARS-TR

---

**問25** 精神医学の診断法（DSM）　　　　正答　**4**

1．**DSM-5**はアメリカ精神医学会（APA）による**精神疾患の診
断・統計マニュアル**(Diagnostic and Statistical Manual of
Mental Disorders)の第5版である。WHO(世界保健機関)に
よる疾病（diseases）の国際標準は**ICD**（International
Classification of Diseases）である。

2．DSM-5は、症状や行動に基づいて精神疾患を診断するため
の基準と診断のためのガイドラインであり、病因を問わない。

3．これはICDのことについて述べたものである。ICDは、疾病
や健康関連問題の統計データを収集・分析するための国際標
準である。

4．妥当である。**知的能力障害**はDSM-5から**神経発達症群**に分
類され、DSM-5-TRでは**知的発達症**(**知的能力障害**)という表
記に変わった。知的発達症では、「概念的領域」「社会的領域」
「実用的領域」から支援の必要性と疾患の程度が診断される。

□DSM-5
□精神疾患の診断・
　統計マニュアル
□ICD
□知的能力障害
□神経発達症群
□知的発達症
　（知的能力障害）

**問26　脳の働き**　　　正答　1

1．適切でない。網膜に光が到達すると、電気エネルギーに変換された情報は神経節細胞を通じて視神経へと伝わり、左右の大脳の後頭部にある**一次視覚野**へ伝達される。このとき、左右眼球の情報の半分は、**視交叉**を経由してそれぞれ反対側の脳の一次視覚野にも伝えられる。

2．クリューバーとビューシー（Klüver, H. & Bucy, P.）は、アカゲザルの側頭葉を両側切除したところ、怒りや恐怖不安などの反応を示さなくなったことを発見した。両側切除されたサルは、生物や無生物の区別なく接近し、手よりも口を用いて吟味しようとした。視力の消失はなく、**視空間定位**は可能であったが、視覚によって物体を認知することができていないと報告した。この報告により**クリューバー＝ビューシー症候群**といわれている。

3．顔認識には、2つの視覚系、すなわち後頭葉一次視覚野を経由した**背側経路**と、後頭葉一次視覚野を経て側頭葉に向かう**腹側経路**が関与している。背側経路に含まれる上側頭溝では、人間の表情や視線の区別・解釈が行われ、腹側経路に含まれる紡錘状回では顔の個人識別が行われる。

4．**中脳上丘**はさまざまな感覚刺激に対して眼球や頭部、視線を向ける指向運動を制御する要となる中枢である。また、眼で見た情報は中脳上丘が中継点となり無意識に脳に伝わっているが、その際、中脳上丘の神経は、単なるバイパスになっているだけでなく、眼で見た情報を記憶しておく役割も担っているという最近の研究報告もある。

□一次視覚野
□視交叉
□クリューバー＝ビューシー症候群
□視空間定位
□背側経路
□腹側経路
□中脳上丘

**問27　大脳辺縁系**　　　正答　1

1．妥当である。**扁桃体**は、**大脳辺縁系**にあり情動機能に深いかかわりがある。このことを示した例としてクリューバー＝ビューシー症候群がある。

2．**コルサコフ症候群**は、アルコールの多飲に伴うビタミンB1欠乏によって生じる、**ウェルニッケ脳症**の後遺症として発症する認知症である。ウェルニッケ脳症の代表的な症状は、意

□扁桃体
□大脳辺縁系
□コルサコフ症候群
□ウェルニッケ脳症
□ブロードマンの脳地図

識障害、眼球運動障害、小脳性運動失調である。ウェルニッケ野は、**ブロードマンの脳地図**における22野に当たり、左側頭葉上部に位置し、聴覚野を囲むように存在し**シルビウス溝**に接している。

3．**相貌失認症**とは、人の顔を見ても認識できないという症状である。大脳の右側頭・後頭葉の関与が大きいとされ、少なくとも年余にわたって持続する。重症例では、右側頭・後頭葉を含む両側の側頭後頭葉の障害であるとされている。

4．**アルツハイマー型認知症**とは、脳の神経細胞が次第に減少し、脳全体が萎縮してしまう疾患である。アルツハイマー型認知症の発症には、脳内に**アミロイドβタンパク**というタンパク質が貯まること、および**神経原線維変化**が主要な原因と考えられている。アルツハイマー型認知症では、前脳基底部の**アセチルコリン**などを分泌する神経細胞が衰えて脱落し、脳内のアセチルコリンが減少し、ここからの指令が伝えられる大脳新皮質、海馬の機能が低下するといわれている。

□シルビウス溝
□相貌失認症
□アルツハイマー
　型認知症
□アミロイドβタ
　ンパク
□神経原線維変化
□アセチルコリン

## 問28　グリア細胞　　　　　　　　　　正答　3

1．末梢神経の支持細胞は**シュワン細胞**、中枢神経の支持細胞は**グリア細胞**と呼ばれている。末梢神経ではシュワン細胞がそのまま数本の**軸索**をまとめて取り巻く場合と、シュワン細胞の細胞膜が薄く伸びてシート状になって、1本の周囲を何重にもとりまいて**ミエリン鞘**（髄鞘）を形成する場合がある。

2．グリア細胞の数は、神経細胞の10倍、またはそれ以上とされる。また、髄鞘は樹状突起ではなく軸索に存在する。

3．妥当である。脳には1,000億個以上のニューロンが存在している。グリア細胞は、神経細胞の生存や発達機能発現のための脳内環境の維持と代謝的支援を行っている。グリア細胞には神経伝達速度を上げるためのミエリン鞘を作る**オリゴデンドロサイト**、中枢系の免疫担当である**ミクログリア**などがある。

4．先述のとおり、グリア細胞の数は神経細胞の10倍、またはそれ以上とされる。

□シュワン細胞
□グリア細胞
□軸索
□ミエリン鞘
□オリゴデンドロ
　サイト
□ミクログリア

1. 適切である。部分コピーしたい遺伝子DNA配列の二重らせん構造がほどけて、1本鎖構造に変化する。その次に、タンパク質合成に必要な遺伝子のDNA**塩基配列**を鋳型(いがた)にして、**RNAポリメラーゼ**という酵素の働きにより塩基配列がRNAへコピーされてメッセンジャーRNA（**mRNA**）がつくられる。この細胞核内で遺伝子DNA配列がコピーされてmRNAになる過程を**転写**という。

2. タンパク質合成の情報は、mRNAとして核から細胞質へと移動し、アミノ酸がmRNAの塩基配列どおりの順序でつながっていく。タンパク質が合成される場所は、**リボソーム**という細胞小器官である。必要なアミノ酸をリボソームまで運ぶのはトランスファーRNA（**tRNA**）であり、tRNAはmRNAの3つの塩基配列（たとえばGAAやCAG）と相補性で結合し、アミノ酸を並べる。この過程を**翻訳**という。

3. 合成されたタンパクは**ゴルジ体**を通過し、**ゴルジ小胞**となって細胞外へ分泌される。ゴルジ体は、複数の「槽(そう)」と呼ばれる膜で包まれた扁平な袋からなる。多くの生物種ではこの槽が数枚積み重なって層板構造を形成している。一方、出芽酵母では、槽が細胞内に散在している。槽には方向性（極性）があり、小胞体で新たに作られたタンパク質（積荷(つみに)タンパク質）が入ってくる側をシス槽、仕分けされて出ていく側をトランス槽、その中間をメディアル槽と呼ぶ。積荷タンパク質は、シス槽からトランス槽へと運ばれる間に、さまざまな酵素の働きにより糖鎖などの修飾を受ける。これにより、タンパク質はその最終目的地へと運び出される準備が整う。

4. **ヌクレオチド**は、塩基とリン酸基を結合した糖によって構成される。糖としてリボースを含むものを**リボヌクレオチド**と呼ぶ。これらのうち、塩基としてアデニン（A）、シトシン（C）、ウラシル（U）、グアニン（G）を持つものがRNAを構成する。また、糖としてデオキシリボースを含む場合は、**デオキシリボヌクレオチド**と呼び、アデニン（A）、チミン（T）、グアニン（G）、シトシン（C）の4種類を持つものがDNAを構成する。

---

**KEY WORD**

- ☐ DNA
- ☐ 塩基配列
- ☐ RNAポリメラーゼ
- ☐ mRNA
- ☐ 転写
- ☐ リボソーム
- ☐ tRNA
- ☐ 翻訳
- ☐ ゴルジ体
- ☐ ゴルジ小胞
- ☐ ヌクレオチド
- ☐ リボヌクレオチド
- ☐ デオキシリボヌクレオチド

1. 脳の細胞は、一度失われると再生はしない。一方、神経新生
はする。**脳の可塑性**とは、脳への刺激により、脳細胞の配列
が変化することである。たとえば、損傷していない部位が損
傷し壊死した細胞が担っていた機能を代替し、運動の記憶が
戻り運動機能が回復されていくことなども、脳の可塑性の例
である。

2. **順行性変性**とは、軸索のどこかが障害され、その後の二次変
性が軸索末端部の方向へ進展する変性進展様式をさす。これ
を順行性変性（**ワーラー変性**）という。

3. 妥当でない。脳は6歳頃までゆっくりと成長し、大人の脳の
サイズの90〜95％に成長する。12歳頃には、脳の神経細胞が
発達して、細胞間のネットワークが密になる。思春期は、脳
の成長に従って、必要でない神経細胞やネットワーク数を大
幅に減らして、脳の役割分担と効率化を図る。こうした過程
は**アポトーシス**によって支えられるが、出生直後もアポトー
シスは顕著とされる。20歳頃には、効率のよいネットワーク
が構築されて、役割分担のできる大人の脳が完成される。

4. 神経細胞が**変性**することで、シナプス結合する他の神経細胞
にまで変性が及ぶことがある。代表的な疾患としては、アル
ツハイマー病、**パーキンソン病**などがある。

- □ 脳の可塑性
- □ 順行性変性
- □ ワーラー変性
- □ アポトーシス
- □ 変性
- □ パーキンソン病

### 問31　分散　　　　　　　　　　　正答　1

1. 正しい。問題文の定義どおりの**標本分散**を計算すると、甲では1.5、乙では6である。**不偏分散**は、**平均からの偏差**の二乗を合計して、（**サンプルサイズ**− 1 ）で割ったもので、甲は 2 、乙は 8 である。なお、日本の心理学では、標本分散というと、平均からの偏差の二乗を合計してサンプルサイズで割ったものと定義される分散をさすことが多いが、日本産業規格(JISZ8101-1：2015)の「標本分散」は不偏分散をさす。

2. 標本分散と不偏分散の違いは、平均からの偏差の二乗の合計を、サンプルサイズで割るか、（サンプルサイズ− 1 ）で割るかだけである。甲と乙のサンプルサイズは等しいので、標本分散の大小関係は不偏分散でも変わらない。

3. 標本分散の大小関係が不偏分散の大小関係と同じであることは前述のとおりである。なお、標本分散も不偏分散も**散布度**の指標であり、甲より乙のほうでデータが大きくばらついている、すなわち散布度が大きいことは明らかであるため、散布度とは何かを理解していれば、定義式を覚えていなくても正答にたどり着ける。

4. 計算結果は **1** の解説で述べたとおりである。しかし、定義式を覚えていなくても、散布度の意味を理解することで、電卓を用いずに正答にたどり着くことが可能である。

□標本分散
□不偏分散
□平均からの偏差
□サンプルサイズ
□散布度

### 問32　相関係数の値　　　　　　　　正答　4

1. **散布図**を見ると、10個の点は全体的に右上がりの傾向になっていることが見て取れる。その時点で、**負の相関関係**を示す本選択肢が妥当でないことがわかる。

2. **相関係数**が 0 ということは、一方の変数の値が大きい人ほど他方の変数の値が大きい（または小さい）という関係がないことを示すが、この散布図を見ると、全体として変数 $x$ が大きい人ほど変数 $y$ の値が大きいという傾向が見て取れるので、**無相関**ではない。

3. この散布図では、変数 $x$ と変数 $y$ との間に顕著な関連が見て取れる。相関係数の値の評価は、研究分野、変数の意味など

□散布図
□負の相関関係
□相関係数
□無相関
□正の相関関係

によって変わってくるものの、一般に相関係数が0.2ということは弱い**正の相関関係**ということになる。この散布図が示す相関は決して弱いものではない。

4. 妥当である。全体的に右上がりの傾向が顕著な散布図なので、おおむね強い正の相関関係があるといえる。実際にこの散布図について相関係数を算出すると、ほぼ0.7になることがわかる。

---

**問33** **多変量解析の手法**　　　　　　　　**正答　4**

1. **対数線形モデル**とは、クロス集計表の度数を従属変数に、質的変数を独立変数にした統計的手法である。2つの質的変数間の連関の分析には**カイ二乗検定**を用いることが多いが、対数線形モデルは、2つ以上の質的変数間の連関について分析する場合に用いる。

2. **多次元尺度構成法**（multidimensional scaling）とは、対象間の類似度・非類似度をもとにした統計的手法であり、距離の情報を用いて対象間の位置関係を視覚的に表現する。**多次元尺度法**ともいわれる。**MDS**と略すことも多い。

3. **共分散分析**とは、群間で平均値を比較する際に、従属変数と相関のある**共変量**を用いて**検定力**を高める統計的手法である。共分散構造分析との名称の類似性から初学者に混同されることがある。

4. 妥当である。**共分散構造分析**とは、問題文のとおり、データから計算される**共分散**とその推定値とのずれができるだけ小さくなるように**パス係数**を推定する統計的手法である。**構造方程式モデリング**（structural equation modeling）ともいわれる。**SEM**と略すことも多い。

KEY WORD

□対数線形モデル
□カイ二乗検定
□多次元尺度構成法（多次元尺度法、MDS）
□共分散分析
□共変量
□検定力
□共分散構造分析
□共分散
□パス係数
□構造方程式モデリング（SEM）

**KEY WORD**

**1.** **標準得点**とは、**平均**と**標準偏差**のそれぞれが、ある特定の値になるように変換した変数である。**偏差値**は、平均が50、標準偏差が10になるように変換した標準得点なので、偏差値は標準得点の一種である。

**2.** 偏差値の平均は100ではなく50である。偏差値は100以上の値をとることは理論上ありうるが、事実上ほぼありえない。同様に、マイナスの値をとることもほぼありえない。

**3.** 妥当である。$z$ **得点**とは、平均が0、標準偏差が1になるように変換した標準得点である。$z$ 得点を10倍して50を加えたものが偏差値なので、$z$ 得点を線形変換すると偏差値になる、というのは正しい。

**4.** 偏差値の標準偏差は15ではなく10である。偏差値の平均は50なので、たとえば偏差値が40の人は、平均より標準偏差一つ分低い位置にいるということになる。

□標準得点
□平均
□標準偏差
□偏差値
□$z$ 得点

**1.** **指導要録**は学校教育法施行規則第24条に定められている公文書であり、学籍に関する記録は20年、指導に関する記録は5年保存することとなっている。

**2.** 上級学校へ進学する際、入学者選抜のための資料として在籍校から進学希望校に提出されるのは**調査書**である。調査書の作成は学校教育法施行規則第78条が法的根拠となっている。

**3.** 指導要録の作成は法的に義務づけられたものであるが、**通知表**の作成に法的義務はない。

**4.** 妥当である。従来、小学校と中学校の指導要録の学籍に関する記録は、**観点別学習状況**と**評定**から構成されていたものの、高校では観点別学習状況の欄がなかった。しかし、2019（平成31）年に指導要録の様式が変わり、高校では2022（令和4）年度の新1年生から順次新しい様式で作成することとなった。新しい様式では、高校でも観点別学習状況の記載が求められている。

□指導要録
□調査書
□通知表
□観点別学習状況
□評定

問36 **キャリア理論**　　　　　　　正答　**4**

1．キャリア・アンカーは**シャイン**（Schein, E. H.）が提唱した概念であり、個人が仕事生活を送るうえで最も大切にしたいよりどころ（錨、アンカー）が、その人のキャリアに影響を与えているとする考え方である。シャインは主なキャリア・アンカーを、技術的・専門的能力、全般的管理能力、自律・独立性、保障・安定性、起業家的創造性、奉仕・社会貢献性、真摯な挑戦、生活様式の8つに分類した。

2．**キャリア・アダプタビリティ**は、成人期におけるキャリア発達の中心概念として**サビカス**（Savickas, M. L.）が提唱した。新しいあるいは変化した環境に適応してキャリアを発達させる資質を意味する。関心（concern）、統制（control）、好奇心（curiosity）、自信（confidence）の4次元（**4C**）からなる。

3．**スーパー**（Super, D. E.）は、キャリアは職業生活に限らず人生全般からとらえる視点を提唱し、キャリア発達を時間と役割の2つの視点からとらえた。人生の中での役割（ライフロール）の重なりを、**ライフ・キャリア・レインボー**という概念で示した。

4．誤り。**プロティアン・キャリア**（変幻自在なキャリア）は**ホール**（Hall, D. T.）によって提唱された概念である。個人が自由や成長に価値を置き、心理的な成功をめざす、柔軟なキャリア形成をいう。**ホランド**（Holland, J. L.）は、職業興味と職業環境をそれぞれ6タイプに分類し、それらの組合せをもとに六角形モデル（**RIASECモデル**）を提唱した。

□キャリア・アンカー
□シャイン
□キャリア・アダプタビリティ
□サビカス
□4C
□スーパー
□ライフ・キャリア・レインボー
□プロティアン・キャリア
□ホール
□ホランド
□RIASECモデル

## 問37 組織コミットメント　　　　　　　　正答　2

　所属する組織への愛着、組織との一体感や帰属意識は、**組織コミットメント**と呼ばれる。組織コミットメントの構成要素については多くの研究があるが、**アレン**（Allen, N. J.）と**メイヤー**（Meyer, J. P.）は3つの要素を挙げている。**情緒的**（affective）**コミットメント**は、組織に対する愛着や同一化であり、積極的に組織にとどまろうとする要素である。**存続的**（continuance）**コミットメント**は、組織を去ろうとする場合に生じるであろうコストの知覚から、結果的に組織にとどまろうとする要素であり、消極的なコミットメントということができる。**規範的**（normative）**コミットメント**は、情緒や愛着、損得といった感情から離れて、理屈抜きに組織に居続けねばならないという義務感の要素である。

　したがって、正答は **2** である。

□組織コミットメント

□アレン

□メイヤー

□情緒的コミットメント

□存続的コミットメント

□規範的コミットメント

## 問38 葛藤解決方略　　　　　　　　　　　正答　3

　**トーマス**（Thomas, K. W.）は、**葛藤解決方略**について**自己主張性**と**協調性**の2次元で整理した。自己主張性とは、自己の利害や願望を満足させることに関心がある次元である。協調性は、相手の利害や願望を満足させることに関心を示す次元である。

　**対人葛藤**は、当事者間で目標や意見、倫理基準などの相違によって生じる。その解決方略の種類について、これら2つの次元の度合いの組合せをもとに大きく5つに分類された。**競合**は、相手を従わせようと自分の意見を一方的に強く主張する方略である。**回避**は、どちらの利害にもあまり関心を寄せていないとき、すなわち互いが衝突を避け、解決を先延ばししようとするときに選択される。**譲歩**は、自分の利益よりも相手の利益を優先し、相手の主張に従う方略である。これらの方略は、自分や相手にネガティブな感情を抱かせ、その後の関係性や行動に悪影響を生じさせるリスクをはらむ。他方、お互いに歩み寄ることを前提とする方略に、**妥協**や**協働**がある。妥協は、お互いの要求水準を下げた状態で折り合いをつけようとする中庸の方略で、双方に少しずつ不満を抱えさせやすい。他方、協働は積極的なコミュニケーションを通して100%の満足に向けて解決を図るため、より理想的な方略といえる。

　したがって、正答は **3** である。

□トーマス

□葛藤解決方略

□自己主張性

□協調性

□対人葛藤

□競合

□回避

□譲歩

□妥協

□協働

1．妥当である。**ノーマン**（Norman, D. A.）は、うっかりミスと呼ばれるアクションスリップ（意図していない行為をとってしまうエラー）の発生メカニズムを説明する理論として、スキーマの活性化という心理学概念を用いて、**アクティベーション・トリガー・スキーマ**（activation-trigger-schema; ATS）理論を提唱した。

2．**機能共鳴事故モデル**（functional resonance accident model; FRAM）はホルナゲル（Hollnagel, E.）が提唱した事故防止モデルで、システムを構成する人と機器・設備の機能の揺らぎが共鳴を起こし増幅されることで事故が発生すると考える。

3．**包括的エラーモデリングシステム**（generic error modeling system; GEMS）はリーズン（Reason, J.）が提唱した**ヒューマンエラー**の包括的な分類システムである。リーズンは不安全行為を、意図していない行為と意図していた行為に大きく分けたうえで、3つの基本的なエラータイプを挙げ、ヒューマンエラーを包括的に整理した。

4．**ヘルムライヒ**（Helmreich, R.）はヒューマンエラー防止のアプローチとして**エラーマネジメント**を提唱した。エラーマネジメントでは、エラーの予防、エラーの検出、エラーへの対応、エラーからの学習と改善が重視される。

アサエル（Assael, H.）は、購買行動は製品の種類によって異なると考え、その類型化のために**関与水準**と**ブランド間の知覚差異**という2軸を用いた。関与水準とは、製品カテゴリーに対するこだわりや興味・関心の程度のことである。ブランド間の知覚差異とは、そのカテゴリー内においてブランドを区別できる程度を意味する。

これら2軸について、それぞれの高低を組み合わせると4つに分類される。低関与・知覚差異小の場合、消費者は深い情報処理をすることなくいつもどおりのブランドを選ぶ行動パターンを示す（**習慣型**）。関心やこだわりはないが、ブランドを区別して知覚できている低関与・知覚差異大の場合、消費者はいろいろ試そうとする傾向にある（**バラエティ・シーキング型**）。そして、高関与・知覚差異小の場合、関心の高い製品カテゴリーであるのに、どれが欲しいブランドであるのかわからない、購買後も確信が持てないなど、自分の中での矛盾や不安を感じやすい。その結果、この心理状態を解消しようとする購買行動がとられやすくなる（**不協和低減型**）。高関与・知覚差異大の場合には、消費者はよく調べて総合的に判断したうえで購入するので（**情報処理型**、もしくは**複雑型**ともいう）、購入後の満足度も高い。

したがって、正答は**2**である。

□アサエル
□関与水準
□ブランド間の知覚差異
□習慣型
□バラエティ・シーキング型
□不協和低減型
□情報処理型（複雑型）

**問41** 健康日本21（第三次）　　　　　正答　**1**

　厚生労働省は、1978（昭和53）年から国民健康づくり運動を展開してきたが、そのうち2000（平成12）年以降に策定された21世紀における国民健康づくり運動を「**健康日本21**」と称する。国民の生涯にわたる健康増進を総合的に推進するための施策で、2013（平成25）年にはその第二次、2024（令和6）年からは第三次が実施された。第三次の基本方針の一つは、**健康寿命**の延伸と**健康格差**の縮小である。**生活習慣**の改善を含め、個人の行動と健康状態の改善を促し、実効性を持つ取組みを推進することが重視されている。病気の**一次予防**、**二次予防**は、医療や介護に費やす社会保障費の抑制につながる。具体的な数値目標を据え、個人の努力のみならず、それを支援する社会環境の整備が求められている。

1．不適切である。インフルエンザの感染に関する目標は定められていない。
2．歯・口腔の健康に関する目標は定められている。**歯周病**を有する者の減少、よく噛んで食べることができる者の増加、**歯科検診**の受診者の増加が挙げられている。
3．**休養**・**睡眠**に関する目標は定められている。睡眠で休養がとれている者の増加、睡眠時間が十分に確保できている者の増加、週労働時間60時間以上の雇用者の減少が挙げられている。
4．**身体活動**・**運動**に関する目標は定められている。日常生活における歩数の増加、**運動習慣者**の増加、運動やスポーツを習慣的に行っていない子どもの減少が挙げられている。

**問42** 生物心理社会モデル　　　　　正答　**4**

　**生物心理社会モデル**は、エンゲル（Engel, G. L.）が1977年に提唱した疾患のモデルである。病気の原因を生物的な要因だけでなく、心理的な要因と社会的な要因を含めて考えることを提案した。3側面を総合して疾病や患者を理解する枠組として使われるようになった。

A：誤り。インフルエンザに感染した患者の症状軽減には、抗インフルエンザ薬、解熱剤や水分補給などの方法が使われ、生物的な要因に対応している。

**KEY WORD**

□健康日本21（第三次）
□健康寿命
□健康格差
□生活習慣
□一次予防
□二次予防
□歯周病
□歯科検診
□休養
□睡眠
□身体活動
□運動
□運動習慣者

□生物心理社会モデル
□難病患者
□身体的苦痛
□心理的苦痛
□社会的苦痛
□がんサバイバー

B：誤り。最先端の高度医療技術は、科学技術を駆使して開発が進むが、生物的な要因に着目している。

C：正しい。**難病患者**は、症状や障害などの**身体的苦痛**、将来不安などの**心理的苦痛**、就労困難などの**社会的苦痛**を経験することが考えられ、生物、心理、社会の３要素にわたる支援が望まれる。

D：正しい。がんサバイバーの生活は、治療や副作用などによる身体的制約、再発のおそれなどによる心理的問題、失職や治療費のための経済的困窮などによる社会的問題を伴うことが考えられ、生物、心理、社会の３要素にわたる支援が望まれる。

したがって、正答は**4**である。

---

**問43 エイジズム**　　　　　　　　　　　　　**正答　4**

**エイジズム**とは、年齢によるステレオタイプを持って、それをもとに**差別**をしたり**偏見**のまなざしを向けたりすることをいう。対象が高齢者の場合に用いられることが多い。

1．**少子化・高齢化**の進行についての記述である。**少子高齢化**の要因は複雑だが、ここでは社会の豊かさと少子化の共起関係を高齢化の進行に結びつけた見解を述べている。

2．**高齢化社会**における選挙と政策についての記述である。選挙で投票率の高い高齢者が優遇される、いわゆるシルバー民主主義の懸念に関連する、政策面での問題を述べている。

3．**サクセスフル・エイジング**と人生満足度についての記述である。さまざまな意味でうまくいった、よかったと思える年の重ね方と、人生への満足との肯定的関係への見解が述べられている。

4．適切である。エイジズムを説明した記述である。

□エイジズム
□差別
□偏見
□少子化
□高齢化
□少子高齢化
□高齢化社会
□サクセスフル・エイジング

---

**問44 ストレングスモデル**　　　　　　　　**正答　3**

**ラップ**（Rapp, C. A.）は、クライエントが持つ**強み**に着目し、その強みを生かした支援を行う「**ストレングスモデル**」を提唱した。個人の強みと地域の強みを活用して、クライエントの潜在的な力を引き出し、入院生活から地域生活への移行（**地域移行**）を促進する。

□ラップ
□強み
□ストレングスモデル
□地域移行

ラップの6原則は次のとおりである。①クライエントは**リカバ**リーし、生活を改善し、高められる。②焦点は欠陥ではなく、個人の強みである。③地域は資源のオアシスとしてとらえる。④クライエントは支援関係の監督者である。⑤支援者とクライエントの関係性が、根本であり本質である。⑥支援者の仕事の主要な場所は地域である。

1．正しい。
2．正しい。
3．誤り。カウンセラーではなく、クライエントが支援関係の監督者である。
4．正しい。

---

**問45** 合理的配慮　　　　　　　　　**正答　3**

　**障害者差別解消法**における**合理的配慮**とは、個々の場面で、障害のある人から**社会的障壁**を取り除いてほしいという意思が表明された場合に、実施に伴う負担が過重でない範囲で、障壁を取り除くために必要かつ合理的な対応をすることを意味する。従前は行政機関に合理的配慮を提供する義務が課されていたが、2024（令和6）年から、事業者も合理的配慮の提供が義務化された。

1．本法の対象者は、**障害者手帳**の所持者に限定されない。障害がある人で、社会的障壁によって日常生活や社会生活に相当な制限を受けている人すべてが対象となる。
2．合理的配慮の提供は、その提供に伴う負担が過重でないことも要件であり、必ずしもすべての申し出に応じる義務はない。**過重な負担**の有無については、個別の事案ごとに具体的場面や状況に応じて総合的・客観的に判断することが求められる。
3．適切である。本法における事業者とは、商業その他の事業を行う企業や団体、店舗であり、目的の営利・非営利、個人・法人の別を問わない。よって、ボランティア団体も事業者に含まれる。
4．**難病**等に起因する障害がある人も、本法の対象となる。

□障害者差別解消法
□合理的配慮
□社会的障壁
□障害者手帳
□過重な負担
□難病

### 問46 社会的絆理論　　　正答　1

**KEY WORD**

□統制理論（コントロール理論）
□ハーシ
□社会的絆理論
□アタッチメント
□コミットメント
□インボルブメント
□ビリーフ
□ラベリング理論
□非行下位文化理論
□社会的学習理論
□分化的接触理論

　**統制理論**（**コントロール理論**）では、なぜ多くの人間が利己的欲望に駆られて犯罪を行わないのかを考える。そして、われわれの多くが犯罪に走らないのは、自らの行動を統制する要因があるためであると考える。こうした統制要因には個人の内側にある内面的要因と、個人の外側にある環境的要因がある。このうち、個人の内面要因として、犯罪を自制させる社会的絆を重視したのが**ハーシ**（Hirschi, T. W.）の**社会的絆理論**である。

　ハーシが論じる社会的絆要因は4つある。1つ目は**アタッチメント**であり、家族や友人など身近な他者との心情的な結びつきである。2つ目は**コミットメント**であり、人々が合法的な生活の維持に多くの時間と労力を費やしていることをさす。3つ目は**インボルブメント**であり、学業や仕事など合法的な生活で多忙な人には、犯罪を計画したり、実行したりする時間も余裕もないことを表す。そして、4つ目は**ビリーフ**であり、鋭敏な善悪判断や違反をよくないとする認識に基づいて、犯罪を行ってはならないとする規範意識を持つことである。

1. 正しい。結婚して配偶者ができ、さらに子どもが生まれ、大切な人ができたことで、犯罪に手を染めなくなったという記述から、アタッチメントの形成によって犯罪が抑止されたと考えられる。
2. **ラベリング理論**から予想される犯罪像である。些細な事件から非行少年とラベル付けされることで、周囲の反応が少年を非行少年に作り上げていくことを指摘した理論である。
3. 中流階級が有利な社会の中で、それへの反発から非行グループを形成し、非行を繰り返したという記述から、**非行下位文化理論**による犯罪像であると考えられる。
4. 父親や兄が粗暴行為によって望みを達成する場面に繰り返し接触することで、自ら反社会的になっていく点から、**社会的学習理論**による犯罪の学習と考えられる。もしくは、学習という点では**分化的接触理論**でも説明が可能であるが、いずれにしてもハーシの社会的絆理論に合致する記述ではない。

　再犯が問題視される日本では、刑事施設内での処遇の結果、**再犯リスク**（犯罪者が再び犯罪に及ぶ可能性）がどの程度減少したかなど、再犯予防のためのリスクアセスメントが重視される。

　こうした取組みの背景には、**ボンタとアンドリュース**（Bonta, J. & Andrews, D. A.）が提案する再犯防止に向けた処遇選択を行うための**RNR原則**がある。RNR原則に沿った処遇を展開するためには、対象者の再犯リスクの程度や再犯に結びつきやすいニーズがどのようなものかを個別にアセスメントする必要がある。そこで開発されたのが、リスク・ニーズ・アセスメントツールである。日本では、法務省矯正局が**法務省式ケースアセスメントツール**を開発しており、少年鑑別所や少年院で使用されている。このツールでは、静的リスク要因について生育環境、学校適応、問題行動歴、非行・保護歴、本件態様の5領域、動的リスク要因について保護者との関係性、社会適応力、自己統制力、逸脱親和性の4領域を系統的に評価できる。

1．妥当である。法務省矯正局が開発したケースアセスメントツールはMinistry of Justice Case Assessment toolとされ、**MJCA**と略称で呼ばれる。

2．**MMPI**は、**ミネソタ多面人格目録**（Minnesota Multiphasic Personality Inventory）の略称であり、パーソナリティ検査に位置づけられる。

3．**SAPROF**は、デ・フリース・ロベやデ・ボーゲルら（de Vries Robbé, M. & de Vogel, V. et al.）が作成した**暴力リスクの保護要因**を評価するツールの略称である。これは、将来の暴力の再犯を防ぐ働きを持つ保護要因を探っていこうとする評価ツールであり、日本では国立精神・神経医療研究センター病院の研究者らが邦訳している。

4．**LS/CMI**は、ボンタとアンドリュースのRNR原則に基づいたリスクアセスメント・ツールであり、**処遇レベル／ケースマネジメント質問紙**ともいう。これは、成人犯罪者のリスクとニーズを評価し、犯罪者のケースマネジメントまでを統合して行うことができるツールである。

**KEY WORD**

- □再犯リスク
- □ボンタ
- □アンドリュース
- □RNR原則
- □法務省式ケースアセスメントツール（MJCA）
- □ミネソタ多面人格目録（MMPI）
- □SAPROF
- □暴力リスクの保護要因
- □LS/CMI（処遇レベル／ケースマネジメント質問紙）

2024年検定　CBT出題例と解説

**KEY WORD**

□身体的虐待
□ネグレクト
□性的虐待
□心理的虐待
□暗数
□心理的トラウマ
□面前DV

子どもに対する虐待は、殴る蹴るなどの暴力をふるう**身体的虐待**、養育を放棄したり、遺棄したり、必要な医療を受けさせないなどの**ネグレクト**、子どもに対してレイプやわいせつ行為を行ったり、ポルノの被写体にしたりするなどの**性的虐待**、子どもの自尊心を著しく傷つける暴言、ネグレクトの示唆、子どもの面前での夫婦間のDV（ドメスティック・バイオレンス）などの**心理的虐待**の4種類に分類される。

児童相談所が扱った2022（令和4）年度の各虐待（速報値）は、身体的虐待が51,679件（23.6％）、ネグレクトが35,556件（16.2％）、性的虐待が2,451件（1.1％）、心理的虐待が129,484件（59.1％）であり、心理的虐待が最も多い。ただし、虐待には相当数の**暗数**（実際には犯罪が行われていても、司法や行政がそれを把握できていないもの）が存在すると考えられている。特に性的虐待は、暗数が大きいと思われる。これは、性的虐待が被害者と加害者しか存在しない密室的状況で行われることが多いこと、客観的な証拠を収集するのが困難なため立件が難しいこと、性的な問題であるがゆえに被害者も申告しにくいことなどがある。しかし、この種の虐待は被害者に深刻な**心理的トラウマ**をもたらすことが少なくないため、被害の早期発見と対策が急務となっている。

最も数の多い心理的虐待は**面前DV**である。配偶者にDVを受けた人が警察に相談し、DVの捜査の過程で子どもがこれを日常的に目撃していたことが発覚するケースが多い。

虐待の加害者は実母が多く、2019（令和元）年の統計では全体の47.7％が実母によるものである。この割合は近年低下してきており、実父によるものが増加している。検挙された人員の統計を見ると実父が最も多く、養父や継父、母親の内縁の夫を含めると71.5％になり、これより、男性の親からの被害はより深刻なものであることがわかる。

最近では、子どもに対して社会通念上許される範疇を逸脱して勉学やスポーツ、習い事などを無理強いする教育虐待についても問題にされることが多い。

したがって、最も多い虐待は**2**の心理的虐待となる。

**KEY WORD**

ポリグラフ検査は、呼吸、脈波<sub></sub>、皮膚電気反射（反応）などの生理的な指標を測定しながら、質問を行い、被疑者の犯罪についての認識を検査する心理学を用いた科学的捜査手法である。俗にウソ発見器といわれているが、これらの生理学的な指標からウソをついているかどうかを識別することはできないため、ウソ発見器ではない。また、この検査においては生理的な指標の測定よりも、その質問方法が重要である。

現在、日本の警察で用いられているのは隠匿情報検査（concealed information test; CIT）という方式である。これはたとえば、被害者が背中を刺されて殺された場合、その情報を一般には公開せず、被疑者が見つかった時点で、被疑者に対して「犯人が刺したのは胸ですか、腹ですか、背中ですか、首ですか……」などと質問していき、実際の犯人の行動である「背中」の部分（これを裁決質問という）に特別な反応が見られるかどうかを調べる方法である。

①：ポリグラフ検査について、判例では、「刑事訴訟法第326条第１項の同意があつたポリグラフは、検査者が必要な技術と経験を有する適格者で、検査に使用された器具の性能及び操作技術からみてその検査結果が信頼性ある場合には証拠能力がある」としている。

②：日本のポリグラフ検査の実務で使用されているCITは、質問が適切に構成されていれば、極めて高い正確性があるといわれている。

③：CITによって行われたポリグラフ検査については、国内外の専門学会誌等で重ねて発表されており、正確性を担保する学術データは多数存在する。

④：日本では、警察における捜査において、ポリグラフ検査が行われる場合には、任意捜査として行われるのが通常であり、被検査者の承諾書を得てから行われる。可能性としては、裁判所の令状を得れば強制的に行うこともできるが、検査自体、被検査者の協力が必要なので、実際には承諾を得ないで実施することはできない。

したがって、すべての批判が適切ではなく、正答は1である。

□ポリグラフ検査
□隠匿情報検査
□刑事訴訟法
□証拠能力
□任意捜査

2024年検定 CBT出題例と解説

KEYWORD

□少年院法
□第1種少年院
□第2種少年院
□第3種少年院
□第4種少年院
□少年法
□特定少年
□第5種少年院
□保護観察
□遵守事項

　少年院は、家庭裁判所から保護処分として送致された少年に対し、その健全な育成を図ることを目的として、矯正教育や社会復帰支援等を行う施設である。

　少年の種類は、**少年院法**第4条に規定されている。それによれば、**第1種少年院**は、保護処分の執行を受ける者であって、心身に著しい障害がないおおむね12歳以上23歳未満のものを収容する。

　**第2種少年院**は、保護処分の執行を受ける者であって、心身に著しい障害がない犯罪的傾向が進んだおおむね16歳以上23歳未満のものを収容する。

　**第3種少年院**は、保護処分の執行を受ける者であって、心身に著しい障害があるおおむね12歳以上26歳未満のものを収容する。

　**第4種少年院**は、少年院において刑の執行を受ける者を収容する。

　また、**少年法**の改正により、**特定少年**が新たに設けられたことによって、**第5種少年院**が追加された。第5種少年院は、少年法第64条第1項第2号の保護処分の執行を受け、かつ、同法第66条第1項の規定による決定を受けた者を収容する。すなわち、特定少年のうち2年間の**保護観察**に付された者に、保護観察中の重大な**遵守事項**違反があった場合に、その特定少年を一定期間収容し、その特性に応じた処遇を行う少年院として第5種少年院が設置されている。

　問題の事例では、事件の原因になった被害的な思い込みはパーソナリティの偏りによるものであり、医療的な措置を優先すべきとの診断が記載されている。このことを踏まえると、**3**の第3種少年院に収容されるのが妥当であると判断される。

# Part 2

# 心理学検定
# スタートガイド

「心理学検定って興味はあるけど、どんな試験？」
「どんな内容・レベルの問題が出るの？」
「どうやって勉強すればいいんだろう？」
検定受検を考える人なら必ず読んでおきたい、公式ガイドです。

●**第20回心理学検定試験期間**
　2025年2月14日（金）〜3月31日（月）
●**第21回心理学検定試験期間**
　2025年7月15日（火）〜8月31日（日）

　受検に関する各種情報は、公式ホームページ（https://jupaken.jp/）に随時掲載します。

# 心理学検定にチャレンジする人へ

## ●心理学検定とは

　心理学検定は、大学卒業レベルの心理学の学力を証明するものです。この検定に合格することにより、自分自身の心理学の学力を確認することとともに、社会的にも心理学の学力を証明することにもなります。学生の方は、将来の就職や大学院進学にこの資格が役立つでしょう。また、社会人の方は、転職、キャリアアップ、あるいは新たに仕事を始められる場合にきっと役立ちます。

　この検定試験を主催している一般社団法人日本心理学諸学会連合（日心連）は、心理学関係の56の学会が加盟している、いわば心理学の総元締めのようなところです。現在、心理学関係の資格は、20ほどありますが（そのほとんどは大学院修士レベルのもの）、日心連では、これまで国家資格の設立に向け活動してきましたが、幸い国家資格「公認心理師」の試験が2018年から実施されています。本検定資格は、その国家資格の基礎資格となる性格のものです。なお日心連では、「認定心理士」（公益社団法人日本心理学会認定）ももう一つの基礎資格として、日本心理学会とともに認定しています。

　世の中には、「○○検定」と称するものは大変たくさんありますが、心理学検定は、学術的な心理学の学会連合が直接に行っている検定制度であり、大変信頼性の高いものです。実際、問題の作成から結果の判定まで、日本の代表的な心理学者50名ほどがかかわっております。

　心理学検定は、2008年から始まり、毎年実施されていますが、既存のいくつかの心理資格試験では、心理学検定の結果を試験の一部としています。また、大学院でも入学試験の参考資料としています。このように心理学検定は、徐々に社会的な認知が高まり、その価値も認められつつあります。

　2021年からはCBT（Computer Based Testing）方式の試験を導入しました。1か月ほどの期間に全都道府県に用意される試験会場の中から希望する条件を選んで、会場のコンピュータを用いて解答するものです。

　検定の内容について少し触れますと、試験はA領域5科目とB領域5科目の合計10科目（p.6参照）について行われ、各科目で合否の結果が出ます。

　科目ごとの合格結果は5年間有効ですので、複数年かけて、特1級、1級または2級のレベルの合格科目数を取得することができます。したがって、2級

の合格者は合格の科目を増やすことにより、1級の資格を取ることができます。「認定心理士」の取得者はA領域の3科目に合格するだけで、1級が取得できます。またA領域3科目合格の2級取得者は、その後、「認定心理士」の資格を取得し申請すれば、自動的に1級にレベルアップすることができます。

　さらに、第5回検定から、すでに合格した科目以外のすべての科目に合格した場合、すなわち10科目に合格した場合には、「特1級」を認定することになりました。ただし、認定心理士の資格取得者が特1級を取得するには全科目に合格する必要があります。詳細は公式ホームページをご参照ください。

　大学卒業レベルの心理学の学力を測る試験とはいえ、心理学検定の受検資格は特に定めていません。大学で心理学を専攻していない方、あるいは心理学部・学科の卒業生でない方でも、受検したい方は生徒、学生、社会人、どなたでも受検できます。まずは本書を活用して、勉強を開始することをお勧めします。

## ● 心理学検定の活用方法

　心理学検定では、合格科目数に応じて、「心理学検定特1級」「心理学検定1級」「心理学検定2級」の資格を授与します。いったん取得した資格は、更新などの必要はなく、あなたの一生の宝ものになります。

　この資格を取得することにより、心理学を活かす職業に就くことが容易になることを期待しています。また本検定事業により、心理学の社会的価値が向上することをめざしています。2018年から国家資格「公認心理師」の試験が開始されたことにより、今後心理学を活かす職場の安定や拡大が可能になると期待されますが、心理学検定は出題範囲や試験内容が公認心理師試験と似ている部分が多いので、その模擬試験として活用することも可能です。

　心理学検定は、次のようなことに役立ちます。

(1) 受検者自身の心理学の実力を知ることができます。

(2) 心理学的知識・能力の証明として、大学院入試、就職活動、心理学関係の諸資格取得、キャリアアップなどに利用することができます。

(3) 大学にとっては、心理学教育の効果の測定や単位認定などに、活用することができます。大学院入試での成績の利活用も進んでいます。

(4) 公的機関や企業では、心理学的専門知識・能力の証明として利用することができます。

　皆さん、心理学検定にチャレンジし、ぜひ将来の夢をかなえてください。

## 一般受検の方

●Ａ領域／Ｂ領域のどちらか一方を受検する場合・受検チケットを持っていない場合

●Ａ＋Ｂ領域両方を受検する場合（受検料の割引制度を利用する場合）

**受検規約の確認**
受検申込・試験予約前に必ずお読みください。

**「Ａ＋Ｂ領域セット割引」の申込**
申込後に指定口座へ受検料を振り込み、受検チケットを入手してください。

**試験予約**
受検料支払方法はコンビニ/Pay-easy/クレジットのいずれかです。

**試験予約**
「受検チケット」支払いを選択してください。

**受検**
本人確認書類を持参してください。
試験日は3営業日前（土日の場合は4営業日前）まで変更できます。

**結果通知**
試験期間終了月の翌月末に検定結果通知書を発送します。

# 団体受検の方（事前に所属団体の代表者による団体申込が必要です）

●代表者から受検チケットを受け取った場合

●自分で受検チケットを入手する場合（代表者から団体コードを伝えられた場合）

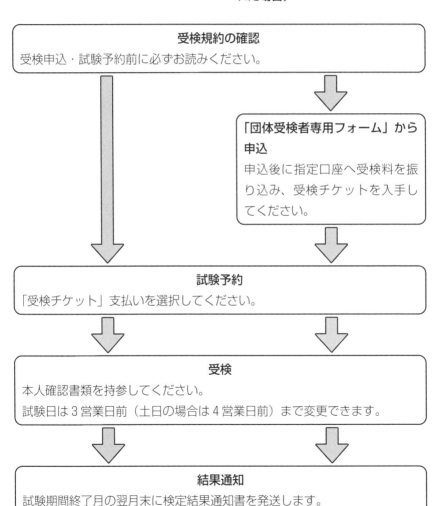

**受検規約の確認**
受検申込・試験予約前に必ずお読みください。

**「団体受検者専用フォーム」から申込**
申込後に指定口座へ受検料を振り込み、受検チケットを入手してください。

**試験予約**
「受検チケット」支払いを選択してください。

**受検**
本人確認書類を持参してください。
試験日は3営業日前（土日の場合は4営業日前）まで変更できます。

**結果通知**
試験期間終了月の翌月末に検定結果通知書を発送します。

## ● 第20・21回心理学検定試験のスケジュール

|  | 第20回 | 第21回 |
|---|---|---|
| 受検予約<br>受付期間 | 2024年12月17日（火）〜<br>2025年 3 月26日（水） | 2025年 5 月17日（土）〜<br>8 月26日（火） |
| 受検チケット・<br>団体申込期間 | 2024年12月 9 日（月）〜<br>2025年 1 月31日（金） | 2025年 5 月12日（月）〜<br>6 月30日（月） |
| 試験期間 | 2025年 2 月14日（金）〜<br>3 月31日（月） | 2025年 7 月15日（火）〜<br>8 月31日（日） |
| 結果通知時期 | 2025年 4 月末頃 | 2025年 9 月末頃 |
| 試験会場 | 全国47都道府県のCBT会場 | |

## ● 受検料（すべて税込）

| 受検科目 | 一般 | 団体割引[1]<br>（10名以上） |
|---|---|---|
| A領域（5 科目/100分） | 7,700円 | 6,600円 |
| B領域（5 科目/100分） | 7,700円 | 6,600円 |
| A＋B領域[2]（5 科目/100分）＋（5 科目/100分） | 12,100円 | 9,900円 |

※ 1　代表者による団体申込が必要です。

※ 2　試験予約時に使う受検チケットを事前に購入する必要があります（p.8参照）。
　　　詳細は公式ホームページをご覧ください。

## ● 受検資格

　学歴・年齢を問わず受検を希望するすべての方に受検資格があります。ただし、試験会場のコンピュータを用いて試験を受けられることが必要です。

## ● 出題科目

　試験は、以下の心理学の10科目（A領域 5 、B領域 5 ）について行われます。

| A領域 | ①原理・研究法・歴史／②学習・認知・知覚／③発達・教育／<br>④社会・感情・性格／⑤臨床・障害 |
|---|---|
| B領域 | ⑥神経・生理／⑦統計・測定・評価／⑧産業・組織／<br>⑨健康・福祉／⑩犯罪・非行 |

● **認定級**

**心理学検定特1級**：A領域の5科目、B領域の5科目の合計10科目すべてに合格

**心理学検定1級**：A領域の4科目を含む合計6科目に合格

**心理学検定2級**：A領域の2科目を含む合計3科目に合格

＊申込時に希望する級を明記する必要はありません。

● **出題形式と出題数**

・問題はすべて4肢選択問題で、各科目から20問が出題されます。

・問題は非公開です。前年の問題のうち、各科目5問とその解説は、本書の Part1 に掲載されています。

● **試験時間**

　A領域・B領域ともに100分間固定です。受検科目数による試験時間の変動はありません。なお、任意のタイミングで試験を終了することができます。

● **CBT試験の概要**

・CBTとは「Computer Based Testing」の略称で、コンピュータを使った試験形式のことです。受検者は、コンピュータ画面に表示された試験問題に対して、マウスを用いて解答します。

・試験開催期間中、全国47都道府県にある試験会場から、ご希望の試験会場・日時を試験日とすることができます。なお、予約は先着順のため、お早めに予約手続きを行ってください。

・試験日の3営業日前（土日受検は4営業日前）まで、試験会場や日時を変更することができます。

・心理学検定の実施は、プロメトリック株式会社のCBTシステムで行われます。試験予約には、このシステムを使うための「プロメトリックID」が必要です。IDの発行はネット上で無料で行うことができます。

**プロメトリック株式会社の心理学検定ページ：**

https://www.prometric-jp.com/examinee/test_list/archives/15

● **申込方法**

・受検申込・試験予約をする前に、必ず「受検規約」を
お読みください。

https://jupaken.jp/examination/terms.html

・申込手続きをするにはプロメトリックIDが必要です。お持ちでない方はプロメトリックIDを作成してください。

・過去に心理学検定を受検したことがある方で、合格科目有効制度を適用する方は、試験予約時に検定登録番号の入力が必要となります。

・希望する試験日の60日前から試験予約が可能です。試験日と予約開始日の対応は、公式ホームページの「試験予約対応表」で確認してください。

・試験会場によって開催日や席数が異なります。予約は先着順ですので、早めの試験予約を推奨します。土・日は開催会場数や席数が少ないので、注意してください。

・試験日を予約した後も、3営業日前（土日受検は4営業日前）まで試験会場・日時の予約変更が可能です。

### ①一般受検料の場合

・プロメトリックの「心理学検定 試験予約」から申込および試験予約ができます。

https://www.prometric-jp.com/examinee/test_list/archives/15

・受検料の支払いは、クレジットカード決済（Visa/Mastercard）、コンビニ決済、Pay-easy決済が利用できます。

・振込手数料は、クレジットカード決済は検定局負担、コンビニ決済およびPay-easy決済は受検者負担となります。

### ②割引受検料の場合（Ａ＋Ｂ領域セット割引）

・Ａ領域とＢ領域両方の領域を受検する方を対象とした申込方法です。

・割引料金（12,100円）で受検できる受検チケットを検定局が発行するので、公式ホームページの「Ａ＋Ｂ領域セット割引申込フォーム」に沿って受検チケットを購入してください。支払方法は指定口座への振込のみとなります（振込手数料は受検者負担）。

・入金確認後5営業日以内に検定局より「受検チケット番号」がメールで届きます。その後、プロメトリックの「心理学検定 試験予約」から「受検チケット支払い」で試験予約をしてください。

・Ａ領域とＢ領域は、別日程・別会場での受検が可能です。もちろん、同じ日に同じ会場で続けて受検することもできます。ただし、両方の領域の試験時間を重複させて試験予約することはできません。片方の領域を受けた後、一度退出し、もう片方の領域の受付が必要となります。

### ③団体受検料の場合

・事前に代表者による団体申込が必要です。

・代表者からの案内に沿ってお申込みください。

## ●試験日当日の流れ

当日の流れとコンピュータの操作方法については、プロメトリックホームページの「受験の流れ　Step6：受験」で確認ができます。

https://www.prometric-jp.com/examinee/flow/

①受付時間は試験開始の30分前から15分前までです。時間内に受付ができない場合は受検できません。試験会場を間違えないよう事前に確認してください。

②受付で本人確認が行われます。有効な本人確認書類（運転免許証、パスポート、マイナンバーカード等）を提示してください（詳細はプロメトリックホームページの「本人確認書類」参照）。提示できない場合は受検できません。

https://www.prometric-jp.com/examinee/id/

③本人確認書類を除く、携帯電話、筆記用具、腕時計を含むすべての荷物をロッカーに預けます。持ち込んだ場合は不正行為となるので注意してください。

④待合室で試験監督員の案内を待ってください。試験監督員より着席する番号が記載された「ID番号票」が配付されます。

⑤試験監督員の案内に従って入室してください。「ID番号票」に記載の座席に着席します。机上には試験中に使用可能なメモ用紙（試験中に足りなくなった場合は試験監督員にお知らせください）と筆記具が設置されています。

⑥PC画面上の最後のハイフン以降の数字と、座席番号が一致していることを確認のうえ、「試験開始」をクリックします。

⑦試験内容の確認画面が表示されます。「姓」「名」「試験名」「言語」に誤りがないか確認のうえ、「確認」をクリックします。

⑧試験室は、試験監督員による巡回または監視カメラによりモニタリングされています。不正行為発覚時には、試験が中断され、即時に試験室より退室を命じられます。また、検定局の判断により、試験結果が無効になる場合や、今後の受検ができなくなる場合があります。

⑨試験中はトイレのための一時退出が可能です（試験時間は止まりません）。机上のブザーで試験監督員を呼び出して、一時退出の旨を伝えてください。

⑩試験終了後、「ID番号票」「シャープペンシル」「メモ用紙」「本人確認書類」を持って試験室より退室してください。受付で退出手続きを行いますので、本人確認書類を提示してください。

⑪試験監督員が試験の終了を確認して、終了となります。ロッカーに預けた荷物を忘れないよう注意してください。

## ●CBT受検の解答画面例

・以下の図はCBT受検のイメージを簡単に図示したもので、実際に表示される解答画面とは異なります。

・値を求める内容のある問題では、画面上に電卓を表示して使用することができます。

・プロメトリックホームページの「CBT体験版」で、受検前にCBTの基本的な操作を確認しておいてください。

https://www.prometric-jp.com/examinee/procedure/

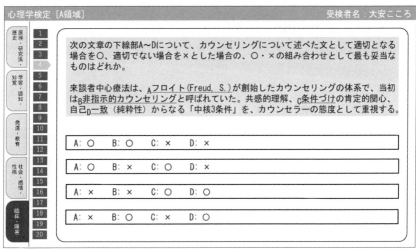

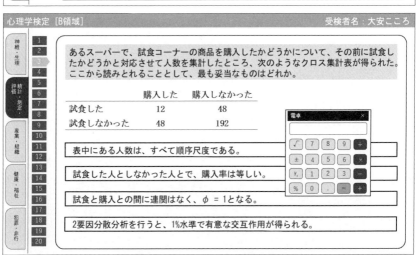

## ● 検定結果の通知・合格証送付

・受検者には、試験期間終了月の翌月末に「検定結果通知書」をお送りします。各科目の合否と偏差値、ならびに「否」の場合にはその程度を3段階でお知らせします。

・級の認定基準を満たした方には、該当する級の合格証もあわせてお送りします。

## ● 合否判定の基準

　各科目の合否判定の基準は、約6割の正答率を目安とします。ただし、出題問題の難易度によって基準が変動する可能性があります。

## ● 資格の有効期限

「心理学検定特1級」「心理学検定1級」および「心理学検定2級」の資格は生涯有効です。更新の必要はありません。

## ● 合格科目有効制度

・合格科目を5年間有効とし、有効期間内の合格科目数に応じて級の認定が行われる制度です（たとえば2025年に合格した科目は2029年まで合格としてみなされます）。そのため、一度で級の認定基準を満たさなくても、複数回受検をして心理学検定 "2級" → "1級" → "特1級" と上位の級へ段階的に挑戦することができます。

・中止となった第13回をまたぐ合格科目は、有効期間を1年間延長する特例措置を行っています。

・この制度を利用するには、試験予約時に検定登録番号の入力が必要です。検定登録番号は、「検定結果通知書」または公式ホームページの「各種申請：検定登録番号の照会」でご確認できます。

https://jupaken.jp/application/

## ● 既合格科目の再受検

　すでに合格している科目も再受検できます。もし再受検して不合格になっても、過去の合格が取り消されることはありません。合格科目有効期間中の結果を統合した「総合検定結果」には、一番よい成績を修めた回の結果が反映されます。

## ● 「認定心理士」取得による「心理学検定1級」の取得

・「認定心理士」の資格取得者は、優遇措置として、A領域3科目に合格すれば「心理学検定1級」が取得できます（試験予約時に必ず認定心理士番号を入

力してください。入力のなかった方は別途申請が必要となります）。

・Ａ領域３科目合格後に「認定心理士」を取得した場合は、申請することで「心理学検定１級」が取得できます。

## ●心理学検定局連絡先

一般社団法人日本心理学諸学会連合　心理学検定局

〒113-0033　東京都文京区本郷5-26-5　扇屋ビル901号室

FAX：03-3830-0303

お問い合わせフォーム：

https://jupaken.jp/outline/contact.php

## ●試験の予約、受検料の支払い、試験当日の手続き等に関する問合せ先

プロメトリック　カスタマーサービス

お問い合わせフォーム：

https://www.prometric-jp.com/contact/others/

TEL：03-6635-9480

電話受付時間：9:00〜18:00（土日・祝日・年末年始休業を除く）

## ●最近の検定結果概要

| | 第17回<br>（2023年 7 月18日〜 8 月31日） | 第18回<br>（2024年 2 月15日〜 3 月31日） |
|---|---|---|
| 受検申込件数総計※ | 3,630件（100.00%） | 2,076件（100.00%） |
| 　Ａ領域のみ | 1,216件　（33.50%） | 579件（27.89%） |
| 　Ｂ領域のみ | 396件　（10.91%） | 293件　（14.11%） |
| 　Ａ＋Ｂ領域 | 1,009件　（27.80%） | 602件　（29.00%） |

※受検申込件数総計＝（Ａ領域のみ＋Ｂ領域のみ）＋“Ａ＋Ｂ領域”×2

| | | |
|---|---|---|
| 実受検者数 | 2,408人（100.00%） | 1,378人（100.00%） |
| 　Ａ領域のみ | 1,122人　（46.59%） | 540人（39.19%） |
| 　Ｂ領域のみ | 399人　（16.57%） | 296人　（21.48%） |
| 　Ａ＋Ｂ領域 | 887人　（36.84%） | 542人　（39.33%） |

新規に級が認定された受検者の内訳

| | | |
|---|---|---|
| 特１級合格者 | 365人　（15.16%） | 195人　（14.15%） |
| １級合格者 | 434人　（18.02%） | 381人　（27.65%） |
| ２級合格者 | 806人　（33.47%） | 451人　（32.73%） |

# 3 心理学検定のよくある質問（Q & A）

**Q1** **この検定はいつ開催していますか？**

**A1** 春試験（2月中旬～3月末）と夏試験（7月中旬～8月末）の年2回、試験を開催しています。試験開催期間中、都合の良い日時や試験会場を選んで受検することができます。具体的な日程については、随時公式ホームページに掲載しています。最新情報は公式X（Twitter）でご確認ください。

**Q2** **心理学に関する検定試験は複数ありますが、心理学検定の特徴は何ですか？**

**A2** 心理学検定は、心理学に関連する56学会の連合体である一般社団法人日本心理学諸学会連合が認定している唯一の検定です。幅広い心理学領域をカバーし、2008年の第1回検定試験以来、たくさんの方々が受検しています。

**Q3** **心理学検定の資格を取ると、どんなメリットがありますか？**

**A3** 自身の心理学の実力の証明となり、就職、大学院進学、心理関係の上位資格の取得などに利用できるようになりつつあります。心理学検定の活用・メリットについては、「心理学検定活用事例」（p.24～25）をご覧ください。検定局も、社会に対するPRに力を入れています。

世の中には心理学を活かした仕事がたくさんあります。そういうところで働きたいという方にとって、検定の資格は必ずプラスに働くはずです。このような社会的に見た資格の効果があることと同時に、検定合格をめざすことにより、心理学の学習目標が明確になり学習意欲が向上します。そして資格を取得すれば、何よりも自分自身の自信となり、いろいろなことに前向きになることができます。このようにして、検定の資格はこれからの人生をより充実したものにすることに役立つでしょう。

**Q4** 勉強法は、どのようにすればよいのですか？

**A4** 心理学検定局編の公式書籍が出版されています（いずれも実務教育出版）。

『心理学検定　公式問題集［毎年刊行］』（電子書籍あり）

『心理学検定　基本キーワード［改訂版］』（電子書籍あり）

『心理学検定　専門用語＆人名辞典』

『心理学検定　一問一答問題集［Ａ領域編］』（電子書籍あり）

『心理学検定　一問一答問題集［Ｂ領域編］』（電子書籍あり）

また、「出題科目の学習アドバイス」（p.26〜37）、「学習に役立つ基本書ガイド」（p.38〜43）もあわせて参考にしてください。現在大学などで勉強中の方は、心理学関係の科目の基本的事項をよく学習するとよいでしょう。

**Q5** 大学で心理学を専攻していないのですが、合格できますか？

**A5** もちろん、合格に必要なだけの学習をすれば合格できます。大学などで聴講生として学習する方法もありますが、一人で学習する場合は、まず入門書から入り、各科目の概論書のうち興味がある領域から読むとよいでしょう。「学習に役立つ基本書ガイド」でも初学者向けの書籍を紹介しています。また、放送大学でもテレビやラジオを通して心理学の講義をしていますので、ご自宅や各地域の学習センターで学習することができます。このような講義を聴いたり基本書を読んだりして知識をインプットすることも大切ですが、本書のような問題集を使用してアウトプット学習をすることも、モチベーションを維持し効果的に学習するためには必要です。

**Q6** 現在、大学の心理学科２年ですが、検定に合格するためにどのような準備をしたらよいですか？　また、何年生から受検したらよいですか？

**A6** ２年生ですと心理学の科目は入門レベルの受講が済み、基礎科目や場合によっては専門科目に入っているかもしれませんね。検定のＡ領域の科目は、どこの大学でも開講している科目ですので、２年生で受検可能な

科目があるはずです。したがって、次回の検定受検に向けてすぐに学習を始めるとよいでしょう。なお、少数ですが高校生で受検する方や大学1年生で受検する方もいますので、何年生から受検するかは自身の学習・知識習得の程度によるといったほうがよいかもしれません。

検定合格のための学習としては、大学の授業をまじめに受けることが前提条件ですが、検定公式書籍を活用し、受検する科目について丁寧に学習することが必要です。友人と勉強会を作り、わからないところは教え合うなどすれば、着実に学習効果は上がります。大学の先生に助力をお願いできればなおよいでしょう。「合格科目有効制度」を活用して継続的に挑戦を続ければ、1級はもちろん、特1級の資格取得も夢ではありません。

### Q7 合格科目有効制度とは何ですか？

**A7** 一度合格した科目がその後5年間合格としてみなされる制度です。特1級は全10科目の合格が必要で、かなりハードルが高く感じられますが、一度に全10科目合格する必要はなく、5年間のうちに少しずつ合格科目を増やしていくことでも特1級が取得できます。

### Q8 検定登録番号とは何ですか？

**A8** 検定登録番号とは、過去に心理学検定を受検したことがある方に全員に対して付与される6ケタの固有番号です。初受検の方は検定登録番号がありません。受検予約時に検定登録番号を入力することで、合格科目有効制度が適用されます。検定登録番号が入力されないと初受検扱いとなり、新たに検定登録番号が付与されます。複数の検定登録番号を統合することができますが、別途手数料がかかります。

### Q9 検定登録番号や以前に合格した科目がわかりません。

**A9** 公式ホームページの「各種申請：検定登録番号の照会」や「各種申請：有効科目照会」をご利用ください。
→https://jupaken.jp/application/index.html

**Q10 心理学検定は、公認心理師国家試験の模擬試験になりますか？**

**A10** 心理学検定は公認心理師制度より前に開始しましたが、心理学全体を視野に入れた検定試験ですので、公認心理師に必要な25科目の趣旨とかなりよく一致します。一対一の対応関係ではないですが、以下の表におよその対応関係を示します。公認心理師科目の「②心理学概論」は、心理学検定のほぼすべての科目にかかわります。

| | 心理学検定 | 公認心理師（学部科目） |
|---|---|---|
| **A領域** | 原理・研究法・歴史 | ④心理学研究法　⑥心理学実験 |
| | 学習・認知・知覚 | ⑧学習・言語心理学　⑦知覚・認知心理学 |
| | 発達・教育 | ⑫発達心理学　⑱教育・学校心理学 |
| | 社会・感情・性格 | ⑨感情・人格心理学　⑪社会・集団・家族心理学 |
| | 臨床・障害 | ③臨床心理学概論　⑬障害者・障害児心理学　⑮心理学的支援法 |
| **B領域** | 神経・生理 | ⑩神経・生理心理学 |
| | 統計・測定・評価 | ⑤心理学統計法　⑭心理的アセスメント |
| | 産業・組織 | ⑳産業・組織心理学 |
| | 健康・福祉 | ⑯健康・医療心理学　⑰福祉心理学 |
| | 犯罪・非行 | ⑲司法・犯罪心理学 |

**Q11 申込の際に受検する科目を選ばなくてもよいのですか？**

**A11** 申込時は領域を選ぶだけで、科目を選ぶ必要はありません。試験当日に申し込んだ領域の中の５科目から、解答する科目や科目数を任意で選択できます。

**Q12 Ａ領域とＢ領域を両方申し込んだのですが、同日の受検／別日での受検はできますか？**

**A12** 両方の領域を同日に受検することも、別日に分けて受検することもできます。いずれにしても、Ａ領域・Ｂ領域両方で予約手続きを行う必要があります。また、同日受検の場合は２つの試験時間が重複するように受検予約をすることはできません。

**Q13** 試験時間終了を待たずに途中退室することはできますか？

**A13** 試験中、任意のタイミングで試験を終了することができ、途中退室することができます。

**Q14** 身体障害があります。CBT会場で受検できますか？

**A14** 受検時に合理的配慮の提供が必要な方は、受検予約の前にプロメトリックの「配慮申請フォーム」から申請を行ってください。
　　　→https://www.prometric-jp.com/examinee/special_accommodation/

**Q15** 受検予約完了メールが届かない／見つからないのですが、予約確認をする方法はありますか？

**A15** 予約完了後の予約完了メールが迷惑メールフォルダに振り分けられてしまう場合があるので、そちらを確認してください。また、プロメトリックIDでログインした後の試験予約画面でも予約内容を確認できます。

**Q16** 試験当日、何か必要な物はありますか？

**A16** 受付の際に本人確認書類の提示が必要です。本人確認書類の提示がないと受検ができませんので、必ず持参してください。
　　　→https://www.prometric-jp.com/examinee/id/

**Q17** 申し込んだ受検日に都合がつかなくなってしまいました。

**A17** 予約確定後も、受検予定日の3営業日前（土日受検は4営業日前）までであれば、予約変更が可能です。プロメトリックの心理学検定ページ内の「試験予約」から予約変更の手続きを行ってください。ただし、満席となっている日時や会場には申し込めませんので、早めの手続きをお願いします。
　　　→https://www.prometric-jp.com/examinee/test_list/archives/15

**Q18** 電車が遅れて、集合時刻（試験開始15分前）に間に合わないです。

**A18** 遅延証明書を持って会場へ来てください。当日に確保できる席があれば、受検できます。席が確保できない、または当日来場できない場合は試験日の振替を行いますので、翌営業日の18時までにプロメトリックカスタマーサービス（問合せ先はp.12参照）へご連絡ください。

**Q19** 自然災害等による振替はどのようになりますか？

**A19** 前日までに公共交通機関の計画運休が確定している場合は、申込時に登録しているメールアドレスへプロメトリックより振替対応についてご連絡します。震災等の緊急時には、プロメトリックカスタマーサービスへご相談ください。

**Q20** 期間内に受検できませんでした。延長はできますか？

**A20** 実施日程が1か月以上設定されているので、この期間に必ず受検をしてください。延長等の対応はありません。

**Q21** 受検後に引っ越しをして住所が変わりました。どうすればよいですか？

**A21** 試験期間開催中の場合は、プロメトリックIDに登録されている住所の変更手続きを行ってください。試験期間開催終了後の場合は、心理学検定局にご連絡ください。

**Q22** 検定結果の通知は、どの程度詳しく記載されていますか？

**A22** 各科目別の合否結果をお送りしています。各科目の合否と偏差値を表にまとめ、「否」の場合には、次の挑戦の目安にもなるように、3段階のレベルがわかるようにお知らせします。

### Q23 検定結果通知書が届きません。

**A23** 検定結果通知書は試験期間終了月の翌月末に発送し、発送後は公式ホームページでお知らせします。なお、検定結果通知書と合格証が同封された封筒が郵便受けに入らず、郵便局から不在票が投函される場合があります。不在票も不着の場合は、発送のお知らせとともに公式ホームページで案内する期間中に心理学検定お問い合わせフォーム（p.12参照）よりご連絡ください。

### Q24 受検料支払いの領収証は発行できますか？

**A24** 発行できます。クレジットカード・コンビニエンスストア・Pay-easyのいずれかで受検料を支払った場合は、試験予約システム上でWeb領収証が発行できます。受検チケットを購入した方は、心理学検定局より領収証を発行しますので、お振込日と振込人名義を明記のうえ領収証発行希望の旨を心理学検定お問い合わせフォーム（p.12参照）よりご連絡ください。

### Q25 合格証を紛失してしまいました。再発行は可能ですか？

**A25** 可能です。公式ホームページの「各種申請：合格証の再発行」をご覧ください。→https://jupaken.jp/application/index.html

### Q26 過去複数年の検定結果が記載されたものが欲しいです。

**A26** 合格科目有効期間内の成績をまとめた総合検定結果が発行できます。同科目で複数回合格している科目は、最も偏差値が高いものが記載されます。発行に関する詳細は公式ホームページの「各種申請：総合検定結果（成績表）の申請」をご覧ください。
→https://jupaken.jp/application/index.html

### ●その他のQ & Aもあわせてご覧ください。
→https://jupaken.jp/faq/question.html

# 心理学検定合格者の声

心理学検定各級に合格した受検者の方々に、受検の動機、CBT受検の感想、効果的な勉強法などを聞いてみました（肩書・合格級は受検当時のもの）。

## ●寺谷花波さん（京都橘大学健康科学部心理学科通信教育課程　2級合格）

　私は、心理学の知識がどれほど身についているかを知るため、そして心理学検定を合格したという自信が欲しくて受検を決めました。

　勉強方法は、まず「基本キーワード」を何周も読み込みました。読み込む際に、あまり理解できていない分野やわからない単語がありました。そのときはすぐに参考書やインターネットで調べ、わからないところをなくしました。

　それと同時に「一問一答問題集」も並行して、完璧に答えられるように毎日勉強しました。そして、大まかな内容がつかめてきたら「公式問題集」で問題を解きました。このときもわからない単語は調べ、間違った問題については、次は答えられるという状態にしました。

　また、CBT試験は初めてだったので、プロメトリックホームページにある体験版で操作を確認しました。初めて受ける方は一度体験すべきだと思います。

　今回はA領域のみの受検だったのですが、かなりの知識をインプットできたと思います。また、2級に合格できたことで自信もつきました。もっと心理学を勉強して、特1級に合格できるように頑張っていきたいです。

## ●卜部かなんさん（駒沢女子大学人間総合学群心理学類4年　特1級合格）

　私は心理学類に在籍しているため、1年生のときから心理学検定の受検を勧められました。初年度はコロナ禍の影響により残念ながら中止となってしまいましたが、次年度に向けて大学の授業を中心に心理学の基礎を固めることを意識しました。

　2年生のときは予定どおり開催されることとなり、「基本キーワード」を中心に勉強をし、わからない部分があれば授業プリントを参考にしたり、心理学辞典で調べたりしました。わからなかった単語については付箋にその単語と説明を簡潔にまとめ、すき間時間に確認するようにしました。

　試験直前は「公式問題集」に掲載されている出題例や模擬問題を解き、解けなかった問題は「基本キーワード」に戻って復習をし、本番に備えました。2年生から受けてきた試験。今回、特1級を取得することができてうれしいです。

　「全科目合格」という一つの目標は達成しましたが、これからも心理学について学び続けたいと思います。

●**美好莉奈さん（帝塚山大学心理学部3年　1級合格）**

　私は大学1年生のときに、大学で実施されていた「心理学検定対策」の授業をきっかけに初めて心理学検定を受検しました。結果は1科目の合格でした。

　帝塚山大学では2年生時に全員受検することになっており、2020年の8月に受検するはずでしたが、コロナ禍によって中止となり受検することができませんでした。そのため、3年生で2回目の受検となり、「とりあえず、やるしかない！」という気持ちでした。

　私の勉強法は①「公式問題集」を空き時間に解くこと、②「一問一答問題集」を常にカバンに入れて、通学時間に読みまくることでした。大学の空きコマで「公式問題集」を1科目だけ解いたり、気になるところだけ解いたりすると、効率よく学べました。また、「一問一答問題集」は基礎固めに役立ちました。

　1年生のときに受検して感じたのが、まずは基礎をやらないといけないということです。基礎がわかっていないと簡単な問題でも選択肢を絞れないので、時間のロスになります。今回の受検では2級獲得を目標としていましたが、結果的には8科目に合格し1級を取得できたので、とてもうれしかったです。

　CBT受検においては、①集中力を保つ、②体調管理に気をつけるという2つが合格へのカギになると感じました。特に2つ目については、試験会場の大きさによって空調環境や状況も異なり、それに対応するためにも前日は十分な睡眠を取ることをお勧めします。

　次回は、残り2科目に合格して特1級を取得できるように頑張ります。

●**石本莉穂さん（西南学院大学人間科学部心理学科3年　2級合格）**

　今回が初受検でしたが、現在までにどのくらいの知識が身についているかを試したいと思ったことが挑戦のきっかけでした。まずは基礎心理学から始めようとA領域を選択し、無事2級を取得することができました。

　まず「公式問題集」の過去問と模擬問題をひととおり解き、わからなかった問題、間違った問題については解説や教科書を読んだり調べたりしながら、自分だけのまとめノートを作成しました。そして受検前にはそのまとめノートを繰り返し見直すことで、受検への不安な気持ちを落ち着かせました。

　勉強するうえで特に意識したことは、「なんとなく」で正解した問題についてもしっかりと理解することです。ここであやふやにせず、再度知識を整理し直したことで、問題の出され方が変わっても対応することができたと思います。

　今回改めて基礎心理学から学び直したことで、忘れていた知識を定着させ、大学の授業では習わなかった新たな知識も得ることができました。そして、合格できたことで自信とモチベーションを高めることができたと感じています。

　来年は1級・特1級の取得をめざしてB領域の勉強に励みたいと思います。

●岩佐拓海さん（占い師／放送大学心理と教育コース1年　1級合格）

　通信制大学の心理学コースに入学し1年目の終わりだったので、節目として心理学検定を受験しました。仕事との兼ね合いもあり、学習期間を長く取ることができず2週間程度を学習期間に充て、「公式問題集」に加えてウェブサイト（特に「心理学用語の学習」　https://psychologist.x0.com）を学習ツールとして使用しました。

　私の場合、学習期間がとにかく短かったのでノートまとめなどのインプットは丁寧にせず、「基本キーワード」を一周し、「公式問題集」と「一問一答問題集」を繰り返し解きました。

　どうしても覚えられない箇所や構造的な理解を要する場所のみはノートを作ったりしましたが、最低限に抑えるよう意識しました。実験動物と心理学者のリストを作って丸暗記した部分は、試験当日非常に楽に選択肢を選べたのでオススメです（アカゲザル→ハーロウ→愛着行動、ハイイロガン→ローレンツ→刷り込み）。

　本当は特1級をねらっていましたが、1科目落としてしまったので、次の受検で特1級を取得したいです。

●篠田龍之助さん（千葉県スクールカウンセラー／臨床心理士・公認心理師　2級合格）

　心理学検定を受検することになったきっかけは、「公認心理師」資格を取得したことで新しい目標が欲しくなったことです。学生時代にも心理学検定を受検しましたが、そのときは勉強法も心理学もよくわかっていない未熟者だったので結果見事に惨敗。そこから公認心理師資格取得まで忘れていましたが、今回改めて受検しようと思い立ちました。

　資格取得の勉強をしていたため、Ａ領域に関しては学んだものばかりでした。しかし、なかには忘れてしまっていることや新たに触れる用語・人物があり、とても新鮮でかつ自分の研鑽に役立つものを吸収することができました。

　主に「公式問題集」を読み込みながら、新しいワードに出会ったら、その都度「基本キーワード」や自分で調べながら進めていきました。記憶の定着をよくするために、勉強はなるべく寝る前にしました。

　今回初めてのCBT試験ということで、マークシート形式ではないのには驚きました。コロナ禍で会場の手配など大変だったかと思いますが、CBT試験なら大学施設を使わず受検できて、日程も幅広く予約することができるので、もっと普及してくれるといいなと感じました。

　次はＢ領域を一発合格して、特1級を取得したいと思います。

**●山本忠広さん（リハビリ特化型デイサービス機能訓練指導員／柔道整復師　特1級合格）**

　通所介護で機能訓練指導員（柔道整復師）として働いていた私は、運動機能だけでなく食事や栄養面からのアドバイスがしたいと、野菜ソムリエ、薬膳・漢方検定等の資格を取得していました。

　さらに、いろいろな問題を抱える利用者様の心理面も支援できたらよいなと考えたのが、心理学検定に挑戦しようと思ったきっかけです。

　もともと学生の頃から心理学に興味があり、心理学についての書籍をたくさん読んでいたので、楽しく心理学検定の勉強に取り組むことができました。

　一番苦労した科目は統計でした。数字に弱い私は心理学における統計だけではなく基礎の統計から勉強しました。テキストと「公式問題集」を繰り返し読み、「一問一答問題集」を常にカバンに入れて持ち歩いていました。独学ですべての科目に合格し特1級を取得することができました。

　CBT試験を受けるのは初めてで、これからのあらゆる試験はこうなるのかと思いました。なんとなくイメージはできていたので、パソコン操作も簡単でスムーズに解答できました。

　私は、身体機能、心理面、食事・栄養面は密接につながっていると常日頃から考えています。今後は心理学検定の勉強で得た知識を活かして、特に心理面の支援からリハビリ、食事の意欲喚起につなげていきたいと思っています。

　また職場の仲間とコミュニケーションを楽しみ、プライベート（家庭）では妻や子どもによい環境をつくっていきたいです。それが自分自身の心の安定になると思っています。

**●生江佳奈子さん（教員　特1級合格）**

　教育現場での子どもたちの心のケアやメンタルヘルスの重要性を実感し、私はカウンセリングについて深く学ぶため、大学院への道をめざし始めました。そして、その一歩として心理学検定の受検を決めました。

　大学の授業ですでに発達心理学や学習心理学を学んでいましたが、他の分野についてはまったくの初学者でした。そこで、イラストや図解が豊富な書籍を読んだり、無料で公開されている講義を活用したりして、各分野を大まかに学習しました。その後、より専門的な書籍や参考書を通じて学び、「一問一答問題集」や「公式問題集」に取り組みました。「一問一答問題集」は常に持ち歩き、通勤時間や休憩時間を利用して繰り返し解くようにしました。

　試験を2回受け、結果的に特1級に合格することができました。しかし、自分の解答に自信を持てない部分もありました。その一方で、そうした経験がさらなる成長への刺激となったと感じています。今後は、検定スコアをさらに伸ばすとともに、大学院受験へ向けての準備を進めていきます。

# 5 心理学検定活用事例 （2024年8月現在）

## ●学会入会・資格取得条件

・心理学検定2級合格者（ただし、A領域の「発達・教育」もしくは「臨床・障害」の科目を含む）で、かつ22歳以上の方は、**日本カウンセリング学会**の入会資格があります。入会して一定の要件を満たすことで、カウンセリング心理士の資格認定試験受験資格が得られます。

・一般会員・院生会員を希望する方で、心理学検定1級合格者で22歳以上の方は、**日本応用心理学会**の入会資格があります。入会して一定の要件を満たすことで、応用心理士の資格が取得できます。

・**日本健康心理学会**が認定する健康心理士の資格取得において、心理学検定2級以上の合格を、申請条件を満たすために用いることができます。

## ●大学院入試の優遇措置

**北海道大学大学院文学院**では、人間科学専攻心理学研究室の修士課程入試において、心理学検定特1級または1級の合格証が、心理学の専門的知識を有することの証明として認められます。

**目白大学大学院**では、心理学研究科現代心理学専攻の一般入試および社会人特別入試において、書類審査、小論文試験および面接試験による合否判定のところ、心理学検定1級または特1級に合格している方は、小論文試験が免除されます。

**福山大学大学院**では、人間科学研究科心理臨床学専攻の一般選抜入試において、同大学卒業生（卒業見込みを含む）は心理学検定1級または特1級に合格している場合、専門科目の試験が免除されます。

**神戸学院大学大学院**では、心理学研究科心理学専攻の一般入試および外国人留学生入試において、心理学検定における成績が同大学独自試験（専門科目）の成績に加味されます。

**神戸松蔭女子学院大学大学院**では、文学研究科心理学専攻の一般入試および外国人留学生入試において、心理学検定における合格科目数に基づいて加点が行われます。

広島文教大学大学院では、教育学専攻心理学コース・臨床心理学コースの一般入試および社会人入試において、心理学検定の級位に基づいて加点が行われます。

鳴門教育大学大学院では、学校教育研究科人間教育専攻心理臨床コース臨床心理学領域の第2次学生募集（オンライン選抜）の出願に必要な条件の一つとして、心理学検定の級位取得を定めています。

宇部フロンティア大学大学院では、大学院人間科学研究科（修士課程）臨床心理学専攻の一般入試および社会人入試において、心理学検定1級または特1級に合格している方は、その級位に応じて専門科目の成績に加点が行われます。

### ●単位取得制度

心理学検定の資格が所定の単位として認定されます。

宮城学院女子大学学芸学部心理行動科学科／名古屋学院大学教育学部／就実大学教育学部／九州産業大学人間学部臨床心理学科／東京立正短期大学現代コミュニケーション専攻

心理学検定の資格を単位認定の成績評価に加味する科目が開講されています。

国際医療福祉大学赤坂心理・医療福祉マネジメント学部

### ●表彰制度

心理学検定資格取得に当たり、表彰式や奨励賞等の進呈があります。

川崎医療福祉大学／神戸学院大学／聖泉大学／帝塚山大学／東京成徳大学／東京未来大学／東洋学園大学／広島修道大学／東亜大学／就実大学

### ●学習支援

心理学検定対策講座等を実施しています。

金沢工業大学／川崎医療福祉大学／京都光華女子大学／駒沢女子大学・駒沢女子短期大学／佐久大学／札幌国際大学／仁愛大学／帝塚山大学／東海学園大学／宮城学院女子大学／静岡英和学院大学／江戸川大学

### ●目標資格

心理学検定の資格取得を在学中の目標としています。

川崎医療福祉大学／神戸学院大学／共愛学園前橋国際大学／久留米大学／札幌国際大学／志學館大学／仁愛大学／聖泉大学／帝塚山大学／福山大学／文化学園大学／静岡英和学院大学／鈴鹿医療科学大学／東海学園大学／太成学院大学／開智国際大学

# 6 出題科目の学習アドバイス

　最初に心理学全体について、次に各科目について説明していきます。

## ● 心理学では何を学ぶか

　心理学では何を学び、どんな領域から成り立っているのでしょうか。

　心理学には、「○○心理学」という言い方をすると、何十という心理学があります。日本心理学諸学会連合に加盟している学会数だけで56ありますし、そのほかにも、まだ加盟していない学会もあります。こうして見ると、実にたくさんの心理学の領域があることがわかるでしょう。本心理学検定では、この多くの領域を一緒にできるところは一つの領域として、できるだけ少なくてわかりやすい10の領域（検定では「科目」と表記している）にまとめています。その10科目は、次のようになっています。

| A領域 | ①原理・研究法・歴史／②学習・認知・知覚／③発達・教育／④社会・感情・性格／⑤臨床・障害 |
|---|---|
| B領域 | ⑥神経・生理／⑦統計・測定・評価／⑧産業・組織／⑨健康・福祉／⑩犯罪・非行 |

　A領域は多くの大学で教えている内容の科目であり、B領域は必ずしも多くの大学で教えているとは限らない内容の科目です。ただし、⑦の心理統計はほとんどの大学で開設されています。

　これらの科目の関係は、p.27の図のようになります。「原理・研究法・歴史」の科目は他の9科目のどの科目とも関係しています。また、同様に「統計・測定・評価」の科目も、他の9科目と関係しているといえるでしょう。すなわち、研究法や統計などはどの内容の心理学にも関係しているということです。そして、A領域の4科目は、B領域の4科目と、点線のつながりで示したように比較的対応しているといえます。

　このような科目の分け方の背景には、次のような考え方があります。心理学のコアとなる基礎的な領域を4つ挙げるとすると、認知心理学、発達心理学、社会心理学、臨床心理学となります。これらの心理学と関係の深い領域の心理

学を同じ科目としてまとめたものが、図中Ａ領域の最上段の４科目です。それらの科目にすべて関係する研究法や統計などの科目を考え、さらに先の４つの心理学ほど基礎的な領域ではないが、領域としてそれらと対等に存在する領域が、Ｂ領域の４つの科目です。

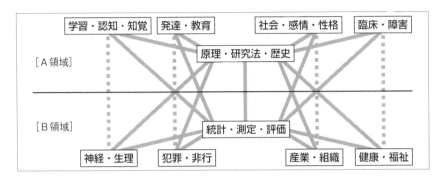

しかし、以上の10科目は完全に分けられるものではなく、またこれらの領域から漏れている「○○心理学」もあります。たとえば、数理心理学、交通心理学、環境心理学などです。

　心理学は心の学問であり、また行動の学問でもあります。目には見えない感情や意志などの心の働きや、頭の中の知的な働きについてそのメカニズムや法則を明らかにすることが、心理学の課題です。そのためには、実際には目に見える行動や言語表現などを対象として研究が行われます。近年は、コンピュータ関連の機器の進歩により、目に見えない脳部位や神経細胞の働きまで、画面上で確かめることができるようになりました。この意味で、心理学は脳科学の一部の領域も完全に取り込んで考えるようになっています。こうして考えてくると、心理学の隣接科学である生物学、医学、コンピュータ科学などとの境界がなくなりつつあるのが現状です。学問の領域地図も、時代とともに、研究の進歩とともに、日々、変化していることを忘れてはなりません。

　もう一つ重要なことは、心理学は基礎的な理論の発展と同時に、家庭、学校、企業、社会などにおけるさまざまな心の問題に取り組み実践的に解決することにも役立つということです。Ａ領域かＢ領域かを問わず、基礎と実践の両方からのアプローチが大切となります。

　それでは次のページから、心理学検定の出題範囲となっている10科目のそれぞれについて、学びの内容と学習のポイントを具体的に見ていきましょう。

## 🔳 原理・研究法・歴史

### ● この科目ではこんなことを学ぶ

　心理学という学問分野の基盤となる考え方を学ぶ「原理」の領域は、学習時に後回しにされそうではありますが重要な科目の一つです。深く理解することで、「なぜ心理学を学ぶのか？」「心理学を専門としてどのような社会的問題に立ち向かっていくのか？」という問いに対する答えを見いだすことができるかもしれません。

　心理学研究の多くはデータを測定、解析した結果に基づくため、適切なデータの測定法を体系化した「研究法」に関する知識は分野を問わず必須となるでしょう。特に近年は、研究実施における倫理的配慮や研究不正防止の重要性が高まっており、この点についても学ぶ必要性があります。この十数年間で研究倫理や研究不正についてまとめた書籍や論文が多く刊行されていますから、教材に事欠くことはないでしょう。

　一方で、心理学の誕生から今日までの展開を学ぶ「歴史」の領域は、この学問がどのようにして形作られてきたかを理解するうえで欠かせません。現在われわれが学ぶ心理学は1世紀以上の時間をかけ、さまざまな理論の変遷や社会的出来事の影響を経て発展してきました。そのプロセスを把握することで、過去の知見を心理学の発展に生かすだけでなく、現在から未来にかけての心理学の動向を予想することができます。

### ● 受検のための学習ポイント

　原理や研究法を学ぶに当たって簡単な研究を行うことがお勧めです。テキストの内容を記憶するだけでなく、データの計測や分析を実際に体験することで理解度が高まります。大学や大学院に通っている方は、卒論や修論などのご自身の研究活動の中で知識を活用したり修正したりすることが重要です。特に研究倫理や研究不正防止については、最新の動向に注目し常に細心の注意を払うことが受検のための学習に直結します。

　歴史の学習に関しては、単に年号や人物名を暗記するよりも「なぜこのような研究が生まれたのか」「どのような社会背景があったのか」といった5W1Hを踏まえて学ぶと理解が深まります。また心理学を学ぶ中で興味を持った分野や人物を中心に学ぶとよりおもしろさが増すでしょう。いわゆる「推し」を作ってみるのはいかがでしょう。

# ❷ 学習・認知・知覚

## ● この科目ではこんなことを学ぶ

　今この本を読んでいるあなたは、文字の並びを順に見て、理解しながら読み進めています。ここには、見るという「知覚」、わかるという「認知」が含まれています。そして、本気で勉強したり受検に行ったりする行動につながれば「学習」ということになります。心理学では経験によって行動が変わることを学習と呼ぶので、新しい行動が動き出したら、そこにはもう学習があります。

　心理学は、意識と行動を明らかにする学問です。そのため、五感を通して外の世界を意識の中にありありと浮かべる過程を見る知覚心理学や、行動がどのように起こり、変わるのかを見る学習心理学は、基礎心理学とも呼ばれ、19世紀後半に始まった心理学の中で、ごく初期から研究が進められていた分野です。マウスやハトの行動の実験も、錯視の探究も、長い研究の積み重ねがあります。子どものしつけも、バーチャルリアリティも、日常から最先端まで、これらの分野の研究対象になります。一方で、認知心理学は、20世紀後半に現れた分野で、頭の中で物事を考えたり、理解したり、覚えておいたりする、認知の働きを明らかにします。頭の中の流れがわかることは、学習や知覚の解明を、また新しい形で広げることになります。

## ● 受検のための学習ポイント

　この科目は、自分が学ぶこと自体の中で体験できて、さらに理解を深めることができるのが特徴です。日々学び続ける学生だけでなく、子育て中の大人も、スポーツや音楽の腕を磨く人も、常に学習心理学とともにいるはずです。心理学の学習実験では、人間以外の動物を対象とすることも多いですが、そこにはいろいろな動物に共通する学習や行動の法則を探る目的があります。人間もそういった動物の一種だという現実に気づいて、身の回りのさまざまな学習に向き合って、自分が変わるという学習の体験を積んでください。

　知覚や認知も、身近なこころの働きです。見て、聞いて、わかって、あるいはわからなくて考え込んでという、頭の中で起きていることを、自分自身でよく観察することをメタ認知と呼びますが、これを意識すると、知覚心理学や認知心理学の世界がつかみやすくなります。そして、無事に理解できたら、日常に当てはめてみましょう。見えているもの、読んでいるものが、どのように知覚、認知されているかを理解するのが、知覚や認知の理解への近道です。

## ❸ 発達・教育

### ●この科目ではこんなことを学ぶ

　この科目は、発達心理学と教育心理学の内容から構成されます。

　発達心理学は、人の一生を胎児期から死に至るまでの時間軸に沿って、「生涯発達」という視点で見つめていきます。「発達する」に対応する英語の"develop"は"包みを解く"を意味しています。個人が持って生まれた素質が物理的、社会的、心理的環境の影響を受けて展開していくのが発達です。誕生から青年期までの量的・質的に拡大する心身の変化と、その後は加齢によって減衰していく成人期から老年期に至る変化の過程を学びます。

　教育心理学は、家庭教育、学校教育、社会教育などの諸問題を理論と実践の両方の視点から学びます。幼児・児童・生徒だけでなく、大学生や社会人においても、さまざまな場で学ぶこと、学んだことを表現することの楽しさを実感する人は多いものです。他方、家庭や学校や職場などにおいて、心の問題から生ずる不適応行動や問題行動、家族や友人や仕事仲間などとのトラブル、あるいはそれに伴うストレスに個人がどう対処し、あるいは周りの人や心理職の専門家などがどう支援するかということも重要な課題です。

### ●受検のための学習ポイント

　発達の領域では、まず発達にかかわる諸理論と諸概念を学んでください。フロイト、エリクソン、ピアジェ、ヴィゴツキーなどの「発達理論」をはじめ、「発達研究法」「遺伝と環境」「発達の原理」などです。知識を獲得することも大切ですが、心理学的な考え方を学ぶことがより大切です。次に発達段階（胎児期、新生児期、乳児期、幼児期、児童期、青年期、成人期、老年期）のそれぞれに特徴的な事項を理解してください。たとえば、「発達の最近接領域」「シェマの同化と調節」「初期経験」「臨界期」「愛着（アタッチメント）」「自我のめばえ」「遊び」「心の理論」「アイデンティティ」「モラトリアム」「エイジング」「死の受容」「発達課題」「発達検査」「横断法－縦断法」などの事項です。

　教育の領域では、スキナー、バンデューラ、オーズベル、ブルーナーらの学習理論を理解し、「人格（パーソナリティ）」「教育測定」「教育評価」「知能検査」「教授－学習」「学力」「適性処遇交互作用」「動機づけ（モチベーション）」「原因帰属」「学級集団」「適応と不適応」「学習性無力感」「教育相談」「障害」「特別支援教育」「スクールカウンセリング」などの事項を学んでください。

## 4 社会・感情・性格

### ●この科目ではこんなことを学ぶ

この科目は、社会心理学、感情心理学、性格（パーソナリティ）心理学から構成されます。これらの学問領域は、それぞれ独立した視点や関心を持ちながら、相互に深く関連する領域として科目群を構成しているといえるでしょう。

社会心理学は、心や行動を社会的な広がりの中で考える心理学で、他者との関係における自己の表現、対人関係、対人行動（協調、競争、迷惑など）、集団の中での個人の行動や集団としての活動、さらに組織としての行動や集団間の行動、大衆・集合現象、文化現象、異文化間の関係について扱うもので、他の領域に比べ広範囲なトピックが含まれます。基本的視点は、個人、対人関係、集団、社会、文化が相互に影響を与え合う関係性を明らかにすること、いい換えれば個人の行動が社会・文化によっていかに変容するか、文化や社会が個人の行動によってどのように作り上げられていくかを追究することが目標です。

感情心理学は、喜怒哀楽、親和、攻撃、達成などの多様な感情（情動）の発生、表現、解読、感情を通じて対人的、社会的関係、その不適応などを考えるものです。感情は人間の内的過程、対人過程、社会的規範や適応にかかわり、どの分野でも基本過程として扱われます。生理心理学、発達心理学、臨床心理学などとも関連の強い心理学で、基本的な心の生起メカニズムを知ることにより、その契機、統制を考えることに関心を持ちます。

性格（パーソナリティ）心理学は、行動の主体としての個人に目を向けた心理学で、個人としての統一性、自主性、独自性などを考えることが主題です。最近は、個人の内的要因（遺伝、特性）と環境・状況の相互作用を総合的に扱う研究が増えています。パーソナリティ理論、パーソナリティの構成要素、検査（測定）などについての学習を基本とし、自己過程や、健康心理学、臨床心理学、ポジティブ心理学などとも関連の深い領域として位置づけられます。

### ●受検のための学習ポイント

基本となる書籍を通覧し、キーポイントを把握する、次いで、それぞれの分野の代表的な研究例を理解すること。キーワードとして掲載されている内容を手がかりに、教科書や専門書で知識を深めてください。さらに、個人の行動や、社会的な変動を考えるためには、それぞれの分野の心理学が相互に関連しているという見方を持って、総合的な視点を育てるよう心がけてください。

## ❺ 臨床・障害

● **この科目ではこんなことを学ぶ**

　近年、高度な情報化社会の進行、産業構造の変化や、グローバル化の加速、また価値観の多様化などによって、私たちの生活は大きな影響を受けています。社会は豊かになりましたが、ストレスはむしろ増加し、家庭では家庭内暴力や児童虐待、学校ではいじめや校内暴力、地域や職場ではストーカー事案、うつや過労死などさまざまな困難が現れています。そして、複雑化する問題への対策の一つとして、「こころの専門家」が求められてきました。民間資格である臨床心理士に加えて、国家資格の「公認心理師」が創設されました。

　臨床・障害の領域では、心理臨床の理論、心理面接の技法、精神疾患（障害）の理解などを深め、クライエント支援のための基礎力形成をめざします。心理臨床の展開に即して、私たちはこれまでの諸理論を振り返りつつ、新しい知見を取り入れていかなくてはなりません。改めて、臨床心理学的支援（心理臨床）の内容を確認しましょう。

①臨床心理面接：カウンセリングや心理療法の技法を用いて、クライエント（来談者）のニーズに合った支援を行います。

②臨床心理アセスメント：クライエントの心理的状態を、面接や心理検査、行動観察などからアセスメントします。

③臨床心理学的地域援助：個人や集団に影響を与えるコミュニティにアプローチし、成長促進的な機能向上をめざします。

④臨床心理学的研究：臨床心理実践を共有し、より豊かにするために、事例や調査研究を行います。

● **受検のための学習ポイント**

　心理臨床は、援助する者の人間観や経験が重要になります。しかし、臨床実践を深めていくためには知識の習得を欠くことができません。上記①については、精神分析、行動、認知、人間学の主要４学派の理論は必須ですが、支援対象の拡大によって理論や技法は多岐に及んでいます。発達的視点を含めて理解を深めてください。②は、心理検査法が中心になりますが、2022年にはICD-11が発効し、DSM-5-TRもアメリカで発表されました。ぜひ関連書籍に当たって準備してください。③では、地域援助の方法として、予防的な視点を含んだコミュニティ・アプローチ、④では事例研究や研究（実践）倫理が問われるでしょう。

## ⑥ 神経・生理

### ●この科目ではこんなことを学ぶ

心理学は、「こころ」の観察・測定・評価可能な「現れ」を扱う学問といえます。神経・生理でのこころの現れは、脳内の神経伝達物質や神経内分泌系、心臓血管系の活動といった定量的な指標です。神経・生理の知識は、一見こころとの直接の関係が想像しにくいものであるからこそ、心理学の学びにおいて新たな洞察を多く与えてくれます。また、医学や生物学、工学、化学など、多様な領域との接点が多いことも特徴です。こうした隣接領域の昨今の発展は目覚ましく、常に情報がアップデートされています。これは、こころの現れを定量できる手法のアップデートとも直接的につながります。つまり、こころに関する新たな気づきを不断にもたらしてくれる領域でもあるのです。

### ●受検のための学習ポイント

神経・生理の学習方法の一つの提案として以下の枠組みを挙げておきます。この枠組みは公認心理師試験にも対応するものです。

①脳の構造と機能：脳は複雑になるからだを統合的に制御する過程で、生物の誕生に遅れて発生したと考えられ、これにさらに遅れてこころも生まれたと推測されます。こうした進化の観点から学ぶと理解しやすいでしょう。

②神経細胞の構造と機能：脳は約1,000億の神経細胞の集積回路です。まず要素としての神経細胞、次に代表的な神経伝達物質系の機能の理解が重要です。

③神経内分泌系と自律神経系機能：健康やストレス反応に関する神経・生理学的機能を学ぶことで、意思に反して生ずる緊張状態や、心的外傷後ストレス症などに対する理解を深めてください。

④動物の行動・遺伝子と心理学：自然科学の知見の多くは人以外の動物の研究で得られたものです。倫理的観点とともに、動物実験で得られた知見を学ぶことも重要です。さらに心理的機能と遺伝子の関係性を学ぶことも推奨します。

⑤学習・記憶の神経機構および脳の可塑性：人間は出生後の学習・記憶の影響の多様性が最も大きな生物といえます。神経細胞同士がどのように可塑性を発揮して機能的なつながりを作り上げるのか、人の学習・記憶機能、脳の機能局在などの知識を深めてください。

⑥その他：脳機能測定法や、精神障害と脳機能との関係、新たな神経科学領域の研究成果に関する知識、高次脳機能障害などにもアンテナを張りましょう。

## 7 統計・測定・評価

### ●この科目ではこんなことを学ぶ

　文学は豊富な語彙を使って人の心を描写しますが、心理学は数値を使って人の心を科学的に描写します。その科学的な描写には心の測定が必要となります。測定とは、反応時間を計測したり、心理検査の回答を得点化したりすることです。自然科学と異なり心理学は直接観察できない潜在的な心理特性を測定しますから、心理学固有の問題が生じます。心理測定学（計量心理学）では、そうした問題を解決するために必要となる科学的な測定法について学びます。

　心理測定学の基礎をなすのが記述統計と推測統計です。記述統計は収集したデータが有する特徴を数値によって記述します。一方、推測統計はデータから得た結論を一般化できるかどうかを確率的に判定します。心理統計学では記述統計と推測統計の理論と手続きを学びます。

　心理学は心のメカニズムを解明します。少数の心理特性だけが関係するときは実験が有効な研究法となりますが、多数の心理特性の因果関係や相関関係を一度に分析したいときは多変量解析を利用します。心理統計学を学んだ後、多変量解析を学びます。また、日本の教育評価、さらに、標準化された心理検査について学びます。

### ●受検のための学習ポイント

　この科目で合格するには心理統計学、心理測定学、教育評価の学習が必要です。心理統計学と心理測定学の学習には数学の理解が必要ですが、微積分や行列演算の理解が必須というわけではありません。数学が苦手な人は、まず加算記号（Σ）の使い方、自然対数、指数を理解してください。そして、関数電卓かパソコンソフトを準備して教科書の例題を解き進めてください。教科書を読んだだけでは統計的概念を即座に納得・理解できないという人でも、実際に計算してみると理解が深まると思います。また、学習の動機づけを高めるためには統計学に関する啓発書を読むのも一つの手です。講談社の「ブルーバックス」シリーズには読者の興味をそそる啓発書がたくさんあります。

　教育評価の学習内容には学習指導要領、指導要録、学習評価に加え、心理検査の理論が入ります。しかも、資格試験や採用試験では、著名な心理検査の下位尺度についても問われています。心理学検定でも、著名な検査については、その下位検査について学習しておくほうがよいでしょう。

## 🔳 産業・組織

### ● この科目ではこんなことを学ぶ

　産業・組織心理学は、仕事場面への心理学の応用を目的に発展してきた領域です。その名称が示すように、この科目は産業心理学と組織心理学という、歴史的に異なる2つの心理学から成り立っています。前者は、働く人々の適切なマネジメントを通して組織効率の促進を図り、後者は人々の態度や行動に働きかけて仕事生活の充実を図ることをめざして発展してきました。ただ、この2つの心理学は密接に関連し合っており、両者を区別することは現実には意味がありません。2つの心理学の名称が融合したことの理由がここにあります。

　産業・組織心理学で扱われるテーマは広い範囲にわたります。専門の研究者や実務家で構成される産業・組織心理学会は、この科目で扱われるテーマを、①人事、②組織行動、③作業、④消費者行動の4部門に分けています。本書でもこれにならって問題を用意しました。ただし、この4部門も縦割り的なものではなく、各部門の研究テーマもその部門だけにとどまるものではありません。たとえば、職務満足や職場ストレスの問題、あるいはキャリア発達やワーク・ライフ・バランスの問題なども、部門のくくりを超えてさまざまな視点から研究が進められています。

　長い人生の中で大きな比重を占める仕事生活をいかに充実させていくかは、人が生きていくうえでの重要な課題です。産業・組織心理学は、こうした問題の理解と解決に不可欠の領域であり、組織の発展と働く人々の幸福に大きく貢献しています。

### ● 受検のための学習ポイント

　学生の皆さんにとっては他科目に比べてなじみが薄いかもしれませんが、扱われるテーマはどれも身近に経験するものばかりです。この科目はまた、社会心理学や臨床心理学、経営学や工学分野などとも密接なかかわりを持っています。他科目と併せて学習を進めることで理解も深まるでしょう。

　学習のポイントとしては、上述した4つの部門（人事、組織行動、作業、消費者行動）について、基本的な知識を整理しておきましょう。産業・組織心理学における人間理解の流れを押さえておくことも大切です。人名や代表的な研究などについては個別に覚えていくことが必要ですが、同時に、仕事生活にかかわるさまざまな事象や社会の動きにも興味と関心を持つことが大切です。

## 9 健康・福祉

### ●この科目ではこんなことを学ぶ

　健康心理学・福祉心理学は、心理的・身体的・社会的な要素に広く目を向けて、人の健康と福祉におけるwell-being（より良い状態）を追究する領域です。病気の予防に努めながらも、単に病気や障害がない状態をめざすのではなく、病気や障害の有無にかかわらず人生を充実させ、幸福でいるための人のあり方を考えます。

①健康心理学：健康の成り立ちを生物−心理−社会モデルで読み解き、疾病の予防と健康の維持・増進をめざし、健康にかかわる政策やシステムの構築にも貢献しようとする応用心理学です。基礎研究を基盤に、実証に基づく実践を志向し、医学など隣接分野との協働が盛んな学際領域です。ネガティブな要因を取り除くことだけでなく、ポジティブな側面の強化にも注目します。

②福祉心理学：障害者、認知症高齢者、社会的養護の必要な児童をはじめとする社会的弱者が有する生活のしづらさを理解し、QOL（生活の質）を向上することをめざす学問です。福祉の対象者と本人を取り巻く環境を一体としてとらえ、さまざまな専門職種との連携のもとで、生活問題の解消に向けた心理的支援を行います。病気や障害を持ちながらも主体的に活動し、社会に参加して豊かな生を実現できるよう、本人・家族・地域・社会に働きかけていきます。

### ●受検のための学習ポイント

①健康心理学：学習心理学、生理心理学、発達心理学の基礎知識を要します。また健康心理学は臨床心理学とも重複しますが、健康づくり、予防、ポピュレーション・ストラテジーが健康心理学、疾病理解と措置、ハイリスク・ストラテジーが臨床心理学という違いがあります。各種アセスメントツール、カウンセリングや認知行動療法等の基本技法、疫学や行動医学、教育工学や認知工学の知識も必要となります。

②福祉心理学：福祉の対象者の支援においては、社会保障制度の理解が不可欠です。福祉六法をはじめとした福祉にかかわる法律、制度、サービスに関する基礎知識を押さえましょう。また、認知症、虐待、貧困家庭、社会的孤立など、近年の社会問題の現状と具体的な支援に関する知識も大切です。ノーマライゼーションやソーシャル・インクルージョンなどの福祉の理念を踏まえ、共生社会の形成に向けてどういった取組みが必要か考えながら学ぶとよいでしょう。

## ⑩ 犯罪・非行

### ●この科目ではこんなことを学ぶ

犯罪・非行分野では、人間が犯す犯罪・非行現象について、その現状、原因、捜査、裁判、矯正、防犯などについて学んでいきます。犯罪心理学というと、事件などが起こるとテレビなどに登場して、事後的にいろいろ解説する学者を思い浮かべる人が多いと思いますが、実際には極めて地道で着実な研究が中心です。心理学検定においても、社会を騒がす派手な事件についての分析などではなく、科学的な方法論と臨床的な経験に基づいた法則や研究について出題されます。

この科目ではおおむね以下のことを学びます。

①犯罪現象：「犯罪白書」などを利用して、主要な犯罪、窃盗、殺人、放火、性犯罪などの傾向（増加や減少、概数）などを理解すること、特に非行の部分についてはしっかり把握しておくことが必要です。

②犯罪原因：犯罪の原因についての諸学説、生物学的なアプローチ、社会学的なアプローチ、心理学的なアプローチのそれぞれについて主要な理論や用語、人名などを学習しておくことが必要です。

③犯罪捜査と防犯：犯罪捜査における心理学の応用、防犯活動への応用について出題されます。特にポリグラフ検査、プロファイリング、目撃証言の3つの領域が重要です。

④裁判と更生：刑事訴訟法や少年法などの基本的な司法システムの流れについて出題されます。特に少年を対象にした司法システムと司法システムの中での心理学の専門家（家庭裁判所調査官、法務技官等）の活躍、非行臨床心理学についての知識が問われます。

今後は、司法心理学分野からの出題が増加してくると思われます。離婚、調停、養育権、面会交流などについて理解しておきましょう。

### ●受検のための学習ポイント

犯罪・非行分野は心理学の他の分野との重なりが少なく、法律的な知識や社会学的な知識、医学的な知識など広範囲の知識が必要になってきます。これらの分野をすべて理解しようとするとかなり大変になってしまいますので、あまり手を広げず、まずは自分の気に入った読みやすいテキストを1冊入手して、そこに書いてあることを着実に理解するところから入ってください。

# 7 学習に役立つ基本書ガイド
## （価格はすべて税込定価）

### ⓪心理学全般を学ぶための辞典・事典・用語集・教科書

① 『心理学検定　専門用語＆人名辞典』　心理学検定局 編　実務教育出版　2,640円
② 『有斐閣　現代心理学辞典』　子安増生・丹野義彦・箱田裕司 監修　有斐閣　7,040円
③ 『誠信　心理学辞典［新版］』　下山晴彦 編集代表　誠信書房　6,380円
④ 『最新　心理学事典』　藤永保 監修　平凡社　24,200円
⑤ 『新・心理学の基礎知識』　中島義明・繁桝算男・箱田裕司 編　有斐閣　3,960円
⑥ 『心理学』　越智啓太 編著　樹村房　2,420円
⑦ 『心理学（アカデミックナビ）』　子安増生 編著　勁草書房　2,970円
⑧ 『基本がわかる　心理学の教科書』　子安増生 著　実務教育出版　1,870円
⑨ 『ヒルガードの心理学［第16版］』　S. ノーレンホークセマ・B. L. フレデリックソン・
　　　　　　　　　　G. R. ロフタス・C. ルッツ 著　内田一成 監訳　金剛出版　24,200円

　①は心理学検定の公式書籍の 1 冊として2023年に刊行された。検定局ホームページのキーワード集と連携している。②③④は心理学の用語を解説する「辞典」と事項を解説する「事典」である。②は2021年の刊行で、人名項目と公認心理師関連項目が独立して収録される。③も②と同じくハンディで、特に人名項目が充実している。④は大型サイズの事典であるが、余裕があれば座右に置きたい。ほかに丸善出版から関連学会の編集で『応用心理学事典』『発達心理学事典』『健康心理学事典』『犯罪心理学事典』（各22,000円）が刊行されている。⑤は「問題―解答」形式で心理学の理論や用語を詳しく解説し、深く学ぶことができる。⑥⑦は心理学検定のキーワードに準拠して編集された教科書であり、⑦は全10章が心理学検定の10科目に対応した構成で、心理学のほぼ全体をカバーする本格的な教科書である。⑧は高校生からを読者対象とし、心理学検定Ａ領域 5 科目をカバーする教科書である。⑨はアメリカの大学で使われているスタンダードな教科書の日本語訳であり、図や写真も充実している。

### ①原理・研究法・歴史

① 『心理学・入門［改訂版］』　サトウタツヤ・渡邊芳之 著　有斐閣　2,090円
② 『心理学研究法』　本多明生・山本浩輔・柴田理瑛・北村美穂 共著　サイエンス社　2,860円
③ 『心理学研究法［補訂版］』　高野陽太郎・岡隆 編　有斐閣　2,420円
④ 『流れを読む心理学史［補訂版］』　サトウタツヤ・高砂美樹 著　有斐閣　1,980円
⑤ 『心理学・倫理ガイドブック』　日本発達心理学会 監修　有斐閣　1,870円
⑥ 『心理学方法論』　渡邊芳之 編　朝倉書店　3,740円

　①は心理学の入門書として、心理学の歴史や各分野の内容をわかりやすく学ぶこと

ができる。②は主要な心理学研究法の特徴や方法論が網羅されつつ研究倫理に関する配慮まで記述されている。「心理学研究を行う」ための一連の流れを設問に回答しながら学ぶことができる。③も同じく研究法についてまとめられた書籍だが、より高度かつ専門的な内容なので、基礎知識をつけた後の知識のアップデートに用いるのがお勧めである。④は心理学史のスタンダード書籍であり、心理学前史から今日までの流れを学ぶ際に最初に読むことをお勧めする。⑤は研究倫理に関する専門書籍で、心理学研究遂行に必要な倫理的配慮をまとめている。自らの目的に応じて読み進めるとよい。⑥は心理学研究の方法論の歴史的展開や社会的意義を深掘りする専門書である。

## 2 学習・認知・知覚

① 『行動分析学』 坂上貴之・井上雅彦 著　有斐閣　2,310円
② 『手を動かしながら学ぶ学習心理学』 澤幸祐 編　朝倉書店　2,860円
③ 『ポテンシャル学習心理学』 眞邉一近 著　サイエンス社　2,860円
④ 『スタンダード認知心理学』 原田悦子 編　サイエンス社　2,750円
⑤ 『意識的な行動の無意識的な理由』 越智啓太 編　創元社　2,640円
⑥ 『記憶・思考・脳』 横山詔一・渡邊正孝 著　新曜社　2,090円
⑦ 『感覚・知覚心理学』 行場次朗 編集　北大路書房　2,530円
⑧ 『音響・音楽心理学』 中島祥好・谷口高士 編集　北大路書房　2,530円
⑨ 『図説　視覚の事典』 日本視覚学会 編集　朝倉書店　13,200円

　①は行動や学習を科学的にとらえる視点を基礎から説いており、入門書としてよい。②は実際にネット上で実体験を伴いながら理解を深める工夫のあるテキストである。③は学習研究の諸現象を幅広く扱い、全体像を体系的に学べる。④は記憶や問題解決などの実験研究から社会的応用までをわかりやすく述べている。⑤は認知にかかわる多数のトピックを並べて簡潔に解説しており、どこから読み始めても楽しめる。⑥は主要なキーワードに基づいて認知心理学を概観することができる。⑦は視覚を中心とした感覚・知覚の基礎研究と世の中の仕事への活用とのつながりが見える構成が特徴的である。同じシリーズの⑧は聴覚に関する応用的なテーマを取り上げている。⑨は視覚研究の全体像がわかる事典で、高価だがカラー図版が豊富なので理解しやすい。

## 3 発達・教育

① 『発達心理学（Ⅰ・Ⅱ）』
　　　　　　　　　　無藤隆・子安増生 編　東京大学出版会　Ⅰ：3,520円　Ⅱ：3,740円
② 『発達心理学［第2版］』 藤村宣之 編著　ミネルヴァ書房　2,750円
③ 『新・発達心理学ハンドブック』
　　　　　　　　　　田島信元・岩立志津夫・長崎勤 編　福村出版　33,000円
④ 『新 発達と教育の心理学』 藤田主一・齋藤雅英・宇部弘子 編著　福村出版　2,420円

⑤『教育心理学［第3版］』

　　　　　　子安増生・田中俊也・南風原朝和・伊東裕司 著　有斐閣　2,310円
⑥『やさしい教育心理学［第5版］』　鎌原雅彦・竹綱誠一郎 著　有斐閣　2,090円
⑦『学校心理学ハンドブック［第2版］』　日本学校心理学会 編　教育出版　2,200円
　①は各発達期などの「幹」となる10章のそれぞれごとに身体・認知・感情・言語・社会の5つの「葉」を置くという「幹－葉」構造形式を取る発達心理学の包括的な教科書である。②は最近の発達心理学の研究の進展や国際比較調査などの成果をふまえて編集された教科書である。③は6部構成、75章、1,004ページにわたり、基本理論から実践までの幅広いトピックを扱った大部のハンドブックである。④は発達心理学と教育心理学の両方の分野にまたがる基本的な事項について15章にまとめた良書である。⑤は1992年の刊行以来版を重ねてロングセラーとなっている教育心理学の定評ある標準的教科書である。⑥も1999年の刊行以来改版を行ってロングセラーとなっているが、「学ぶこと」「ほめること」「やる気」のような平易なテーマで章が構成されている。⑦は学校心理学のキーワード110項目が解説された定評ある本である。

## ❹社会・感情・性格

①『社会心理学』　安藤清志・大坊郁夫・池田謙一 著　岩波書店　3,300円
②『図説社会心理学入門』　齊藤勇 編著　誠信書房　3,080円
③『感情心理学』　鈴木直人 編　朝倉書店　3,960円
④『感情心理学・入門』　大平英樹 編　有斐閣　2,090円
⑤『パーソナリティ心理学』　榎本博明・安藤寿康・堀毛一也 著　有斐閣　2,420円
⑥『Progress & Application　パーソナリティ心理学』

　　　　　　小塩真司 著　サイエンス社　2,420円
⑦『わたしそしてわれわれ　ミレニアムバージョン』

　　　　　　大坊郁夫 編著　北大路書房　2,750円
　①はこの分野のスタンダードといえる基本的・代表的な視点を縦覧できる内容であり、領域全体を知るための基本ガイドといえる。②は初学者向けに、広範な領域について研究例も含めてわかりやすく解説している。③④は感情を中心とした分野における最新の話題について、そのとらえ方や理論的展開について広範に論じている。⑤⑥はパーソナリティ心理学の入門書であり、最新の知見を踏まえ、豊富なトピックスを扱っている。⑦は私らしさの社会的表れ（パーソナリティ、自己）、対人関係、集団と社会などの諸点を平易な文章で述べている。

## ❺臨床・障害

①『新・カウンセリングの話』　平木典子 著　朝日新聞出版　1,430円
②『よくわかる臨床心理学［改訂新版］』　下山晴彦 編　ミネルヴァ書房　3,300円

③ 『臨床心理学概論』　野島一彦・岡村達也 編　遠見書房　2,640円
④ 『カウンセリングの実際問題』　河合隼雄 著　誠信書房　2,200円
⑤ 『臨床心理学キーワード［補訂版］』　坂野雄二 編　有斐閣　2,090円
⑥ 『心理のための精神医学概論』　沼初枝 著　ナカニシヤ出版　3,520円

　①は読みやすいので、とりあえずこの領域全体を知るための入口としては使いやすいだろう。②は大学の教科書として他にない内容を含んでいて貴重である。③は全23巻にわたる「公認心理師の基礎と実践」シリーズの１冊で、臨床心理学を網羅的に解説し、加えて最新の理論も紹介されている。④は著者の古典的名著であり、知識や技術にとどまらない心理臨床の奥深さを知ることができる。⑤は辞書あるいは用語集として使いやすい。⑥はDSM-5に準拠した精神医学の概論書であり、精神医学の操作的診断を理解するためには必読の書といえる。DSM-5-TRを理解するうえでも役立つだろう。なお、臨床心理士養成のための大学院入試や臨床心理士資格試験のための参考書や問題集も数多いが、ここでは省略した。

## ⑥神経・生理
① 『カラー版　ベアー コノーズ パラディーソ　神経科学［改訂版］』
　　　　　マーク・F・ベアー、バリー・W・コノーズ、マイケル・A・パラディーソ 著
　　　　　　　　　　　　　　　　　藤井聡 監訳　西村書店　8,690円
② 『脳科学の教科書　神経編』
　　　　　　　　理化学研究所脳科学総合研究センター 編　岩波書店　1,078円
③ 『脳科学の教科書　こころ編』
　　　　　　　　理化学研究所脳科学総合研究センター 編　岩波書店　1,078円
④ 『カールソン神経科学テキスト　脳と行動［原書13版］』
　　　ニール・R・カールソン、メリッサ・A・バーケット 著　中村克樹 監訳　丸善出版　19,800円
⑤ 『認識と行動の脳科学』　甘利俊一 監修　田中啓治 編　東京大学出版会　3,520円
⑥ 『カラー版　脳とホルモンの行動学［第2版］』
　　　　　　　　　　　　　　近藤保彦ほか 編　西村書店　4,950円

　①は神経科学の標準的なテキストの翻訳書で、事典代わりに調べるのに向いている。②と③は岩波ジュニア新書で入門者にはやや読み応えがあるが、神経・生理心理学の内容がバランスよくまとめられている。④は行動神経科学の標準的なテキストの翻訳書で、神経科学と動物行動の関係の理解に有用である。2022年刊行の原書13版では最新の研究に加えて新章も追加され、発達障害、自閉症スペクトラム障害、注意欠如・多動性障害にも触れられている。⑤は大脳新皮質の機能、特に学習・記憶を中心テーマに置き、神経科学全体を学んだうえで各論として利用できる。⑥は脳とホルモンの相互作用の視点から行動のシステムを解説した教科書で、2023年に改訂された。

## 7 統計・測定・評価

① 『心理統計学の基礎』 南風原朝和 著 有斐閣 2,420円
② 『心理統計学ワークブック』

南風原朝和・平井洋子・杉澤武俊 著 有斐閣 2,860円
③ 『Rによるやさしい統計学』

山田剛史・杉澤武俊・村井潤一郎 著 オーム社 2,970円
④ 『心理学統計法』 繁桝算男・山田剛史 編 遠見書房 3,080円
⑤ 『多変量データ解析法』 足立浩平 著 ナカニシヤ出版 2,860円
⑥ 『心理測定法への招待』 市川伸一 編著 サイエンス社 2,970円

　①から④は心理統計学の教科書である。心理統計学をひととおり学習した人でも、①によって心理統計学の理解を深めることができる。②は心理統計学の演習書である。③④は数式表現を最小限に抑え、心理統計学の重要概念を丹念に説明している。④は「公認心理師の基礎と実践」シリーズの１冊。⑤は図表をふんだんに利用しているので、各技法の理念と重要概念を理解しやすい。⑥は心理学で実際に行われている測定に焦点を当て、心理測定法の概念と諸技法を解説している。

## 8 産業・組織

① 『よくわかる産業・組織心理学』 山口裕幸・金井篤子 編 ミネルヴァ書房 2,860円
② 『経営とワークライフに生かそう！ 産業・組織心理学［改訂版］』

山口裕幸・髙橋潔・芳賀繁・竹村和久 著 有斐閣 2,090円
③ 『はじめて学ぶ産業・組織心理学』

柳澤さおり・田原直美 編著 岸本智美・三沢良・杉谷陽子 著 白桃書房 2,750円
④ 『産業・組織（キーワード心理学シリーズ12）』 角山剛 著 新曜社 2,090円
⑤ 『産業・組織心理学［改訂版］』

馬場昌雄・馬場房子・岡村一成 監修 小野公一・関口和代 編著 白桃書房 3,520円
⑥ 『産業・組織心理学を学ぶ』

産業・組織心理学会 企画 金井篤子 編 北大路書房 2,640円
⑦ 『産業・組織心理学』 古川久敬 編 朝倉書店 3,740円

　①②③は、産業・組織心理学の分野に初めて触れる人や、産業・組織心理学の内容を概観したいという人にとっては、どれもコンパクトにまとまった平易な内容でわかりやすい。④⑤⑥は、産業・組織心理学が扱うテーマやトピックスについての知識の確認に適している。⑥は産業・組織心理学会が企画した５巻講座の第１巻で、公認心理師カリキュラムにも対応した内容であり、巻末に用語集も掲載されているので基礎知識の理解を確認できる。⑦はやや専門性が高いが決して難しくはないので、さらに知識を深めたい場合には助けとなる。

## 9 健康・福祉

① 『健康心理学概論』　日本健康心理学会 編　実務教育出版　2,750円
② 『実践！健康心理学』　日本健康心理学会 編集　北大路書房　2,750円
③ 『よくわかる健康心理学』　森和代・石川利江・茂木俊彦 編　ミネルヴァ書房　2,640円
④ 『健康・医療心理学』　宮脇稔・大野太郎・藤本豊・松野俊夫 編　医歯薬出版　3,300円
⑤ 『健康心理学事典』　日本健康心理学会 編　丸善出版　22,000円
⑥ 『福祉心理学』　中島健一 編　遠見書房　2,860円
⑦ 『福祉心理学』　渡部純夫・本郷一夫 編著　ミネルヴァ書房　2,640円
⑧ 『よくわかる社会福祉 [第11版]』　山縣文治・岡田忠克 編　ミネルヴァ書房　2,750円

　①は「健康心理学基礎シリーズ（全4巻）」の第1巻。同シリーズは標準的な内容で、他の3巻（健康心理アセスメント概論、健康心理カウンセリング概論、健康教育概論）と合わせて最初にお薦めしたい。②は健康心理学の実践のしかたがわかる。③は簡潔にまとめられている。④は公認心理師カリキュラムの「健康・医療心理学」に準拠している。⑤は分野の成立事情から新たな動向までカバーされ、読み物としてもおもしろい。⑥は公認心理師カリキュラムに準拠し、福祉分野の法制度と心理支援の基本がわかる。⑦はライフサイクルの中で生じる福祉課題と心理支援の実践的な知識が得られる。⑧は社会福祉領域の全体像をとらえることができる。

## 10 犯罪・非行

① 『司法・犯罪心理学』　藤岡淳子 編　有斐閣　2,750円
② 『Progress & Application　司法犯罪心理学』　越智啓太 著　サイエンス社　2,530円
③ 『司法・犯罪心理学』
　森丈弓・荒井崇史・嶋田美和・大江由香・杉浦希・角田亮 共著　サイエンス社　3,080円
④ 『犯罪心理学』　大渕憲一 著　培風館　3,080円
⑤ 『犯罪捜査の心理学』　越智啓太 著　新曜社　2,530円
⑥ 『犯罪心理学事典』　日本犯罪心理学会編　丸善出版　22,000円

　①②③が犯罪心理学全体を網羅したテキストで、これらを基本書にすると失敗がない。①は3部からなり、それぞれ基礎的な理論、司法制度と心理師、非行犯罪臨床について説明され、特に非行犯罪臨床心理学について詳しい。②は司法犯罪心理学についてバランスよく説明され、司法心理学、防犯心理学、精神鑑定についても記載されている。殺人、窃盗などの各種犯罪の特徴について説明されているのがポイント。③も犯罪心理学の全体像について記載されている。特に司法システムやその中での心理師の実務について詳しい。④⑤はより詳しく学習したい場合の進んだテキスト。④は特に犯罪原因の研究について、⑤は犯罪捜査の心理学について詳細に書かれている。⑥は日本犯罪心理学会が編集した網羅的で詳細な事典である。どの項目もそれぞれの分野の第一人者が執筆している。高価なので図書館等で利用してほしい。

**一般社団法人 日本心理学諸学会連合　公式ウェブサイト**
**加盟学会一覧**：https://jupa.jp/category2/jimukyoku.html

**産業・組織心理学会**　　　　　　　　　　https://www.jaiop.jp/

**日本EMDR学会**　　　　　　　　　　　　https://www.emdr.jp/

**日本イメージ心理学会**　　　　　　　　　https://imagepsych.jp/

**一般社団法人 日本LD学会**　　　　　　　https://www.jald.or.jp/

**日本応用教育心理学会**
　　　　https://www.naruto-u.ac.jp/facultystaff/takatam/jscep/index.html

**日本応用心理学会**　　　　　　　　　　　https://j-aap.jp/

**一般社団法人 日本カウンセリング学会**　　https://www.jacs1967.jp/

**一般社団法人 日本学生相談学会**　　　　　https://www.gakuseisodan.com/

**一般社団法人 日本家族心理学会**　　　　　https://www.jafp-web.org/

**日本学校心理学会**　　　　　　　　　　　https://schoolpsychology.jp/

**日本感情心理学会**　　　　　　　　　　　http://jsre.wdc-jp.com/

**日本基礎心理学会**　　　　　　　　　　　https://psychonomic.jp/

**一般社団法人 日本キャリア・カウンセリング学会**　　https://jacc.or.jp/

**日本キャリア教育学会**　　　　　　　　　https://jssce.jp/

**日本教育カウンセリング学会**　　　　　　http://jsec.gr.jp/

**一般社団法人 日本教育心理学会**　　　　　https://www.edupsych.jp/

| | |
|---|---|
| 日本教授学習心理学会 | https://www.japtl.org/ |
| 日本グループ・ダイナミックス学会 | http://groupdynamics.gr.jp/ |
| 日本K-ABCアセスメント学会 | https://www.k-abc.jp/ |
| 一般社団法人 日本健康心理学会 | https://kenkoshinri.jp/ |
| 日本交通心理学会 | https://www.jatp-web.jp/ |
| 日本行動科学学会 | http://www.jabs.jp/ |
| 一般社団法人 日本行動分析学会 | https://j-aba.jp/ |
| 日本コミュニティ心理学会 | http://jscp1998.jp/ |
| 日本コラージュ療法学会 | https://www.kinjo-u.ac.jp/collage/ |
| 日本催眠医学心理学会 | https://www.jshypnosis.jp/ |
| 日本質的心理学会 | https://jaqp.jp/ |
| 日本自閉症スペクトラム学会 | https://www.autistic-spectrum.jp/ |
| 日本社会心理学会 | https://www.socialpsychology.jp/ |
| 日本自律訓練学会 | https://www.jsoat.jp/ |
| 公益社団法人 日本心理学会 | https://psych.or.jp/ |
| 一般社団法人 日本心理臨床学会 | https://www.ajcp.info/ |
| 日本ストレスマネジメント学会 | https://plaza.umin.ac.jp/jssm-since2002/ |
| 日本青年心理学会 | https://www.jsyap.org/ |
| 日本生理心理学会 | https://www.seirishinri.com/ |
| 日本動物心理学会 | https://plaza.umin.ac.jp/dousin/ |
| 一般社団法人 日本特殊教育学会 | https://www.jase.jp/ |

| 日本乳幼児医学・心理学会 | https://www.jampsi.org/ |
| 日本人間性心理学会 | https://www.jahp.org/ |
| 一般社団法人 日本認知・行動療法学会 | https://www.jabct.org/ |
| 日本認知心理学会 | https://cogpsy.jp/ |
| 日本パーソナリティ心理学会 | https://jspp.gr.jp/ |
| 日本バイオフィードバック学会 | http://www.jsbr.jp/ |
| 一般社団法人 日本箱庭療法学会 | http://www.sandplay.jp/ |
| 一般社団法人 日本発達心理学会 | https://www.jsdp.jp/ |
| 日本犯罪心理学会 | https://www.jacpsy.jp/ |
| 日本福祉心理学会 | https://janphs.jp/ |
| 日本ブリーフサイコセラピー学会 | https://www.jabp.jp/ |
| 日本マイクロカウンセリング学会 | http://www.microcounseling.com/ |
| 日本森田療法学会 | https://www.jps-morita.jp/ |
| 一般社団法人 日本遊戯療法学会 | https://www.playtherapy.jp/ |
| 日本リハビリテイション心理学会 | http://dohsa-hou.jp/ |
| 日本理論心理学会 | https://theo-psy.main.jp/ |
| 日本臨床心理学会 | http://nichirinshin.info/ |
| 日本臨床動作学会 | https://www.dohsa.jp/ |
| 包括システムによる日本ロールシャッハ学会 | http://www.jrscweb.com/ |

# Part 3

# 心理学検定
# 模擬問題と解説

●本パートに掲載する問題はすべて、心理学検定の出題傾向を予測して作成・編集したオリジナル問題です。

●問題はすべて4肢選択問題で、正答は1つです。

●A領域は各45問、B領域は各35問、合計400問を掲載しています。

●問題と解説を参照しながら学習しやすくするため、各科目の問題・解説は、内容別に2〜6の小領域に分けて掲載しています。

●問題番号の上に、「難易度」を＊の数で表示しています。自分の理解度レベルを把握する参考としてください。

　　無印　：易　（予想正答率が80％以上）

　　　＊　：やや易（予想正答率が60％以上80％未満）

　　＊＊　：やや難（予想正答率が40％以上60％未満）

　　＊＊＊：難　（予想正答率が40％未満）

●解説は、なるべくわかりやすく、詳しい説明を心がけました。解説の右欄に、各問題・解説文中に登場または関連する重要キーワードを抜き出して列記していますので、理解度チェックや発展学習の際に利用してください。

●10の科目は、完全に区分できるものではなく、一部に出題テーマ・内容が重複する分野があります。

# 1 原理・研究法・歴史

**\*\***
**問1** 法則定立的研究と対比したとき、個性記述的研究の特徴として最も妥当なものはどれか。

1. 一回性
2. 普遍性
3. 客観性
4. 恒常性

**\***
**問2** 縦断的研究の説明として、最も妥当なものはどれか。

1. 同一の対象者集団に対して、時間をおいて複数回にわたって追跡的に調べる研究。
2. 異年齢集団を集めることによって調べる研究。
3. 複数の年齢集団に対していっぺんに調べて、年齢による比較をする研究。
4. 少数の対象者からスタートし、その対象者に別の対象者を紹介してもらいながら、対象者全体を雪だるま式に増やしていく研究。

**\***
**問3** 「学習法Bを実行したことによって成績が向上する程度は、過去に学習法Aを実行したことがあるかどうかによって異なる」という仮説を立てた。
　　このとき、この仮説における独立変数、従属変数および媒介変数の組合せとして最も妥当なものはどれか。

|  | 独立変数 | 従属変数 | 媒介変数 |
|---|---|---|---|
| 1. | 学習法Aの実行 | 成績の向上 | 学習法Bの実行 |
| 2. | 学習法Aの実行 | 学習法Bの実行 | 成績の向上 |
| 3. | 学習法Bの実行 | 成績の向上 | 学習法Aの実行 |
| 4. | 成績の向上 | 学習法Aの実行 | 学習法Bの実行 |

**\*\***
**問4** さまざまなストレッサーがストレスに与える影響を調べるために、150人を対象にストレッサーとなると思われる15種類の日常的出来事の有無と、ストレス尺度によるストレスの測定を行い、その結果を重回帰分析によって分析した結果、15種類のうち7種類がストレスに影響しており、特に仕事量の多さや休日の少なさがストレスに大きく影響していることがわかった。
　　この研究計画において説明変数に当たるものはどれか。

1. 150人
2. 15種類の日常的出来事
3. ストレス尺度の測定値
4. 重回帰分析

**問5** 「攻撃されたときの反撃行動に見られる男女差の原因は、男性の攻撃性が女性よりも高いこと、女性の親和欲求が男性よりも高いことの結果である」という仮説の中で、仮説的構成概念に当たるものはどれか。

1．反撃行動と親和欲求
2．男女差と攻撃性
3．攻撃性と親和欲求
4．親和欲求と男女差

**問6** 尺度の信頼性や妥当性をチェックする以下の手続きのうち、折半法に当たるものはどれか。

1．尺度項目全体についてクロンバックの $\alpha$ 係数を計算する。
2．類似した構成概念を測定している別の尺度得点との相関係数を計算する。
3．数週間の間隔を置いて尺度を2回実施し、2回の間の相関係数を計算する。
4．尺度項目の前半と後半の合計点を算出し、2つの合計点の相関係数を計算する。

**問7** 心理学的尺度の内的整合性の説明として、**適切でない**ものはどれか。

1．尺度の項目の中に他とは異質なものが混じっていないかを確認する。
2．尺度全体の合計点と各項目との相関から確認できる。
3．尺度の項目それぞれが同じ概念を正しく測定しているかどうかを確認する。
4．類似した概念を測定する他の尺度との相関から確認できる。

**問8** テストの信頼性・妥当性の検討方法のうち基準関連妥当性の検討に当たるものを以下のa～dから2つ選んだとき、その組合せとして正しいものはどれか。

a：作成した不安尺度と他の不安尺度とを同時に実施し、尺度値に相関があることを確認する。
b：作成した知能検査の結果から、その後の英語や国語、数学などの試験成績が予測できるかどうか調べる。
c：作成した攻撃性尺度を、攻撃性を専門とする心理学者4人に読ませ、項目が攻撃性を正しく反映できているかを評定してもらう。
d：作成した親和性尺度を1か月の間隔をあけて2回実施し、2回の尺度値に十分な相関があるかを確認する。

1．a、b 　　　 2．a、c
3．b、c 　　　 4．b、d

\*\*\*
**問9** 統計的検定に関する説明として、最も妥当なものはどれか。

1. $t$ 検定は、標本の平均値の差がどれほど大きいかを判断する方法である。
2. カイ2乗検定は、標本における2変数の関連がどれほど強いかを判断する方法である。
3. 無相関検定は、母集団において相関がゼロであるかどうかを判断する方法である。
4. 二項検定は、母集団における2項目の関連の程度を判断する方法である。

\*\*
**問10** 統計的検定をパラメトリック検定とノンパラメトリック検定とに分けたとき、パラメトリック検定に該当するのはどれか。

1. $t$ 検定
2. カイ2乗検定
3. 符号検定
4. 二項検定

\*
**問11** 東京都民の政治意識を探るために、都内の各自治体住民から男女同数を人口比に比例して抽出し、合計1,200人に政治意識調査を行った。
このとき、母集団とサンプルの組合せとして正しいものはどれか。

| 母集団 | サンプル |
|---|---|
| 1. 東京都民 | 1,200人 |
| 2. 東京都民 | 各自治体 |
| 3. 各自治体 | 1,200人 |
| 4. 1,200人 | 政治意識調査 |

\*
**問12** 無作為抽出の例として、最も妥当なものはどれか。

1. 血液型性格判断の講演に集まった350人の聴衆に、血液型と性格の関係についての質問紙調査を実施した。
2. 乱数表に基づいて生成した電話番号を用いて福島市民150人に電話をかけ、福島市長選についての電話調査を行った。
3. ファストフード店の開店に行列している250人に、食べ物の好みについてのアンケート調査を行った。
4. 教育心理学を履修する180人の大学生に、学習時間と成績との関係について調査を行った。

\*
**問13** アルコールが行動に及ぼす影響を調べるために、30人を2群に分けて一方には350mL のビールを飲ませ、他方には同量の水を飲ませた後に、機械を操作する課題を実行させて、2群の成績を比較した。

　この実験における統制群はどれか。
1．30人
2．ビールを飲ませた群
3．水を飲ませた群
4．機械を操作する課題

\*\*
**問14** 大学生の男女30人ずつをそれぞれ2群に分け、一方の群には数学の学習法Aを実行させ、もう一方には学習法Bを実行させた。数学の試験を行ったところ、男女ともに学習法Aを実施した群のほうが有意に成績が良かった。また、全体の得点では男女差はなかったが、学習法Aを実施した群と学習法Bを実施した群の成績の差は女子のほうが有意に大きかった。

　この実験計画の説明として、**適切でない**ものはどれか。
1．この実験計画は2要因配置である。
2．学習法実行の主効果は有意だった。
3．性別と学習法の交互作用は有意だった。
4．性別は被験者内要因、学習法は被験者間要因である。

\*\*
**問15** 質問紙調査法の短所として、最も妥当なものはどれか。
1．回答者とのラポールが優先されるため、回答者の立場を尊重しすぎる可能性がある。
2．回答者による質問文の解釈のしかたがわからないため、回答者が質問文の意味を取り違えたことに気づかない可能性がある。
3．数量化しにくいため、データ分析に膨大な時間を要する可能性がある。
4．集団実施しにくいため、一度にたくさんのデータを集められない可能性がある。

**問16** 攻撃性尺度の質問項目として考えたとき、逆転項目である可能性が最も高いものはどれか。
1．自分をバカにする人がいるとイライラする。
2．暴力的なテレビ番組はあまり見たくない。
3．武器を使って戦うゲームが好きだ。
4．人を口汚くののしる夢を見たことがある。

**\*\***
**問17** 以下に挙げる質問紙調査の質問項目の例のうち、ダブルバレル質問 (double-barreled question) であるものはどれか。

1．あなたの性別と年齢を教えてください　性別（男・女）　年齢（　　　）歳
2．キャンプに参加したいですか　参加したい ├──┼──┼──┤ 参加したくない
3．女性の社会進出や男女雇用機会均等に賛成ですか

はい・どちらでもない・いいえ

4．中華料理と和食ではどちらが好きですか　中華料理・和食

**\***
**問18** ペットロスの影響を調べることを目的とした研究で用いられた以下の手続きのうち、研究の流れの中で予備調査と位置づけられるものはどれか。

1．ペットロスを経験した人に話を聞いたり、体験を自由記述してもらったりした。
2．インタビューや自由記述をもとに、ペットロスの影響を量的に評定できる30項目の質問紙を作成した。
3．ペットロスについての海外研究を読み、その研究と同じ方法で日本人に調査を行った。
4．ペットロスの経験者120人に対して調査を実施し、ペットロスの影響の規定因を分析した。

**\***
**問19** 研究フィールドの人々と積極的にコミュニケーションを図りながら実施する観察手法の呼称として、正しいものはどれか。

1．参与観察法
2．実験観察法
3．定点観察法
4．焦点観察法

**\***
**問20** 心理学的アセスメントの説明として、**適切でない**ものはどれか。

1．行動や心理学的特徴の個人差を測定する。
2．誰にでも共通して見られる行動の法則や傾向を発見する。
3．複数の方法を組み合わせることで個人をより深く理解できる。
4．利用に当たっては信頼性や妥当性の確認が重要となる。

\*
**問21** 半構造化面接の特徴として、**適切でない**ものはどれか。

1．ある程度、質問内容を決めておく。

2．ある程度、統制群を決めておく。

3．臨機応変に質問の順序を変える。

4．臨機応変に質問内容を追加する。

\*
**問22** 心理学の実証研究を実施する際に考慮すべきこととして、最も妥当なものはどれか。

1．予備実験をするのであれば、先行研究を調べるべきではない。

2．統計処理ができるか否かの前に、問題意識や研究目的を明確にすべきである。

3．どのような問題についても実験研究ができるような研究計画を立てるべきである。

4．研究参加者の人権よりも、社会に有用な研究知見を生み出すことを優先すべきである。

**問23** 心理学の研究倫理を考えるうえで重要な事項として、**適切でない**ものはどれか。

1．守秘義務

2．人権の尊重

3．コーポレート・ガバナンス

4．公表に伴う責任

\*
**問24** インフォームド・コンセントに含まれる事柄として、最も妥当なものはどれか。

1．実験や調査に先立ち、自らが所属する組織の倫理委員会等に具体的な研究計画を示し承認を受ける。

2．研究フィールドで起こった事故は、自分がその事故の関係者ではなくても責任を取る。

3．研究によって得られる個人的な情報が外部に漏れないように管理する。

4．研究参加者はどの段階でも参加を取りやめることができることを伝える。

**＊**
**問25** 疑わしい研究実践（QRPs）に**含まれない**ものはどれか。

1. 研究仮説を支持する結果のみを学会や論文で公開する。
2. 参加者に多数の尺度を回答させ、解析後有意性が示された結果のみを公開する。
3. 分散分析で検定した結果、$F$値の有意性が示されなかったので参加者を増やし再度検定する。
4. 研究倫理審査の承認後、変更事項が生じた場合に変更申請する。

**＊＊**
**問26** 心理学研究の再現性を保証するための手続きで**適切でない**ものはどれか。

1. 研究仮説、サンプルサイズ設計、研究手続き、解析方針などを研究実施前に事前公開する。
2. 研究再現性を最優先目的としてテーマや手続きを選択する。
3. 査読プロセスにおいて研究計画を審査し、受理された場合は、仮説の支持／不支持などの結果にかかわらず掲載する。
4. 研究で得たデータ、実験や解析に用いたプログラムなどを可能な範囲で公開する。

**KEY WORD**

**問1　個性記述**　　　　　　　　　　　正答　**1**

□個性記述
□法則定立

　**個性記述**的研究は、普遍性や客観性を重視して科学的法則の確立を求めるアプローチと異なり、現象や事例の一回性や特殊性を重視し、個別具体にこだわるアプローチであり、**法則定立**的研究と対置される。ただし、多くの個性記述的研究は、個別具体のみにこだわっているとは限らず、ある種の一般的知見を見いだすことをめざしている。

　したがって、正答は**1**である。

**問2　縦断的研究**　　　　　　　　　　　正答　**1**

□縦断的研究
□横断的研究

　**縦断的研究**は同一の対象者集団に繰り返し調査する方法なので、個人内の変化・発達を把握することができるが、労力がかかるだけでなく、さまざまな理由で対象者の数が減っていく。それに対して、**横断的研究**は、複数の年齢集団に対していっぺんに調べて、年齢による比較をするので、労力は比較的かからないが、個人内の変化・発達の把握はできない。

　したがって、正答は**1**である。

**問3　独立変数、従属変数、媒介変数**　　　正答　**3**

□独立変数
□従属変数
□媒介変数

　**独立変数**とは実験要因として操作される変数、**従属変数**とは操作の結果として変動する変数である。**媒介変数**とは独立変数と従属変数を媒介し、その値によって独立変数と従属変数の関係が変化するような変数である。

　したがって、正答は**3**である。

**問4　説明変数、目的変数**　　　　　　　正答　**2**

□目的変数
□説明変数

　重回帰分析のような因果関係を想定しての分析においては、結果として予測される変数を**目的変数**、目的変数に因果的な影響を与えると思われる変数群を**説明変数**と呼ぶ。問題の例では「ストレス尺度の測定値」が目的変数であり、それに影響を与える「15種類の日常的出来事」が説明変数となる。

　したがって、正答は**2**である。

**問5 仮説的構成概念** 正答 3

　**仮説的構成概念**とは、観察可能な事象の原因や、事象間の関係の原因を説明するために置かれる、それ自体は観察不能な概念である。問題の仮説では反撃行動、男女差は観察可能なのに対し、攻撃性と親和欲求は男女差を説明するために導入された直接観察できない仮説的構成概念である。
　したがって、正答は**3**である。

KEY WORD
□仮説的構成概念

**問6 再テスト法、折半法、内的整合性** 正答 4

**1**．尺度の**内的整合性**を確認する**折半法**以外の方法である。
**2**．併存的妥当性の確認方法である。
**3**．再検査信頼性の確認方法である。
**4**．正しい。折半法による信頼性のチェックである。

□再テスト法
□内的整合性
□折半法

**問7 内的整合性** 正答 4

　**内的整合性**とは、ある構成概念を測定するために構成された多項目の心理学的尺度のそれぞれの項目が、お互いに一貫して概念を測定している程度をさし、尺度の信頼性の重要な要素である。**1**と**3**は内的整合性の考え方について、**2**は内的整合性の代表的な確認方法について述べているが、**4**は内的整合性ではなく**基準関連妥当性**の確認方法について述べているので適切でない。

□内的整合性
□基準関連妥当性

**問8 基準関連妥当性、内容的妥当性** 正答 1

　ａは**基準関連妥当性**の一種である併存的妥当性を、ｂは同じく基準関連妥当性の一種である予測的妥当性の検討方法を示している。一方ｃは**内容的妥当性**を示しており、ｄは妥当性ではなく再検査信頼性の検討方法である。
　したがって、正答は**1**である。

□基準関連妥当性
□内容的妥当性

## 問9 統計的検定　　　　　　　　　　　正答　3

　相関係数の検定として一般的に利用されている無相関検定は、**母集団**における相関係数がゼロではないといえるかどうかを判断しているにすぎず、たとえ有意な結果が得られたとしても、相関が大きいと判断することはできない。

　したがって、正答は **3** である。

KEY WORD

□統計的検定
□母集団

## 問10 パラメトリック検定とノンパラメトリック検定　正答　1

　**パラメトリック検定**は、母集団分布について、正規性や等分散性など、一定の仮定を設けるもの。間隔尺度か比例尺度で測定されていないと適用できない。**ノンパラメトリック検定**は、順序尺度や名義尺度で測定していた場合や、サンプルサイズが小さいときにも適用できるものが多い。

　したがって、正答は **1** である。

□パラメトリック
　検定
□ノンパラメトリ
　ック検定

## 問11 母集団、サンプル　　　　　　　　　正答　1

　**母集団**とは調査や研究の結果によって理解する対象となる人々の全体をさし、**サンプル**とは調査や研究の目的で母集団から抽出された人々をさす。「各自治体」は母集団からの多段抽出のために用いられているだけで母集団ではない。

　したがって、正答は **1** である。

□母集団
□サンプル

## 問12 無作為抽出　　　　　　　　　　　　正答　2

　**母集団**全体から無作為に**サンプル**を抽出することで、サンプルの偏りを防止する手続きを**無作為抽出**という。無作為抽出の手続きを踏んでいるのは **2** だけなので **2** が正答である。**1**、**3**、**4** ではサンプルの大きな偏りが生じることが予想される。

□母集団
□サンプル
□無作為抽出

## 問13 統制、統制群法　　　　　　　　　　正答　3

　**統制群**とは、実験操作を行った実験群と比較して実験操作の効果を確認するために、他の条件は実験群と同一としたうえで実験操作だけを行わない群のことをいう。この例では **2** が実験群、**3** が統制群となる。

　したがって、正答は **3** である。

□統制群法
□統制群

## 問14 実験計画、要因配置　　　　　　正答　4

□実験計画
□要因配置
□被験者間要因

この**実験計画**は性別と学習法の2**要因配置**であり、学習法の主効果は有意、性別の主効果は有意でないが性別と学習法の交互作用が有意だった。したがって**1～3**は適切である。しかしこの実験計画では性別も学習法も異なる被験者群間で比較されており、どちらも**被験者間要因**である。

したがって、正答は**4**である。

## 問15 質問紙調査法　　　　　　　　　正答　2

□質問紙調査法

**質問紙調査法**は、いっぺんに大人数のデータが収集可能であり、心理尺度などを用いればデータ分析も容易となる方法である一方、回答者の意味の取り違えを見抜くことが難しかったり、抽象的で表面的な側面しか把握できなかったりするという短所がある。ラポールとは情緒で良好な関係性のことであり、質問紙調査を行うときにはあまり問題とならない。

したがって、正答は**2**である。

## 問16 質問項目、逆転項目　　　　　　正答　2

□逆転項目
□質問項目

**逆転項目**とは回答の偏りの影響を避けるために**質問項目**に含める、測定する構成概念と負の相関を持つ項目のことである。**2**の行動は攻撃性の高さと負の相関を示すと考えられるので、逆転項目である。

## 問17 ダブルバレル質問　　　　　　　正答　3

□質問紙調査
□ダブルバレル質問

**質問紙調査**における**ダブルバレル質問**とは、質問文の中で回答者に2つの判断を求めているような質問項目のことで、望ましくないとされる。**3**は「女性の社会進出」と「男女雇用機会均等」について2つの賛否の判断を求めるため、たとえば「女性の社会進出には賛成だが、男女雇用機会均等には反対」の人は回答が困難になってしまうダブルバレル質問である。**1**も2つの判断を求めているが、回答欄も2つあるため、ダブルバレルとはいわない。

### 問18　予備調査　　　　　　　　　　正答　1

予備調査とは研究目的に直接つながる調査の前に、調査項目を作成したり、調査対象者を選定したりするために行われる調査である。本問では、**1**の予備調査結果から**2**の調査項目作成が行われることになる。なお、**4**は本調査のスタイルを述べたものである。**3**は追試調査である。

### 問19　参与観察法　　　　　　　　　　正答　1

研究フィールドの人々と積極的にコミュニケーションを図り、自らもそのフィールドの一員になることをめざしながら、フィールドでの現象を観察、記述する方法は、**参与観察法**と呼ばれる。**実験観察法**は、条件設定のための操作を加えて観察する方法であり、実験法の一種ともいえる。また、**定点観察法**は同一地点で継続的に観察すること、**焦点観察法**は特定の事象や特定の側面に限定して観察することをさし、上記2つとは分類の水準が異なる。

したがって、正答は**1**である。

### 問20　心理学的アセスメント　　　　　正答　2

**心理学的アセスメント**とは、個人の思考や欲求、知能や性格などの個人差を把握することで、個人の心理学的理解を行うための**個性記述**的な方法の総称である。**1**、**3**、**4**はそれぞれ心理学的アセスメントのさまざまな特徴を正しく説明しているが、**2**はむしろ**法則定立**的な研究について述べており、心理学的アセスメントの説明としては適切でない。

### 問21　半構造化面接　　　　　　　　　正答　2

**半構造化面接**とは、**構造化面接**ほど質問順や質問内容が固定されておらず、インタビュイー（被面接者）とのやりとりのあり方に応じて柔軟性を持つ面接の手法である。また、**非構造化面接**に比べれば、事前に質問内容をある程度細かく決めておくことから、構造化と非構造化の中間という意味で「半」構造化面接と呼ばれる。

したがって、正答は**2**である。

**問22　心理学研究の留意事項**　　　正答　**2**

**1.** 予備実験をしたからといって、先行研究を無視してよいわけではない。

□予備実験

**2.** 妥当である。心理学の研究を実施するには、先行研究をはじめ心理学や近接領域の先達の知見を踏まえたうえで、問題意識を明瞭にする必要がある。

**3.** 研究目的よりも方法が優先されてよいということはない。

**4.** 基本的に研究参加者の人権が最優先される。

**問23　心理学の研究倫理**　　　正答　**3**

　日本では、心理学関連の各学会が同時に倫理規定や倫理綱領を定めている。たとえば（公社）日本心理学会の倫理綱領では、前文に続き「1. 責任の自覚と自己研鑽」「2. 法令の遵守と権利・福祉の尊重」「3. 説明と同意」「4. **守秘義務**」「5. 公表に伴う責任」の5つの柱が示されている。倫理の遵守は極めて大切である一方、倫理を過剰に意識するあまり、自らの研究活動を過度に制約することは必ずしも望ましいわけではない。

□守秘義務

　**3**のコーポレート・ガバナンスは企業統治とも訳され、会社を最適に制御することを意味する。

　したがって、正答は**3**である。

**問24　インフォームド・コンセント**　　　正答　**4**

　**インフォームド・コンセント**は、人間を対象とする実証研究を実施する際に、事前に協力者に研究内容や予想されるリスクなどを説明し、いつでも参加を取りやめる自由があることを伝え、研究者と研究参加候補者との間で合意するという倫理的営みである。研究参加候補者は、説明の内容に合意できない場合には研究への参加を拒否することができる。

□インフォームド・コンセント

　したがって、正答は**4**である。

## 問25 疑わしい研究実践（QRPs）　　　正答　4

現在心理学の再現性を保証するために、**疑わしい研究実践**（QRPs）が問題視され未然に防ぐ取組みが世界的に進んでいる。QRPsの一例として、仮説を支持する研究成果のみを公開する**出版バイアス**、測定するサンプルサイズを不必要に操作し恣意的に有意性をもたらす**pハッキング**、多数の指標を測定・分析した後、研究者に都合のよい結果のみ選択し報告する**チェリー・ピッキング**などがある。

一方で、組織の規定に従った申請手続きを踏めば、審査後に倫理規定に抵触しない範囲の変更は問題ない。

したがって、正答は **4** である。

□疑わしい研究実践（QRPs）
□出版バイアス
□pハッキング
□チェリー・ピッキング

## 問26 研究再現性の保証　　　正答　2

心理学研究の**再現性**を保証する手立てとして、研究仮説、サンプルサイズ設計、研究手続き、解析方針などを研究実施前にオンライン公開する**事前登録**、出版バイアスを防止するため研究計画段階で審査し受理した論文を結果にかかわらず掲載する**査読付き事前登録**などが代表例として挙げられる。事前登録用システムはすでに運用されており、日本国内でも査読付き事前登録制度に対応した学会が増えつつある。

それ以外にも、研究過程で得たデータや使用したプログラムなどを論文公刊後に可能な範囲で外部公開することで第三者の追試のハードルを下げる方法がとられうる。

一方で、再現性確保を過度に目的化することは避けなくてはならない。再現性はあくまで研究の質を保証するための指標の一つであり、再現性担保のみを目的として研究テーマや手法を決定することは不健全である。特に心理学は統制が困難な潜在変数を取り扱う機会が多い分野である。再現性のみを優先するのではなく、適切な概念定義や手続き選択なども心がけなくてはいけない。

したがって、正答は **2** である。

□再現性
□事前登録
□査読付き事前登録

| 歴史 | 問題 | ➡解説はp.67〜 |

＊＊
**問27** 生得説および経験説と関連する用語の組合せとして、**適切でない**ものはどれか。

1. 生得説 ――― 理性主義
2. 生得説 ――― イギリス
3. 経験説 ――― タブラ・ラサ
4. 経験説 ――― 感覚の重視

＊＊
**問28** 特殊神経エネルギー説に関する記述として、最も妥当なものはどれか。

1. ミュラー（Müller, J. P.）によって批判され否定された。
2. 五感それぞれに対応する運動神経が対応すると考える説である。
3. 感覚の様相（モダリティ）は、刺激によって規定されるのではなく、感覚受容器によって規定されると考える。
4. 人間の運動は、特殊な神経によってエネルギーが供給されるとする説である。

＊＊
**問29** 生気論に関する記述として、最も妥当なものはどれか。

1. ラ・メトリ（La Mettrie, J. O.）の機械論を擁護する立場である。
2. デカルト（Descartes, R.）は身体と精神を分離して生気論を唱えた。
3. ガル（Gall, F. J.）による骨相学は生気論の代表的な理論である。
4. 生気論は、生命現象が物理化学過程に還元できないと主張する。

**問30** 三原色説に関する以下の文章の空欄a・bに当てはまる研究者名と用語の組合せとして、正しいものはどれか。

　三原色説は、ヤング（Young, T.）が唱えた色覚に関する説をもとに（　a　）が体系化した色覚の理論であり（　b　）という実験事実をよく説明することができる。現在では、色覚処理に複数の水準を考える（色覚の）段階説に統合されている。

| | a | b |
|---|---|---|
| 1. | フェヒナー（Fechner, G. T.） | 混色 |
| 2. | ヘルムホルツ（von Helmholtz, H. L. F.） | 混色 |
| 3. | ヘルムホルツ（von Helmholtz, H. L. F.） | 反対色 |
| 4. | ヘリング（Hering, K. E. K.） | 反対色 |

＊＊
**問31** フェヒナー（Fechner, G. T.）および彼の業績に関する記述として、**適切でない**ものはどれか。

1. フェヒナーは、ウェーバーの法則を参考に自らの説を作り上げた。

2．フェヒナーは、恒常法、極限法、調整法などの実験法を工夫した。

3．フェヒナーは、心理学実験室を作り、多くの学生を育てた。

4．フェヒナーの法則は、感覚を $E$、刺激を $I$ と表し、定数を $c$ とするとき、$E=k\log I+c$ で表される。

**＊＊＊**
**問32** 丁度可知差異（just noticeable difference；jnd）に関する記述として、**適切でないもの**はどれか。

1．触二点閾実験においては、2点だと感じることのできる2つの刺激の距離である。

2．極小変化法ともいい、刺激を少しずつ変化させながら提示して、被験者（実験参加者）が違いを弁別した点を同定するものである。

3．弁別閾とも呼ばれる。

4．2つの刺激が持つある属性について、その2つの刺激間での相違が検出されるような属性の値をいう。

**＊**
**問33** ヴント（Wundt, W. M.）に関する記述として、最も妥当なものはどれか。

1．意識を否定し行動主義を唱えた。

2．イギリス心理学の父と呼ばれる。

3．進化論を発表した。

4．民族心理学を重視した。

**＊**
**問34** エビングハウス（Ebbinghaus, H.）の業績に関する以下の文章の空欄 a・b に当てはまる語句の組合せとして、正しいものはどれか。

エビングハウスは、自らを被験者にして（　a　）のリストを用いた記憶に関する再学習実験を行った。一度完全にリストの内容を記憶しても、時間がたつと忘却してしまう。そこで、改めて完全に記憶しようとすると、最初のときほど困難ではない。異なる時間間隔をおいて再学習の実験を何度も行ったところ、再学習を行うまでの時間が長いほど、再学習に費やす試行数は（　b　）ことが実験的に示された。

|  | a | b |
|---|---|---|
| 1． | 無意味綴り | 多くなる |
| 2． | 無意味綴り | 少なくなる |
| 3． | 有意味綴り | 多くなる |
| 4． | 有意味綴り | 少なくなる |

**\*\***
**問35** モーガンの公準（モーガンの節約律）に関する記述として、**適切でないも**のはどれか。

1. ロマーニズ（Romanes, G. J.）の逸話法に賛同を示した。
2. より低次の心的過程で説明できることは高次の過程で説明すべきではない、という主張である。
3. 低次の心的過程とは、たとえば試行錯誤の過程のことをいう。
4. 高次の心的過程とは、たとえば推理の過程のことをいう。

**\***
**問36** ジェームズ（James, W.）の唱えた説**でない**のはどれか。

1. 「I」と「me」
2. 意識の流れ
3. プラグマティズム
4. 種の起原

**\*\***
**問37** 知能検査の歴史に関する記述として、最も妥当なものはどれか。

1. ビネー（Binet, A.）は、陸軍兵士の知能を調べる検査を作った。
2. ビネーは、知能指数（IQ）の公式を作った。
3. ビネーは、知能偏差値を導入した。
4. ビネーは、精神年齢という概念を用いた。

**\*\***
**問38** 以下の研究者名と業績の組合せとして、**適切でないもの**はどれか。

1. ブローカ（Broca, P. P.）——————— 運動性失語
2. フロイト（Freud, S.）——————— 精神分析
3. ジェームズ（James, W.）——————— 情動体験のメカニズム
4. ティチナー（Titchener, E. B.）——————— ヴュルツブルク学派

**\*\*\***
**問39** ゲシュタルト心理学に関する記述として、最も妥当なものはどれか。

1. コフカ（Koffka, K.）は問題解決のプロセスに興味を持ち、霊長類の研究から、試行錯誤とは異なる洞察学習が成立することを明らかにした。
2. ゲシュタルト心理学は、要素主義的な考え方である。
3. ウェルトハイマー（Wertheimer, M.）がその中心であり、仮現運動の研究を行った。その所属していた大学の名を取ってライプツィヒ学派とも呼ばれる。
4. レヴィン（Lewin, K.）は、物理的環境そのものではなく、心理的な環境が人間の行動に影響を与えるとして、生活空間の概念を提唱した。

**問40** ヴィゴツキー（Vygotsky, L. S.）に関する記述として、**適切でないもの**はどれか。

1．ゲシュタルト心理学者ケーラー（Köhler, W.）によるチンパンジーの洞察学習の研究に影響を受けた。

2．1980年代に再発見されるまで、欧米においては注目されることがなかった。

3．同年生まれの心理学者ピアジェ（Piaget, J.）とともに発達の最近接領域の研究を行った。

4．ルリア（Luria, A. R.）やレオンチェフ（Leontiev, A. N.）など優秀な後進とともに研究を行った。

**問41** 以下の文章の空欄a・bに当てはまる用語と研究者名の組合せとして、正しいものはどれか。

心理学は意識ではなく行動を対象にすべきだと考えたのはワトソン（Watson, J. B.）であるが、ワトソンだけが行動の研究をしていたわけではない。パヴロフ（Pavlov, I. P.）はイヌを被験体に用いて（　a　）の研究を行っていた。またネコを被験体にして試行錯誤学習の研究を行っていたのは（　b　）である。

|   | a | b |
|---|---|---|
| 1． | 条件反射 | ソーンダイク（Thorndike, E. L.） |
| 2． | 条件反射 | ティチナー（Titchener, E. B.） |
| 3． | 効果の法則 | ソーンダイク（Thorndike, E. L.） |
| 4． | 実験神経症 | ティチナー（Titchener, E. B.） |

**問42** 以下の研究者a〜dのうち、新行動主義の心理学者をすべて選んだ組合せとして正しいものはどれか。

a：ハル（Hull, C. L.）

b：スキナー（Skinner, B. F.）

c：トールマン（Tolman, E. C.）

d：ワトソン（Watson, J. B.）

1．a、b

2．c、d

3．a、b、c

4．b、c、d

\*\*\*
**問43** 統計的手法とその開発者名の組合せとして、**適切でない**ものはどれか。

1．相関係数 ——— ゴールトン（Galton, F.）

2．t 検定 ——— スチューデント／ゴセット（Student／Gosset, W. S.）

3．分散分析 ——— フィッシャー（Fisher, R. A.）

4．因子分析 ——— キャッテル（Cattell, R. B.）

\*\*\*
**問44** 日本の心理学に関する以下の記述a〜dにおける下線部の出来事を時間順に並べたときに、正しい順番になっているものはどれか。

a：西周は"Mental Philosophy"という本を翻訳して『心理学』というタイトルで出版した。

b：福來友吉は、『催眠心理学』を出版するなど、日本の臨床心理学発展を担う人物として期待されていた。

c：日本で最初の心理学研究者はアメリカで心理学を学んだ元良勇次郎であり、その帰国後、「精神物理学」という講義を担当した。

d：日本心理学会が設立されると、それまでの日本の心理学界の指導的立場にあった松本亦太郎が初代の会長となった。

1．a→c→b→d

2．a→c→d→b

3．c→d→a→b

4．d→c→b→a

\*\*
**問45** 元良勇次郎に関する記述として、**適切でない**ものはどれか。

1．精神物理学という名前の講義を初めて日本で行った。

2．東京帝国大学（現在の東京大学）で多くの心理学者を育てた。

3．アメリカのホール（Hall, G. S.）に指導を受け心理学を学んだ。

4．ヴント（Wundt, W. M.）のもとで学び民族心理学を日本に導入した。

## 問27 生得説と経験説　　　　　正答　2

　17世紀から19世紀初頭までの西洋哲学においては、人間の性質、特に理性がどのように人間に備わったのかの説明について、「生得説」と「経験説」という対立の構図が認められた。

　生得説は、理性は人間に生まれつき備わったものであると考える立場であり、理性主義とも呼ばれる。一方、経験説はイギリスに起こった考え方で、誕生後の経験が人間の理性を作り出すと考え、特に人間の外部と内部をつなぐインターフェイスとして感覚の働きを重視した。その代表者である**ロック**（Locke, J., 1632-1704）は著書『人間悟性論』（1690／1894）の中で、心は生まれつき何の特徴もない白紙（**タブラ・ラサ**〔tabula rasa〕）であると仮定してみるべきだと主張した。イギリスは経験説発祥の地であり、**2**が適切でなく正答である。

□生得説
□経験説
□ロック
□タブラ・ラサ

## 問28 特殊神経エネルギー説　　　　正答　3

　**特殊神経エネルギー説**はミュラー（Müller, J. P.）によって唱えられた。人間の感覚ごとに感覚受容器が存在すると考えるものであり、感覚の様相（モダリティ）は、興奮させられた感覚受容器によって決定されると考える説である。ミュラーは、各感覚受容器がその感覚に特有の感覚エネルギーを持つと仮定し、ある感覚の受容器は、それがどのような刺激で興奮させられたとしても、同じ感覚を生じさせると考えた。

　したがって、正答は**3**である。

□特殊神経エネル
　ギー説
□ミュラー

## 問29 機械論と生気論　　　　　　正答　4

　**生気論**は**機械論**より長い歴史を持ち、またさまざまなバリエーションを持つが、**デカルト**（Descartes, R.）に始まる機械論に対抗する形で現れたものが、狭義の生気論である。すなわち、18世紀の**ミュラー**や、20世紀初頭の**ドリーシュ**（Driesch, H.）が代表的論者である。

**1**．生気論は**ラ・メトリ**（La Mettrie, J. O.）が唱えた機械論と
　　対立する。

**2**．デカルトは身体と精神を分離する主張を行い、機械論の基礎
　　を作った。

□生気論
□機械論
□デカルト
□ミュラー
□ドリーシュ
□ラ・メトリ
□ガル

**3**．ガル（Gall, F. J.）による骨相学は生気論とは無関係である。

**4**．妥当である。生気論は生命現象が物理化学過程に還元できないと主張するものである。

---

**問30** 　三原色説　　　　　　　　　　　　**正答　2**

　19世紀初頭、**ヤング**（Young, T.）は、人間の眼において色を感じる視神経には、赤・緑・青の三色を感じる神経があると考えた。この説を生理学的な知識で補強したのが**ヘルムホルツ**（von Helmholtz, H. L. F.）である。そこで、色についてのこのような考え方を**ヤング゠ヘルムホルツの三原色説**と呼ぶ。

　この説は混色実験をよく説明できるが、一方で色の残像現象などを説明することができない。そこで**ヘリング**（Hering, K. E. K.）は、黒－白、青－黄、緑－赤の３つの過程が人間の色覚の基本であるとする説を唱えた。なお現在では、まず錐体レベルで三原色説的な処理がなされ、それが反対色説的な信号に変換されるとする段階説が支持を広く得ている。

　したがって、正答は**2**である。

□ヤング
□ヘルムホルツ
□三原色説
□ヘリング

---

**問31** 　フェヒナーの法則　　　　　　　　**正答　3**

　**フェヒナー**（Fechner, G. T., 1801-1887）は、ドイツの人。医学と哲学を修め物理学教授となったフェヒナーは、心と身体の関係を数量的な対応関係で知る学問、すなわち**精神物理学**を構想した。彼は**ウェーバー**（Weber, E. H., 1795-1878）の重量弁別の実験や、**ウェーバーの法則**を参考にしながら、恒常法、極限法、調整法などの実験法を工夫して研究を重ねた。そして、刺激の物理量とそれによって生じさせられる感覚の関係は、単純な比例関係ではなく、刺激の物理量の対数に比例することを見いだして、それを数式として表したのである。

　また、フェヒナーはある刺激の変化自体がわかるために必要な刺激強度を**弁別閾**と呼んで、ある刺激の存在自体が感知される最小の刺激強度である**絶対閾**と区別したことでも知られている。なお、彼自身は心理学者であるつもりはなかったとされている。

　したがって、正答は**3**である。

□フェヒナーの法則
□フェヒナー
□精神物理学
□ウェーバー
□ウェーバーの法則
□弁別閾
□絶対閾

**問32** 丁度可知差異　　　　　　　　正答　**2**

　丁度可知差異は２つの刺激が持つある属性について、その２つの刺激間での相違が検出されるような属性の値をいうもので弁別閾と呼ばれることもある。丁度可知差異は触二点閾実験においては、２点だと感じることのできる２つの刺激の距離である。

**2.** 適切でない。極小変化法は、**精神物理学**的測定のうちの、最小変化法について説明したものであり、丁度可知差異という概念の説明ではない。

□丁度可知差異
□精神物理学

**問33** ヴントの業績　　　　　　　　正答　**4**

　ヴィルヘルム・ヴント（Wundt, W. M.）は、実験を重視した心理学の体系化に努め、近代心理学の父と呼ばれる。実験心理学と**民族心理学**がともに大事だと考えていた。

**1.** 意識を重視した心理学を唱えた。**行動主義**を唱えたのは**ワトソン**（Watson, J. B.）。

**2.** ドイツのライプツィヒ大学で心理学の体系化に努めた。

**3.** 進化論を唱えたのは**ダーウィン**（Darwin, C. R.）。

**4.** 妥当である。

□ヴント
□民族心理学
□行動主義
□ワトソン
□ダーウィン

ヴント（https://www.lw.uni-leipzig.de/en/wilhelm-wundt-institute-for-psychology/working-groups-1/cognitive-and-biological-psychology/history-of-experimental-psychology-in-leipzigより）

## 問34 エビングハウスの業績　　正答　1

KEY WORD

**エビングハウス**（Ebbinghaus, H.）は、自らを被験者にして**無意味綴り**のリストを用いた記憶に関する再学習実験を行った。

□エビングハウス
□無意味綴り

まず、無意味綴りリストを完全に記銘する。そして、さまざまな時間間隔をおいて再記銘を行う。彼は最初に完全に記銘するまでの試行数に対して、再学習時に必要とした試行数がどれくらいであったのかに着目し、それを再学習時の節約率という形で表現した。すなわち、再学習までの時間が短ければ、再学習は少なくて済むし、時間が長ければ再学習にかかる試行数は多くなることを実験心理学の立場から明らかにしたのである。感覚や知覚だけではなく、記憶など認知的な心理実験が可能になることを示した画期的な実験であった。

したがって、正答は**1**である。

## 問35 モーガンの公準　　正答　1

**モーガンの公準**とは、**モーガン**（Morgan, C. L.）によって提唱されたもので、動物の行動説明を行うときに、より低次の心的過程で説明できることは高次の過程で説明すべきではない、という主張である。たとえば、試行錯誤という低次のメカニズムで説明できるものを、より高次のプロセスである推理の結果であるとしてはいけないという主張である。**ロマーニズ**ら（Romanes, G. J. et al.）による逸話法へのアンチテーゼでもあった。行動説明をするときには、用いる概念を節約すべきだ、ということでもあるから、モーガンの節約律とも呼ばれる。

□モーガンの公準
□モーガン
□ロマーニズ

したがって、正答は**1**である。

## 問36 ジェームズの業績　　正答　4

アメリカの心理学者・哲学者ジェームズ（James, W.）は、**プラグマティズム**の主唱者の一人である。人間の**自我**を主我（I）と客我（me）に分けて論じた。また、意識を動的なイメージでとらえる「**意識の流れ**」という概念を最初に用いたことでも知られる。

□ジェームズ
□プラグマティズム
□自我
□意識の流れ

『種の起原』は進化論者ダーウィンの著書の名前であり、正答は**4**である。

**問37** ビネーと知能検査　　　　　　　　正答　**4**

**KEY WORD**

　ビネー（Binet, A.）はフランスの心理学者であり、児童の知能を客観的に測定する手続きを完成した人物である。その目的は、学校で遅れの目立つ児童の状態を正確に把握し、その処遇を決定するためのものであった。

□ビネー
□知能検査
□ヤーキーズ
□シュテルン
□ウェクスラー

1．アメリカ陸軍のための検査を作ったのは**ヤーキーズ**（Yerkes, R. M.）である。

2．知能指数の公式を作ったのは**シュテルン**（Stern, W.）である。

3．知能偏差値を導入したのは**ウェクスラー**（Wechsler, D.）である。

4．妥当である。ビネーは、あらかじめ多くの児童からデータを集めて、各年齢ごとの平均的な水準を決定しておき、検査結果によって、児童が何歳の水準であるのかを表すことにした。こうして決定される年齢は、児童の実際の年齢に対して、精神年齢と呼ばれた。

**問38** 心理学者の業績　　　　　　　　　正答　**4**

1．**ブローカ**（Broca, P. P.）はフランスの解剖学者。運動性失語を研究し、失語症を大脳皮質の病変と関連づけて考察することで、機能局在説や大脳半球優位説を生み出した。

□ブローカ
□フロイト
□ジェームズ
□ランゲ
□ジェームズ＝ランゲ説
□ティチナー
□構成主義
□ヴュルツブルク学派
□アッハ
□ビューラー

2．**フロイト**（Freud, S.）はオーストリアの医師。神経症患者の治療に尽くし、夢分析や自由連想法を用いた精神分析を体系化した。

3．ジェームズはアメリカ初期の心理学者。情動体験のメカニズムについて、身体活動が情動経験に影響するというメカニズムを考えた。同時期に**ランゲ**（Lange, C.）が同様の説を考えていたことから、今では**ジェームズ＝ランゲ説**と呼ばれる。

4．適切でない。**ティチナー**（Titchener, E. B.）はヴントの弟子で**構成主義**を標榜した。なお、**ヴュルツブルク学派**は、**アッハ**（Ach, N.）、**ビューラー**（Bühler, K. L.）などによるもので、無心像説を唱え、ティチナーの構成主義には反対した。

## 問39 生活空間 　　　　　　　正答　4

　**ゲシュタルト心理学**は、**ウェルトハイマー**（Wertheimer, M.）によって20世紀初頭に創始されたもので、ヴントの心理学が要素主義であるのに対して、全体やまとまりを重視する考え方である。ウェルトハイマーは運動の知覚について研究を行い、仮現運動という現象を明らかにして注目を集めた。協力者には**ケーラー**（Köhler, W.）や**コフカ**（Koffka, K.）がおり、知覚のみならず記憶や思考の研究を精力的に行った。ケーラーは洞察学習の研究を行った。

　ウェルトハイマーらが活躍した時期に学生だった**レヴィン**（Lewin, K.）は大きな影響を受けるとともに、児童の性格や社会心理学の領域にまで研究を広げた。人間の行動は物理的環境そのものではなく、心理的な環境に影響を受けるとして、**生活空間**の概念を提唱した。なお、彼らはベルリン大学で活動したためベルリン学派と呼ばれる。

　したがって、正答は**4**である。

**KEY WORD**
- □ゲシュタルト心理学
- □ウェルトハイマー
- □ケーラー
- □コフカ
- □レヴィン
- □生活空間

## 問40 ヴィゴツキーの業績 　　　　　正答　3

　**ヴィゴツキー**（Vygotsky, L. S.）はゲシュタルト心理学者ケーラーによるチンパンジーの洞察学習の研究に影響を受け、媒介を重視する学習理論を提唱した。子どもの発達において、自力では解決できない領域と自力で解決できる領域との間には、大人が助力すれば解決することのできる領域があると指摘し、そうした領域を**発達の最近接領域**と呼んだが、この開発は**ピアジェ**（Piaget, J.）とともに行ったわけではない。

　ヴィゴツキーは**ルリア**（Luria, A. R.）や**レオンチェフ**（Leontiev, A. N.）など優秀な後進とともに研究を行ったものの、若くして亡くなり、その後、彼の業績は長い間顧みられていなかったが、1980年代に欧米の心理学者たちによって注目されることになり、ヴィゴツキー・ルネサンスとも呼ばれた。

　したがって、正答は**3**である。

- □ヴィゴツキー
- □ケーラー
- □発達の最近接領域
- □ピアジェ
- □ルリア
- □レオンチェフ

**問41** 行動研究とその源流　　　　　　正答　1

KEY WORD

□パヴロフ
□条件反射
□実験神経症
□ソーンダイク
□効果の法則
□ティチナー
□構成主義心理学

ロシアの**パヴロフ**（Pavlov, I. P.）は生理学者であり、犬を被験体にして消化腺の研究を行いノーベル賞を受賞、のちに**条件反射**メカニズムを発見した。**実験神経症**とはパヴロフが見いだした現象である。すなわち、イヌに弁別の難しい課題を与え続けると、成績が悪くなるのはもちろん、むやみに吠えたり咬みついたりする状態が慢性的に現れることを見いだした。これを彼は実験神経症と名づけたのである。

**ソーンダイク**（Thorndike, E. L.）はアメリカの心理学者。ネコの問題箱で試行錯誤学習の研究を行い、**効果の法則**を提唱した。

**ティチナー**は、ヴントの弟子であり、**構成主義心理学**を唱えた。

したがって、正答は**1**である。

**問42** 新行動主義　　　　　　　　　　正答　3

□ワトソン
□行動主義
□新行動主義
□ハル
□トールマン
□スキナー

**ワトソン**は1910〜20年代に活躍した初期の**行動主義**心理学者であり、他の3名は1930年代以降に活躍し、**新行動主義**と呼ばれた立場の心理学者である。

**ハル**（Hull, C. L.）はワトソンのS-R理論に対して、仮説構成的概念としての有機体（organism）を重視する理論（S-O-R理論）を構築した。**トールマン**（Tolman, E. C.）はサイン・ゲシュタルト説を提唱、認知心理学の先駆けとなった。

一方、**スキナー**（Skinner, B. F.）は仮説構成体による説明を拒否。条件づけをレスポンデントとオペラントの2つのタイプに分類して実験研究を行ったが、教育問題にも関心を持ち効果的な学習を保証するティーチング・マシンを考案した。彼の行動主義は（ハルの行動主義が方法論的行動主義と呼ばれるのに対して）徹底的行動主義（radical behaviorism）とも呼ばれる。

したがって、正答は**3**である。

## 問43 統計的手法　　　正答　4

1. **ゴールトン**（Galton, F.）は幅広い興味を持っていたが遺伝現象にも興味を持ち、相関や回帰という現象を統計的に扱う工夫を開発した。

2. **ゴセット**（Gosset, W. S.）は、ギネスビールに勤務しながら統計手法の研究を重ね、その論文をスチューデント（Student）というペンネームで発表していた。

3. **フィッシャー**（Fisher, R. A.）は農業研究から**分散分析**を開発した。

4. 適切でない。**因子分析**を開発したのは知能の二因子説を発表した**スピアマン**（Spearman, C. E.）であり、**キャッテル**（Cattell, R. B.）は知能の二次因子説を唱えた（結晶性知能と流動性知能）。

□ゴールトン
□ゴセット
□フィッシャー
□分散分析
□因子分析
□スピアマン
□キャッテル

## 問44 日本の心理学の歴史　　　正答　1

日本の心理学は、基本的に海外からの知識の導入であった。

まず、幕末から明治にかけて活躍した**西周**が、明治初期に**ヘヴン**（Haven, J.）の"Mental Philosophy"を翻訳して『心理学』として出版したのが、心理学という本の始まりである。

アメリカ留学から帰国した**元良勇次郎**によって大学で本格的に専門教育や研究が始まったのは明治20年代のことであった。他の有力な学者としては**松本亦太郎**や**福来友吉**がいた。

福来は臨床心理学の発展を背負っていた人物であり、明治末期に『催眠心理学』を出版したが、透視や念写という現象を発見したと主張して地位を失い、日本の臨床心理学は停滞を余儀なくされた。

松本は元良の死後、日本の心理学の指導的立場に立ち、大正時代の心理学をリードした。昭和初期に日本心理学会が創設されると初代会長となった。

日本の心理学はその初期から海外の学説には敏感であり、**ヴント**の心理学はもちろん、行動主義、精神分析、ゲシュタルト心理学なども、留学生などを通じてすぐに日本の心理学に導入された。ヴント、エビングハウスなどの実験心理学、**ホール**（Hall, G. S.）などの発達心理学、フロイトやユング（Jung, C. G.）など

□西周
□ヘヴン
□元良勇次郎
□松本亦太郎
□福来友吉
□ヴント
□ホール

の精神分析についても、速やかな翻訳がなされていた。

したがって、正答は **1** である。

**問45** 元良勇次郎の業績　　　　　　　　　**正答　4**

元良勇次郎は日本で最初の心理学者である。アメリカのジョンズ・ホプキンス大学でホールの指導を受け、実験心理学や児童心理学などを学んだ。帰国後の1888年、精神物理学という名前の講義を日本で初めて行った。その後、心理学の教授として、教育心理学や臨床心理学を含む幅広い領域の心理学に関心を寄せ、東京帝国大学（現在の東京大学）で多くの学生を育成した。そのうちの一人が桑田芳蔵（くわたよしぞう）で、ヴントのもとで学び民族心理学を日本に導入した人物である。

したがって、正答は **4** である。

元良勇次郎

**KEY WORD**

□元良勇次郎
□ホール
□桑田芳蔵
□ヴント
□民族心理学

**問1** 初めて古典的条件づけの実験を行った研究者は誰か。

1．ソーンダイク（Thorndike, E. L.）

2．ケーラー（Köhler, W.）

3．パヴロフ（Pavlov, I. P.）

4．ワトソン（Watson, J. B.）

\*\*
**問2** 般化（はんか）に関する記述として、**適切でないもの**はどれか。

1．刺激般化は2つの刺激の類似性が大きいほど般化の量が大きくなり、類似性が少なくなるほど般化が少なくなるカーブを描く。

2．1,000Hz の音を条件刺激として唾液条件づけを行った後、条件刺激と類似した1,200Hz の音を提示してテストをすると、1,200Hz の音に対しても条件反応が生じる。

3．幼児の自発的な「マンマ」という発話に対して親が注目したり反応したりする（強化）と、「マンマ」という発話が増えるだけでなく、それ以外の発話（たとえば、「ブー」）も増え、発話全体が増加する。

4．単語の視覚提示を条件刺激、ブザー音を無条件刺激として GSR の条件づけを行った後、発音はまったく異なるが意味的には類似した同義語や、正反対の意味を持つ対義語を提示してテストをすると、同義語に対してのみ条件反応が生じる。

\*
**問3** オペラント条件づけに関する記述として、**適切でないもの**はどれか。

1．効果の法則は、満足の法則、不満足の法則、強度の法則の3つからなる。

2．オペラント条件づけにおいて、強化を与えたときのレバー押し反応率をオペラント水準と呼ぶ。

3．オペラント条件づけにおいては、一般に強化回数が多いほど消去されにくく、消去経験が多いほど消去されやすい。

4．ある反応を強化した後、反応がなくなるまで消去し、次に別の反応を強化して消去すると、強化を与えないのに最初の反応が復活する。

＊＊＊
**問4**　強化に関する現在の説明として、最も妥当なものはどれか。

**1.** より制限された反応は、より制限が少ない反応を強化することができる。

**2.** 強化するものと強化されるものの関係は相対的であり、反応生起確率がより高い反応は、反応生起確率がより低い反応を必ず強化することができる。

**3.** 食物が飢えを満たし、水が渇きをいやすように、すべての一次性の強化子は生物学的要求を満たす刺激であり、それぞれに対応する生理学的メカニズムが存在する。

**4.** もし、ある刺激をあるオペラント反応に随伴して与えたときに、そのオペラント反応の生起率を高めた（強化力がある）ならば、この刺激を別のオペラント反応に随伴して与えた場合も必ずそのオペラント反応の生起率を高めることができる。

＊＊
**問5**　弱化に関する記述として、最も妥当なものはどれか。

**1.** 提示型弱化（正の弱化）が最も有効なのは、行動から時間がたって実験参加者が冷静になってから弱化子を与える場合である。

**2.** 特定の実験参加者の特定の反応にだけ弱化を与えることによって、その実験参加者のその反応のみを抑制することができる。

**3.** 提示型強化（正の強化）で維持されたオペラント反応に、固定比率（FR）スケジュールで弱化子を与えた場合、弱化の直後に反応率が急上昇する。

**4.** 2種類の反応のうちどちらの反応をしても同じ強化子が与えられる条件では、一方の反応のみを弱化すると、弱化された反応はほぼ完全に抑制されるが、他方の反応もやや減少する。

\*
**問6** 以下は4つの基本的な部分強化スケジュールの名称と、強化時・消去時の累積記録のグラフである。グラフの形状と名称の組合せとして正しいものはどれか。

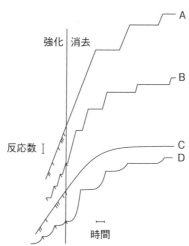

（レイノルズ（浅野俊夫訳）『オペラント心理学入門』サイエンス社, 1978, p.82）

a：固定時隔強化スケジュール（FI）
b：変動時隔強化スケジュール（VI）
c：固定比率強化スケジュール（FR）
d：変動比率強化スケジュール（VR）

|   | A | B | C | D |
|---|---|---|---|---|
| **1.** | b | a | d | c |
| **2.** | b | c | d | a |
| **3.** | c | d | a | b |
| **4.** | d | c | b | a |

**問7** ✱✱ 弁別学習に関する次の記述のうち、**適切でない**ものはどれか。

1. 母親が幼児に「イヌはどれ？」と聞き、動物の絵本を見せて指さささせるのは、「イヌ」という言葉を見本刺激、動物の絵を比較刺激とする見本合わせ課題である。

2. 赤と緑の弁別訓練の際に、初めは弁別正刺激（赤）を明るく長時間、弁別負刺激（緑）を暗く短時間提示することで、ハトが弁別負刺激（緑）をつつく誤反応が生じないようにし、弁別正刺激（赤）への反応が安定すると、誤反応が出ないくらいゆっくりと弁別負刺激（緑）を明るく長時間に変えていくことで、誤反応をあまり経験せずに弁別学習を経験させる手続きを、溶化（フェイディング）のフェイド・インという。

3. ハーンシュタイン（Herrnstein, R. J.）はハトに「木」が写っている写真（弁別正刺激）と「木」が写っていない写真（弁別負刺激）のいずれかを提示し、弁別正刺激が提示されたときにハトが反応キーをつつくと餌で強化する継時弁別課題を行った。ハトはすぐに正負の弁別を学習し、般化テストでは学習したことのない写真でも正しく弁別できたことから、ハトも木の自然概念を持つと主張した。

4. 刺激のグループの中で、ある刺激への反応が強化されると必ず他の刺激への反応も強化されるが、その刺激への反応が強化されないと必ず他の刺激への反応も強化されないとき、このグループを等価セットと呼ぶ。

**問8** ✱✱ 味覚嫌悪条件づけ・恐怖条件づけに関する次の記述のうち、**適切でない**ものはどれか。

1. 動物の種によって、どういう条件刺激に対して味覚嫌悪条件づけが生じやすいかは異なる。ネズミでは、腹痛は嗅覚刺激や味覚刺激に条件づけられやすく、ウズラでは、腹痛は色などの視覚刺激に条件づけられやすい。

2. 味覚嫌悪条件づけにおいては条件刺激と無条件刺激の提示間隔は重要であり、たとえば提示間隔が1時間もある痕跡条件づけを行っても、条件づけはまったく成立しない。

3. 恐怖条件づけとは、最初は恐怖を引き起こさない中性刺激だった刺激が、強い嫌悪刺激（無条件刺激）と対提示されることによって、恐怖反応を引き起こす力を持つ条件刺激となることである。

4. ワトソン（Watson, J. B.）はネズミを恐れない生後11か月のアルバート坊やに、白ネズミを条件刺激、大きな音（アルバートは驚いて泣く）を無条件刺激とする古典的条件づけを行い、恐怖が学習された反応であることを示した。アルバートは白ネズミを怖がるようになっただけでなく、白ウサギやサンタクロースの白ひげも怖がるようになった。

**＊＊**
**問9** 消去に関する記述として、最も妥当なものはどれか。

1. 古典的条件づけにおいては、反応がまったく生じなくなるまで消去手続きを行うと、条件づけが完全に消去し、翌日以降もまったく反応がなくなる。

2. 古典的条件づけの制止理論では、条件づけによって形成された興奮性の連合が消去によって制止され、反応が生じなくなるのが消去だと考える。

3. オペラント条件づけにおいて、強化されていた反応を消去すると、反応率は一時的に上昇し、行動のばらつきが大きくなる。

4. オペラント条件づけにおいて、連続強化スケジュールから消去に移行した場合は、同じ回数、部分強化スケジュールで反応を強化された後に消去に移行した場合よりも消去抵抗が高く、消去が遅くなる。

**＊**
**問10** シェイピング（反応形成）に関する記述として、最も妥当なものはどれか。

1. 実験参加者に結果の知識（KR）を与えることで反応を形成する方法である。KR には量的な KR と質的な KR がある。

2. 実験参加者が反応形成の目標である標的行動を自発するまで待ち、その行動が生じると即時強化を行う方法である。

3. 実験参加者に、モデルとなる人が標的行動を行い強化されるのを観察させることによって、モデルと同じ行動を形成させる。代理強化による行動形成法である。

4. 標的行動に近い行動をまず強化し、その行動が増加したら強化をやめ、強化の基準をさらに標的行動に近づけるという操作を何度も繰り返すことによって、最終的に標的行動を形成させる。強化と消去を組み合わせた行動形成法である。

**＊＊**
**問11** 技能学習に関する記述として、最も妥当なものはどれか。

1. 常に KR を与えると実験参加者は KR に依存して身体感覚をモニターしなくなるので、KR が与えられない状況に直面すると成績が悪化する。

2. 運動学習の経験があると学習の転移が生じ、他の運動の学習をみな促進する。

3. 複雑な運動に熟練すると反応連鎖が形成されるので、反応連鎖がほころびるとタイピングの予期エラーのような打ち間違いが生じることもある。

4. スキーマ理論によると、練習後期には KR がなくても成績が低下しなくなるのは、すでにスキーマが形成されているからである。

**\***
**問12** 系統的脱感作法のやり方に関する次の記述のうち、**適切でない**ものはどれか。

1. 系統的脱感作法はオペラント条件づけの理論を臨床に応用したもので、最初に、恐怖症の患者が恐怖発作を起こすきっかけとなった刺激を、恐怖や不安の程度が低いものから高いものまで順に並べたリストを作成する。

2. 次に、手の筋肉を5秒間緊張させ、そしてリラックスさせることで、筋肉に注意を向けさせ、手をリラックスしたときの感覚に気づかせる。次いで、体の末梢から体の中心に向け、腕、肩、首、胴という順に、リラックスしたときの感覚を体験させる。

3. 次に、リラックスした状態のまま、患者にリストの中で最も恐怖が少ない刺激を20秒間イメージさせる。もし恐怖反応が高まればイメージを一時中断させ、リラックスの訓練に戻る。

4. もし患者が恐怖を感じなくなれば、リストの次の刺激に移る。最終的に、最も強い恐怖反応を引き起こしていた刺激に対しても、恐怖反応が生じなくなるようになるまで続ける。

**\*\***
**問13** さまざまな行動療法に関する次の記述のうち、**適切でない**ものはどれか。

1. 患者が望ましい行動をしているところだけを取り出して編集したビデオを患者自身に繰り返し見せ、望ましい行動を増やそうとする。

2. 動物恐怖などを訴える患者を、患者本人の同意を得て、数秒間恐怖刺激にさらし、古典的条件づけで形成された恐怖の消去を促すのをフラッディングという。

3. 精神科病院、矯正施設などで、患者や入所者が好ましい行動をするとトークン（代用貨幣）を与え、後で食べ物などの強化子と交換することにより、行動を改善しようとする。

4. 夜尿症に苦しむ子どものベッドのシーツの下に、尿が一滴でも漏れればブザーが鳴る装置を取り付け、膀胱の膨らみの感覚（内的な条件刺激）とブザーの警告音（無条件刺激）の古典的条件づけを行う。子どもは膀胱が膨らむと目を覚まし（条件反応）、自分でトイレに行くようになる。

## 学習心理学　解説

**問1** 古典的条件づけ　　　　　　　　　正答　3

1．ソーンダイク（Thorndike, E. L.）は、中の仕掛けを操作すればドアが開き、外に出て餌を食べることができるようになっている問題箱を作成した。空腹のネコを問題箱に入れて外に出るまでの時間を測定し、ネコの学習が試行錯誤によって生じることを示した。
2．ケーラー（Köhler, W.）は、学習は試行錯誤によってだけでなく、洞察によっても生じると主張した。
3．正しい。パヴロフ（Pavlov, I. P.）は、音を鳴らした後にイヌに餌を与える「音と餌の対提示」を繰り返すと、イヌは音を聞いただけで唾液を分泌するようになることを発見し、**条件反射（古典的条件づけ）**と呼んだ。
4．ワトソン（Watson, J. B.）は1913年に「行動主義者の見た心理学」という論文を発表し、心理学は内観でなく行動を研究対象とすべきだという**行動主義**心理学を創始した。彼はまた、幼児を被験者として、恐怖の古典的条件づけとその消去を行った実験でも有名である。

□ソーンダイク
□ケーラー
□洞察
□パヴロフ
□条件反射
□古典的条件づけ
□ワトソン
□行動主義

**問2** 般化　　　　　　　　　　　　　　正答　4

1．これを刺激**般化勾配**という。
2．これは2つの刺激の物理的類似性に基づいて生じる、**古典的条件づけ**の刺激般化である。
3．これは**オペラント条件づけ**の反応般化である。
4．適切でない。これは2つの刺激の意味的類似性に基づいて生じる、古典的条件づけの意味般化であるが、意味般化は同義語に対してだけでなく、対義語に対しても生じる。

□般化
□古典的条件づけ
□オペラント条件づけ

**問3** オペラント条件づけ　　　　　　　正答　**2**

**KEY WORD**

□効果の法則
□強化
□オペラント条件
　づけ
□消去
□復活

**1.** **効果の法則**のうち、満足の法則とは反応直後に満足をもたらす反応はその状況と強固に連合し、その状況でより生じやすくなるという法則である。不満足の法則とは、反応直後に不快をもたらす反応は、その状況との連合が弱まり、その状況でより生じにくくなるという法則である。

**2.** 適切でない。オペラント水準とは、**強化**を与えないときのレバー押し反応率のことである。

**3.** これは**オペラント条件**づけの強化回数・**消去**回数の一般的な効果である。

**4.** これは**復活**である。消去しても学習が完全に消え去るわけではないことを示している。

**問4** 強化　　　　　　　　　　　　　　正答　**1**

**1.** 妥当である。これはアリソン（Allison, J.）の**反応遮断化理論**（反応制限説）である。

**2.** これは**プレマック**（Premack, D.）の**原理**である。しかし、より生起確率が低い行動であっても、その行動が制限されたならば、より生起確率の高い行動を強化することができるので、常に当てはまるわけではない。

**3.** これは**ハル**（Hull, C. L.）の要求低減説である。しかし、人工甘味料のサッカリンは栄養価がなく飢えを満たさないが、反応を強化する力を持つように、生物学的要求を満たす刺激だけが強化力を持つわけではない。

**4.** これは**メール**（Meehl, P. E.）の唱えた場面間転移性の原理である。プレマックはこれがどんな場合でも成り立つわけではないことを示した。

**問5 弱化** 正答 3

1. **提示型強化（正の強化）**の場合と同じく、**提示型弱化（正の弱化）**の場合も、反応の直後に与えられる場合に最も反応を抑制する効果が強い。

2. その実験参加者の特定の反応にだけ**弱化**を与えた場合であっても、その実験参加者の行動は全般的に抑制される。これは反応**般化**の例である。また、**観察学習**によって、他の実験参加者の行動も抑制されるかもしれない。

3. 妥当である。提示型強化（正の強化）で見られる、**FRスケジュール**の強化後反応休止は、FRスケジュールで与えられた弱化の反応抑制効果にも見られる。すなわち、弱化の直後に反応抑制効果が「休止」し、反応が急上昇するのである。

4. 弱化された反応はほぼ完全に抑制されるが、弱化されなかったほうの反応は強化が増えたわけでもないのに増加する。これを弱化の**行動対比**と呼ぶ。家でテレビゲームを禁止すれば、子どもは友人の家でたくさんやるようになるのがこの例である。

□提示型強化
　（正の強化）
□提示型弱化
　（正の弱化）
□弱化
□般化
□観察学習
□FRスケジュール
□行動対比

**問6 部分強化スケジュール** 正答 4

1. **FRスケジュール**の強化時の累積記録の特徴は強化後休止があることであり、FIの強化時の累積記録の特徴はスキャロップがあることである。

2. **VRスケジュール**と**VIスケジュール**の強化時の累積記録の形は似ている（VRのほうが反応率がやや高い）が、消去時にはVRに**比率スケジュール**特有の反応休止が見られるようになる。

3. 変動スケジュール（VRスケジュール、VIスケジュール）の強化時の累積記録の特徴は、固定スケジュール（FRスケジュール、**FIスケジュール**）より滑らかなことである。

4. 正しい。

□部分強化スケジュール
□FRスケジュール
□VRスケジュール
□VIスケジュール
□比率スケジュール
□FIスケジュール

**問7 弁別学習**　　　　　　　　　　**正答　1**

1. 適切でない。これは象徴見本合わせ課題である。
2. テラス（Terrace, H. S.）は、実験参加者にできる簡単な課題を**溶化**（フェイディング）の技法（フェイド・インとフェイド・アウトがある）を用いて徐々に難しい課題に移行させ、誤反応やそれに伴う負の情動を経験せずに難しい課題を学習させる無誤**弁別学習**を考案した。
3. このような継時弁別課題を用いて、動物が持っている自然カテゴリーや概念形成の研究が行われている。
4. **刺激等価性**の学習に問題があると読字障害が生じるので、刺激等価性の訓練が読字障害の治療に有効であることが知られている。

□溶化
　（フェイディング）
□弁別学習
□刺激等価性

**問8 味覚嫌悪条件づけ・恐怖条件づけ**　　　**正答　2**

1. ウィルコクソンら（Wilcoxon, H. C. et al.）はネズミとウズラに「酸っぱい紺色の水」を飲ませてから味覚**嫌悪条件づけ**を行ったところ、ネズミは酸っぱい水にのみ嫌悪を示し、紺色の水には嫌悪を示さなかった。逆に、ウズラは紺色の水のほうに嫌悪を多く示した。
2. 適切でない。味覚嫌悪条件づけでは、**条件刺激**（味）と**無条件刺激**（塩化リチウムの腹腔内注射による腹痛）の提示間隔が24時間離れていても、その間に他の食物を食べていなければ条件づけが成立する。
3. 恐怖反応自体は生得的な反応であるが、何に恐怖を感じるかは古典的条件づけの恐怖条件づけで学習される。
4. **恐怖条件づけはワトソン**のアルバート坊やの実験で有名である。ワトソンは、恐怖が学習されたものであるならば、学習によって消去することもできるはずだと考え、のちの**行動療法**につながる研究を行った。

□嫌悪条件づけ
□条件刺激
□無条件刺激
□恐怖条件づけ
□ワトソン
□行動療法

## 問9 消去　　　　　　　　　　　　　　正答　3

**KEYWORD**

1. いったん反応がなくなるまで**古典的条件づけ**の消去を行っても、翌日の最初にはまた多少反応が現れる。これを**パヴロフ**は自発的回復と呼んだ。自発的回復は**オペラント条件**づけの消去においても見られる。

2. 制止理論では、条件づけによって形成された興奮性の連合と、消去によって形成された制止性の連合がつりあい、反応が生じなくなるのが消去だと考える。

3. 妥当である。**消去**に移行すると、反応率は一時的に上昇し（反応頻発）、反応の力が増加し（レバーを強く押す、など）、行動のばらつきが増えるが、その後、反応率は低下する。

4. **部分強化スケジュール**から消去に移行した場合のほうが、連続強化スケジュールから消去に移行した場合より消去抵抗が高い（消去されにくい）。この現象は、部分強化消去効果と呼ばれている。「部分強化と消去」はどちらも非強化試行を含んでいるので類似性が高く、部分強化から**般化**が生じて消去時にも反応が出るが、「連続強化と消去」は類似性が低いので連続強化から消去への般化は少ない。そのため、連続強化後の消去のほうが反応が弱くなるという般化減少仮説で説明されている。

□古典的条件づけ
□パヴロフ
□オペラント条件
　づけ
□消去
□部分強化スケジ
　ュール
□般化

## 問10 シェイピング（反応形成）　　　　正答　4

1. これは運動学習に対するフィードバックである。実験参加者に単純な KR を与えるだけでなく、実験参加者の運動の映像や改善点、望ましい行動についてのフィードバック（遂行の知識：KP）を与えると、運動学習がより促進される。

2. これは**提示型強化**（**正の強化**）である。実験参加者が標的行動を自発する場合は、標的行動を直接強化すればよいので、**シェイピング**を行う必要はない。

3. これは**観察学習**である。

4. 妥当である。シェイピングは実験参加者の行動レパートリーの中に標的行動がない、または非常に少ない場合に用いる。まず標的行動に近い行動を選び、強化によってその反応の生起率を高めてからいったん消去に移ると、行動のばらつきが大きくなる。その中から、さらに標的行動に近い反応を選んで強化する手続きを繰り返す。

□提示型強化
（正の強化）
□シェイピング
（反応形成）
□観察学習

2

学習・認知・知覚

## 問11 技能学習　　　　　　　　　　　　正答　1

1. 妥当である。結果の知識（KR）は運動学習を助けるが、常に KR を与えると実験参加者は KR に依存して、一回一回の身体感覚をモニターしなくなるので、KR がない状況では成績が悪化する。そのため、数試行分の KR をまとめて与える、平均値の KR を与える、訓練中に KR の提示回数を徐々に減らしていく（漸減的フィードバック）などの工夫がなされている。

2. ある**運動学習**の経験があると、それに類似した動作を含む運動学習を促進する（正の転移）が、拮抗した動作を含む運動学習を抑制する（負の転移）ので、**学習の転移**が常に後続の運動学習を促進するわけではない。

3. 直前のタイピングの感覚が次のタイピングの**弁別刺激**となるという反応連鎖では予期エラーを説明できない。熟練者のタイピングは運動プログラムによると考えられている。

4. 練習後期には KR がなくても成績が低下しない理由をうまく説明できるのは、アダムス（Adams, J. S.）の2段階理論である。

**問12** 系統的脱感作法　　　　　　　　　　正答　**1**

1. 適切でない。**系統的脱感作法**では、恐怖は**古典的条件づけ**で形成された**条件反応**であると考え、古典的条件づけの**消去**手続きによって、恐怖反応を段階的に消去しようとする。まず初めに、消去すべき恐怖の対象のリストである**不安階層表**を作成する。

2. これは筋弛緩法である。筋肉の緊張を取り除くとともに、患者の不安を和らげる。

3. これはイメージ脱感作法である。これに対し、恐怖刺激のイメージを思い浮かべるのではなく、実際の恐怖刺激を使って脱感作を行う方法を現実脱感作法という。事故や飛行機に乗ることが恐怖刺激である場合や、特定の人が恐怖刺激である場合のように、現実的制約からイメージしか使えない場合も多い。

4. もし、患者の恐怖反応が強く試行を中断した場合は、不安階層表の一段階前に戻ってやり直す。系統的脱感作法では、このように恐怖の程度が低いものから順に段階を踏んで恐怖を消去していく。

□系統的脱感作法
□古典的条件づけ
□条件反応
□消去
□不安階層表

**問13** 行動療法　　　　　　　　　　　　　正答　**2**

1. これは**観察学習**の理論に基づいて考案されたセルフモデリングである。患者は自分自身が望ましい行動ができたところを見るので、「彼にはできるけれど私にはできない」と思うことがないという利点がある。患者はその行動が自分にもできるという自己効力感が高まる。

2. 適切でない。**フラッディング**では、患者を恐怖刺激にさらす時間は十分に長くなければならず、短すぎると恐怖症が悪化する可能性がある。

3. これは望ましい行動をトークンを使って強化しようとする**トークンエコノミー（トークン経済）**である。

4. これは**古典的条件づけ**の理論を応用したアラームシーツ法である。条件づけが成立した後、子どもに寝る前に水を飲ませて夜尿が起こりやすくし、さらに過剰訓練を行うと、夜尿症の再発をさらに少なくすることができる。

□行動療法
□観察学習
□フラッディング
□トークンエコノミー
　（トークン経済）
□古典的条件づけ

**問14**　初期の認知心理学において、主要な研究対象となっていたと考えることが最も適切なものはどれか。

1．記憶
2．感情
3．認知症
4．自我（エゴ）

\*
**問15**　系列位置効果の実験において、正再生率について下図のような結果が得られたとする。ここから読み取れることとして、最も適切なものはどれか。

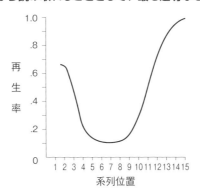

1．エビングハウス（Ebbinghaus, H.）の忘却曲線と同じ形だといえる。
2．初頭効果と新近効果との両方が得られている。
3．グラフ中央部にレストルフ効果が見られる。
4．記憶に永続性があることが示されている。

\*\*
**問16**　感覚記憶と短期記憶を比べたときに、感覚記憶のほうにより当てはまる特徴であるものはどれか。

1．容量が大きい
2．保持時間が長い
3．リハーサルを行うことができる
4．視覚情報だけでなく聴覚情報も保持できる

**\***

**問17** 処理水準効果における3種の処理水準を、記憶成績が低いものから高いものへと順に並べたものとして、正しいものはどれか。

1. 音韻処理＜意味処理＜形態処理
2. 音韻処理＜形態処理＜意味処理
3. 意味処理＜音韻処理＜形態処理
4. 形態処理＜音韻処理＜意味処理

**\*\***

**問18** エピソード記憶と意味記憶に関して述べたものとして、最も適切なものはどれか。

1. 再生成績で測定されるのがエピソード記憶、再認成績で測定されるのが意味記憶である。
2. エピソード記憶も意味記憶も、長期記憶の一種として区分される。
3. 意味記憶は、中央実行系と2種のサブシステムから構成されている。
4. エピソード記憶は、下図のようなネットワーク構造で説明されることが多い。

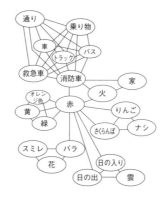

\*\*\*
**問19** 潜在記憶について述べたものとして、最も適切なものはどれか。

1. 自分から思い出すことはできないが、ヒントを与えられれば容易に思い出せる記憶である。
2. 潜在記憶の大半は幼少期の体験からなっていて、成人後に新たに記憶することは困難である。
3. 単語完成課題などの直接プライミング課題は、潜在記憶をとらえる実験課題として用いられることが多い。
4. 神経心理学的研究によれば、潜在記憶に主にかかわっている脳領域は内側側頭葉(ないそくそくとうよう)である。

\*\*\*
**問20** 目撃証言と関連する記憶現象について、正しく説明しているものはどれか。

1. 事後情報効果：交通事故などショッキングな出来事に巻き込まれると、その直後の記憶が残らなくなってしまう。
2. 凶器注目効果：犯人グループの中に凶器を持った人がいると、その人の顔や服装の記憶が、ほかの人に対するものよりも正確になる。
3. 言語隠蔽(いんぺい)効果：顔などの非言語的情報を見た後にそれを言葉で説明させると、後の記憶の正確性が損なわれる。
4. 協同想起効果：同じ出来事を目撃した人同士を集め、目撃内容について協力して思い出させると、一人だけで思い出すよりも正確性が高まる。

\*\*
**問21** 記憶における典型的な気分一致効果であるといえるのはどれか。

1. ポジティブな気分のときには、ポジティブな内容の記憶が思い出しやすくなる。
2. ネガティブな気分のときには、ポジティブな内容の記憶が思い出しやすくなる。
3. ポジティブな気分のときに覚えたものは、ポジティブな気分のときに思い出しやすくなる。
4. ネガティブな気分のときに覚えたものは、ポジティブな気分のときに思い出しやすくなる。

**\*\***
**問22** トップダウン処理とボトムアップ処理に関して述べたものとして、最も適切なものはどれか。

1．数字を1・2・3・4・5の順で読むときに4を「し」と読むのはボトムアップ処理に、5・4・3・2・1の順で読むときに4を「よん」と読むのはトップダウン処理に基づいている。

2．アルファベットのN・I・S・Aをそれぞれ別個に発音するのはトップダウン処理に、NISAを「ニーサ」と発音するのはボトムアップ処理に基づいている。

3．「おはうよございます」と書いてあっても、一部を並べ替えて「おはようございます」と読んでしまいやすいのは、トップダウン処理の働きによる。

4．下図のような、小さな文字を並べて大きな文字を表したものでは、個々の小さな文字よりも全体としての大きな文字のほうが認識が早いとされ、これはボトムアップ処理に基づいている。

**EEEEE**
**E**
**EEEE**
**E**
**E**

**\*\*\***
**問23** 視覚的イメージの本質をめぐる「イメージ論争」において、ピリシン（Pylyshyn, Z. W.）がとった立場はどれか。

1．命題説
2．アナログ説
3．生成文法理論
4．アフォーダンス理論

**\*\***
**問24** 認知バイアスとその例の組合せとして、最も適切なものはどれか。

1. 連言錯誤：同じ内容を繰り返して聞かせると、信憑性を高く感じるようにな
る。

2. ギャンブラーの錯誤：ある集団の中で、自分の能力はその集団の平均よりも高
いと、半数以上の人が思っている。

3. コンコルド効果：勝負にかけた費用が積もるほど失敗に終わる不安も高まり、
自尊感情を守るために自分から撤退する選択をしやすい。

4. フレーミング効果：治療法の予後が生存率として表示された場合と、それを1
から引いて得た死亡率として表示された場合とでは、異なる意思決定が生じ
る。

**\***
**問25** ウェイソン（Wason, P. C.）による4枚カード問題について述べたもの
として、最も適切なものはどれか。

1. ウェイソンの2-4-6課題と同じ解法で解くことができる。

2. 確証バイアスがかかわることで起こる誤りが見られやすい。

3. 人間が一度に把握できる数は4までとされ、その上限の枚数を用いることが難
しさの本質である。

4. 母音か子音かの区別を素材にするため、英語圏では大半の人が正解するが、日
本では難しいという大きな文化差が見られる。

**\*\***
**問26** 同じコインを6回投げた場合に、6回とも裏が出る確率は、表・裏・裏・
表・裏・表の順で出る確率よりも低いと判断されがちである。このことにかかわ
るヒューリスティックとして、最も適切なものはどれか。

1. 再認ヒューリスティック

2. 代表性ヒューリスティック

3. 利用可能性ヒューリスティック

4. 係留と調整のヒューリスティック

**問27** 次の文章は、「小学校学習指導要領（平成29年告示）総則編」からの抜粋について、かぎカッコ内を空欄としたものである。ここに入る心理学の用語として、正しいものはどれか。

児童一人一人がよりよい社会や幸福な人生を切り拓いていくためには、主体的に学習に取り組む態度も含めた学びに向かう力や、自己の感情や行動を統制する力、よりよい生活や人間関係を自主的に形成する態度等が必要となる。これらは、自分の思考や行動を客観的に把握し認識する、いわゆる「　　　　　」に関わる力を含むものである。

1．メタ認知
2．自伝的記憶
3．経験サンプリング
4．マインドワンダリング

\*\*\*
**問28** 心理学者と、その人物と関連の深い学問領域との組合せとして、最も**適切でない**ものはどれか。

1．サイモン（Simon, H. A.）───────────── 経営学
2．カーネマン（Kahneman, D.）───────────── 行動経済学
3．ウェルトハイマー（Wertheimer, M.）───────── 認知考古学
4．ラマチャンドラン（Ramachandran, V. S.）─────── 神経学

\*\*
**問29** 以下の文中の空欄a〜eに当てはまる語句の組合せとして、正しいものはどれか。

問題解決とは、問題に直面した現在の事態である（　a　）状態から、問題が解決された事態である（　b　）状態に向かって、（　c　）によって状態を変換するための認知的処理をさす。さらに、解決に至る道筋を限定する条件を（　d　）という。これら4つの要素を内的に表現したものを（　e　）という。

|  | a | b | c | d | e |
|---|---|---|---|---|---|
| 1． | 目標 | 探索 | 問題スキーマ | ブロッキング | プロダクションシステム |
| 2． | 初頭 | 新近 | 構造写像 | 適用 | ワーキングメモリ |
| 3． | 初期 | 目標 | オペレータ | 制約 | 問題表象 |
| 4． | 新近 | 終末 | 探索 | 良定義 | 問題スキーマ |

**＊＊**
**問30**　文字・語の処理に関する記述として、**適切でない**ものはどれか。

1．心的辞書（mental lexicon）とは、脳内に存在すると仮定される、語や形態素の集合である。それぞれの語や形態素は、書字、音韻、概念の表象を持っている。

2．単独の文字や非単語中の文字は、実在する単語を構成している文字よりも正確に認知される。この現象は単語優位性効果として知られている。

3．文字列を視覚的に提示し、単語か非単語か判断させる課題を、語彙判断課題と呼ぶ。語彙判断課題では、使用頻度の高い単語は、低い単語よりも迅速に認知される。

4．二重経路モデルによれば、視覚提示された単語を読む際には２つの処理経路が存在する。一つは単語の発音を心的辞書から直接検索する経路、もう一つは、単語の要素（文字や書記素）からボトムアップに発音を構成する経路である。

**＊＊**
**問31**　以下の文章の空欄ａ〜ｄに当てはまる語句の組合せとして、正しいものはどれか。

　文章を読み進める過程では、複数の処理が同時に進行しており、いくつかのレベルに分けて考えることができる。最初のレベルは（　ａ　）のレベルと呼ばれ、文字を解読し、単語レベルの処理が行われる。ここでは、表記を音韻的な情報に置き換え、心的辞書と照合する。また、このレベルでは、単語だけでなく、動詞の活用語尾などのような、形態素レベルの知識との照合も行われる。次が文単位の処理のレベルであり、（　ｂ　）と呼ばれる。このレベルでは単語や形態素情報をもとに（　ｃ　）が行われる。そして第３のレベルが（　ｄ　）のレベルであり、ここでは複数の文から構成される文章全体についての処理が行われる。

|  | ａ | ｂ | ｃ | ｄ |
|---|---|---|---|---|
| 1． | 符号化 | 構文解析 | 連接関係の処理 | 談話の処理 |
| 2． | 符号化 | 結束性の処理 | 照応関係の処理 | 連接関係の処理 |
| 3． | 復号化 | 構文解析 | 統語的な処理 | 談話の処理 |
| 4． | 語彙接近 | 連接関係の処理 | 談話の処理 | 照応関係の処理 |

## 認知心理学　解説

### 問14　認知心理学の始まり　　　　正答　1

**KEYWORD**
- □認知心理学
- □冷たい認知
- □認知症
- □フロイト
- □精神分析学

1. **正しい。**記憶は、行動主義の時代には研究対象になじまなかった、典型的な「頭の中」の現象であり、**認知心理学**の出現とともに広く研究が行われるようになった。

2. 感情は、古くから生理心理学と深くかかわりつつ研究されてきた。一方で、初期の認知心理学は、認知を当時発展しつつあったコンピュータや人工知能になぞらえて、情報処理のプロセスとして理解する立場をとり、感情は射程に入れていなかった。そこで扱われた、感情の要素を含まない認知は「**冷たい認知**」と呼ばれることもある。

3. **認知症**は、記憶、理解力、実行機能などの障害を中核症状とする病態ではあるが、長い間あくまで精神医学の対象であった。認知臨床心理学や認知加齢の研究が盛んになったのは1980年代からであり、認知症に対する認知心理学的アプローチもその後に発展した。なお、「認知症」は、2004（平成16）年に厚生労働省が、それまで使われていた「痴呆」に替わる語として提示し定着させた。

4. 自我（エゴ）は**フロイト**（Freud, S.）による**精神分析学**の心的構造論に登場する概念である。精神分析学は、認知心理学よりも先に「心の中」の探究に力を注いだが、熟練した分析家による少数の臨床例や神話等の解釈を好み、科学的なアプローチに基づく認知心理学とは相いれない面が大きかった。

### 問15　系列位置効果　　　　正答　2

**KEYWORD**
- □エビングハウス
- □忘却曲線
- □初頭効果
- □新近効果
- □系列位置効果
- □レストルフ効果

1. **エビングハウス**（Ebbinghaus, H.）は、無意味綴りの系列学習を通して、時間経過とともに記憶が薄れていく様子を得た**忘却曲線**で知られている。忘却曲線は単調減少を示すし、そもそもその横軸は符号化ではなく検索のタイミングであって、本問のグラフとは明らかに異なる。

2. **適切である。**学習リストの初めのほうの項目の記憶成績が高いのが**初頭効果**である。終わりのほう、つまり検索の時点に相対的に近くて新しい項目の成績が高いのが**新近効果**である。本問のグラフは双方ともに見られる、U字型の典型的な

系列位置効果のパターンとなっている。

3. **レストルフ効果**は、孤立効果とも呼ばれ、多数の学習項目の中に他とは明らかに異質なものがあると、その記憶成績が高く出るというものである。もしレストルフ効果が混入していたと主張するとしても、本問のグラフで高いのは初めと終わりとであり、その位置に関してでないと成り立ちえない。

4. 一般に、新近効果が得られるのは学習項目の提示の直後にテストを行った場合である。それなのにグラフ中央部で目立った低下が見られることは、永続性とはむしろ矛盾するといえる。

---

**問16 感覚記憶と短期記憶**　　　　　　　　**正答　1**

1. 正しい。スパーリング（Sperling, G.）の部分報告法の実験では、**感覚記憶**に情報がとどまっているわずかな間には、それ以降よりも高い再生成績が得られている。なお、**短期記憶**のほうの容量は、**ミラー**（Miller, G. A.）が1956年の論文で7±2だと主張したといわれることがあるが、のちのコーワン（Cowan, N.）によれば4前後とされ、ミラーのその論文にも短期記憶の容量を7±2と断言している箇所はない。

2. 感覚記憶の保持時間については、視覚で1秒、聴覚だと数秒が限度とされる。短期記憶は数十秒程度とされることが多いが、頭の中で繰り返す**維持リハーサル**を続けることで、より長く保つこともできる。

3. 感覚記憶には意図の関与は困難であり、維持リハーサルも、情報を整理し既有知識と関連づける**精緻化リハーサル**も、短期記憶のほうの現象である。

4. エコイックメモリと呼ばれる、聴覚情報を扱う感覚記憶が存在する一方で、短期記憶でも聴覚情報の保持は容易に行える。むしろ維持リハーサルでは、視覚的に入力された情報であっても、言語的な音韻情報の形で繰り返されることが多い。

□感覚記憶
□短期記憶
□ミラー
□維持リハーサル
□精緻化リハーサル

### 問17 処理水準効果　　　　　　　　　　正答　4

　**処理水準効果**は、符号化の際に行った認知処理が「深い」ものであるほどその項目の記憶成績が高まるという効果である。クレイクら（Craik, F. I. M. et al.）の研究における典型的な手法では、提示される単語に対して、3種類の方向づけ課題のいずれかを求める。その語が大文字で書かれているか、指定された単語と韻を踏むか、合わせて提示される文において欠けている箇所に入れて意味が通るか、であり、**形態処理**、**音韻処理**、**意味処理**にそれぞれ対応する課題となっている。すると、正再生率は形態処理した単語で最も低く、意味処理した単語で最も高くなる。各課題が対応する処理水準を代表しているといえるか、処理水準が「深い」ことの本質は何かといった論点はあるものの、3課題の成績順は多くの研究の間で一貫している。

　したがって、正答は **4** である。

KEY WORD
□処理水準効果
□形態処理
□音韻処理
□意味処理

### 問18 エピソード記憶と意味記憶　　　　正答　2

**1**．**再生**は、学習したものを書き出すなどの課題で、実験参加者がどのくらい正しく出力できるかどうかを問う手法である。**再認**は、提示される項目が学習した中にあったかどうかの判断から、記憶できている程度をとらえる手法である。いずれも**エピソード記憶**をとらえるうえで広く用いられる測定手法である。

**2**．適切である。長期記憶を、いつ、どこで体験したのかを特定する時空間的定位の有無に基づいてエピソード記憶と**意味記憶**との2種に区分する考え方は、**タルヴィング**（Tulving, E.）によって示された。

**3**．**中央実行系**は、短期記憶に代わる概念として提唱された**ワーキングメモリ**の構成要素であり、長期記憶に区分される意味記憶の要素ではない。なお、ワーキングメモリの初期のモデルは、その下に2種のサブシステムを置いていたが、のちに**バデリー**（Baddeley, A. D.）がエピソードバッファを加えた3種を置く形に改訂した。

**4**．これは意味記憶の代表的なモデルである**意味ネットワーク**を表したものであり、長期記憶ではあるがエピソード記憶では

□再生
□再認
□エピソード記憶
□意味記憶
□タルヴィング
□中央実行系
□ワーキングメモリ
□バデリー
□意味ネットワーク

ない。

## 問19 潜在記憶　　　　　　　　　　　　　正答　3

1. **潜在記憶**は、その記憶を思い出しているという意識を伴わずに働いている記憶であり、この例は想起意識を持つことから、**顕在記憶**のほうに分類される。ヒント（手がかり）によって顕在記憶を想起し回答する課題は、**手がかり再生**課題である。

2. 潜在記憶はさまざまな要因に対して頑健で、発達的変化もあまり見られない。また、潜在記憶の実験研究の多くは、高齢者を含む、青年期以降の者を対象としている。

3. 適切である。言語材料を扱う実験では、典型的な**反復プライミング課題**である単語完成課題（例：□い□ころ）や語幹完成課題（例：こいご□□）を用いることが多い。また、図形や音楽などの非言語情報を扱う反復プライミング課題も考案されている。

4. 両側の内側側頭葉を手術で除去した症例H. M. は、それ以降に新たに経験したことの想起ができなくなる順向性の**健忘**を呈したまま回復しなかったが、潜在記憶課題を実施すると新たな学習の効果が認められている。今日では、側頭葉の海馬や海馬傍回は、顕在記憶であるエピソード記憶に重要な脳領域であることが知られている。

□潜在記憶
□顕在記憶
□手がかり再生
□反復プライミング課題
□健忘

## 問20　目撃証言の記憶　　　　　　　　正答　3

**1.** **事後情報効果**は、前に体験した出来事についての誤った情報を含む話題に事後的に触れることで、出来事の想起の際にその誤情報が混入してしまうもので、誤情報効果とも呼ばれる。特殊な構造の学習リストを用いることで見ていない単語の記憶をつくるDRMパラダイムとともに、虚偽の記憶の研究に多く活用されている。

**2.** **凶器注目効果**は、事件の際に刃物や銃器などの凶器を持っていた人物に対しては、凶器に視覚的注意が集中しやすいため、凶器自体の記憶は明確に得られるのに、顔や服装などは相対的に想起が困難になるというものである。

**3.** **正しい。言語隠蔽効果**は、言語的な記述になじまない材料を言語的に符号化することが後の想起を妨げてしまうもので、顔などの目撃情報の収集において特に留意を要する現象である。

**4.** 複数人で同じ事項について話し合うなどして思い出す**協同想起**は、想起の量ではむしろ個々人が別々に思い出す場合よりも不利になる協同抑制が生じやすい。また、想起の質の面でも難があり、実際には体験していないはずの内容が回答に現れる**虚偽の記憶**が増えやすいとされる。

□事後情報効果
□凶器注目効果
□言語隠蔽効果
□協同想起
□虚偽の記憶

## 問21　気分と記憶　　　　　　　　　　正答　1

　**気分一致効果**は、そのときの気分に一致した方向の内容を扱う認知処理が、不一致のものよりも優れるというものである。**バウアー**（Bower, G. H.）は、意味記憶のネットワークモデルに感情もノードとして組み込む**感情ネットワークモデル**を提唱し、記憶の気分一致効果を説明した。ただし、ネガティブな気分が続くことは不快であるため、そこから抜け出せるようにポジティブな認知を指向させる、**気分不一致効果**と呼ばれる現象が見られることもある。

　**気分状態依存効果**は、状態依存記憶の一種で、符号化時の気分と検索時の気分とが一致している学習項目について、そうでない項目よりも記憶成績が優れるというものである。

　したがって、正答は **1** である。**2** は気分不一致効果、**3** は気分状態依存効果に対応する。

□気分一致効果
□バウアー
□感情ネットワークモデル
□気分不一致効果
□気分状態依存効果

**問22 トップダウン処理とボトムアップ処理** 　正答　3

1. 同じ「4」に対する読み方が文脈によって左右されるのは、その文字を個々にとらえた結果をまとめる**ボトムアップ処理**ではなく、全体として見た場合の自然な読みに沿った形で処理する**トップダウン処理**に起因する。

2. どちらかといえば、個々の文字の読みをボトムアップ処理、全体としての読みをトップダウン処理と対応させるほうが自然である。

3. 適切である。トップダウン処理が、全体の意味が通るような認知を導くことで、個々の文字を順に読むボトムアップ処理からの読みとは異なる出力を生む。明らかな誤字脱字を見落とすエラーの原因でもあるが、その場で求められていそうなことを優先することで、社会的な適応を効率的にする働きでもある。

4. このような図形を提示し、小さな文字か大きな文字かのどちらかをできるだけ早く読ませる課題では、小さい文字を読む**局所処理**よりも、大きい文字を読む**大域処理**（たいいき）のほうが強いことを示す知見が得られやすい。

**問23 視覚的イメージ** 　正答　1

1. 正しい。**命題説**は、イメージは命題の形で表象されるとする立場で、イメージのアナログ説との間でイメージ論争を展開することとなった。

2. **アナログ説**は、視覚イメージは視覚像と類似した絵のようなものであるとするコスリン（Kosslyn, S. M.）などの立場である。

3. **生成文法理論**は、言語学者**チョムスキー**（Chomsky, N.）が唱えた言語の獲得と運用に関する理論で、発達心理学や認知心理学に大きな影響を与えた。

4. **アフォーダンス理論**は、人間にある知覚や行為を促すような、環境が示す関係性（アフォーダンス）についての心理学的理論である。**ギブソン**（Gibson, J. J.）が生態学的心理学の立場から提唱した。

□命題説
□アナログ説
□生成文法理論
□チョムスキー
□アフォーダンス
　理論
□ギブソン

## 問24 認知バイアス 正答 4

1. ある命題について、それが成立する確率は、その命題と別の命題との両方が同時に成立する確率を下回ることがないが、別の命題のほうに関してもっともらしさが生じる文脈のもとでは、両命題が両立する連言事象のほうが起こりやすそうに感じられることがある。これが**連言錯誤**であり、代表性ヒューリスティックによって起こるとされる。なお、何度も触れた情報の信憑性を高く感じるようになるのは、**単純接触効果**の働きであると考えられる。

2. **ギャンブラーの錯誤**は、同じ出来事が何度も続くと、次は異なることが起こりそうだと感じるというものである。赤か黒かに賭けるギャンブルで、赤が4回続いたら次は黒に賭けるというような、確率的判断には強そうに思われるギャンブル愛好者でも見られる判断バイアスである。

3. **コンコルド効果**の方向はむしろ逆であり、失敗に終わるであろう見込みが立っても、すでに使ってしまった費用（サンクコスト）が大きいほど、それを無駄にするように感じられて撤退する決断がしにくくなる。なお、平均以上だと思っている人が集団の半数以上となることは、**平均以上効果**と呼ばれる自己認知のバイアスであるが、日本では欧米に比べると明瞭ではないとされる。

4. 適切である。予後を生存率で示す（ポジティブフレーム）のと、死亡率で示す（ネガティブフレーム）のとでは、数理的には同一であっても人間の判断は同じにならない。このような、物事を示すうえでのとらえ方や枠組みが理解や判断に影響を与えることを、**フレーミング効果**と呼ぶ。

KEY WORD

□ 4枚カード問題
□ 2-4-6課題
□ 確証バイアス
□ サビタイジング

2

学習・認知・知覚

**4枚カード問題**は、表にアルファベット、裏に数字が書かれている下図のような4枚のカードについて、「表が母音なら裏は偶数」という命題が成り立つかどうかを検証するために裏返して確認する必要があるカードを挙げさせるものである。ウェイソン（Wason, P. C.）が考案したことから、ウェイソン選択課題とも呼ばれる。

1. **2-4-6課題**もウェイソンが考案した課題で、確証バイアスの関与が見られる課題であるが、4枚カード問題は演繹的推論、2-4-6課題は帰納的推論を扱うものである。

2. 適切である。この課題に対しては、論理的には確認する意味がない「4」のカードを裏返し、「7」は確認しなければならないことに気づかずにいる回答が得られやすい。検証する命題の反証となりうるものを考えず、むしろ支持する方向に注意を向けがちである。**確証バイアス**の表れと考えることができる。

3. 視覚提示されたものの個数を素早く答える課題では、4個までは反応時間に差がなく、5個以降は個数に比例した時間の延びが見られる。ここには、4個までを並列処理で一斉に把握する認知過程である**サビタイジング**と、その先を逐次処理で一つずつ数え上げていくカウンティングとの分離を見ることができる。興味深い現象ではあるが、計数も反応時間測定も扱わない4枚カード問題とは特段の関連を持たない。

4. 文化の影響がないとはいえないが、当初のイギリスでの研究でも正答率は10%に満たない。

## 問26 ヒューリスティック　　　正答　2

**KEY WORD**
- □再認ヒューリスティック
- □代表性ヒューリスティック
- □利用可能性ヒューリスティック
- □係留と調整のヒューリスティック

1. **再認ヒューリスティック**は、知っているものとそうでないものとが並ぶ選択場面において、合理的な根拠に基づく判断が難しいのであれば、知っているほうを選ぶというものである。

2. 適切である。**代表性ヒューリスティック**は、その物事に対して代表的、典型的なものほど起こりやすく感じるというものである。表か裏かが半々の確率とすれば、この問の2例はどちらも $(1/2)^6$ の確率で起こることになるが、いかにもランダムな順序に見える結果のほうがコイン投げの結果らしく見えてしまう。

3. **利用可能性ヒューリスティック**は、判断の材料として利用するために思い浮かべやすいものほど、現実世界でも多いと感じるものである。たとえば、r が1文字目にある英単語と3文字目にある英単語とのどちらが多いかを問うと、3文字目が r の語のほうが検索しにくいために、1文字目の場合のほうが多いという、現実とは反する回答が多く出る。

4. **係留と調整のヒューリスティック**は、量的判断において検討の出発点に置かれた値がとりあえずの基準に使われ（係留）、そこを基準に調整を加えることで結論に達するというものである。たとえば、通常販売価格と並べて割引を強調したり、価格を示した後に特別におまけを足したりすると、係留点から見て割安な印象を与えることができる。

## 問27 日常認知　　　正答　1

**KEY WORD**
- □メタ認知
- □自伝的記憶
- □経験サンプリング
- □マインドワンダリング

1. 正しい。**メタ認知**は、認知についての認知のことで、「自分の思考や行動を客観的に把握し認識する」のがまさにメタ認知である。学習方略や批判的思考をはじめとした日々の学びに重要な認知的活動に寄与し、学校教育においても重視されるようになっている。

2. **自伝的記憶**は、自己の人生上の出来事の記憶である。実験室的な厳密な記憶実験には乗せにくいが、回想法、ノスタルジア、ナラティブ・アプローチ、デフォルト・モード・ネットワークなどの近年注目されているテーマとかかわる研究が増

えている。

3. **経験サンプリング**は、生活中のある時点における行動や内的状態の即座の報告を、間を置きつつ何度も求めて収集する研究手法である。質問紙等で事後的な想起に基づく回答を求める手法に比べて、記憶の減衰や再構成の影響が抑えられるメリットがある。

4. **マインドワンダリング**は、目前の活動に求められてはいない、ふと浮かんではとりとめなくめぐらされる思考である。注意の配分や焦点化を乱し交通事故などのリスクを高める一方で、ポジティブ気分や創造性を高める効果も見いだされている。

### 問28 認知心理学の学際性　　　　正答　3

1. **サイモン**（Simon, H. A.）は、人間の思考における限定合理性に着目し、組織論に応用するとともに、人工知能の開発にもかかわり、コンピュータを活用した**意思決定支援**の研究に従事した。1978年にノーベル経済学賞を受賞している。

2. **カーネマン**（Kahneman, D.）は、意思決定におけるヒューリスティックや、確率的な意思決定のモデルである**プロスペクト理論**について、**トヴェルスキー**（Tversky, A.）とともに研究を行った。2002年にノーベル経済学賞を受賞している。

3. **適切でない。** 認知考古学は、遺跡や遺物を通して当時の人々の内的過程にアプローチする、認知心理学の影響を受けた考古学の一分野である。**ウェルトハイマー**（Wertheimer, M.）は、認知心理学がまだ誕生していない20世紀前半に活躍した、ベルリン学派に属するゲシュタルト心理学者で、晩年は倫理や自由の問題にも思索を広げた。

4. **ラマチャンドラン**（Ramachandran, V. S.）は、視知覚や身体感覚に関して特異な現象を示した事例の神経学的な記述ならびに介入技法の開発や、脳機能に対する関心を喚起する一般向けの書籍や講演で知られている。

□サイモン
□意思決定支援
□カーネマン
□プロスペクト理論
□トヴェルスキー
□ウェルトハイマー
□ラマチャンドラン

## 2 学習・認知・知覚

**問29 問題解決**　　　　　　　　　　正答　**3**

**KEYWORD**

1. 探索とは、**初期状態**から**目標状態**に向けて、経路を探すことであり、状態をさすものではない。**プロダクションシステム**は、プロダクションルール「もしAならばBを行う」に基づく知識であり、4要素を表現したものではない。

2. 構造写像は、**類推**において、既知の知識の構造を、現在の問題を解くために要素間で対応づけをすることであり、状態の変換ではない。

3. 正しい。問題解決は初期状態から目標（ゴール）状態に向かって、状態を変化させる内的／外的な行為である**オペレータ**（操作子）を用いる。各状態で利用できるオペレータが限られていることが**制約**である。そして、これらの4要素を心的に表現したものが**問題表象**である。

4. **良定義問題**とは、4要素が明確に定義された問題をさし、解決を限定する条件のことではない。**問題スキーマ**は、問題文から抽出された、問題解決のための枠組みとなる知識であり、問題表象の構築を支える。

□初期状態
□目標状態
□プロダクション
　システム
□類推
□オペレータ
□制約
□問題表象
□良定義問題
□問題スキーマ

**問30 文字・語レベルの処理**　　　　　正答　**2**

1. メンタル・レキシコン（mental lexicon：**心的辞書**、あるいは心内辞書と訳される）とは、脳内に存在すると仮定される、語や**形態素**の集合である。それぞれの語や形態素は、書字、音韻、概念の表象を持っており、発話や書かれた文の理解や産出において主要な役割を果たしている。

2. 適切でない。実在する単語を構成している文字は、単独の文字や非単語中の文字よりも正確に認知される。この現象は**単語優位性効果**として知られている。たとえば視覚的に短時間提示された「work」と「qnrv」中にrの文字が含まれているかを判断させた場合、「work」のほうが正答率は高い。

3. 文字列を視覚的に提示し、単語か非単語か判断させる課題を、語彙判断課題と呼ぶ。語彙判断課題では、出現頻度の高い単語のほうが、低い単語よりも迅速に認知される。この現象は**単語頻度効果**と呼ばれる。

4. コルトハート（Coltheart, M.）が提唱する**二重経路モデル**に

□心的辞書
□形態素
□単語優位性効果
□単語頻度効果
□二重経路モデル
□相互活性化モデル

よれば、視覚提示された単語を読む際には2つの処理経路が存在する。一つは単語の発音を心的辞書から直接検索する経路、もう一つは、単語の要素（文字や書記素）からボトムアップに発音を構成する経路である。語の発音については、こうした経路を想定するのではなく、複数の分散された処理ユニットによる同時並行的な処理を仮定する**相互活性化モデル**もよく知られている。

**問31 読みの過程** 　　正答　**3**

　文章を読み進める過程では、複数の処理が同時に進行しており、いくつかのレベルに分けて考えることができる。

　最初のレベルは**復号化**（a）のレベルと呼ばれ、文字を解読し、単語レベルの処理が行われる。ここでは、表記を音韻的な情報に置き換え、心的辞書と照合する。また、このレベルでは、単語だけでなく、動詞の活用語尾などのような、形態素レベルの知識との照合も行われる。

　次が文単位の処理のレベルであり、**構文解析**（b）と呼ばれる。このレベルでは単語や形態素情報をもとに**統語**的な処理（c）が行われる。

　そして第3のレベルが**談話**の処理（d）のレベルであり、ここでは複数の文から構成される文章全体についての処理が行われる。

　したがって、正答は**3**である。

□復号化
□構文解析
□統語
□談話

## 知覚心理学 問題

➡解説はp.113〜

\*
**問32** 以下の幾何学的錯視のうち、図形の大きさに関するものはどれか。

1. ミュラー＝リヤー錯視
2. エビングハウス錯視
3. ポンゾ錯視
4. ポゲンドルフ錯視

\*\*
**問33** 色の光学的または知覚的特性に関する記述として、最も妥当なものはどれか。

1. 減法混色とは、異なる波長の光の合成による混色であり、次第に無色（白色）に近づく性質を持つ。
2. 色知覚の三色説では、赤、青、黄という三原色の光に選択的に反応する受容器が存在すると考えられている。
3. 色の心理的属性は、明るさを表す明度、純度を表す彩度、様相の違いを表す色相の三次元によって記述される。
4. 補色残像とは、特定の色を長時間観察することにより、無色の対象にも同色の知覚が生じる現象を意味する。

\*
**問34** 以下のうち、明暗の知覚の機能と最も**関連のない**ものはどれか。

1. プルキンエ現象
2. 桿体視・錐体視
3. 明順応・暗順応
4. ベクション

**\*\***
問35 以下の図では、実際には存在しない白色の三角形が知覚される。この現象の説明には**適用されない**用語はどれか。

1. 主観的輪郭
2. カニッツァの三角形
3. 視覚的補完
4. 視覚的マスキング

**\*\***
問36 形の知覚に関する説明として、**誤っている**ものはどれか。
1. 「図」は一定の形状をもって知覚される領域、「地」はその背景を表す。
2. 知覚される形は常に刺激の物理的形状と一致する。
3. 複数の要素がまとまって一つの図を構成することがある。
4. 顔刺激の知覚については、刺激特異的な現象が多く報告されている。

**\***
問37 隣のプラットホームの列車が動き出すと、止まっているはずの自分の乗った列車が動き出したように知覚されることがある。この知覚現象の名称として、最も妥当なものはどれか。
1. 誘導運動
2. 運動残効
3. $\beta$運動
4. 自動運動

\*\*\*

**問38** a～dは、選択的注意に関する代表的な理論である。これらを提唱された年代順に並べたとき、正しい順序で並んでいるものはどれか。

a：初期選択理論

b：後期選択理論

c：容量（資源）モデル

d：知覚的負荷理論

**1．** a→b→c→d

**2．** c→a→b→d

**3．** c→d→a→b

**4．** d→a→b→c

\*\*

**問39** 直前に無視された刺激に対する反応が遅延する現象を何と呼ぶか。

**1．** 負のプライミング

**2．** 注意の瞬き

**3．** 変化盲（変化の見落とし）

**4．** 非注意盲（非注意による見落とし）

\*

**問40** 視知覚の神経基盤に関する記述として、**適切でない**ものはどれか。

**1．** 網膜上には、明暗の知覚に関与する桿体と、色の知覚に関与する錐体という2種類の視細胞が存在する。

**2．** 網膜上には、すべての視細胞からの神経線維が集約されるために、光を感知することができない部位が存在している。

**3．** 眼球と大脳半球の連絡には、視交叉によって、右眼と左半球・左眼と右半球という逆転関係が成立している。

**4．** 視神経は主に一次視覚野と呼ばれる大脳の後頭葉領域に接続され、ここで線分の傾き等の基本的情報の分析が行われる。

\*
**問41** 奥行き知覚を生じさせる以下のa～dの手がかりを、単眼手がかりと両眼
手がかりに分類したとき、正しい組合せはどれか。

a：遮蔽　　　b：輻輳　　　c：調節　　　d：両眼視差

　単眼手がかり　　　　　両眼手がかり

**1．** a、b　　　　　　　　c、d

**2．** a、c　　　　　　　　b、d

**3．** a、b、c　　　　　　d

**4．** b、c　　　　　　　　a、d

\*\*
**問42** 以下の記述のうち、知覚の恒常性と最も**関連のない**現象はどれか。

**1．** 聴取距離を半分に近づけても、知覚された音の大きさは2倍にならない。

**2．** テレビをほぼ真横からのぞき見ても、人物などの映像はつぶれずに見える。

**3．** ほとんど明かりのない暗闇の中でも、雪はとても白く見える。

**4．** 急に暗い場所に移動すると、初め何も見えないが、次第に周りが見えるように
なる。

\*\*
**問43** 聴覚に関する記述として、**誤っている**ものはどれか。

**1．** 一人の人間が発声した音や一つの楽器が生じた音を純音と呼ぶ。

**2．** 音の心理的属性は音の大きさ、音の高さ、音色から構成される。

**3．** 音の高さの知覚に関する仮説（聴覚説）は大きく場所説と時間説に分類され
る。

**4．** 音刺激をなんらかの手がかりに基づいて一定のまとまりとして知覚する過程を
音脈分凝と呼ぶ。

\*\*
**問44** 以下のクロスモーダル知覚のうち、他と異なるカテゴリに分類されるもの
はどれか。

**1．** マガーク効果

**2．** 腹話術効果

**3．** ブーバ・キキ効果

**4．** ラバーハンド錯覚

**\***
**問45** **感覚・知覚の測定法に関する記述として、誤っているものはどれか。**

**1.** 視覚刺激の大きさは視角（cm）で表現する。

**2.** SOA とは系列的に提示される刺激間の提示開始時のずれを意味する。

**3.** 光の色を表現する際には CIE 表色系が用いられる。

**4.** 音の大きさは音圧レベル（dB）で表現する。

## 問32　錯視　　　　　　　　　　　　　正答　2

1. **ミュラー＝リヤー錯視**（Müller–Lyer illusion）は線分の長さに関する幾何学的錯視の代表的事例として知られる（図a）。外向きに開いた矢羽に挟まれた線分はより長く、内向きに閉じた矢羽に挟まれた線分はより短く知覚される。

2. 正しい。**エビングハウス錯視**とは複数の円に囲まれた中心部の円の大きさが異なって知覚される錯視を意味する（図b）。周辺の円が大きい場合は中心部の円がより小さく、周辺部の円が小さい場合は中心部の円がより大きく知覚される。

3. **ポンゾ錯視**とは、逆Ｖ字の内側に提示された2本の線分において、逆Ｖ字の頂点に近い線分が頂点から遠い線分より長く知覚される錯視を意味する（図c）。

4. **ポゲンドルフ錯視**とは長方形に遮断された1本の線分が、つながりが消失し、ずれて（すなわち、一次関数における切片が異なるように）見える錯視を意味する（図d）。

KEY WORD

□ミュラー＝リヤー錯視
□エビングハウス錯視
□ポゲンドルフ錯視

2

学習・認知・知覚

図a　ミュラー＝リヤー錯視

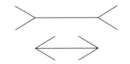

図b　エビングハウス錯視

図c　ポンゾ錯視

図d　ポゲンドルフ錯視

### 問33 色の知覚 　　　　　　　　　　　　正答　3

KEY WORD

　色の知覚は、網膜細胞が特定の波長の光を受容することによって生じる。可視光の範囲のすべての波長を含む光の受容は無色（または白色）の知覚を生じさせ、すべての波長が受容されないと黒色の知覚が生じる。

1．光の色は、含まれる波長成分によって決定される。異なる波長成分を持つ光の合成は、次第に白色の知覚を生じさせるようになる。このような光の混色を**加法混色**と呼ぶ（**1**はこれを減法混色と呼んでいる点で誤り）。一方、物質の色はその物質が吸収できない（反射する）光の波長成分によって決定されるため（たとえば、青色に見える物質は青色成分の波長のみを反射している）、物質の混色によって、色は次第に黒色に近づく。このような物質の混色を**減法混色**と呼ぶ。

2．**色知覚の三色説**とは、赤、緑、青を色の三原色とし、これらの波長の光に選択的に反応する視物質によって、あらゆる色の知覚が実現可能になるとする仮説である（**2**は、三原色に黄が含まれている点で誤り）。**ヘルムホルツ**（von Helmholtz, H. L. F.）と**ヤング**（Young, T.）の学説（ヤング＝ヘルムホルツ説）をもとにしている三原色の混色によってあらゆる色が表現可能であるという事実と適合している一方で、**色残像**など、説明困難な現象も多くある。

3．妥当である。光が主に含んでいる波長成分（主波長）によって色の見え方（赤、緑、青など）は異なる。この知覚された色の質的相違の次元を**色相**（hue）または色調と呼ぶ。また、同じ主波長を持つ光であっても、他の波長成分を含む割合によって鮮やかさが異なる。この色の純度を**彩度**（chromatic value）と呼ぶ。さらに、色相や彩度を変化させずに光の明るさだけを変化させることは可能であり、この次元を**明度**（brightness）と呼ぶ。

4．特定の色を一定時間観察した後に白色の物質を眺めると、客観的には存在しない色の知覚が生じる。この現象を色残像と呼ぶ。通常、色残像においては、おおむね補色となる色（赤に対する緑、青に対する黄）が知覚されるため、これを特に**補色残像**（または陰性残像）と呼ぶ。なお、強い白色光を提

---

□加法混色
□減法混色
□色知覚の三色説
□ヘルムホルツ
□ヤング
□色残像
□色相
□彩度
□明度
□補色残像

示された場合には、一時的に同色の残像が知覚されることもあり、これを陽性残像と呼ぶ。

**問34** 明暗の知覚　　　　　　　　　　　　　　正答　**4**

1. **プルキンエ現象**とは、明るい場所では黄色や赤色が、暗い場所では青色や緑色が相対的に明るく見える現象をさす。これは、明所視で優位となる錐体細胞の感度のピークが、黄色付近の波長にあること、また暗所視で優位となる桿体細胞の感度のピークが緑色付近の波長にあることによって生じる。

2. 明るい場所においては、桿体細胞と比べて、錐体細胞の活動が優位となる。この状態を明所視（photopic vision）、または錐体視と呼ぶ。一方、暗い場所においては、反対に桿体細胞の活動が優位となり、この状態を暗所視（scotopic vision）、または桿体視と呼ぶ。

3. 明るい場所から暗い場所に移動すると、しばらく何も見えないが、徐々に暗闇に"目が慣れて"くる。反対に、暗い場所から明るい場所に移動すると、少しの間目がくらむことがある。前者は明所視において感度が低下していた視細胞の順応過程を表しており、**暗順応**と呼ばれる。後者は暗所視において感度が上昇していた視細胞の順応過程を表しており、**明順応**と呼ばれる。

4. 関連がない。**ベクション**（視覚誘導性自己運動錯覚）とは、視野の広範囲に一定方向の運動刺激を提示することで、自身が移動しているような錯覚が生じる現象を意味する。

□プルキンエ現象
□暗順応
□明順応
□ベクション

## 問35 視覚的補完 　　正答　4

**KEY WORD**

1. 適用される。物理的には存在しないにもかかわらず、あたかも存在しているように知覚される輪郭、またはその輪郭によって形成される図形を**主観的輪郭**と呼ぶ。

2. 適用される。本問の図形は、イタリアの心理学者カニッツァ（Kanizsa, G.）によって考案されたことから、**カニッツァの三角形**と呼ばれる。

3. 適用される。物理的には存在しない視覚要素を心的に構築する機能を総称して、**視覚的補完**と呼ぶ。

4. 適用されない。**視覚的マスキング**とは、同じ視野領域内に2つの刺激が短時間で連続して提示された場合に、いずれかの刺激の知覚が阻害される現象を意味する。カニッツァの三角形には、実際には存在しない輪郭線が現れるだけでなく、三角形内部が明るく知覚されるなど、他の知覚的要素も同時に補完される。このような補完を**モーダル補完**と呼ぶ。一方で、**アモーダル補完**とは、遮蔽された物体の全体的形状をイメージするような知覚的次元の要素を伴わない視覚的補完を意味する。

□主観的輪郭
□カニッツァの三角形
□視覚的補完
□視覚的マスキング
□モーダル補完
□アモーダル補完

## 問36 知覚的体制化 　　正答　2

1. ルビン（Rubin, E.）は視野内の明暗や色の相違によって、形状と輪郭をもって前面に知覚される領域（**図**）とその後方に広がる背景領域（**地**）が分離されることを示した。また彼はルビンの盃と呼ばれる図と地が頻繁に入れ替わる画像（**図地反転図形**）を考案し、図と地が同時に輪郭をもって知覚されないことなどを実証している。

2. 誤り。刺激の物理的形状と知覚された形は必ずしも一致しない。これは**主観的輪郭**や透明視（perceptual transparency）などの現象からも確認できる。

3. 複数の要素をまとめて一つの図として知覚するこの過程を、知覚的体制化（または単に体制化）と呼ぶ。

4. 顔刺激については、サッチャー錯視や凹面顔錯視（hollow-face illusion）など、刺激特異的な知覚の存在を示す現象が数多く報告されている。

□図
□地
□図地反転図形
□主観的輪郭

**KEY WORD**

□誘導運動
□運動残効
□仮現運動
□β運動
□自動運動

**2**

学習・認知・知覚

**1.** 妥当である。静止した物体と運動している物体が同時に視野内に存在するとき、静止している物体が運動しているかのように知覚される現象を**誘導運動**と呼ぶ。誘導運動は、対象間において生じる場合と、静止した観察者と運動している対象間において生じる場合がある。問題文は後者の例である。

**2.** 一定方向に運動する対象をしばらく観察していると、静止した別の対象が反対方向へ運動しているように見える現象を**運動残効**と呼ぶ。川や滝の流れを観察した後、周囲の景色に眼を向けると、景色が逆方向に動いて見えるという滝の錯視は、運動残効の典型的な事例として知られている。特定の方向への運動に対して選択的に反応する方向選択的細胞の疲労による活動減少によって説明されている。

**3.** 視対象を視野内で連続的に点滅させることにより、それがあたかも運動しているかのように知覚される現象を**仮現運動**と呼ぶ。特に、同一視対象を異なる空間的位置に交互に点滅させ、それが空間を飛翔して往来するような知覚を生じさせる現象を**β運動**と呼ぶ。広義には、視対象の運動に関する物理的特性と知覚内容が異なる現象の総称を仮現運動と呼ぶこともあり、この場合、自動運動や誘導運動もここに含まれる。

**4.** 暗闇の中に小さな光点を提示すると、次第に光点が不規則に動いて見えるようになる。この現象を**自動運動**（autokinesis）と呼ぶ。暗闇の中では安定的な参照軸が存在せず、空間定位が困難になること、および暗闇においては緩やかで不随意的な眼球運動が生起することの2点が主な原因と考えられている。

## 問38 注意の基礎理論 　　　正答 1

**KEY WORD**

□カクテルパーティ現象

□両耳分離聴課題

□ブロードベント

□初期選択理論

□後期選択理論

□カーネマン

□容量モデル

□知覚的負荷理論

人は、パーティー等の喧騒の中でも特定の人とスムーズな会話を行うことができる。この事実は**カクテルパーティ現象**と呼ばれ、人が選択的注意の機能を有することの証拠と考えられてきた。

**a**：参加者の左右の耳に異なるメッセージを提示し、一方の耳にのみ注意を向けるよう求めると（**両耳分離聴課題**）、参加者は無視すべき耳のメッセージの意味的内容はまったく理解できないことが知られている。**ブロードベント**（Broadbent, D. E.）はこうした結果から、注意による選択が、意味処理以前の段階で行われるとする注意の**初期選択理論**を提唱した。

**b**：ブロードベント以後、無視すべき耳に参加者自身の名前には気づくことができるなど、初期選択理論とは一致しない証拠も報告されるようになった。これを受けてドイチェ（Deutsch, J. A.）らは、注意による選択が意味的処理の後で行われるとする、注意の**後期選択理論**を提唱した。

**c**：初期選択理論と後期選択理論の論争が長引く中、**カーネマン**は、注意を有限の心的資源とその配分によって説明しようとする**容量モデル**を提唱した。

**d**：ラヴィ（Lavie, N.）はカーネマンのモデルを改変し、注意による選択が初期的となるか後期的となるかは、注意が優先的に向けられる中心的刺激の知覚的負荷によって決定されるとする**知覚的負荷理論**を提唱した。この理論では、中心的刺激（たとえば右耳のメッセージ）の知覚的負荷が高い場合、心的資源はその処理によって枯渇するため、その他の刺激（たとえば左耳のメッセージ）は初期選択的となる一方で、中心的刺激の知覚的負荷が低い場合、余剰資源はその他の刺激に自動的に配分されるため、後期選択的となる。

したがって、正答は**1**である。

1. 正しい。ティッパーら（Tipper, S. P. et al.）は、赤と緑の線画を重ね合わせて提示し、緑の線画を無視しながら、赤い線画の名称をできるだけ早く答えるよう参加者に求める課題を行った。実験の結果、直前の試行で無視された緑色の線画が、次の試行において赤色の線画として提示された場合、両者が無関係な場合と比較して命名速度が遅くなることが明らかにされた。この現象は**負のプライミング**（negative priming）と呼ばれる。

2. レイモンド（Raymond, J. E.）は、同一の空間的位置に高速で次々と文字刺激を提示し、特定の色で提示された標的文字2つを報告するよう参加者に求める実験を行った。実験の結果標的の間隔がおよそ200ms〜500msと短い場合、第二標的の正答率が著しく低下することを明らかにした（**注意の瞬き**）。第二標的の正答率低下は、第一標的を無視することで生じなくなることから、この現象は注意の時間的分解能力を反映していると考えられている。

3. 空白画面を挟んで、2つの画像AとA′を交互に素早く提示すると、同時に提示した場合にはひと目でわかるほど顕著な両者の違いが検出できないことがある。この現象を**変化盲**（または**変化の見落とし**、change blindness）と呼ぶ。

4. 比較的単純な視覚弁別課題（たとえば、十字に交わる垂直線分と水平線分について、どちらが長いかについての判断）を繰り返し行っている最中に、参加者がまったく予想していない刺激を提示しても、参加者はその存在に気づかないことがある（**非注意盲**または**非注意による見落とし**）。またこの現象は、現実場面においても頑健に生じることをサイモンズ（Simons, D. J.）が明らかにしている。

□負のプライミング
□注意の瞬き
□変化盲
　（変化の見落とし）
□非注意盲
　（非注意による見落とし）

2

学習・認知・知覚

**問40 視覚の神経基盤** 　正答　3

1. 光を受容するための視細胞は、**桿体**（rod）と**錐体**（cone）の2種類に大別される。桿体は網膜の中心部（**中心窩**、fovea）を除く網膜全体に幅広く比較的均等に分布し、光の明暗に応答する。一方、錐体は、中心窩付近にのみ局所的に分布し、赤、青、緑の色の光に選択的に反応する3種類の細胞が存在している。

2. 視細胞からの神経線維は網膜の内側、中心部から鼻側に視角約15度の位置において集約され、眼球の外側へと送られる。この領域は視神経乳頭と呼ばれ、桿体、錐体ともに存在していないため、あらゆる光を感知することができない。したがって、乳頭部位は、その機能的側面に注目して**盲点**と呼ばれることもある。

3. 適切でない。眼球から送られた神経線維は、右眼、左眼ではなく、視野別にまとめられる。すなわち、注視点の右側の領域（右視野）から投射される光は、右眼の鼻側および左眼のこめかみ側の網膜領域に到達する。同様に、注視点の左側の領域（左視野）から投射される光は、右眼のこめかみ側および左眼の鼻側に到達する。左右の眼球から送られた視神経は、視交叉を経て、視野ごとにまとめられ、最終的には、右視野の情報が脳の左半球、左視野の情報が脳の右半球へと送られている。

4. 視神経は、最終的には、左右大脳半球の後頭葉領域に到達する。この領域は、主に線分の傾きなど、基本的な情報処理を担うと考えられているため、**一次視覚野**とも呼ばれる。より高次な情報処理は、頭頂連合野に向かう**背側経路**（dorsal stream）と側頭連合野に向かう**腹側経路**（ventral stream）という、2つの経路において行われる。前者は空間的位置情報や運動の情報を処理し、後者は形や色の情報を処理するものと考えられている。

**問41 奥行き知覚** 　正答　2

a：単眼手がかりの一つ。一方の刺激が他方の刺激の一部を覆い隠すように存在するとき、前者は手前にあって後者を**遮蔽**

□桿体
□錐体
□中心窩
□盲点
□一次視覚野
□背側経路
□腹側経路
□遮蔽
□輻輳

している という奥行きの感覚が生じる。この手がかりは、三次元上での見えを学習することによって機能すると考えられ、二次元平面上に描かれた絵画においても機能する。

**b**：両眼手がかりの一つ。観察距離が短い状況において対象を適切に観察するためには、左右の眼球を内側に回転させる必要が生じる。こうした眼球の内転運動を**輻輳**と呼ぶ。脳は輻輳の度合いを奥行き知覚の手がかりにしていると考えられている。

**c**：単眼手がかりの一つ。網膜上に対象の明瞭な像を結ぶためには、対象までの距離によって、眼球のレンズ（水晶体）の厚みを適切に変化させる必要がある。水晶体の調整作用を**調節**と呼ぶ。脳は水晶体の厚みを奥行き知覚の手がかりに利用していると考えられている。

**d**：両眼手がかりの一つ。両眼の配置により、同一対象を観察する際の左右の視線にはずれが生じる。このずれを**両眼視差**（binocular parallax）と呼ぶ。結果として、左右の眼に映る像にもまたずれが生じる（**両眼像差**）。脳はこの情報を奥行き手がかりの一つとして利用している。ステレオグラムは、二次元平面上に両眼像差をつけた2種類の画像を提示し、左右の眼に別々に投影させることで奥行き知覚を生じさせる技法を用いている。

したがって、正答は**2**である。

---

**問42** 恒常性 　　　　　　　　　　正答　**4**

**1**．**音の大きさの恒常性**と呼ばれる現象である。視覚において、観察距離が2倍になれば、網膜像の大きさは1/2の大きさとなるため、知覚されたものの大きさも半分となるはずである。しかし、脳は対象の大きさを常に一定に保とうとする知覚傾向を持つため、知覚された対象の大きさは極端に変化しない。これを**知覚の恒常性**と呼ぶが、この現象は聴覚においても同様に成立する。音源からの距離が2倍になれば、音圧は1/2となるが、知覚された音の大きさは半分にはならない。

**2**．**形の恒常性**と呼ばれる現象である。二次元上に提示された画像を角度のない斜めから見た場合、その網膜像は大きくつぶ

れて歪んでいる。しかし、脳はその対象の基本的な形状を維持して知覚しようとする性質を持つため、人物の顔が歪むようなことはない。

3．**色（明るさ）の恒常性**と呼ばれる現象である。熟知性の高い対象については、その対象の典型的な色や明るさを保って知覚される傾向がある。

4．知覚の恒常性と最も関連がない。暗順応と呼ばれる現象である（**問34**の解説参照）。視細胞の順応過程によって説明可能であり、他の恒常性現象とは異なる。

### 問43 聴覚 正答 1

1．誤り。**純音**とは、特定の周波数のみから構成される音を意味する。一方、人声や楽器の音など、自然界に存在する音の多くは複数の異なる周波数から構成されており、これを複合音と呼ぶ。

2．音の大きさと高さは、それぞれ、音波における振幅と周波数によって変化する。音色とは、複合音における周波数の構成要素の違いを意味し、同じ周波数の音でも、知覚された音の印象が異なる原因となっている。

3．**時間説**とは、周波数に基づいた振動を基底膜に与え、その速度が聴覚神経によって電気信号に変換されるとする仮説である。また**場所説**とは、特定の周波数が基底膜の特定の場所を相対的に強く反応させると仮定する仮説である。時間説は低音、場所説は高音の知覚をよく説明することが知られている。

4．聴覚では、複数の音刺激が常に一定の時間的幅を伴って入力される。なんらかの手がかりに基づいて、これらを適切に分離し、それぞれのまとまり（**音脈**）として知覚する過程を**音脈分凝**と呼ぶ。

### 問44 クロスモーダル知覚 正答 3

1．**マガーク効果**は、**多感覚統合**と呼ばれる**クロスモーダル知覚**現象に分類される。多感覚統合とは、複数のモダリティから入力された感覚情報の統合的処理により、各モダリティに対

**KEY WORD**

□純音
□時間説
□場所説
□音脈
□音脈分凝

□マガーク効果
□多感覚統合

する個々の入力とは異なる知覚が生じる現象を意味する。また<br>マガーク効果は、口の形と音声との間にずれが生じる場合<br>に両者の中間的音声が知覚される現象を意味する。

2. **腹話術効果**もまた、多感覚統合の一種と位置づけられる。腹<br>話術で認められるように、音刺激（術師の口）と視覚刺激<br>（人形の口）が適合した状態で対提示されると、音源の定位<br>は視覚刺激の空間位置に引き寄せられる。この現象を腹話術<br>効果と呼ぶ。

3. **ブーバ・キキ効果**は、感覚間協応と呼ばれるクロスモーダル<br>知覚に分類される。感覚間協応とはモダリティの異なる複数<br>の感覚情報間の連合を意味する。たとえば音系列 "bouba"<br>は曲線的な図形のイメージを喚起する一方で、音系列<br>"kiki" は尖った図形のイメージを喚起することが明らかに<br>されている。この現象をブーバ・キキ効果と呼ぶ。

4. **ラバーハンド錯覚**は、多感覚統合の一種と位置づけられる。<br>実際の手を隠した状態で、作り物の手（多くはラバー製）を<br>自身の手であるかのように提示し、両者に触刺激を加える<br>と、作り物の手が自身の手であるかのような錯覚が生じる。<br>この現象をラバーハンド錯覚と呼ぶ。

したがって、正答は **3** である。

KEY WORD

□クロスモーダル<br>　知覚<br>□腹話術効果<br>□ブーバ・キキ効果<br>□ラバーハンド錯覚

---

**問45** | **感覚・知覚の測定法** | **正答** | **1**

1. 誤り。視覚刺激の大きさを表す**視角**とは目に投影される刺激<br>の大きさを度数法で表現したものであり、単位は度となる。

2. SOA とは刺激提示間非同期(stimulus onset asynchrony; SOA)<br>の略であり、複数の刺激が短時間に系列的に提示される場合<br>に、先行刺激と後続刺激の提示のずれを意味する。

3. CIE 表色系は光の色を表現する表色系である。一方、物体の<br>色を表現する際の表色系はマンセル表色系と呼ばれる。

4. **音圧レベル**（dB）は、ヒトの可聴閾の下限の音圧（20μPa<br>として設定）に対する音刺激の音圧の比を対数として表した<br>ものである。

□視角<br>□音圧レベル

## 3 発達・教育

→解説はp.132〜

発達心理学 | 問 題

**問1** 以下に挙げた発達に関する理論のうち、シュテルン（Stern, W.）によって提唱されたものはどれか。

1. 輻輳説（ふくそう）
2. 環境優位説
3. 成熟優位説
4. 相互作用説

**問2** 子どもの発達研究において、3歳児100名を対象に認知能力や運動能力などの検査を行い、この100名に対して2年後に再度、認知能力や運動能力の検査を行い、3歳時点のデータとの比較検討を行った。このような研究法を何というか。

1. 双生児研究
2. 横断的研究
3. 縦断的研究
4. コーホート研究

**問3** 発達加速現象について述べた以下の文章の空欄a・bに当てはまる用語の組合せとして、正しいものはどれか。

　身体の発達は、時代や環境によってさまざまな影響を受けるが、異なる世代間での発達速度の相違を（　a　）現象と呼ぶ。これは、世代が新しくなるにつれて、身長や体重などの発達が促される（　b　）現象と、世代が新しくなるにつれて、性的成熟や質的変化の開始年齢が早期化する成熟前傾現象という2つの現象に分けることができる。

|  | a | b |
|---|---|---|
| 1. | 成長加速 | 年間加速 |
| 2. | 発達勾配（こうばい） | 成長加速 |
| 3. | 年間加速 | 成長加速 |
| 4. | 年間加速 | 発達勾配 |

** **
**問 4** 発達段階や発達課題に関する記述として、最も妥当なものはどれか。

1. ピアジェ（Piaget, J.）は 4 段階からなる子どもの人格（パーソナリティ）発達の理論を構築した。

2. エリクソン（Erikson, E. H.）はマーシャ（Marcia, J. E.）の理論をもとに、人格発達の理論を提唱した。

3. フロイト（Freud, S.）は数多くの乳幼児を観察し、実証的に精神 − 性的発達段階理論を提唱した。

4. ハヴィガースト（Havighurst, R. J.）は、個人の成熟と社会からの要求の中から生じる発達課題を整理し、理論化した。

** ** **
**問 5** 成人期の発達を、獲得と喪失のダイナミックな過程としてとらえ、「補償」「選択」「最適化」といった原理から生涯発達心理学の理論化を行った研究者は誰か。

1. バルテス（Baltes, P. B.）

2. エリクソン（Erikson, E. H.）

3. ユング（Jung, C. G.）

4. レヴィンソン（Levinson, D. J.）

**
**問 6** 刷り込み（インプリンティング）に関する記述として、**適切でないもの**はどれか。

1. 刷り込みは、初期経験の重要性を示す代表的な現象としてローレンツ（Lorenz, K. Z.）によって広く知られることとなった。

2. 刷り込み以外にも、個体発生の初期においては、さまざまな経験が後の発達に大きな影響を与えることが明らかになっている。

3. 刷り込みが起きないまま、生後30時間以上が経過すると、その後も刷り込みが生じなくなる。このような、限定された期間のことを潜伏期と呼ぶ。

4. ニワトリやアヒルなどのように、孵化直後から開眼、歩行する離巣性の鳥類の雛が、目にした特定の動くものに対して後追い反応を示すようになる現象である。

**\*\***

**問7** 誕生後すぐに見られ、比較的長く安定して継続する性格的な個人差を気質と呼ぶ。気質の研究者として最も妥当な人物は以下の誰か。

1．ジェンセン（Jensen, A. R.）

2．ギブソン（Gibson, E. J.）

3．ヘッケル（Haeckel, E. H. P. A.）

4．トーマス（Thomas, A.）

**\*\***

**問8** 乳幼児における視覚の特性を調べる方法の一つである、選好注視法の説明として、**適切でない**ものはどれか。

1．ファンツら（Fantz, R. L. et al.）によって考案された。

2．2枚の刺激図形を並べ、注視時間に差があるかを観察する方法である。

3．初めに、呈示された刺激への慣れが生じるまで、刺激図形を繰り返し呈示する。

4．呈示される2つの図形は、呈示位置をランダムに交替しながら何回か繰り返し呈示する。

**\***

**問9** 新生児が仰向けになっている状態のときに、頭部を持ち上げ、そこから急に落下させると、両手両足を外側に伸ばし、それに続いてゆっくりと抱きつくような動作をする。この反射のことを何と呼ぶか。

1．吸啜反射

2．把握反射

3．歩行反射

4．モロー反射

**\*\***

**問10** ピアジェ（Piaget, J.）の発達理論に関する記述として、最も妥当なものはどれか。

1．前操作期ではアニミズム的な思考が見られる。

2．形式操作期の初めに、対象の永続性が獲得される。

3．具体的操作期における主要な特徴として自己中心性がある。

4．感覚運動期の終わりに、保存課題をクリアできるようになる。

**問11**　ヴィゴツキー（Vygotsky, L. S.）の発達理論に関する以下の文章の空欄 a・bに当てはまる語句の組合せとして、正しいものはどれか。

　ヴィゴツキーの発達理論は発達の社会文化論とも呼ばれ、（　a　）の発達における他者の役割を重要視している。その中でも特に有名な概念が、（　b　）と呼ばれるものであり、その後の発達心理学や教育心理学に大きな影響を与えた。

|   | a | b |
|---|---|---|
| 1. | 高次精神機能 | 発達の可塑性 |
| 2. | 高次精神機能 | 発達の最近接領域 |
| 3. | 社会的感受性 | 発達の可塑性 |
| 4. | 社会的感受性 | 発達の最近接領域 |

**問12**　生理的早産の概念を提唱したポルトマン（Portmann, A.）に関する以下の文章の空欄a・bに当てはまる語句の組合せとして、正しいものはどれか。

　生物は、未熟で出生するため自力で動くことができない（　a　）と、出生時に十分成熟しており自力で動き回ることができる（　b　）に大別される。ポルトマンによると、運動能力が未熟で、見かけ上は極めて無力な状態で生まれてくるヒトは二次的（　a　）であるとされ、この状態を「生理的早産」と呼んだ。

|   | a | b |
|---|---|---|
| 1. | 就巣性 | 離巣性 |
| 2. | 就巣性 | 帰巣性 |
| 3. | 帰巣性 | 就巣性 |
| 4. | 離巣性 | 就巣性 |

**問13** 乳幼児期の対人関係に関する以下の文章の空欄a〜cに当てはまる語句の組合せとして、正しいものはどれか。

微笑は新生児ですでに観察される表情であり、特に3か月頃までは、周囲の働きかけにかかわらず微笑を浮かべることがある。この微笑は（　a　）微笑と呼ばれるが、養育者をはじめとする周囲の他者がほほえみ返すことにより、乳幼児はその後社会的交渉を持つために自発的にほほえむようになる。これを（　b　）微笑という。一方、見知らぬ人に対して顔をそむけたり、抱かれることを拒否したり、泣き叫んだりして抵抗することがある。こうしたいわゆる「人見知り」といわれる現象を、スピッツ（Spitz, R. A.）は「（　c　）不安」と呼んだ。

|   | a | b | c |
|---|---|---|---|
| **1.** | 心理的 | 生理的 | 8か月 |
| **2.** | 心理的 | 社会的 | 12か月 |
| **3.** | 生理的 | 社会的 | 8か月 |
| **4.** | 生理的 | 心理的 | 12か月 |

\*\*
**問14** 以下の文章の空欄a・bに当てはまる語句の組合せとして、正しいものはどれか。

プレマックとウッドラフ（Premack, D. & Woodruff, G.）は、チンパンジーが他個体に対して行うあざむき行動などから、チンパンジーが他の仲間の心理状態を推測して行動していることを想定し、他者の目的や意図、信念や推測などの内容を理解していれば、その人物は「心の理論」を持っていると仮定した。その後、ウィマーとパーナー（Wimmer, H. & Perner, J.）は、（　a　）課題を用い、その通過率から、心の理論は4歳頃に成立するとしている。しかしながら、（　b　）の子どもたちを対象として行われたバロン゠コーエンら（Baron-Cohen, S. et al.）の調査では、同年齢における課題の通過率が低く、（　b　）における対人関係上の問題の背景と考えられている。

|   | a | b |
|---|---|---|
| **1.** | 不合理な信念 | ADHD |
| **2.** | 不合理な信念 | 自閉症 |
| **3.** | 誤った信念 | ADHD |
| **4.** | 誤った信念 | 自閉症 |

**＊＊**
**問15** 愛着理論に関する記述として、**適切でないもの**はどれか。

1．ハーロウ（Harlow, H. F.）はアカゲザルを用いた実験を行い、ぬくもりの重要性を示した。

2．ボウルビィ（Bowlby, E. J. M.）は特定の対象に対する情緒的結びつきを愛着（attachment）と名づけ、愛着理論の基礎を作った。

3．成人の愛着を測定する方法としてエインズワース（Ainsworth, M. D. S.）はストレンジ・シチュエーション法を考案した。

4．初期の重要他者との愛着関係は内在化され、その後の対人関係のパターンを予測するとされている。これを内的作業モデル（internal working model）と呼ぶ。

**＊**
**問16** 母性剝奪（maternal deprivation）の内容に関する記述として、**適切でないもの**はどれか。

1．ホスピタリズム（hospitalism）の研究から発展した概念である。

2．生後1年頃までの母子関係の相互作用の重要性を説いた。

3．この理論が提唱された当時は母親の要因が重視されていたが、今日ではそれ以外の要因の重要性も考慮する必要があると考えられている。

4．スピッツ（Spitz, R. A.）により提唱された理論である。

**＊**
**問17** 次の4つの人物や語彙のうち、言語獲得における生得説と最も関連の深いものはどれか。

1．スキナー（Skinner, B. F.）

2．言語獲得援助システム

3．ヴィゴツキー（Vygotsky, L. S.）

4．普遍文法

\*
**問18** パーテン（Parten, M. B.）が提唱した遊びの分類とその説明として、最も妥当なものはどれか。

**1**．平行遊びでは、同じ１つの遊びを行い、やり取りがある。

**2**．協同遊びでは、たとえばままごとのように、共通の目的を有し、参加者の役割が分化している。

**3**．ひとり遊びは発達的に未熟なので、周囲の大人がほかの子どもとかかわりを持たせるよう援助する必要がある。

**4**．連合遊びでは、他児のかたわらで似たようなおもちゃを使って遊ぶが、一緒に遊ぶことはない。

\*
**問19** 青年期に関連する用語とそれに関連の深い人物の対応として、**適切でない**組合せはどれか。

**1**．疾風怒濤 ──────── ホール（Hall, G. S.）

**2**．第二の個体化過程 ─── マーラー（Mahler, M. S.）

**3**．境界人 ──────── レヴィン（Lewin, K.）

**4**．アイデンティティ ─── エリクソン（Erikson, E. H.）

\*\*\*
**問20** 以下の表は、マーシャ（Marcia, J. E.）が提唱した４つのアイデンティティ・ステイタスを順不同で並べたものである。空欄a・bに入る語句の組合せとして、正しいものはどれか。

| 同一性地位 | 危機 | 傾倒<br>（コミットメント） |
|---|---|---|
| 早期完了 | 経験していない | b |
| 同一性達成 | 経験した | している |
| 同一性拡散 | 経験していない、もしくは経験した | していない |
| モラトリアム | a | しようとしている |

|  | a | b |
|---|---|---|
| **1**． | 経験している | している |
| **2**． | 経験している | していない |
| **3**． | 経験していない | していない |
| **4**． | 経験した | している |

**＊＊**

**問21** 以下の文章の下線部a〜dのうち、**適切でない**ものはどれか。

　エリクソン（Erikson, E. H.）の発達 ₐ均衡化説において、成人期（adulthood）の発達上の危機は ᵦ生殖性対停滞性であるといわれている。一方、次の世代を送り出した中年期には、子どもたちの独立に対して、 ｃ空の巣症候群と呼ばれる状態に陥ることがある。また、親などの近親者との別れに直面することもある。ｄキューブラー＝ロス（Kübler-Ross, E.）が提唱した死の受容過程のように、怒りや無力感、喪失感などさまざまな感情を抱くのもこの時期の特徴である。

**1.** a

**2.** b

**3.** c

**4.** d

**＊＊**

**問22** 新版K式発達検査について説明したa〜dの文章について、正しいものに○、誤っているものに×を付けたとき、○と×の組合せとして正しいものはどれか。

a：初めアメリカで開発され、その後日本語版の標準化が行われた。

b：就学前の幼児を対象としている。

c：全体的な発達水準を測定することが可能であるが、運動や言語など個々の領域における発達水準を明らかにすることはできない。

d：知能指数ではなく、発達指数を算出する。

```
      a  b  c  d
```

**1.** ○—×—○—×

**2.** ○—○—×—○

**3.** ×—○—×—○

**4.** ×—×—×—○

## 発達心理学　解　説

### 問1　輻輳説　　　　　　　　　　　　正答　1

**1.** 正しい。古くから人間の心の発達は、本人の有する遺伝的要因の発現によるのか、それとも育つ環境によるのかという議論がなされてきた。**輻輳説**は、遺伝要因と環境要因をともに重視する説であるが、両者の相互作用は重視されず、静的な理論であるとされる。なお、輻輳説の提唱者である**シュテルン**(Stern, W.)は、知能指数を提唱したことでも有名である。

**2.** **環境優位説**とは文字どおり、主に個人の育つ環境が心の発達を決定するという立場である。行動主義の**ワトソン**（Watson, J. B.）などは、環境優位説の立場に当たるといえる。

**3.** **成熟優位説**は、環境優位説とは逆に遺伝的要因の発現が発達の主要な要因であるとする考え方であり、主な提唱者は**ゲゼル**（Gesell, A. L.）である。

**4.** **相互作用説**は、輻輳説と同様、遺伝要因と環境要因の両方を重視しているが、静的な輻輳説に対し、遺伝要因と環境要因が互いに相互作用し合う点を強調している動的な理論であるとされる。現在では、ほとんどの発達心理学者がこの相互作用説の立場をとっている。

□輻輳説
□シュテルン
□環境優位説
□成熟優位説
□ワトソン
□成熟優位説
□ゲゼル
□相互作用説

### 問2　発達研究の方法　　　　　　　　　正答　3

**1.** **双生児研究**とは、双生児を対象として発達における遺伝や環境の影響を推定する研究方法である。一卵性双生児は、互いに100％同じ遺伝子を持つのに対し、二卵性双生児が共有する遺伝子は平均で50％である。そこで、双生児間におけるある特徴の類似度を、一卵性双生児と二卵性双生児で比較するなどして、その特徴が遺伝や環境にどの程度影響を受けるのか推定を行うことができる。

**2.** 発達研究における**横断的研究**とは、ある時点で3歳児100名と5歳児100名を調査して比較を行うというように、年齢の異なる集団を対象に、一時点で行う研究方法である。これには、比較的容易に大規模なデータを得ることができるという利点があるが、年齢集団ごとに対象が異なるため、発達的変化をとらえるというより、発達の大まかな傾向をとらえるにとどまるという指摘もある。

**3.** 正しい。**縦断的研究**とは、ある対象を一定期間追跡して調査を行う方法である。同一集団の変化を追跡するため、発達的変化の因果的説明をしやすいが、十分な数のデータを追跡しようとするとコストが大きくなるという問題がある。

**4.** **コーホート**とは、「一定の時期に人生における同一の重大な出来事を体験した人々」の意味である。たとえば、ある年にある年齢の子どもたちを対象とした調査を行った場合、得られた子どもたちの特徴が、その年齢の子どもたちの一般的な特徴なのか、時代環境の影響によるものなのかを区別することが難しい。そこで、2010年生まれの子どもたちの3歳時点と5歳時点のデータおよび、2015年生まれの子どもたちの3歳時点と5歳時点のデータを比較するなどして、年齢の影響と時代の影響の組合せを検討する研究がコーホート研究である。

---

**問3** 発達加速現象　　　　　　　　**正答　3**

世代が新しくなるにつれ、身体的発達が促される現象を**発達加速現象**と呼ぶ。発達加速現象には2つの側面があり、一つは、身長や体重などの量的発達が促進される**成長加速現象**（b）、もう一つは性的成熟や質的変化の開始年齢が早期化する**成熟前傾現象**である。

これらの発達加速をとらえるには2つの視点がある。一つは、異なる世代の同年齢間を比較することで、**年間加速現象**（a）をとらえる視点である。もう一つは、異なる地域や階層間で、同世代の発達を比較する視点である。この、地域や階層間で発達差が見られる現象のことを**発達勾配現象**という。発達加速現象は、もともとは栄養状態の改善や生活様式の欧米化などによる可能性が指摘されており、階層間や都市－郡部間でそうした要因が大きく異なっていた時代には、発達勾配現象が見られるとされていた。

なお、発達加速現象とは逆に、世代が新しくなるにつれ、発達が抑制される現象を**発達減速現象**と呼ぶ。

したがって、正答は**3**である。

□発達加速現象
□成長加速現象
□成熟前傾現象
□年間加速現象
□発達勾配現象
□発達減速現象

**3**

発達・教育

KEY WORD

1. ピアジェ（Piaget, J.）が提唱したのは人格（パーソナリティ）発達ではなく、認知発達の理論である。

2. **エリクソン**（Erikson, E. H.）の理論は**フロイト**（Freud, S.）の理論が土台になっている。フロイトが、性的な側面を強調し、思春期−青年期における性器期の段階までを理論化しているのに対し、エリクソンの発達理論では、発達における社会的側面の役割を強調し、成人期から老年期までの発達段階も理論化することで、人生周期（ライフサイクル）全体をとらえているという特徴がある。また、**マーシャ**（Marcia, J. E.）はエリクソンの理論に基づきアイデンティティ・ステイタスを分類し、早期完了という状態を提唱したことで知られている。

3. フロイトの提唱した発達理論は、実際の子どもを十分に観察したうえで構築されたわけではない点が、批判の対象にもなっている。フロイト以降、たとえば**マーラー**（Mahler, M. S.）は、精神分析的観点に基づく直接観察法の導入によって乳幼児の内的世界を研究し、独自に**分離−個体化**の過程を報告している。

4. 妥当である。**ハヴィガースト**（Havighurst, R. J.）は**発達課題**の古典的で包括的な理論化を行ったことで有名である。ハヴィガーストによれば、身体的な成熟や社会からの要求や圧力、個人の達成しようとする目標や努力によって発達課題が生じるとされる。

1. 正しい。**バルテス**（Baltes, P. B.）は、主に誕生から青年期に至るまでの成長を扱ってきた従来の発達心理学に対し、人間の発達を全生涯発達の視点からとらえ直し、**生涯発達心理学**の理論化を行った。バルテスは、発達の過程を成長（獲得）だけでなく減退（喪失）も含め、両者のダイナミックで持続的な相互作用の過程としてとらえた。その過程で人は、喪失を別の手段で補う「補償」、可能な資源、選択肢の中から重要なものを選ぶ「選択」、そして持っている資源をめざ

**KEY WORD**

□ピアジェ
□エリクソン
□フロイト
□マーシャ
□マーラー
□分離−個体化
□ハヴィガースト
□発達課題

□バルテス
□生涯発達心理学
□エリクソン
□ユング
□レヴィンソン

すものへ向けて利用する「最適化」などによって、獲得を最大化していくとされている。

2. **エリクソン**も自らの理論の中で人間の生涯を8つの発達段階に区分し、理論化したが、成人期の発達を獲得と喪失、「補償」「選択」「最適化」といった概念からとらえているわけではない。

3. **ユング**（Jung, C. G.）は、人間の発達において中年期を「人生の正午」と呼び、中年期以降の重要性を強調している。ユングによれば中年期は、自分が今まで影の部分に押しやって来たものに取り組み、自らを再構築していくという課題に向き合う時期であるとされる。

4. **レヴィンソン**（Levinson, D. J.）も、成人期の発達段階を提唱した一人である。有名なエリクソンの発達理論では、青年期以降は前成人期、成人期、老年期という3つの段階にしか区分がなされていないが、レヴィンソンはより詳細な区分を行い、成人期の発達について論じている。

## 問6 刷り込み（インプリンティング）　　正答 3

1. **刷り込み**の現象は**ローレンツ**（Lorenz, K. Z.）によって詳細に報告され、広く知られることとなった。なお、それ以前も刷り込みという現象があること自体は一部で知られていたため、ローレンツが刷り込みの発見者というわけではない。

2. たとえば、**母性的養育の剥奪**や特定の感覚的刺激の剥奪なども、**初期経験**として重要な影響を及ぼすことが明らかになっている。

3. 適切でない。刷り込みなど、初期の重要な学習が成立するのに必要な時期は、潜伏期ではなく**臨界期**と呼ばれる。ただし、刷り込みは成立する時期がかなり限定されており、かつ修正が極めて困難であるのに対し、学習の種類によっては、臨界期の期間がそれほど厳密ではなく可逆的である場合も多い。そのため、臨界期ではなく**敏感期**という言葉が用いられることもある。

4. 基本的に、雛鳥が孵化後に目にする動くものは母鳥であるため、刷り込みは母鳥に対して成立することがほとんどであ

□刷り込み

□ローレンツ

□母性的養育の剥奪

□初期経験

□臨界期

□敏感期

KEY WORD

る。母鳥の後を追って行動することは、適応上非常に重要な機能を持つ。

### 問7　気質　　　　　　　　　　　　　　　正答　4

1. **ジェンセン**（Jensen, A. R.）は、知能の個人差や**環境閾値説**（いきち）などで知られる。環境閾値説とは、発達における遺伝と環境の影響について、環境は閾値要因として働くとする考え方である。つまり、個人の持つ潜在的な特徴が実際に発現するには一定水準の環境刺激が必要であり、水準を上回る環境刺激が与えられればその特徴は発現するが、必要な水準に達しない場合は発現することはないというものである。また、特徴によって、必要とされる環境刺激の水準は異なるとされる。

2. **ギブソン**（Gibson, E. J.）は、**視覚的断崖**を用いた、乳児の奥行き知覚で有名である。なお、知覚理論などで有名なギブソン（Gibson, J. J.）はその夫である。

3. **ヘッケル**（Haeckel, E. H. P. A.）は、心理学に多大な影響を与えた生物学者である。生態学という言葉を生み出したことや、**個体発生**は**系統発生**を繰り返すという、**反復発生**という原則を提唱したことで有名である。

4. 妥当である。**トーマス**と**チェス**（Thomas, A. & Chess, S.）はニューヨーク縦断研究によって、乳幼児期の気質が10年後も比較的持続されることを明らかにした。また、気質を9つの側面に整理し、そこから「扱いにくい子ども」「扱いやすい子ども」「ウォームアップがゆっくりな子ども」という3類型の気質のタイプを報告している。

□ジェンセン
□環境閾値説
□ギブソン
□視覚的断崖
□ヘッケル
□個体発生
□系統発生
□反復発生
□トーマス
□チェス

### 問8　選好注視法　　　　　　　　　　　　正答　3

1. **ファンツ**ら（Fantz, R. L. et al.）は**選好注視法**を用いて、乳児が形やパターンを弁別できることを明らかにした。

2. 選好注視法では、2枚の異なる刺激図形を左右に並べ、左右の呈示位置をランダムに変えながら何回か呈示する。もし乳児が、一方よりもう一方の図形を長く注視するという選好が見られれば、乳児は図形の弁別をしている証拠となる。

3. 適切でない。これは、**馴化法**（じゅんか）を用いた方法である。馴化法で

□ファンツ
□選好注視法
□馴化法

は、特定の刺激を繰り返し呈示し、乳幼児がその刺激に馴れた後に、異なる新しい刺激を呈示するという方法である。

4. 1回の呈示だけでは、注視時間の差が偶然である可能性を否定できない。そのため、位置を交替しながら繰り返し呈示を行うことが必要である。

**問9** 原始反射　　　　　　　　　正答　**4**

1. **吸啜反射**とは、口の中に指を入れると、それを吸う運動をする反射であり、母乳を飲む際に見られる反射である。

2. **把握反射**とは、新生児の手のひらに指を当て、手のひらを圧迫すると、その指を握り締めるという反射である。

3. **歩行反射**とは、体を支えて床に立たせると、歩行をするかのようなステップ運動をするという反射である。

4. 正しい。なお、新生児において見られるこれらの特徴的な反射行動を**原始反射**と呼ぶ。原始反射は基本的に神経系の成熟と中枢制御の発達に伴い消失していくため、原始反射の消失は、発達診断における重要な指標となる。

□吸啜反射
□把握反射
□歩行反射
□原始反射

**問10** ピアジェの発達理論　　　　　正答　**1**

1. 妥当である。**アニミズム的思考**とは、生物と無生物を区別せず、活動しているものをすべて生きていると考えるような思考である。たとえば、「山が喜んでいる」や「自動車が怒っている」といった発言に見ることができ、**前操作期**に盛んに見られる。

2. **対象の永続性**の概念は、**感覚運動期**において獲得される。母親が目の前からいなくなったとしても、母親が世界から消えてなくなったわけではないことがわかるのは、対象の永続性の概念が獲得されるからである。

3. **自己中心性**は前操作期における主要な特徴である。自己中心性とは、他者の視点に立つことができないという幼児の認知的限界を示す言葉であり、この特徴が端的に影響する課題として、**3つ山課題**がある。

4. **保存課題**をクリアするためには、中心化を脱する（**脱中心化**）ことが必要であるが、脱中心化が起こるのは**具体的操作**

□アニミズム的思考
□前操作期
□対象の永続性
□感覚運動期
□自己中心性
□3つ山課題
□保存課題
□脱中心化
□具体的操作期

期に入る頃である。

## 問11 ヴィゴツキーの発達理論　　正答　2

　ヴィゴツキー（Vygotsky, L. S.）は旧ソ連の発達心理学者である。彼は、思考などの**高次精神機能**は、社会的活動の中で共有された活動として始まり（社会的水準）、次第にそれが個人内に取り入れられていく（心理的水準）と考えた。

　ヴィゴツキーの発達理論で特に有名な概念として、**発達の最近接領域**がある。発達の最近接領域とは、子どもが自力で問題解決できる水準より少し上ではあるが、他者からの援助や協働によって達成が可能になる水準の領域のことである。子どもに対してなされる教育は、この発達の最近接領域に適合したものである必要があるとされている。つまり子どもは、発達の最近接領域に沿った課題を、大人の手助けを得ながらこなしていくことで、次第に自分の能力として身につけていくのである。

　したがって、正答は**2**である。

□ヴィゴツキー
□高次精神機能
□発達の最近接領域

## 問12 生理的早産　　正答　1

　**ポルトマン**（Portmann, A.）の**生理的早産**に関する文章である。生理的早産とは、ヒトが出生する際、身体の大きさから、十分な成熟を待って出産することが難しいため、身体的成熟に比して早く生まれることをさす言葉である。ヒトは生まれながらの運動能力は未熟であり、見かけ上は極めて無力な状態で生まれてくる。これをポルトマンは**二次的就巣性**と呼び、その理由を生理的早産という言葉で説明した。なお問題文中の帰巣性とは、さまざまな感覚によってある場所から巣などの特定の別の場所へ移動する現象のことである。

**a**：「就巣性」が入る。就巣性とは、鳥類など、出生時には未熟で動き回ることが難しいため、親の保護を受けて成長することをさす。

**b**：「離巣性」が入る。離巣性とは、ウマやシカなど、生まれてすぐに自力で立ち上がり、動き回ることが可能なことをさす。

　したがって、正答は**1**である。

□ポルトマン
□生理的早産
□二次的就巣性

**問13 社会的微笑** 　　　　　　　　　　　　正答　**3**

a：「生理的」微笑が入る。3か月頃までは周囲の状況にかかわらずほほえみを浮かべることがあり、これは生理的微笑と呼ばれる。

b：「社会的」微笑が入る。生理的微笑のような乳児の自動的な反応に対して養育者がほほえみ返すことで、乳児の微笑が強化される。生後3か月以降では、社会的なかかわりを希求する際に自発的にほほえむようになると考えられており、これを社会的微笑と呼ぶ。

c：「8か月」不安が入る。この時期においては、主たる養育者と他者を識別し、見知らぬ人に対して人見知りを起こす。**スピッツ**（Spitz, R. A.）はこれを8か月不安と呼んだ。

したがって、正答は**3**である。

**3**

発達・教育

**問14 心の理論** 　　　　　　　　　　　　　正答　**4**

a：「誤った信念」課題が入る。誤った信念課題とは、「相手がどう考えているか、私は理解している」ということを明らかにするための課題であり、「サリー・アン課題」とも呼ばれている。なお選択肢中の不合理な信念（irrational belief）とは、**論理療法**におけるABC理論のうち、B（ビリーフ）において問題を引き起こすことに関連する思考スタイルをさす。

b：「自閉症」が入る。**バロン゠コーエン**ら（Baron-Cohen, S. et al.）は自閉症児に誤った信念課題を適用し、健常児に比べて自閉症児の通過率が低いことを明らかにした。

　**ADHD**（注意欠如多動症：attention deficit/hyperactivity disorder）は注意の転導性や多動性・衝動性の問題を中心とする障害であり、ADHD自体が対人関係上の困難を生じさせるものではない。

したがって、正答は**4**である。

**問15 愛着理論**　　　　　正答　**3**

**KEY WORD**

1. **ハーロウ**（Harlow, H. F.）は子どものアカゲザルを用いた実験を行い、針金製の母親よりも布製の母親を中心にアカゲザルが活動することを見いだし、ぬくもりの重要性を明らかにした。

2. **愛着**（attachment）という言葉は**ボウルビィ**（Bowlby, E. J. M.）によって名づけられた、特定の対象との情緒的結びつきをさす語である。

3. **適切でない。エインズワース**（Ainsworth, M. D. S.）が開発した**ストレンジ・シチュエーション法**は乳幼児の愛着を測定する方法である。回避的なA型、安定的なB型、アンビバレントなC型、いずれにも属さないD型の4つのタイプに分類される。

4. 乳幼児期の愛着の型はその後の対人関係の基盤となると考えられている。これは**内的作業モデル**（internal working model）と呼ばれ、恋愛関係や家族関係の問題を議論する際に重要な貢献を果たしている。

☐ハーロウ
☐愛着
☐ボウルビィ
☐エインズワース
☐ストレンジ・シチュエーション法
☐内的作業モデル

**問16 母性剥奪**　　　　　正答　**4**

1. **母性剥奪はスピッツのホスピタリズム**（hospitalism）の研究の流れを受けてボウルビィが提唱した概念である。

2. ボウルビィは生後3〜6か月ないし6〜12か月頃までの良好な母子関係がその後の人格形成や精神衛生の基盤となることを指摘している。

3. 当時は特に母親との関係の重要性が指摘されていた。しかし今日では、母親以外のさまざまな環境的要因についても考慮する必要があるとされている。

4. **適切でない。**上述のとおり、母性剥奪はボウルビィが提唱した概念である。

☐母性剥奪
☐スピッツ
☐ホスピタリズム

**問17** 言語の発達 　　　　　　　　　　　　　　　**正答　4**

1. **スキナー**（Skinner, B. F.）は言語行動を、話し相手の強化によって条件づけられた**オペラント行動**ととらえた。

2. **言語獲得援助システム**（language acquisition support system）は**ブルーナー**（Bruner, J. S.）が提唱した概念であり、言語獲得における養育者からの働きかけの重要性を指摘している。

3. **ヴィゴツキー**は社会文化的な観点から、個人と環境との相互作用を重視している。

4. 正しい。**普遍文法**は**チョムスキー**（Chomsky, A. N.）が提唱した**言語獲得装置**の中核をなす概念である。彼は、外的な刺激が乏しい状況でも遺伝的に規定された普遍文法によって言語獲得は可能とする生得的な立場から言語発達を説明した。

**問18** 遊びの発達 　　　　　　　　　　　　　　　**正答　2**

　**パーテン**（Parten, M. B.）の提唱した遊びの分類は、「何にも専念していない行動」「傍観的行動」「ひとり遊び」「平行遊び」「連合遊び」「協同遊び」が含まれる。このうちひとり遊びは他児とかかわらずに自分の活動に専念している遊びで、2歳半～3歳頃に最も多く見られるとされる。やはり2～3歳頃に多く認められる平行遊びは他児のかたわらで類似した玩具で遊ぶが、他児との相互作用がない。3～4歳頃になると、メンバーの中で同じ一つの遊びを行い、遊びの中で相互作用を行うようになり、これは連合遊びと呼ばれる。協同遊びでは、メンバーの中で共通した目標を有し、各人が役割を有する。

1. これは連合遊びについての文章である。

2. 妥当である。協同遊びは共通の目的を有し、参加者の役割が分化した遊びである。

3. 確かに発達的に未熟な面もあるが、自分の活動に専念することで集中力や創造力を高める側面もあり、一概に援助が必要なわけではない。

4. これは平行遊びの説明である。

---

**KEY WORD**

□スキナー
□オペラント行動
□言語獲得援助システム
□ブルーナー
□ヴィゴツキー
□普遍文法
□チョムスキー
□言語獲得装置

**3**

発達・教育

□パーテン

## 問19 思春期・青年期　　正答　2

KEY WORD

1. **ホール**（Hall, G. S.）は青年心理学の父といわれ、青年期を心の中で嵐が吹き荒れるような**疾風怒濤**の時代と表現した。

2. 適切でない。**マーラー**は3歳頃に終わる最初の**分離－個体化過程**を提唱した人物である。この最初の分離－個体化過程に続き、思春期の精神発達を第二の個体化過程であると考えたのは**ブロス**（Blos, P.）である。

3. **レヴィン**（Lewin, K.）は青年は子どもの集団にも成人の集団にも属するのではないという意味で、彼らを**境界人**と呼んだ。

4. **エリクソン**はアイデンティティの確立が青年期の発達課題であるとした。

□ホール
□疾風怒濤
□マーラー
□分離－個体化過程
□ブロス
□レヴィン
□境界人
□エリクソン

## 問20 アイデンティティ　　正答　1

　**マーシャ**は、危機とコミットメントの有無という2つの基準によって4つのアイデンティティ・ステイタスを提唱している。4つはそれぞれ、危機を過去にすでに経験し、現在コミットメントしている**同一性達成**、危機を経験することなくコミットメントしている**早期完了**、危機を経験していてそれに対してコミットメントしようと努める**モラトリアム**、危機を経験しているあるいは経験しておらず、いずれの場合もコミットメントしていない**同一性拡散**である。

**a**：「経験している」が入る。モラトリアムは、危機を現在経験しており、それに対してコミットメントが行われている状態をさす。

**b**：「している」が入る。早期完了は危機を経験していないものの傾倒が行われている状態をさす。

　したがって、正答は**1**である。

□マーシャ
□同一性達成
□早期完了
□モラトリアム
□同一性拡散

**問21　成人期・老年期**　　　　　　　　　　**正答　1**

a：適切でない。**均衡化説**は**ピアジェ**が提唱した認知発達の理論
　　である。**エリクソン**が提唱したのは**漸成説**である。

b：成人期の発達上の危機は生殖性対停滞性である。成人期には
　　次の世代を産み育てることが課題となる。この危機を通じて
　　得られる人格的活力が世話（care）である。なお、成人前期
　　（early adulthood）の発達課題は親密性対孤立であるので、
　　混同しないこと。

c：**空の巣症候群**とは、子どもを産み育ててきた中年期以降に生
　　じ、これまで守ってきた家庭という自分の巣が空っぽになっ
　　たように感じ、空虚感や抑うつ感を抱く状態である。

d：**キューブラー＝ロス**（Kübler-Ross, E.）は末期がん患者と
　　の面接を通じて、死に対する否認、怒り、取り引き、抑う
　　つ、受容のプロセスを明らかにした。

**問22　発達検査**　　　　　　　　　　　　　**正答　4**

a：誤り。**新版K式発達検査**（Kyoto Scale of Psychological
　　Development）は、日本で開発された発達検査である。

b：誤り。新版K式発達検査2020は、0歳から成人を対象とし
　　ている。

c：誤り。本検査では全領域の**発達指数**（developmental
　　quotient; DQ）に加え、「姿勢・運動」「言語・社会」「認知・
　　適応」の3領域別に発達指数を算出することが可能である。

d：正しい。本検査は発達指数（DQ）を算出する。
　　したがって、正答は**4**である。

KEY WORD

□均衡化説
□ピアジェ
□エリクソン
□漸成説
□空の巣症候群
□キューブラー＝
　ロス

□新版K式発達検査
□発達指数

**教育心理学** **問 題** ➡解説はp.152〜

**\***
**問23** 以下の文章の空欄a〜cに当てはまる用語の組合せとして、正しいものは
どれか。

　学習形態は、学習者の人数により、個別学習（1人）、小集団学習（2〜20人）、
クラス学習（20〜40人）、大集団学習（40人以上）に分けることができる。近年、
日本の学校では（　a　）を取り入れた（　b　）が盛んに行われている。その最
大の長所は、学習内容の理解のほか、（　c　）の向上が期待できることである。

| | a | b | c |
|---|---|---|---|
| **1.** | 小集団学習 | 協同学習 | 社会的スキル |
| **2.** | 小集団学習 | グループ学習 | 社会的スキル |
| **3.** | クラス学習 | 協同学習 | 学習意欲 |
| **4.** | クラス学習 | グループ学習 | 学習意欲 |

**\*\***
**問24** 以下の文章の下線部a〜dについて、適切な記述に○、不適切な記述に×
を付けた場合、○と×の組合せとして正しいものはどれか。

　ローゼンタールら（Rosenthal, R. et al.）は、児童に対する教師の期待がその子
<sub>a</sub>
の学習成績や生活態度に影響を及ぼすかどうかを調べるために、アメリカの小学生
を対象に次のような実験を行った。学期の最初に知能検査を行い、そこからランダ
ムに約2割の児童を選び出し、担任教師に成績が伸びる子どもたちだと偽の情報を
伝えた。なお、このような方法は現在では研究倫理上許されない。8か月後、高
学年の児童において知能検査の成績が上昇し、児童期待効果の存在が確認され、
戯曲のタイトルからピグマリオン効果と呼ばれるようになった。

| | a | b | c | d |
|---|---|---|---|---|
| **1.** | ○ | ○ | ○ | × |
| **2.** | ○ | × | × | × |
| **3.** | × | ○ | × | ○ |
| **4.** | × | × | ○ | ○ |

\*
**問25** 以下の文章の空欄a〜cに当てはまる用語の組合せとして、正しいものは
どれか。

発見学習（discovery learning）は（　a　）により提唱されたもので「（　b　）
の発見を通して行う学習法」である。つまり学習者の（　c　）を生かした指導法
といえる。発見学習を行うためには教材（教科内容）に発見可能な原理や法則があ
ることが前提となる。

|  | a | b | c |
|---|---|---|---|
| **1.** | ブルーナー（Bruner, J. S.） | 指導者 | 帰納的推論 |
| **2.** | ブルーナー（Bruner, J. S.） | 学習者 | 帰納的推論 |
| **3.** | スキナー（Skinner, B. F.） | 指導者 | 演繹的推論 |
| **4.** | スキナー（Skinner, B. F.） | 学習者 | 演繹的推論 |

\* \*
**問26** 以下の文章の空欄a〜cに当てはまる用語の組合せとして、正しいものは
どれか。

授業等で教師が用いる（　a　）（処遇）に対する学習者の（　b　）が学習能
力などの適性（特性）によって異なることがある。クロンバック（Cronbach, L.
J.）はこれを適性処遇交互作用（aptitude treatment interaction; ATI）と呼んでい
る。最適な学習効果を挙げるためには、指導方法を（　c　）に応じて変える必要
がある。

|  | a | b | c |
|---|---|---|---|
| **1.** | 指導方法 | 評価 | 学習者 |
| **2.** | 指導方法 | 反応のしかた | 学習能力の型 |
| **3.** | 指導技術 | 評価 | 学習能力の型 |
| **4.** | 指導技術 | 反応のしかた | 学習者 |

**\* \***
**問27** 以下の文章の空欄a〜dに当てはまる用語の組合せとして、正しいものはどれか。

　動機づけには外発的動機づけと内発的動機づけがある。報酬を与えると（　a　）動機づけは高まる。しかし、（　b　）動機づけの高い子どもの場合、報酬を与えることでもともとあった（　c　）動機づけを低下させてしまうことがある。これは（　d　）効果と呼ばれている。

|  | a | b | c | d |
|---|---|---|---|---|
| **1.** | 外発的 | 内発的 | 内発的 | ストループ |
| **2.** | 外発的 | 内発的 | 内発的 | アンダーマイニング |
| **3.** | 内発的 | 外発的 | 外発的 | ストループ |
| **4.** | 内発的 | 外発的 | 外発的 | アンダーマイニング |

**\***
**問28** 以下の文章の空欄a〜cに当てはまる用語の組合せとして、正しいものはどれか。

　（　a　）水準に対して（　b　）水準が著しく低い者をアンダーアチーバーと呼んでいる。他方、（　a　）水準に対して（　b　）水準が著しく高い者をオーバーアチーバーと呼んでいる。後者は（　c　）が効率よくなされていることを示している。

|  | a | b | c |
|---|---|---|---|
| **1.** | 知能 | 学力 | 学習 |
| **2.** | 知能 | 学力 | 発達 |
| **3.** | 学力 | 知能 | 学習 |
| **4.** | 学力 | 知能 | 発達 |

** 
**問29** 以下の文章の空欄a〜cに当てはまる用語の組合せとして、正しいものはどれか。

　授業に先立って行う評価を（　a　）と呼ぶ。その目的は、学習活動に必要な（　b　）、つまり、学習者のレディネスを指導者が理解し、必要があれば授業の初めに復習等の工夫をすることにある。他方、学習者にとっては、新しい内容の学習に必要な事項の点検にも利用できる。ブルーム（Bloom, B. S.）らは、この機能を持つ評価を（　c　）と呼んだ。

| | a | b | c |
|---|---|---|---|
| **1.** | 診断評価 | 発達状態 | 事前評価 |
| **2.** | 診断評価 | 準備状態 | 事後評価 |
| **3.** | 事前評価 | 発達状態 | 診断的評価 |
| **4.** | 事前評価 | 準備状態 | 診断的評価 |

** 
**問30** 向社会的行動に関連する事柄の説明として、**適切でない**ものはどれか。

1. 向社会的行動とは援助、共有、寄付など他の個人や社会全体に恩恵を与える行動であり、共感性や正義感に基づいて意図的に行う場合には愛他的行動とも呼ばれる。
2. 人が困っている状況に多くの人が存在する場合に向社会的行動が起こりにくくなることをラタネら（Latané, B. et al.）は傍観者効果と呼んだ。
3. 反社会的行動とは、社会の法律、規範、慣習などに反する逸脱的とみなされる行動であり、成人の場合は犯罪、少年の場合は非行に当たる。
4. 非社会的行動とは、社会的な立場から乖離し、時に意図せず周囲に悪影響を与えてしまうような行動である。

* 
**問31** ソシオメトリーに関する記述として、最も妥当なものはどれか。

1. モレノ（Moreno, J. L.）は、演劇の概念を集団的心理療法に応用するソシオメトリーの創始者となった。
2. ソシオメトリーの理論に基づいて、集団の中の選択・排斥など人間関係のネットワークを調べる方法をソシオメトリック・テストという。
3. ソシオメトリック・テストから得られたN人の集団のネットワーク構造をN×Nの表の形に表したものをソシオグラムという。
4. 学級の人間関係の特徴を調べるのにソシオメトリック・テストは簡便かつ有用な方法であり、担任教師は必ず実施すべきである。

\*\*
**問32**　社会的学習に関連する記述として、最も妥当なものはどれか。

1．バンデューラ（Bandura, A.）は、行動主義心理学の強化の考え方を発展させ、社会的学習理論を提唱した。

2．バンデューラの社会的学習理論は、観察学習におけるモデリングの有効性を否定するものとなった。

3．バンデューラのボボ人形を用いた実験は、子どもの共感性の発達過程を明らかにした。

4．バンデューラは、社会的学習に加えて、行動変化の要因として自己効力感の重要性を主張した。

\*\*\*
**問33**　以下の正統的周辺参加に関するa〜dの記述で適切なものには○、適切でないものには×を付けた場合、その組合せとして正しいものはどれか。

a：正統的周辺参加の重要性をレイヴとウェンガー（Lave, J. & Wenger, E.）の著書が明らかにした。

b：正統的周辺参加の考え方では、学習を純粋に個人的なものと考える。

c：正統的周辺参加は、非合法的周辺参加と対立する概念である。

d：正統的周辺参加の考え方は、職人などの徒弟制度の分析から生まれた。

　　　a　b　c　d
1．○─○─○─×
2．○─×─×─○
3．×─○─×─×
4．×─×─○─○

\*
**問34**　知能の理論に関する記述として、最も妥当なものはどれか。

1．知能因子の理論として、サーストン（Thurstone, L. L.）の2因子説、スピアマン（Spearman, C. E.）の多因子説などがある。

2．ギルフォード（Guilford, J. P.）の知性の構造モデルは、知能を内容、操作、所産の3次元120種類に分類するものである。

3．キャッテル（Cattell, R. B.）は、速く正確に情報処理を行う能力としての結晶性知能と、経験を通じて獲得される知識や技能としての流動性知能を分類した。

4．CHC理論（Cattell-Horn-Carroll theory）は、情動知能の階層性に関する理論である。

\*\*\*
**問35** ビネー式知能検査の一つである田中ビネー知能検査Ⅴに関する記述として、最も妥当なものはどれか。

1. 検査の適用範囲は10歳から成人までである。
2. 一般知的能力指標（GAI）を算出することができる。
3. 偏差知能指数（DIQ）を算出することができる。
4. 認知尺度だけでなく、個別式習得尺度が含まれているテスト構成である。

\*\*
**問36** ウェクスラー式知能検査の一つであるWISC-Ⅴ知能検査に関する記述として、最も妥当なものはどれか。

1. FSIQを含め11の合成得点が算出できる。
2. 主要指標には、知覚推理指標が含まれる。
3. 補助指標には、結晶性能力指標が含まれる。
4. 下位検査には、「絵の完成」が含まれる。

\*\*
**問37** 学習性無力感に関する記述として、最も妥当なものはどれか。

1. 生得的な気質によるものであり、経験の影響は受けない無力感である。
2. 思春期危機に伴って起こる問題であり、その他の時期には起こらない。
3. もっぱら教科についての学習行動に関する現象であり、不快刺激を避ける行動などには適用しない。
4. のちにポジティブ心理学の主導者の一人となるセリグマン（Seligman, M. E. P.）が実験に基づき着目した現象である。

\*
**問38** アメリカ合衆国におけるヘッドスタート計画に関する以下の文章の空欄a～cに当てはまる用語の組合せとして、正しいものはどれか。

ヘッドスタート計画は、ジョンソン（Johnson, L. B.）大統領の「（　a　）」キャンペーンの一部として1965年に始められたプロジェクトである。ヘッドスタート計画は、（　b　）子どもが学校に適応するための準備を促進するものであり、子どもの知的、社会的、情緒的な発達を支援する各種の取組みである。ヘッドスタート計画の取組みは、（　c　）で行われている。

| | a | b | c |
|---|---|---|---|
| 1. | 貧困との戦い | 知能の著しく高い | 全米 |
| 2. | 貧困との戦い | 低所得の家庭で育つ | 全米 |
| 3. | 落ちこぼれゼロ | 知能の著しく高い | 南部の州 |
| 4. | 落ちこぼれゼロ | 低所得の家庭で育つ | 南部の州 |

**\***

**問39** 指導過程（事前の評価、途中の評価、事後の評価）に着目して、教育における評価を分類した場合の組合せとして正しいものはどれか。

1．診断的評価 ―――― 途中の評価
2．診断的評価 ―――― 事前の評価
3．形成的評価 ―――― 事前の評価
4．形成的評価 ―――― 事後の評価

**\*\***

**問40** 道徳性についての理論を構築したコールバーグ（Kohlberg, L.）に関する記述として、最も妥当なものはどれか。

1．道徳的判断を重視せず、共感性の発達に主に焦点を当てた理論を構築した。
2．フロイト（Freud, S.）の理論を発展させ、対象関係論の立場から道徳性の発達の研究を行った。
3．自らの理論をもとに、「ジャスト・コミュニティ」という教育に関する実験的な実践も行った。
4．他者の行動を観察することで学習が成立する過程に着目し、モデリング理論などを中心に道徳性の研究を発展させた。

**\***

**問41** 偏差値について説明した以下の文章の空欄a〜cに当てはまる用語の組合せとして、正しいものはどれか。

偏差値とは、学力検査や模擬試験の得点を、全体の平均点と標準偏差により（　a　）したものである。日本で偏差値として広く用いられているものは、平均点を（　b　）、標準偏差を（　c　）に対応させたものである。

|  | a | b | c |
|---|---|---|---|
| 1． | 対数変換 | 50 | 15 |
| 2． | 対数変換 | 100 | 15 |
| 3． | 正規化（標準化） | 50 | 10 |
| 4． | 正規化（標準化） | 100 | 10 |

＊＊
**問42** 「いじめ防止対策推進法」におけるいじめの定義に関する以下の文章の空欄a〜cに当てはまる用語の組合せとして、正しいものはどれか。

「児童等に対して、当該児童等が在籍する学校に在籍している等当該児童等と（　a　）他の児童等が行う心理的又は物理的な（　b　）を与える行為（インターネットを通じて行われるものを含む。）であって、当該行為の対象となった児童等が心身の（　c　）もの」

| | a | b | c |
|---|---|---|---|
| 1． | 対立関係にある | 攻撃 | 苦痛を感じている |
| 2． | 対立関係にある | 影響 | 損傷を受けている |
| 3． | 一定の人的関係にある | 影響 | 苦痛を感じている |
| 4． | 一定の人的関係にある | 攻撃 | 損傷を受けている |

＊
**問43** 以下は、DSM-5-TR に記述された診断的特徴の文の一部である。以下の文章の空欄に当てはまる用語として正しいものはどれか。

「（　　　　）の基本的特徴は、持続する相互的な社会的コミュニケーションや対人的相互反応の障害、および限定された反復的な行動、興味、または活動の様式である。」

1．限局性学習症
2．神経発達症群
3．児童期発症流暢症
4．自閉スペクトラム症

＊＊＊
**問44** 文部科学省「生徒指導提要（令和4年12月）」で示される「生徒指導の重層的支援構造」において、スクリーニング会議はどの層に位置づけられているか。

1．発達支持的生徒指導
2．課題未然防止教育
3．課題早期発見対応
4．困難課題対応的生徒指導

＊＊
**問45** 文部科学省が発表した「令和3年度通級による指導実施状況調査結果」において、通級による指導を受けている児童生徒数が最も多い障害種はどれか。

1．自閉症
2．学習障害
3．言語障害
4．情緒障害

## 教育心理学 解説

### 問23 学習形態　　　　　　　　　　　　　正答 1

**1．** 正しい。学校教育では、近年、対人コミュニケーション等の社会性を育成することも重要な教育目標となるため、社会的スキルが重視されている。そのため、教科学習の目標と同時にそれを育成できるのが**協同学習**と呼ばれる小集団学習である。これにより「教え合い・学び合い」を取り入れた学習法が行われている。**バズ学習**（6人程度の小集団内で数分間の討議を行った後、小集団の代表が発表し合い、全体討議を進める）や**ジグソー学習**（小集団ごとに集団の成員が複数内容で構成された教材を分担する。次に同じ内容の分担者が新たな小集団で教え合い・学び合いを行う。その成果をもとの小集団に持ち帰り、教え合い・学び合いを行う）などが提案され実践されている。

**2．** bは協同学習の誤り。

**3．** aは小集団学習の誤り。cは社会的スキルの誤り。

**4．** aは小集団学習、bは協同学習、cは社会的スキルの誤り。

**KEY WORD**
- □協同学習
- □バズ学習
- □ジグソー学習

### 問24 ピグマリオン効果　　　　　　　　　　正答 2

**a** : 適切である。**ローゼンタールとジェイコブソン**（Rosenthal, R. & Jacobson, L.）が1968年に刊行した著書『教室のピグマリオン』によって広く知られるようになった。

**b** : 不適切である。原研究では、対象となった小学1年生から6年生のうち、1年生と2年生の低学年のみにおいて**ピグマリオン効果**が見られた。

**c** : 不適切である。教師の期待が児童の成績や態度に影響するのであるから、**教師期待**効果と呼ばれる。一般に、「こうなるのではないか」と思っていると、意識的あるいは無意識的にその方向に向かう行動が増えてそのことが実現することを**自己成就予言**というが、ピグマリオン効果はその一種であるとされる。

**d** : 不適切である。ピグマリオンはギリシア神話に登場するキプロス王の名で、自身が作った彫像の美女ガラティアが現実の女性になってほしいと強く願ったところ、美の女神アフロディーテが生身の女性に変えたという物語から、願えば叶うこ

**KEY WORD**
- □ローゼンタール
- □ピグマリオン効果
- □教師期待
- □自己成就予言

とをピグマリオン効果という。ちなみに、イギリスの作家ジ
ョージ・バーナード・ショーによる1912年の戯曲『ピグマリ
オン』は、この神話物語に触発された作品である。

したがって、正答は **2** である。

### 問25 発見学習　　　　　　　　　　　　　　正答　2

1. **発見学習**は**ブルーナー**（Bruner, J. S.）が提唱した学習法で
   ある。学習者自らが仮説を立て、実験を通して検証し、その
   結果から原理や法則を発見する。この過程は**帰納的推論**を必
   要とする。仮説を発見するのは指導者ではない。
2. 正しい。
3. **スキナー**は**プログラム学習**を提唱した**行動主義**の心理学者で
   ある。
4. 発見学習では、仮説を立て実験を通して検証し、その結果か
   ら原理法則を発見するのは帰納的推論を生かしたものであ
   る。

□発見学習
□ブルーナー
□帰納的推論
□スキナー
□プログラム学習
□行動主義

### 問26 適性処遇交互作用　　　　　　　　　　正答　2

1. b は反応のしかたの誤り。c は学習能力の型の誤り。
2. 正しい。**クロンバック**（Cronbach, L. J.）によって提唱され
   た**適性処遇交互作用**（**ATI**）の処遇は、教師による指導方法
   で指導技術ではない。この理論によると、教師が授業で用い
   る指導方法を、個々の学習者の学習能力（適性）の型（スタ
   イル）に応じて変える必要がある。
3. a は指導方法の誤り。b は反応のしかたの誤り。
4. a は指導方法の誤り。c は学習能力の型の誤り。

□クロンバック
□適性処遇交互作用
　（ATI）

## 問27 動機づけ　　　　　　　　　　　　正答　2

1. **ストループ効果**は、赤、緑、黄、青の各文字のインクの色が、その文字の意味する色と異なるとき、インクの色を言わせると文字の意味が妨害して反応が遅れる現象をさす。
2. 正しい。報酬を与えると動機づけが高まるのは**外発的動機づけ**である。**内発的動機づけ**の高い子どもに対して、外発的動機づけの強化因となる報酬を与えると、内発的動機づけが低下してしまう現象を**アンダーマイニング効果**と呼んでいる。
3. 内発的動機づけは、報酬ではなく個人の知的好奇心など自発的なより高度な満足により生じる。
4. 内発的動機づけは **3** を参照。

## 問28 知能と学力　　　　　　　　　　　　正答　1

1. 正しい。
2. **学力**水準は**知能**水準により影響を受ける。
3. **オーバーアチーバー**は知能水準より著しく高い学力水準にある。これは学力水準を高めるため学習効率を高めている証といえる。ちなみに、知能水準より著しく低い学力水準にあるときは**アンダーアチーバー**となる。
4. 学力水準は知能水準により影響を受ける。オーバーアチーバーは知能水準より著しく高い学力水準にある。これは学力水準を高めるため学習効率を高めていると考えられる。

## 問29 診断的評価　　　　　　　　　　　　正答　4

1. 授業に先立って行う評価を「**事前評価**」と呼んでいる。その目的は学習活動に必要な「準備状態」、つまり「**レディネス**」を指導者が理解することである。ブルーム（Bloom, B. S.）らはこの機能を持つ評価を「**診断的評価**」と呼んだ。
2. 授業に先立って行う評価は「事前評価」と呼ばれており、この機能を持つ評価をブルームらは「診断的評価」と呼んだ。
3. 事前評価では、学習活動に必要な「準備状態」、つまり「レディネス」を指導者が理解することが大切である。
4. 正しい。

**KEY WORD**

- □ストループ効果
- □外発的動機づけ
- □内発的動機づけ
- □アンダーマイニング効果

- □学力
- □知能
- □オーバーアチーバー
- □アンダーアチーバー

- □事前評価
- □レディネス
- □診断的評価

## 問30 向社会的行動　　　　　　　　　　　　正答　3

□向社会的行動
□愛他的行動
□ラタネ
□傍観者効果
□反社会的行動
□非社会的行動

1. **向社会的行動**（prosocial behavior）は、広く他の個人や社会全体に恩恵を与える行動であり、その中でも**愛他的行動**（altruistic behavior）は共感性や正義感に基づいて意図的に行う行動をいう。

2. **ラタネ**ら（Latané, B. et al.）は、深夜に帰宅途中の若い女性が駐車場近辺で暴漢に襲われ助けを求める声を大勢の人が聞いたのに誰も援助行動をしなかったキティ・ジェノヴィーズ殺人事件（1964年）を契機として、人が困っている状況にあるのに、多くの人が向社会的行動を起こさず「ただそこにいる（stand by）」だけの現象を**傍観者効果**（bystander effect）と呼んだ。

3. 適切でない。社会の法律、規範、慣習などに反する、逸脱的とみなされる**反社会的行動**（antisocial behavior）が直ちに犯罪あるいは非行に当たるわけではない。

4. **非社会的行動**（nonsocial behavior）とは、たとえば不登校やひきこもりのように、社会的な立場から乖離し、時に意図せず周囲に悪影響を与えてしまうような行動をいう。

## 問31 ソシオメトリー　　　　　　　　　　　　正答　2

1. **モレノ**（Moreno, J. L.）は、**ソシオメトリー**（sociometry）の創始者であると同時に、演劇の概念を集団的心理療法に応用するサイコドラマ（psychodrama）の創始者でもある。

2. 妥当である。**ソシオメトリック・テスト**は、ソシオメトリーの理論に基づき、集団の中の選択・排斥など人間関係のネットワークを調べる方法をいう。

3. **ソシオグラム**は、ソシオメトリック・テストから得られたN人の集団のネットワーク構造を表ではなくノード（個人）とリンク（選択または排斥）を用いた図に表すものをいう。

4. 学級の人間関係の特徴を調べるのにソシオメトリック・テストは簡便かつ有用な方法ではあるが、児童や生徒の個人情報保護の問題があり、担任教師が実施するのは基本的に望ましくない。

**3**

発達・教育

# 3 発達・教育

**問32 社会的学習** 　　　　　　　　正答 **4**

1. **社会的学習**理論は、報酬や罰など行動への強化がなくても、モデルの行動を観察するだけでも学習が成立することを明らかにした。
2. 社会的学習理論は、**観察学習**における**モデリング**の有効性を明らかにする理論である。
3. ボボ人形を用いた実験は、観察学習によって人形に対する大人の乱暴な行動を模倣するモデリングの成立を調べるものであった。
4. 妥当である。**バンデューラ**（Bandura, A.）は、社会的学習理論の提唱と行動変化の要因としての**自己効力感**の提唱の2つが重要な業績である。

KEY WORD
- □社会的学習
- □観察学習
- □モデリング
- □バンデューラ
- □自己効力感

**問33 正統的周辺参加** 　　　　　　正答 **2**

a：適切である。**正統的周辺参加**は、**レイヴとウェンガー**（Lave, J. & Wenger, E.）の『**状況に埋め込まれた学習**—正統的周辺参加』という著書が出発点である。
b：適切でない。正統的周辺参加は、学習を純粋に個人的なものと限定せず、社会的な状況で成立する側面を強調する。
c：適切でない。「非合法的周辺参加」という用語または概念は用いられない。
d：適切である。徒弟制度における技の習得は、職長や先輩から直接教えてもらうのでなく、職場という共同体に参加を認めてもらい、見よう見まねで行われることから正統的周辺参加という言葉が生まれた。
　したがって、正答は **2** である。

KEY WORD
- □正統的周辺参加
- □レイヴ
- □ウェンガー
- □状況に埋め込まれた学習

**問34** 知能　　　　　　　　　　　　　　　正答　**2**

1. 知能因子の理論として、g因子とs因子に分けた**スピアマン**（Spearman, C. E.）の**2因子説**、7因子に分けた**サーストン**（Thurstone, L. L.）の**多因子説**などがある。

2. 妥当である。**ギルフォード**（Guilford, J. P.）の**知性の構造モデル**（structure-of-intellect model）は、知能の働きを内容4種×操作5種×所産6種の3次元120種類に分類するものである。

3. **キャッテル**（Cattell, R. B.）の知能因子の理論では、速く正確に情報処理を行う能力としての**流動性知能**と、経験を通じて獲得される知識や技能としての**結晶性知能**の2つに分けられる。

4. **CHC理論**（Cattell-Horn-Carroll theory）は、情動知能ではなく、一般的認知能力の階層性に関する、現代の知能検査の基礎ともなる理論である。

**問35** 田中ビネー知能検査Ⅵ　　　　　　　正答　**3**

1. 検査の適用範囲は2歳から成人までとされている。

2. 一般知的能力指標（GAI）を算出できるのは、WISC-ⅤやWAIS-Ⅳなどのウェクスラー式知能検査であり、田中ビネーでは算出できない。

3. 妥当である。検査の結果より**精神年齢**（MA）を算出し、**生活年齢**（CA）で除して100をかけることにより得られる**知能指数**（IQ）を算出できることが、田中ビネーの特徴である。これに加えて、田中ビネー知能検査Ⅵでは、**偏差知能指数**（DIQ）は13歳級以下でも算出することができるようになった。

4. 個別式習得尺度が含まれているのはK-ABCおよび改訂版のKABC-Ⅱであり、田中ビネー知能検査には含まれていない。

---

**KEY WORD**

- □ スピアマン
- □ 2因子説
- □ サーストン
- □ 多因子説
- □ ギルフォード
- □ 知性の構造モデル
- □ キャッテル
- □ 流動性知能
- □ 結晶性知能
- □ CHC理論

- □ 田中ビネー知能検査Ⅵ
- □ 精神年齢
- □ 生活年齢
- □ 知能指数
- □ 偏差知能指数

### 問36 WISC-Ⅴ知能検査　　　　　　　正答　1

WISC-Ⅴ知能検査は2021年に日本版が発行された。全16の下位検査（主要下位検査：10、二次下位検査：6）で構成され、全般的な知能を表す**FSIQ**を含む11の**合成得点**が算出される。

5つの主要指標：**言語理解指標、視空間指標、流動性推理指標、ワーキングメモリー指標、処理速度指標**

5つの補助指標：量的推理指標、聴覚ワーキングメモリー指標、非言語性能力指標、一般知的能力指標、認知熟達度指標

新しい下位検査として「バランス」「パズル」「絵のスパン」「数唱：数整列」が加わり、「語の推理」「絵の完成」はなくなった。

したがって、正答は**1**である。

KEY WORD
- □WISC-Ⅴ
- □FSIQ
- □合成得点
- □言語理解指標
- □視空間指標
- □流動性推理指標
- □ワーキングメモリー指標
- □処理速度指標

### 問37 学習性無力感　　　　　　　　　正答　4

**学習性無力感**は、**セリグマン**（Seligman, M. E. P.）らが動物実験などから発見した現象である。

1．いくら行動をしても望む結果が得られないという体験の積み重ねによって無力感に陥ってしまう現象であり、経験による学習によって生じる。

2．生涯発達の特定の時期に起こるものとは考えられていない。

3．動物実験では電気ショックを避ける行動について研究されており、教科についての学習行動に限定されるものではない。

4．妥当である。セリグマンはのちにポジティブ心理学の主導者となっている。

- □学習性無力感
- □セリグマン

### 問38 ヘッドスタート計画　　　　　　　正答　2

**ヘッドスタート計画**は、ジョンソン（Johnson, L. B.）大統領の「**貧困との戦い**」キャンペーンの一部として1965年に始められたプロジェクトである。ヘッドスタート計画は、低所得の家庭で育つ子どもが学校に適応するための準備を促進するものであり、子どもの知的、社会的、情緒的な発達を支援する各種の取組みである。ヘッドスタート計画の取組みは全米で行われている。

したがって、正答は**2**である。

「落ちこぼれゼロ」は、"No Child Left Behind" の日本語訳であり、2002年以降に法に基づきアメリカ合衆国で実施されている

- □ヘッドスタート計画
- □貧困との戦い

教育政策である。

### 問39 教育評価　　　　　　　　　　　　　　正答　2

　指導過程に着目した**ブルーム**による教育評価の分類としては、以下のものが知られている。**診断的評価**は、新しい学習の内容に入る前に、前提となる知識や技能がどの程度習得されているかを評価するものであり、事前の評価である。**形成的評価**は、指導過程の途中で軌道修正などが必要かを判断するために行われる、途中の評価である。**総括的評価**は、指導が終了したときに行われ、指導の効果を確認するものであり、事後の評価である。

　したがって、正答は**2**である。

### 問40 コールバーグの道徳性についての研究　　正答　3

　**コールバーグ**（Kohlberg, L.）はアメリカで活躍した心理学者であり、ピアジェの研究を発展させ、**道徳的判断**（道徳的推論）の観点から道徳性心理学、道徳教育に大きく影響を与える理論を構築した。コールバーグは自らの理論をもとにした実験的な実践を高等学校などで行った。現実的な問題に対して討論を重ねることで問題解決を図るとともに、道徳的判断力の向上をねらった試みは「**ジャスト・コミュニティ**（アプローチ）」と呼ばれる。

　したがって、正答は**3**である。

### 問41 偏差値　　　　　　　　　　　　　　　正答　3

　日本の教育現場において「**偏差値**」というと、通常は学力偏差値をさすことが多い。学力検査や模擬試験の得点を、全体の**平均**と**標準偏差**により**正規化**（標準化）したものである。日本で偏差値として広く用いられているものは、平均点を50、標準偏差を10に対応させたものである。

　したがって、正答は**3**である。

□ブルーム
□診断的評価
□形成的評価
□総括的評価

**3**

発達・教育

□コールバーグ
□道徳的判断
□ジャスト・コミュニティ

□偏差値
□平均
□標準偏差
□正規化

## 問42 いじめの定義　　　　　　　　　　　　正答　3

いじめの定義にはさまざまなものがあるが、日本では「**いじめ防止対策推進法**」が2013（平成25）年に施行されており、そこで示されている定義は最も重要なものといってよいだろう。

そこには「児童等に対して、当該児童等が在籍する学校に在籍している等当該児童等と一定の人的関係にある他の児童等が行う心理的又は物理的な影響を与える行為（インターネットを通じて行われるものを含む。）であって、当該行為の対象となった児童等が心身の苦痛を感じているもの」と記述されている。

したがって、正答は**3**である。

## 問43 DSM-5-TR　　　　　　　　　　　　　正答　4

DSM は、アメリカ精神医学会が刊行している、精神疾患の診断・統計マニュアルである。**DSM-5-TR** はその第5版を本文改訂（テキストリビジョン）したものである。かなりの改訂が行われたのと同時に、日本語訳に関してもさまざまな見直しが行われた。

1. **限局性学習症**は、日本の概念でいうと学習障害（LD）に近い診断名である。
2. **神経発達症群**は、発達期に発症する一群の疾患であり、知的発達症、コミュニケーション症群、自閉症スペクトラム症、注意欠如多動症、限局性学習症、運動症群などが含まれる。
3. **児童期発症流暢症**は「児童期発症流暢症（吃音）」と表記されており、発達期早期の吃音を示す診断名である。
4. 正しい。**自閉スペクトラム症**は、自閉性障害やアスペルガー障害を連続体ととらえ、包括する診断名として新たに記述されたものである。

**KEY WORD**

□いじめ
□いじめ防止対策推進法

□DSM-5-TR
□限局性学習症
□神経発達症群
□児童期発症流暢症
□自閉スペクトラム症

**問44** スクリーニング会議　　　　　　　　正答　**3**

1. **発達支持的生徒指導**では、すべての児童生徒を対象に、児童生徒の個性の発見とよさや可能性の伸長と社会的資源・能力の発達を支えるように働きかける。

2. **課題未然防止教育**では、すべての児童生徒を対象に、生徒指導の諸課題の未然防止をねらいとした、意図的・組織的・系統的な教育プログラムの実施をする。

3. 正しい。**課題早期発見対応**では、アンケートのような質問紙に基づく**スクリーニングテスト**や、**スクールカウンセラー**や**スクールソーシャルワーカー**を交えた**スクリーニング会議**によって気になる児童生徒を早期に見いだして、指導・援助につなげる。

4. **困難課題対応的生徒指導**では、特別な指導・援助を必要とする特定の児童生徒を対象に、校内の教職員だけでなく、校外の教育委員会、警察、病院、児童相談所、NPO 等の関係機関との連携・協働による課題対応を行う。

**問45** 通級による指導を受けている児童生徒　　正答　**3**

　文部科学省が発表した「令和3年度通級による指導実施状況調査結果」によると、国公私立の小・中・高等学校において**通級による指導**を受けている児童生徒数は、多い順に**言語障害**47,175名、**注意欠如多動症**38,656名、**自閉症**36,760名、**学習障害**34,135名、**情緒障害**24,554名などであり、言語障害が最も多い。

　したがって、正答は**3**である。

**KEY WORD**

□発達支持的生徒指導
□課題未然防止教育
□課題早期発見対応
□スクリーニングテスト
□スクールカウンセラー
□スクールソーシャルワーカー
□スクリーニング会議
□困難課題対応的生徒指導

□通級による指導
□言語障害
□注意欠如多動症
□自閉症
□学習障害
□情緒障害

**\*\***

**問1** 原因帰属に関する研究者aとbについて、その組合せが正しいものはどれか。

日常的に人が行っている素朴な推論の過程に（　a　）は注目し、人に備わる能力のような要因と、偶然性のような人の統制が及ばない要因を区別して、因果推論を行っていることを指摘した。（　b　）はこれらを原因帰属の理論として体系化し、繰り返し観察できる場合に、実体、時、人などの要因の組合せから、結果と原因との共変関係をもとに特定の原因を推測している（共変原理）というANOVAモデルを提案した。

|  | a | b |
|---|---|---|
| **1.** | ワイナー（Weiner, B.） | ハイダー（Heider, F.） |
| **2.** | ハイダー（Heider, F.） | ケリー（Kelley, H. H.） |
| **3.** | ケリー（Kelley, H. H.） | ジョーンズとデイヴィス（Jones, E. E. & Davis, K. E.） |
| **4.** | ジョーンズとデイヴィス（Jones, E. E. & Davis, K. E.） | ワイナー（Weiner, B.） |

**\*\***

**問2** 認知的不協和理論（cognitive dissonance theory）に関する説明として、**妥当でない**ものはどれか。

**1.** 認知的不協和という概念を理論化したのはフェスティンガー（Festinger, L.）である。

**2.** 代表的な認知的不協和としては、個人内の論理的矛盾や葛藤、それによる不快感情が挙げられる。

**3.** 認知的不協和の大きさには、実際には選択されなかった選択肢の魅力の大きさは関連しないとされている。

**4.** 自分の意見と異なる表明をさせることによっても、認知的不協和が生じることが検討されている。

**問3** 以下の事例に当てはまる行動は、自己に関する側面から何と呼ばれているか、該当する名称として正しいものはどれか。

日頃は練習を欠かさずにいたが、次の対戦相手が強力であることが判明すると、試合の直前まで、密かに遊びの約束を入れて、練習を休むようになった。

**1.** セルフ・エフィカシー

**2.** セルフ・ハンディキャッピング

**3.** セルフ・モニタリング

**4.** セルフサービング・バイアス

**問4** 攻撃行動の説明として、**妥当でない**ものはどれか。

1. 欲求不満状態だけでなく、攻撃行動の引き金となる契機があるとされている。
2. ネットの誹謗中傷など、身体に危惧を加えないような言語的なものは攻撃行動には含まれない。
3. 攻撃行動は他者に危害を与えようとする明確な意図が必要であり、無意識な行動は攻撃行動とは呼ばれない。
4. 他者の攻撃行動を観察して、それを模倣したものも攻撃行動を引き起こしやすいことが指摘されている。

**問5** 多元的無知（pluralistic ignorance）を示す事例として、最も妥当なものはどれか。

1. 選挙の報道を見て、自分の支持する候補は落選濃厚であることを知り、投票するのをやめた。
2. ある提案に全員が納得していないが、お互いに周りのほとんどが賛同していると思い込んで意見を言わなかったため、誰も反対せずに提案が通ってしまった。
3. ある社会問題に関して、自分だけは画期的な解決法を知っていると思っているが、周りの誰もが気づかないのは愚かだと思っている。
4. あるビジネスの分野に関してはかなり精通しているが、いくつかの詳細な側面については勉強不足で、知らない点が多く残っている。

**問6** ステレオタイプやその研究に関する記述として、**誤っている**ものはどれか。

1. リップマン（Lippmann, W.）が『世論』で用いた用語がステレオタイプの由来とされている。
2. 人種や性別に限らず、年齢や血液型など、集団や文化、社会に根付いたステレオタイプがある。
3. ステレオタイプの対象が多数派の場合には、観察例が多いために、2つの事象や集団の間に、実際よりも高い関連性を見いだしたりする誤った関連づけと呼ばれる現象が生じやすい。
4. ステレオタイプが利用されやすい理由として、肯定と否定の相補的特徴を持ち合わせているためというステレオタイプ内容モデルが知られている。

**問7** 以下の説得の研究に関する記述に該当する人物は誰か。

　著書『影響力の武器』などで、実際の商売の観察などをもとにした、応諾先取り法（low-ball technique）、段階的要請法（foot-in-the-door technique）、譲歩的要請法（door-in-the-face technique）といった認知的な要素に関する態度のメカニズムの変化をねらった、段階的要請のテクニックを紹介している。

1．チャルディーニ（Chaldini, R. B.）
2．ペティ（Petty, R. E.）
3．ホヴランド（Hovland, C. I.）
4．ジャニス（Janis, I. L.）

*
**問8** 説得の研究に関して、以下の文章の空欄a〜cに当てはまる用語の正しい組合せはどれか。

　ホヴランドら（Hovland, C. I. et al.）は、説得に効果のある要因として、説得する側の（　a　）が高いほど、相手の態度変容に影響力を持つということを示している。ただし、（　a　）の要因は（　b　）によって、その効果はほとんど見られなくなることも示している。このことは（　c　）と呼ばれている。

|   | a | b | c |
|---|---|---|---|
| 1． | 信憑性 | 時間の経過 | スリーパー効果 |
| 2． | 信憑性 | 親密性の変化 | 限定効果 |
| 3． | 年齢 | 時間の経過 | スリーパー効果 |
| 4． | 年齢 | 親密性の変化 | 限定効果 |

** **
**問9** 以下のヒューリスティックスとその説明の組合せのうち、**妥当でないもの**はどれか。

1．係留と調整のヒューリスティックス：クイズなどでヒントの数字を出すと、それに近い値の回答が増える
2．代表性ヒューリスティックス：コインを5回振って表が5回連続で出た場合には、次はそろそろ裏が出やすいと判断する
3．利用可能性ヒューリスティックス：目立ちやすい飛行機事故は、自動車事故よりも死亡する確率を低く見積もられやすい
4．高速倹約的ヒューリスティックス：見積もりにすべての情報を利用すると時間的なコストがかかるので、有益な情報を選んで利用している

**＊＊**
**問10** アロンソン（Aronson, E.）が提案しているジグソー学習法を説明した文章として、妥当なものはどれか。

1．理解が不足している箇所（ピース）を埋めるように、他者に教えてもらう方法である。
2．自分が得意な分野から、先に解いていく方法である。
3．一人では解けない問題を、他者に助けてもらうことで解決する方法である。
4．役割分担をして、自分で学習したものを他者に教え合うことで、学習効果を高める方法である。

**＊＊**
**問11** 社会的ジレンマの説明として、**妥当でない**ものはどれか。

1．社会生活を営むうえでの他者同士の関係について、板挟みになる葛藤状態である。
2．個々人は利己的な行動をとるのか、協力的な行動をとるのかを選択できる状況である。
3．多くの者が利己的な行動をとった場合には、かえって全員が損をする状態を招きやすい。
4．社会的ジレンマの解決には、フリーライダーの問題を考えることが重要である。

**＊＊**
**問12** 以下の文章a～dのうち、社会的手抜き（social loafing）の説明として妥当なものの組合せはどれか。

a：社会的手抜きが生じる原因として、一人当たりの責任が軽く見積もられるという責任の分散が挙げられている。
b：社会的手抜きは他者が見ていないときに、怠けることによるパフォーマンスの低下を意味している。
c：リンゲルマン（Ringelmann, M.）が示す綱引き実験の結果では、集団単位でのパフォーマンスは参加人数に比例しており、個々人のパフォーマンスの合計よりも高いことがわかった。
d：ラタネ（Latané, B.）は、他者との作業のタイミングのずれを差し引いても、社会的手抜きは消失しないことを示している。

1．a、b
2．a、d
3．b、c
4．c、d

**4**

社会・感情・性格

**問13** 他者への尊敬から、その人の行為を手本とするような影響を受けているケースとして、最も妥当なものはどれか。

1. 報酬勢力
2. 正当勢力
3. 参照勢力
4. 専門勢力

＊
**問14** 正確な対人認知に結びつきやすい要因の組合せとして、正しいものはどれか。

a：権威主義
b：不安
c：共感性
d：認知的複雑性
e：時間のゆとり

1. a、c、d
2. b、d、e
3. c、b、d
4. c、d、e

＊
**問15** ネガティビティ・バイアス（negativity bias）という判断の偏りを示している内容として、最も妥当なものはどれか。

1. 人生はうまくいかないことのほうが多いと判断し、リスクを回避する選択を取りやすい。
2. 失敗した場合には他者のせいにして、自分の自尊心を維持しやすい。
3. これまでで成功したことよりも、失敗したことのほうを多く思い出しやすい。
4. 自分の周囲に悲観的な考えの者が多いと、自分も影響されて悲観的になりやすい。

**問16** リー（Lee, J. A.）が示した愛情類型に関する記述として適切なものに〇、適切でないものに×を付けた場合、〇と×の組合せとして正しいものはどれか。

a：アガペー（Agape）—— 結婚する際の条件を挙げると、打算的だとよく言われる

b：ストーゲイ（Storge）—— 学生時代の友人と、長い友人関係の末、結婚した

c：プラグマ（Pragma）—— 相手にされなくても、一方的に愛情や贈り物などを捧げるのが当たり前である

d：ルダス（Ludus）—— 遊び半分で、複数のパートナーと交際するのはごく普通のことである

    a  b  c  d
1．〇—×—〇—×
2．〇—×—×—〇
3．×—〇—〇—×
4．×—〇—×—〇

*
**問17** 対人関係の発展に関するレヴィンジャー（Levinger, G.）の ABCDE モデルについて、発展段階の順番に並べた場合、妥当なものはどれか。
1．関係構築→関係成立→持続→終焉→崩壊
2．関係構築→関係成立→持続→崩壊→終焉
3．関係成立→関係構築→持続→終焉→崩壊
4．関係成立→関係構築→持続→崩壊→終焉

**
**問18** 誤帰属（錯誤帰属）の説明として、**妥当でない**ものはどれか。
1．何度も会ったことのある人物に対して、親近感がわき、親しくなる。
2．吊り橋やお化け屋敷などで生じた生理的喚起が、恐怖感情によるものではなく、一緒にいた相手に対する恋愛感情によるものとして認知される。
3．高くて購入できなかった食べ物を、「あれはたぶんおいしくなかった」と考え、自分自身を納得させる。
4．別の人が書いたであろう公式見解を読み上げる人物に対して、その人物の本音が表れていると感じる。

**問19** 以下の事例は、自己に関する理論の説明である。この事例に該当する用語として最も適切なものはどれか。

密かにライバル視していた知り合いが、自分よりも先に就職の内定を得て、悔しさの感情がわいてきた。

1. 自己中心的バイアス
2. 自己評価維持モデル
3. 自己知覚理論
4. 自己成就的予言

＊＊
**問20** アーガイルとディーン（Argyle, J. M. & Dean, J.）の親密性平衡モデルについて、以下の文章の空欄 a ～ c に当てはまる用語の正しい組合せはどれか。

親密性平衡モデルでは、（ a ）を軽減するために、（ b ）による調整を行っていると考えられている。彼らの実験では、実験協力者（サクラ）と対面して討論した場合に、二者間の（ c ）ほど、（ b ）の程度が減少することを示している。

|   | a | b | c |
|---|---|---|---|
| 1. | 倦怠感 | 発言量 | 距離が近い |
| 2. | 倦怠感 | アイコンタクト（視線交錯量） | 親密性が高い |
| 3. | 緊張感 | 発言量 | 親密性が高い |
| 4. | 緊張感 | アイコンタクト（視線交錯量） | 距離が近い |

＊＊
**問21** 世論形成における沈黙の螺旋現象の影響について述べた記述として、最も妥当なものはどれか。

1. ネット上で自分の意見が多数派であると多くの者が思っているが、それは暗黙の了解なので公言しないようにしている。
2. ある候補が選挙で優勢という報道を聞き、その候補に投票した。
3. ネット上で自分の意見が少数派だということを知り、公言するのを避けるようになった。
4. ある候補が選挙で劣勢という報道を聞き、その候補に投票するのを避けた。

*＊＊＊
**問22** フィードラー（Fiedler, F. E.）が示したリーダーシップにおける条件即応モデルに関する以下の文章の空欄a〜cに当てはまる用語の正しい組合せはどれか。

条件即応モデルでは、（　a　）、仕事の構成度、リーダーの権限の各高低の組合せによって、（　b　）が判断したそれぞれのタイプのリーダーに有利か不利かの効果が異なるとされている。そのため、リーダーシップ論の分類では（　c　）と呼ばれている。

|   | a | b | c |
|---|---|---|---|
| 1. | 地位 | 自分自身 | 機能論 |
| 2. | 地位 | 部下 | 機能論 |
| 3. | 人間関係 | 自分自身 | 状況論 |
| 4. | 人間関係 | 部下 | 状況論 |

*＊
**問23** 文化的な差異について述べた以下の文章の空欄a〜cに当てはまる用語の正しい組合せはどれか。

東洋と西洋の文化的差異がよく比較されるが、集団の価値観を重視する（　a　）に対して、個人の価値観を重視する（　b　）の対比がなされてきた。これに対して、マーカスと北山（Markus, H. R. & Kitayama, S.）は個人が持つ自己観から、文化差を説明しようとしている。彼らの説明では、東洋の人々は、周囲の人々との関係で自己が決まるという（　c　）を有する割合が高いとされている。

|   | a | b | c |
|---|---|---|---|
| 1. | 東洋 | 西洋 | 相互協調的自己観 |
| 2. | 東洋 | 西洋 | 相互独立的自己観 |
| 3. | 西洋 | 東洋 | 相互協調的自己観 |
| 4. | 西洋 | 東洋 | 相互独立的自己観 |

**4**

社会・感情・性格

## 社会心理学　解　説

### 問1　原因帰属理論　　　　　　　　　　正答　2

　初期の**原因帰属理論**（attribution theory）に関する展開とその研究者の組合せを問う問題である。

　対人関係の研究や**バランス理論**などでも知られる、一般的な人が行っている素朴な因果関係の知覚に注目したのが**ハイダー**（Heider, F.）であり、ここから帰属理論が発展した。行動とその意図や個人属性の対応に着目したのが、ジョーンズとデイヴィス（Jones, E. E. & Davis, K. E.）の**対応推測理論**であり、また**ケリー**（Kelley, H. H.）は、帰属理論の体系化を行い、人は結果と原因との共変関係をもとに特定の原因を推測している（共変原理）という **ANOVA** モデルを立てた。**ワイナー**（Weiner, B.）は、出来事の達成に関する成功・失敗の帰属と、そこから派生する感情や行動に焦点を当てた。

　以上から、aはハイダー、bはケリーが当てはまり、正答は **2** である。

### 問2　認知的不協和理論　　　　　　　　　正答　3

　**認知的不協和**理論の概念と、その特徴についての問題である。

1. **フェスティンガー**（Festinger, L.）は、著書『認知的不協和の理論』として、この理論をまとめている。宗教の信者が信仰心を強めるようになった現象（著書『予言がはずれるとき』参照）も、この理論から説明されている。

2. 個人内の論理的矛盾や葛藤から生じた不快感情が認知的不協和であり、これがどのように解消されるかが予測されている。

3. 妥当でない。認知的不協和は、実際には選択されなかった選択肢の魅力が大きいほど大きくなるとされている。

4. 退屈な作業を「おもしろい」と発言させて（**強制的承諾**）、認知的不協和がどのように解消されるかを調べた、フェスティンガーとカールスミス（Festinger, L. & Carlsmith, J. M.）の実験が有名である。

**KEY WORD**

- □原因帰属理論
- □バランス理論
- □ハイダー
- □対応推測理論
- □ANOVAモデル
- □ワイナー

- □認知的不協和
- □フェスティンガー
- □強制的承諾

**問3** セルフ・ハンディキャッピング　　　正答　**2**

自己に関する概念や行動の説明にする用語を問う問題である。

1. **セルフ・エフィカシー**（**自己効力感**）は**バンデューラ**（Bandura, A.）が提示した概念であり、ある行動を遂行できるという自分の可能性の認識のことをさす。社会的学習理論として体系化されている。

2. 正しい。**セルフ・ハンディキャッピング**は、出来事の結果が生じる前に、失敗したときのことを考慮して、あらかじめ失敗する原因を説明しておいたり、設けておいたりすることである。

3. **セルフ・モニタリング**とは、他者との関係の中から自己の行動の適切さを観察し、モニターしているというスナイダー（Snyder, M.）が提案した概念である。

4. **セルフサービング・バイアス**とは、結果が生じてから、成功は自分に、失敗は自分以外に、原因を帰属する傾向のことである。帰属の方向性は**自尊心**の維持のためであるといわれている。

**4**

社会・感情・性格

**問4** 攻撃行動　　　正答　**2**

攻撃行動の定義を問う問題である。

1. ダラードら（Dollard, J. et al.）が提示した、**フラストレーション攻撃仮説**について、バーコヴィッツ（Berkowitz, L.）は、ある刺激が攻撃を引き起こす引き金になり攻撃行動が派生するという、修正仮説を提示している。

2. 妥当でない。身体ではなく、言語的なものも攻撃行動に含まれる。

3. 攻撃行動は明確な意図の有無で区別される。

4. バンデューラの**社会的学習説**（モデリング説）とは、他者の攻撃行動を観察して、それを模倣することが攻撃行動を喚起するという説である。

---

**問5** 多元的無知　　　　　　　　　　　　　正答　**2**

KEY WORD

　**オルポート**（Allport, F. H.）が**多元的無知**（pluralistic ignorance）と呼んだ概念の説明を選ぶ問題である。

□オルポート

□多元的無知

□集団規範

1．多元的無知とは自分以外の他者の態度を誤って推測することであり、報道と個々人の認識の関連性を示すものではない。

2．妥当である。ある事象（特に**集団規範**）に関して、自分以外の他者も同意している、また同じような考え方を持っていると解釈してしまう状態をさす。

3．多元的無知の無知には、個人が愚かであると認識しているという意味は含まれていない。

4．多元的無知の無知には、自分に無知な側面があるという認識は含まれていない。

---

**問6** ステレオタイプ　　　　　　　　　　　正答　**3**

□ステレオタイプ

□誤った関連づけ

□ステレオタイプ
　内容モデル

　**ステレオタイプ**とそれに関連する判断を問う問題である。

1．ジャーナリストであったリップマン（Lippmann, W.）は、頭の中で描いた単純化された型（ステレオタイプ）を持ち、それを現実世界の理解に用いているとした。

2．集団や文化、社会ごとに特有のステレオタイプがあるとされる。

3．誤り。**誤った関連づけ**が生じやすいのは、対象が少数派の場合である。観察例が少ないために、修正も行われにくいとされる。

4．フィスクら（Fiske, S. T. et. al.）が提案した、対人認知の際に利用される**ステレオタイプ内容モデル**では、能力と人柄の２つの次元に分けられ、たとえば「有能なキャリア女性は、冷たい」など、肯定と否定の相補的特徴を持ち合わせていることから利用されやすいことが指摘されている。

**問7** 説得技法　　　　　　　　　正答　**1**

　**説得**による**態度変容**に関する研究者とその内容を問う問題である。

1. 正しい。問題文にあるように、**チャルディーニ**（Chaldini, R. B.）は説得において、認知的な要素に関する態度のメカニズムの変化をねらった段階的要請のテクニックを紹介している。

2. ペティ（Petty, R. E.）はカシオッポ（Cacioppo, J. T.）とともに、説得内容の関心度合いによって、態度変容に関して中心ルートと周辺ルートの有効性の違いがあるという、認知的メカニズムの側面からの**精緻化見込みモデル**を提案している。

3. **ホヴランド**（Hovland, C. I.）は、発信源の信憑性の効果や時間によるその影響力の変化、提示方法（一面性と両面性）など、説得と態度変容に関する研究のさきがけとされている。

4. ジャニス（Janis, I. L.）は**3**のホヴランドらとの一連の研究のほか、説得の脅しの影響力を検討した**恐怖喚起コミュニケーション**の研究で知られている。

**問8** スリーパー効果　　　　　　　正答　**1**

　**ホヴランドら**（Hovland, C. I. et al.）が提示した、**スリーパー効果**の説明に関する問題である。

　彼らの実験では、**説得**による態度変容では、もともと信憑性が高いほど、意図する方向への態度変容が起こりやすいことが示されていた。しかしながら、時間の経過につれて記憶の側面からその**信憑性**の効果は薄れ、差がなくなると（あるいは逆転するとも）いわれている。これはスリーパー効果と呼ばれている。

　以上から、a は信憑性、b は時間の経過、c はスリーパー効果が当てはまり、正答は**1**である。

**問9** ヒューリスティックス　　　　　　　正答　3

KEY WORD

　直観的な推測に用いられる、いくつかの**ヒューリスティックス**の事例の当てはまりを問う問題である。

1. 係留と調整のヒューリスティックスは、アンカリングとも呼ばれ、クイズなどでヒントの数字を出すと、それに近い値の回答が増えるなどの入手した情報に判断がとらわれやすい現象をさす。

2. **代表性ヒューリスティックス**は、知っているものの特徴にどの程度類似しているかによって判断される傾向である。投げたコインの目同士の試行は独立であるが、表裏が半々の確率で生じるという特徴から、前の試行に次の試行が影響され、連続して同じ面が出ることは珍しい現象と判断される（これは**ギャンブラーの錯誤**ともいわれている例である）。

3. 妥当でない。**利用可能性ヒューリスティックス**は、目立ちやすいもの（この例だと飛行機事故）が生じる確率を高く見積もらせるといわれている。

4. 高速倹約的ヒューリスティックスは、検索時間の短縮に使われる情報選択のことである。

□ヒューリスティックス

□代表性ヒューリスティックス

□ギャンブラーの錯誤

□利用可能性ヒューリスティックス

**問10** ジグソー学習法　　　　　　　　正答　4

　**アロンソン**（Aronson, E.）が提案した**ジグソー学習法**の内容とその効用を問う問題である。

1. 理解が不足しているとは限らない。また他者に教えてもらうだけでなく、自身も他者に教える相互性を重視している。

2. 問題をパズルのピースのように見立ててはいるが、自分が得意な分野が割り当てられるとは限らない。また問題を解く順序とは関連がない。

3. 役割分担は行うが、それぞれが学習することと、一人では解けない問題かどうかは関連がない。

4. 妥当である。役割分担をして、それぞれが学習すること、またそれを相互に教え合うことで、学習効果を高める方法である。

□アロンソン

□ジグソー学習法

**問11　社会的ジレンマ**　　　　　　正答　**1**

　個人の利益と集団の利益が相反するような、**社会的ジレンマ**と定義される構造について、その説明の妥当性を判断する問題である。

1. 妥当でない。ジレンマとは葛藤状態をさすが、他者同士の関係ではなく、自己の利益と集団の利益の間に生じる葛藤状態をさす。

2. 社会的ジレンマに該当する状況では、個人は利己的な行動をとることができ、それをとったほうが有利であるが、集団全体の利益を考えて、協力的な行動、つまり個人には不利益な行動をとるのかどうかを選択することが可能な状況である。

3. 社会的ジレンマの根本的な問題は、個人の利己的な行動が、最終的にその個人を含んだ集団での損失、つまり個人の損失として戻ってくる状態を招くことである。

4. 社会的ジレンマでは、協力的な行動をとらない者が一定数存在しやすいといわれている。これが**フリーライダー**の問題である。規範や罰則などさまざまな方法で、このフリーライダーを減らすことが重要であるといわれている。

**問12　社会的手抜き**　　　　　　正答　**2**

　集団で作業を行う場合に、個人単位のパフォーマンスが低下する現象が**社会的手抜き**（social loafing）であり、この妥当な説明を選ぶ問題である。

a：妥当である。**責任の分散**以外にも、個人の作業量がわからないことによる識別可能性、最小の努力で集団の利益を共有しようとする自己利益の追求などが理由として挙げられている。

b：妥当でない。他者が見ているかどうかは関係がない。また「怠ける」という意識の有無とは関係なく、個人単位のパフォーマンスが低下することをさす。

c：妥当でない。リンゲルマン（Ringelmann, M.）が示す実験では、集団単位でのパフォーマンスが個々人のパフォーマンスの合計よりも低くなる傾向があり、これが社会的手抜きと呼ばれている現象である。

**d**：妥当である。**ラタネ**（Latané, B.）は集団で実験していると
　思わせる疑似集団条件を用いた実験を行い、他者との作業の
　タイミングのずれの程度を測定したが、これを差し引いても
　社会的手抜きが生じることを示している。
したがって、正答は**2**である。

**［問13］ 社会的勢力**　　　　　　　　　　　　**正答　3**

KEY WORD

□報酬勢力
□正当勢力
□参照勢力
□専門勢力

　社会的影響が働くプロセスを検討する領域である。
1. **報酬勢力**は、自分の報酬を統御する権限を持った他者に対し
　て、その指示に従うことであり、ボーナスの多寡に影響のあ
　るプロジェクトで報酬勢力の面前で頑張るなどのケースであ
　る。
2. **正当勢力**は、社会的規範に照らして正当な地位にある者が働
　きかける影響にさらされて導かれることであり、停電時に交
　差点に立つ警察官の指示に従って乗用車の運転をするよう
　に、明白な報酬はないが、正当な警察官に従うなどのケース
　である。
3. 妥当である。**参照勢力**は、たとえば、好きなアーティストを
　見本としてファッションをまねることやその考え方を取り入
　れることなどのケースに見て取れる。
4. **専門勢力**は、当該の問題に専門性を持つ人から、見解や態度
　について影響を受けるようなケースを示している。

## 問14 正確な対人認知 　　　　　　正答　4

a：**権威主義**は、自己の所属する集団・社会の権威や伝統、上位者や強者に対して、無批判に同調・服従し、同時に他集団や下位者、弱者に対して敵意を向け、服従を要求する傾向。型にはまったカテゴリー的な見方をしてしまうので、正確な認知はし難い。

b：**不安**は、感情的に不安定であると情報処理が十分にできず、適切に判断するための基準も安定しないので、正確な認知に結びつきにくい。

c：正しい。**共感性**は、他者に関心があり、社会的に人とかかわる傾向があり、感情の理解に関心があるため、他人の置かれている状態、感情の推測を行いやすいので、正確な認知に結びつく。

d：正しい。**認知的複雑性**は、多数の認知次元を持ち、対象を多角的に判断しやすいので、判断の誤りが少ない。

e：正しい。**時間のゆとり**は、正確に考える必要条件を満たすので、より正確な認知につながりやすい。

したがって、正答は **4** である。

## 問15 ネガティビティ・バイアス 　　　　　正答　3

　**ネガティビティ・バイアス**（negativity bias）とは、ポジティブよりもネガティブな情報に注意を向けやすく、また記憶にも残りやすいという判断の偏りを示す傾向であり、この傾向を説明する内容を選択する問題である。

1．うまくいかないという情報に注目すること自体は該当する可能性があるが、リスクを回避する選択をとりやすいかどうかはこのバイアスの定義とは関連がない。

2．失敗したことを他者のせいにする現象は、**セルフサービング・バイアス**と呼ばれており、他者に責任を押し付けることがネガティブなことをさす用語ではない。

3．妥当である。

4．悲観的な考えはネガティビティ・バイアスから生じる可能性はあるが、それが周囲に影響を及ぼすかどうかと、このバイアスとは直接関連がない。

### 問16 リーの愛情類型　　　　　　　　正答　4

　リー（Lee, J. A.）は**愛情**を6つの類型に分類している。この類型の4つの説明として妥当なものと、その組合せを選ぶ問題である。

**a**：適切でない。アガペー（Agape）とは、一方的に献身的な愛情の形をさす。

**b**：適切である。ストーゲイ（Storge）とは、長期間かけて育むような友情の延長にあるような愛情の形をさす。

**c**：適切でない。プラグマ（Pragma）とは、合理性を重視し、打算的・計算的なものを優先する愛情の形をさす。

**d**：適切である。ルダス（Ludus）とは、恋愛を遊びやゲーム感覚で楽しむ愛情の形をさす。

　したがって、正答は**4**である。

□リー
□愛情

### 問17 レヴィンジャーのABCDEモデル　　正答　4

　対人関係の発展に関する**レヴィンジャー**（Levinger, G.）の**ABCDEモデル**は、A：関係の成立（Acquaintance）、B：関係の構築（Building）、C：持続（Continuation）、D：崩壊（Deterioration）、E：終焉（Ending）の順に頭文字を取ったものである。

　したがって、正答は**4**である。

□レヴィンジャー
□ABCDEモデル

### 問18 誤帰属（錯誤帰属）　　　　　　　正答　3

　正解がある場合に、それ以外の要因に原因を帰属する現象である**誤帰属（錯誤帰属）**に関する正しい説明を選択する問題である。

**1**．出会いの回数に比例して好意度が増す現象は**単純接触効果**と呼ばれ、その処理の流暢性が印象や好意の特徴として、誤って帰属される現象とされている。

**2**．いわゆるダットンとアロン（Dutton, D. G. & Aron, A. P.）の「吊り橋実験」に代表されるように、生理的覚醒（興奮した）原因を実際の原因以外のところに求める傾向は、**情動の2要因理論**から説明されている。

**3**．妥当でない。認知自体を変えて納得させるこの現象は、**認知**

□誤帰属
　（錯誤帰属）
□単純接触効果
□情動の2要因理論
□認知的不協和
□対応バイアス

的不協和とその解消の説明であり、誤帰属ではない。

4．他者の言動に対して、本人の特性や態度が表れたものである
と判断される傾向は**対応バイアス**と呼ばれており、状況要因
を軽視した誤帰属の代表例である。

**問19** 自己評価維持モデル　　　　　　　正答　**2**

　自己に関するいくつかの理論の中で、事例に該当するモデルの
名称を選択する問題である。**テッサー**（Tesser, A.）が示した**自
己評価維持モデル**では、自我関与度の高い事象や身近な者（自分
と同レベルの者）の成否が**自尊心**の揺れ動きに結びついており、
自尊心を維持するために行動を変化させるとしている。

1．**自己中心的バイアス**とは、自分自身の考えを前提として判断
する傾向であり、他者の推測にもそれが用いられることをさ
す。

2．適切である。自分が熱望していた事象は関与度の高い事象で
あり、またライバル視していた知り合いの成功によって悔し
さの感情が生じるのは、自尊心の揺れ動きの反映とされてい
る。

3．**自己知覚理論**とは、他者を推論するように、同じような外的
手がかりを用いて、自己の態度や感情などを推論していると
いうベム（Bem, D. J.）が立てた理論である。

4．**自己成就的予言**とは、自分が生じるとか叶うと願ったり、予
測したりしたことが、直接的ではないが、なんらかの別の理
由によって結果が実現することである。教師が期待する生徒
の学力が向上する**ピグマリオン効果**や銀行などの取り付け騒
ぎなどが知られている。

**4**

社会・感情・性格

**問20 親密性平衡モデル**　　　　　　正答　**4**

**KEY WORD**

アーガイルとディーン（Argyle, J. M. & Dean, J.）の**親密性平衡モデル**に関する実験に関する問題である。

□親密性平衡モデル

親密性平衡モデルでは、対人関係の親密さを保つ圧力が作用し、この調整に**非言語的コミュニケーション**行動の**チャネル**を利用して対処していると考えられている。親密でない関係では、物理的距離が近い場合には緊張感を生みやすい。そのためアイコンタクトの量を減らすことで調整をしているのではないかという、未知の人物を用いた実験結果が得られている。

□非言語的コミュニケーション

□チャネル

以上から、aは緊張感、bはアイコンタクト（視線交錯量）、cは距離が近い、が当てはまり、正答は**4**である。

**問21 沈黙の螺旋**　　　　　　正答　**3**

世論形成における**沈黙の螺旋**現象の説明を求める問題である。**ノエル＝ノイマン**（Noelle-Neumann, E.）は、世論などの表明について、少数派は声を挙げなくなることで、多数派がさらに多数派に見える現象を沈黙の螺旋と呼んでいる。

□沈黙の螺旋

□ノエル＝ノイマン

□フォールスコンセンサス・バイアス

□アナウンス効果

1. 自分の意見が多数派であると誤認しやすい傾向は**フォールスコンセンサス・バイアス**とも呼ばれているが、沈黙の螺旋とは少数派の認識が沈黙を招くことをさすため、多数派の認識を持つことは沈黙の螺旋には該当しない。

2. 報道が投票行動に影響することは**アナウンス効果**と呼ばれており、そのうち優勢の陣営に票が集まることは「勝ち馬に乗る」というバンドワゴン効果と呼ばれている。

3. 妥当である。公言しなくなることが、少数派が発言しなくなるという沈黙の状態を示していると考えられる。

4. 劣勢の傾向は少数派かもしれないが、投票行動（意思表示）自体は、沈黙の螺旋現象そのものとは異なっている。

## 問22 条件即応モデル　　　　　　正答　3

　フィードラー（Fiedler, F. E.）の提示する**条件即応モデル**
（contingency model）に関する説明を問う問題である。

　このモデルでは、リーダーの資質や特性は特定の状況で発揮さ
れるかどうかを前提にしており、自分自身がやりにくい仕事相手
（least preference co-worker; LPC）の程度を判断することで、リ
ーダーのタイプを分類する。さらに、この LPC の高低により、
仕事の構成度やリーダーの権限、人間関係の良好度からなる状況
に応じて、それぞれ各タイプのリーダーが有利か不利かの効果が
異なるとされる、そのため、**リーダーシップ**論の分類では、特性
論や機能論に対して**状況論**と呼ばれている。

　以上から、a は人間関係、b は自分自身、c は状況論が当ては
まり、正答は **3** である。

**4**

社会・感情・性格

## 問23 文化的自己観　　　　　　　正答　1

　文化的な差異について、マーカスと北山忍（Markus, H. R. &
Kitayama, S.）が提示する**文化的自己観**についての説明を求める
問題である。

　以前は東洋と西洋の文化差について、集団の価値観を重視する
東洋の集団主義と、個人の価値観を重視する西洋の個人主義の立
場から説明がなされてきた。この文化的自己観による説明では、
東洋の人々は周囲の人々との関係性や状況によって自己が変化す
るという**相互協調的自己観**が優勢なのに、西洋では周囲と関係な
く独立した自己が存在するという**相互独立的自己観**が優勢である
とされている。

　この自己観の違いは排他的ではなく、個人内でもどちらも有す
る可能性があり、その程度によって地域の特徴が決まるとされて
いる。

　以上から、a は東洋、b は西洋、c は相互協調的自己観が当て
はまり、正答は **1** である。

感情心理学　問　題　　　　　　　　　　➡解説はp.186〜

*
**問24**　基本感情の種類やその基準に関して、これまでにさまざまな研究が行われ
てきた。以下は、その代表例であるエクマン（Ekman, P.）の研究における基
本感情の条件について述べたものである。適切な記述に〇、不適切な記述に×を
付けた場合、〇と×の組合せとして正しいものはどれか。

a：対人関係などの社会的刺激が引き金となって生じる。

b：その感情に特有の生理反応が存在する。

c：意図的・意識的な処理過程を経て生じる。

d：その感情を表す表情が文化や民族を超えた普遍性を持つ。

　　　　a　　b　　c　　d
1．〇—〇—×—×
2．〇—×—〇—×
3．×—〇—×—〇
4．×—×—〇—〇

＊＊
**問25**　ストレッサーと接触した際に生じる感情体験には、自律神経系の活動が深
くかかわっている。自律神経系に関する記述として最も適切なものはどれか。

1．交感神経系と副交感神経系は、互いに独立して心拍や発汗といった身体機能を
制御している。

2．副交感神経系が優位になった際に生じる一連の反応は、闘争－逃走反応と呼ば
れる。

3．神経伝達物質の一種であるノルアドレナリンは、主に交感神経系における情報
伝達に用いられる。

4．交感神経系は安静時に優位となる性質を有しており、特に身体のエネルギーを
保持するように作用する。

＊＊
**問26**　コア・アフェクト理論に関する記述として、最も適切なものはどれか。

1．感情状態の快－不快を表す次元である感情価は、感情発生の原因帰属が行われ
た後に決まる。

2．個人の成長は、ポジティブな感情状態による活動性を拡張と、それに伴う個人
の能力や心理的資源の形成過程によって生じる。

3．基本感情のうち、特に不安と悲しみがコア・アフェクトとみなされている。

4．生理的な覚醒状態の強弱を覚醒度と呼ぶ。

*
**問27** 感情の発達に関する記述として、最も適切なものはどれか。

1. いつもの行動パターンを阻害されたときに生じるフラストレーション反応は、生後1年以上経った後で観察される。

2. 生後1か月頃にはすでに外的刺激を受けた際の微笑みが観察される。

3. 高所に対する恐れの反応は、生後1か月頃から観察される。

4. 養育者と乳幼児間の感情的なコミュニケーションは、言語が利用され始めた後に確立される。

**問28** 以下の文章の空欄a〜cに当てはまる人名・用語の組合せとして、正しいものはどれか。

（　a　）による認知的評価理論は、個人がストレッサーに対してどのように反応し対処するかを説明する理論である。これによると、感情体験は先行して生じる認知的評価過程の影響を受ける。この過程では、まず一次評価として、直面している刺激の（　b　）が評価される。一次評価でその必要が認められた場合、二次評価として、その刺激に対する（　c　）が実行可能かどうか評価される。

|  | a | b | c |
|---|---|---|---|
| 1. | ラザラス（Lazarus, R. B.） | 脅威性 | コーピング |
| 2. | ラザラス（Lazarus, R. B.） | 熟知性 | コーピング |
| 3. | セリエ（Selye, H. H. B.） | 脅威性 | マインドフルネス |
| 4. | セリエ（Selye, H. H. B） | 熟知性 | マインドフルネス |

**
**問29** シフネオス（Sifneos, P. E.）が提唱したアレキシサイミアの特徴として、最も適切なものはどれか。

1. ポジティブな気分や感情状態が生じにくく、抑うつ的になりやすい。

2. 自分自身の感情状態に気づきにくい分、それを補完する形で、周囲からのサポートを受けやすい。

3. 想像力や空想が乏しく、内省的な思考よりも外的な事実に関心を向けやすい。

4. その個人にとって恐ろしい事態が起きるという侵入的な思考によって、しばしば強い不快感を体験する。

**\*\*\***
**問30** 自己意識的感情に関する記述として、最も適切なものはどれか。

1. 自己意識的感情とは、怒りや不安といった複数の基本感情が同時に発生している状態のことをさす。
2. 誇りは、自己にとって重要な目標を達成し、そうした成果が他者から承認された際に生じる、自己意識的感情の一種である。
3. ある状況に対して不適切な行動や注目されるような失敗を自分が行ったと認識したとき、人は他者からの評価に対する恐れとともに、主に罪悪感を覚える。
4. 嫉妬は、自分より優れた部分を持つ他者を認識した際に生じる、上方比較に基づく自己意識的感情である。

**\*\***
**問31** 認知と感情の結びつきに関する記述として、最も適切なものはどれか。

1. 強い感情を喚起した情報は長期記憶化されやすいが、これは恐怖や怒りといった不快感情だけでなく、喜び等の快感情でも生じる現象である。
2. 意思決定はさまざまな認知機能が関与する複雑で理性的なプロセスであり、感情による影響は見られない。
3. 個人にとって脅威となる刺激には注意が向きやすく、これによって即座に不快感情が緩和される。
4. 感情は記憶の想起を阻害するよう働くが、特にある情報を記銘したときと同様の感情状態にある場合、その情報を想起することは特に困難となる。

**問32** 攻撃性に関する理論とその提唱者の組合せとして正しいものはどれか。

1. フラストレーション－攻撃仮説 ─────── フロイト（Freud, S.）
2. 社会的学習理論 ──────────── バンデューラ（Bandura, A.）
3. 攻撃の本能説 ─────────── クライン（Klein, M.）
4. 社会的情報処理理論 ────────── バス（Buss, A. H.）

**\*\***

**問33** うつ病や不安症など、感情の問題を主たる特徴とした精神疾患を総称して感情障害と呼ぶことがある。以下はさまざまな感情障害の特徴について述べたものである。適切な記述に〇、不適切な記述に×を付けた場合、〇と×の組合せとして正しいものはどれか。

a：抑うつと不安は互いに拮抗する感情反応であり、それらが症状として併存することはまれである。

b：事故や天災といった死の危険や性的暴力を経験した後に、過覚醒状態や気分の悪化といった症状が生じた場合、即座に心的外傷後ストレス症（PTSD）と診断される。

c：全般不安症は、特定の出来事や刺激に限定されない広範囲な対象への不安や心配を特徴とする。

d：強迫症は、強迫観念と強迫行為を特徴とした精神疾患であり、不安や嫌悪感といった強烈な不快感情を伴う。

    a    b    c    d

**1．**〇—〇—×—×

**2．**〇—×—〇—×

**3．**×—〇—×—〇

**4．**×—×—〇—〇

**\*\***

**問34** 以下は情動知能について述べたものである。適切な記述に〇、不適切な記述に×を付けた場合、〇と×の組合せとして正しいものはどれか。

a：他者の表情、姿勢、声色といった非言語的表現から、相手の情動を理解する能力は情動知能の構成要素に含まれる。

b：情動知能は純粋に理論的な概念であり、客観的な測定方法は開発されておらず、教師や上司といった指導的人物の印象から数値化される。

c：情動知能は対人関係や適応状態に対して機能する能力であり、学力成績などの知的パフォーマンスとは関係しない。

d：自分自身にとって望ましい結果を得るために、自分自身の情動をコントロールする能力は、情動知能の一部である。

    a    b    c    d

**1．**〇—〇—×—×

**2．**〇—×—×—〇

**3．**×—〇—〇—×

**4．**×—×—〇—〇

## 感情心理学　　解 説

### 問24　基本感情　　　　　　　　　　　　正答　3

**a**：適切でない。社会的刺激が**基本感情**の引き金となることはあるが、それに限定されない。

**b**：適切である。後の研究において必ずしも全面的に支持されているわけではないが、少なくとも**エクマン**（Ekman, P.）はこれを基本感情の条件とした。

**c**：適切でない。むしろ意図的でなく、自動的に生じる性質があるとされた。

**d**：適切である。文化や民族を超えて表情に普遍性があるものが基本感情とされた。

したがって、正答は**3**である。

### 問25　自律神経系　　　　　　　　　　　正答　3

**1**．交感神経系と副交感神経系が互いに拮抗して働くことで、生体の**ホメオスタシス**が実現されている。

**2**．**闘争－逃走反応**は交感神経系の活動を反映している。副交感神経系では消化の促進などが見られる。

**3**．適切である。交感神経系ではノルアドレナリン、副交感神経系ではアセチルコリンが、それぞれ主に用いられる。

**4**．これは副交感神経系の作用を記述したものである。副交感神経系は交感神経と拮抗し、心拍を下げ、その結果、リラックスさを増す効果がある。通常、副交感神経系は安静時に優位となり、交感神経系の賦活、つまり身体的興奮を抑える。

□コア・アフェク
　ト理論
□ラッセル
□感情価
□覚醒度
□拡張－形成理論

**4**

社会・感情・性格

**問26** コア・アフェクト理論　　　　　　正答　**4**

　**コア・アフェクト理論**は**ラッセル**（Russell, J. A.）をはじめとした研究グループによる感情理論であり、近年の感情心理学研究における最も重要な理論の一つだと認識されている。個別の感情カテゴリーを想定する基本感情説と対照的に、感情状態を**感情価**と**覚醒度**という２つの基本的な次元から記述しようとする。ここでは、コア・アフェクト理論に関する基本的な理解を問うている。

1. すでに生じている快－不快の感情体験をもとに、その原因帰属が行われるというプロセスが想定されている。
2. これはフレドリクソン（Fredrickson, B. L.）による**拡張－形成理論**の概要を記述したものである。
3. 不安や悲しみは基本感情説における個別感情のカテゴリーであり、コア・アフェクトとはみなされない。
4. 適切である。このため、覚醒度は活性－不活性の次元、または睡眠－覚醒の次元などとも呼ばれる。

**問27** 感情の発達　　　　　　　　　　正答　**2**

　感情の発達過程において、これらの選択肢は発生時期が比較的明確であろう。

1. こうしたフラストレーション反応は生後４～５か月には見られるものであり、生後半年以上が経った頃には、より明確な怒り反応が観察されるようになる。
2. 適切である。この時期に観察される外的刺激に反応した微笑みは**外発的微笑**と呼ばれる。
3. **視覚的断崖**による実験では、生後６か月頃から深い溝に対する躊躇や泣きといった恐れの反応が観察されている。
4. 乳幼児の言語利用が始まるより以前から、非言語的に感情のやり取りが行われている。

## 問28 感情の認知的評価理論 　　　　正答 1

ラザラス（Lazarus, R. S.）の**認知的評価理論**について記述した文章である。セリエ（Selye, H. H. B.）は生理的ストレスを理論化した研究者であり、認知的評価理論の提唱者としては適切でない。また、一次評価では刺激の脅威性や対処のための努力に関する評価が行われ、二次評価では**コーピング**の実行可能性が評価される。**マインドフルネス**はコーピングの一種とみなせるが、ここで挙げる概念としては狭く、適切でない。

以上から、aはラザラス、bは脅威性、cはコーピングが当てはまり、正答は**1**である。

KEY WORD
□ラザラス
□認知的評価理論
□コーピング
□マインドフルネス

## 問29 アレキシサイミア 　　　　正答 3

選択肢のうち、**2**と**3**は**アレキシサイミア**に関連する記述であり、**1**と**4**は異なる概念に関する記述である。まず**1**と**4**を除外することができれば正答に近づくであろう。

1．これは**アンヘドニア**の説明である。アンヘドニアは失快楽症とも呼ばれ、失感情症と訳されるアレキシサイミアと混同する場合があるかもしれない。
2．むしろ自身の感情状態を認識し難いことで、他者からの理解も得づらく、かえって周囲からの**ソーシャルサポート**を受けにくくなる。
3．適切である。これらはアレキシサイミアの認知的特徴とされている。
4．これは**強迫症**における強迫観念を説明したものである。

□アレキシサイミア
□アンヘドニア
□ソーシャルサポート
□強迫症

## 問30 自己意識的感情 　　　　正答 2

**自己意識的感情**に関する知識を問う問題である。

1．自己意識的感情は**基本感情**よりも複雑な感情状態であることは確かであろう。しかし、複数の基本感情が同時に発生していることのみをもって「自己意識的」とは表現しない。また、この記述にある怒りや不安には、自己評価や他者の視線の認識といった自己意識に関連する要素が欠けている。
2．適切である。単純な**喜び**との違いは、自己の価値観やその社会的承認への意識が関与するところである。この点で自己意

□自己意識的感情
□基本感情
□喜び
□恥
□罪悪感
□妬み
□嫉妬

識が関与する。

3. これは**恥**の説明である。**罪悪感**は社会規範や道徳に反する行いをしたと認識した場合に生じる。他者からの評価よりも、むしろそうした行いが他者に与える影響に意識が向く。他者に注目されるような失敗においては、主に恥が感じられやすい。

4. これは**妬（ねた）み**の説明である。**嫉妬**は、主に自己にとって重要な他者との関係が第三者によって脅かされるような状況で生じる。

## 問31 認知と感情 　　　　　　　正答 1

感情は記憶以外の認知機能とも結びつきが深い。認知と感情について幅広い知識を問う問題である。

□注意
□気分状態依存効果

1. 適切である。刺激の感情価が快でも不快でも、中性的な刺激と比べて記憶課題の成績は良くなることが知られている。

2. 選択肢のとおり、意思決定は多様な処理を含む複雑な過程である。それゆえ、感情による影響を受ける余地もまた大きい。

3. **注意**が引きつけられた結果、脅威刺激を知覚し続けることにもなる。そのため、一般的にはむしろ不安感情は強まるか、少なくとも維持される傾向にある。

4. こうした状況ではむしろ想起が容易になることがあり、少なくとも疎外要因とはいえない。これは**気分状態依存効果**として知られている。

## 問32 攻撃性 　　　　　　　　　正答 2

**1**のフラストレーション－攻撃仮説はダラードらが体系化した理論であり、フロイト（Freud, S.）が提唱したのは**3**の攻撃の本能説である。クライン（Klein, M.）は精神分析学者ではあるが、対象関係論と呼ばれる学派に属しており、本能や欲動といった考え方を強調していない。

□社会的学習理論
□バンデューラ

**4**の社会的情報処理理論はクリックとドッジ（Crick, N. R. & Dodge, K. A.）による業績であり、バス（Buss, A. H.）は理論よりもむしろ Buss-Perry 攻撃性質問紙の作者としてよく知られている。**4**についてはやや高度な知識を要するものの、そもそも**社**

社会・感情・性格

会的学習理論がバンデューラによるものと理解していることが重要であろう。

したがって、正答は **2** である。

### 問33 感情障害　　　　　　　　　　　正答 **4**

　広く感情障害を取り上げ、その正確な理解を問う問題である。ここでは感情心理学に加えて、臨床心理学に関する知識が求められる。しかし感情は心的疾患の重要な要素であり、感情心理学を学ぶうえでは避けられないトピックだといえるだろう。

**a**：適切でない。むしろ抑うつと不安は頻繁に併存することが知られている。

**b**：適切でない。経験や症状の記述は適切だが、**心的外傷後ストレス症（PTSD）**の診断には症状が 1 か月以上持続していることが求められる。なお、その持続期間が 3 日～ 1 か月の間であれば**急性ストレス症**（DSM-5-TR）と診断される場合がある。

**c**：適切である。多くの不安症が特定の対象に限局した不安を体験する一方で、**全般不安症**では広範囲な刺激に対する、まさに全般的な心配が顕著となる。

**d**：適切である。**強迫症**は以前不安症に分類されていたが、強迫症の感情的特徴に関する多くの研究から、必ずしも不安だけが体験される精神疾患ではないことが知られるようになった。

したがって、正答は **4** である。

□心的外傷後ストレス症（PTSD）
□急性ストレス症
□全般不安症
□強迫症

### 問34 情動知能　　　　　　　　　　　正答 **2**

　**情動知能**の構成要素、測定方法、そして情動知能が実生活に及ぼす影響に関する問題である。

**a、d**：それぞれ情動知能の構成要素に含まれる能力であり、適切である。

**b**：複数の客観的測定法が開発されているため適切でない。ただし、それらの妥当性についてはなお議論がある。

**c**：情動知能の概念から考えて妥当にも思えるが、実際には学力との相関関係が報告されているため、適切でない。

したがって、正答は **2** である。

□情動知能

\*\*
**問35**　特性論に関する以下の記述a〜dのうち、適切なものに〇、適切でないものに×を付けた場合、〇と×の組合せとして正しいものはどれか。

a：オルポート（Allport, G. W.）やキャッテル（Cattell, R. B.）は、すべての人に共通する特性である共通特性を見いだそうとした。

b：キャッテルは特性概念である因子を明らかにしようとした。また、行動は特性と環境の相互作用によるものとして研究を進めた。

c：アイゼンク（Eysenck、H. J.）は「内向性−外向性」と「神経症傾向−安定性」の軸だけではなく、「精神病質傾向」の軸も想定し、個人差を説明しようとした。

d：グレイ（Gray, J. A.）は、アイゼンクの理論を発展させ、パーソナリティと神経科学を結びつけて個人差を理解しようとした。

　　　a　b　c　d
**1.** 〇—〇—×—〇
**2.** 〇—×—×—〇
**3.** ×—〇—〇—〇
**4.** ×—×—〇—×

\*
**問36**　以下の文章の空欄a・bに当てはまる用語の組合せとして、正しいものはどれか。

　人の特徴を表す特性語の整理から人のパーソナリティを理解しようとする試みは（　a　）といい、フィスク（Fiske, D. W.）によって5つの因子が見いだされてから、多くの研究でこの5因子が見いだされてきた。1980年代になると、ゴールドバーグ（Goldberg, L. R.）が、ビッグ・ファイブと命名した。それとは別に、質問紙研究の結果からコスタとマックレー（Costa, P. T. Jr. & McCrae, R. R.）により5因子が確認され、主要5因子モデルとなった。現在は、（　b　）といった高次因子を設定したモデルや、6因子モデルや7因子モデルも知られている。

　　　　　a　　　　　　　　b
**1.** 心理辞書的研究　　　$\alpha$ と $\beta$
**2.** 心理辞書的研究　　　BIS と BAS
**3.** 新相互作用論　　　　$\alpha$ と $\beta$
**4.** 新相互作用論　　　　BIS と BAS

**4**

社会・感情・性格

**＊＊**
**問37** パーソナリティに関する理論とその提唱者の組合せとして、正しいものはどれか。

**1.** コスタとマックレー（Costa, P. T. Jr. & McCrae, R. R.）――場理論

**2.** ケリー（Kelly, G. A.）――パーソナル・コンストラクト理論

**3.** レヴィン（Lewin, K.）――主要5因子理論

**4.** マックアダムス（McAdams, D. P.）――生態学的システム論

**＊＊**
**問38** 新相互作用論における「個人」とその個人が置かれている「状況」、そして「行動」の関係として適切な組合せはどれか。

a：個人が行動に影響する

b：状況が行動に影響する

c：状況が個人に影響する

d：行動が状況に影響する

**1.** a、b

**2.** b、c

**3.** a、b、c

**4.** a、b、c、d

＊＊＊
**問39**　以下のパーソナリティの一貫性の説明a～dのうち、適切なものはいくつ
あるか。

a：パーソナリティの一貫性を適切に理解することにより、パーソナリティのパラ
　　ドックス（他者の行動が一貫しているという私たちの直観と異なる状況間では
　　行動があまり一致しないこと）がなぜ生じるかを説明できる。

b：パーソナリティの一貫性の一つである通状況的一貫性は、「絶対的一貫性」と
　　「相対的一貫性」と「首尾一貫性」に分類され、個人の状況は状況的要因に影
　　響されずに常に一定の行動パターンを示すということは「首尾一貫性」という。

c：「人間－状況論争」によって、パーソナリティの一貫性に関する意識の高まり
　　が生じた。

d：「人間－状況論争」以前の特性論の研究者はパーソナリティが一貫していると
　　仮定していた。

1．なし
2．1つ
3．2つ
4．3つ

**問40**　性格の測定方法とその内容の説明として、正しいものはどれか。

1．現在の質問紙法の主なものは類型論に基づくものであり、回答者を何かしらの
　　カテゴリーに分類するために用いられる。

2．投影法（投映法）は曖昧な刺激に対する反応などを扱い、得られた結果の解釈
　　は難しいが、その妥当性は高い。

3．面接法とは、人の感情や価値観、動機など、心の内面を理解することを目的と
　　した研究手法であり、構造化の程度によって3種類に区分できる。

4．観察法は、その場で直接に対象の行動を記録する方法であり、行動の法則性を
　　解明するための方法として優れている。

# 4 社会・感情・性格

**問41** 以下に、尺度の「信頼性と妥当性」の説明がある。適切なものに〇、適切でないものに×を付けた場合、〇と×の組合せとして正しいものはどれか。

a：内的整合性とは、いつでも安定した測定結果が得られるということであり、再検査法によって検討される。

b：信頼性が高くて妥当性が低い尺度もあれば、信頼性が低くても妥当性が高い尺度もある。

c：近年は構成概念妥当性を最上位の包括概念とし、妥当性を区分する意義はないという考え方が主流になっている。

d：質問紙法であっても投影法であっても、パーソナリティ特性を適切に測定するには信頼性と妥当性が欠かせない。

   a b c d
1．〇—〇—×—〇
2．〇—×—×—〇
3．×—〇—〇—×
4．×—×—〇—〇

**問42** 以下の文章の空欄a～cに当てはまる用語の組合せとして、正しいものはどれか。

　パーソナリティや知能などの個人差に対する遺伝や環境の影響力を明らかにする方法に（　a　）がある。双生児研究という方法はその中の一つであり、一卵性双生児と二卵性双生児の比較などにより、個人差を遺伝と環境でどの程度説明できるかを検討する。遺伝要因の一つには（　b　）があり、遺伝子同士の組合せの効果を反映したものである。環境要因の一つには（　c　）があり、これは、きょうだい一人一人が別個に経験するものであり、家庭環境におけるきょうだい一人一人への異なった接し方や教育のしかたなども相当する。

|   | a | b | c |
|---|---|---|---|
| 1． | 行動遺伝学 | 相加的遺伝 | 共有環境 |
| 2． | 行動遺伝学 | 非相加的遺伝 | 非共有環境 |
| 3． | 遺伝子検査 | 相加的遺伝 | 共有環境 |
| 4． | 遺伝子検査 | 非相加的遺伝 | 非共有環境 |

***

**問43** 知能に関する説明として、**適切でない**ものはどれか。

1. ドゥエックら（Dweck, C. S. et al.）の暗黙の知能観によると、知能に関する信念や期待は2つに分けられ、人はいずれかを持つとされている。

2. 知能は、全般的な能力に関する一般知能因子と個々の事象に対する特殊知能因子で構成されるという2因子説と、いくつかの特殊因子の共有要素からいくつかの一般因子が見いだされるという多因子説がある。

3. WAIS などの知能検査における IQ は、同じ年齢の中での対象者の位置を示す。

4. 優秀なリーダーの特徴としては、責任感や社交性といった特徴があることが知られているが、知能は関係がないことが知られている。

**

**問44** 非認知能力の説明として適切なものはどれか。

1. 非認知能力という考えは、1990年代にすでに教育現場などに広まっていた。

2. 社会情動的スキルは非認知能力とはまったく異なった概念である。

3. 非認知能力は遺伝の影響が強く、介入によって変化しにくい。

4. 非認知能力は、知能や学力とは異なる概念であり、社会の中で望ましいとされる何かしらの結果を予測できるものと考えられている。

*

**問45** パーソナリティ症の分類として適切な組合せはいくつあるか。

a：A群—ボーダーラインパーソナリティ症
b：B群—自己愛性パーソナリティ症
c：C群—猜疑性パーソナリティ症
d：C群—強迫性パーソナリティ症

1. なし
2. 1つ
3. 2つ
4. 3つ

4

社会・感情・性格

## 性格心理学 解 説

### 問35 特性論　　　　　　　　　　　　正答　3

**a**：適切でない。**オルポート**（Allport, G. W.）は、その人独特の特徴を表す**個別特性**に興味を有しており、すべての人に共通する特性である**共通特性**には興味を有しておらず批判的であった。

**b**：適切である。客観的データを用いた**因子分析**により因子を明らかにしようとした。また、**レヴィン**（Lewin, K.）などのように、行動は特性と環境の相互作用によるものとし、研究を行った。

**c**：適切である。初めは「内向性－外向性」と「神経症傾向－安定性」の2つの軸を想定したが、後に「精神病質傾向」の3つ目の軸も想定した。

**d**：適切である。生物学的要因を考慮した**行動抑制系**（behavioral inhibition system; **BIS**）と**行動賦活系**（behavioral activation system; **BAS**）の2つの次元で個人差を表そうとした。

したがって、正答は**3**である。

KEY WORD

□オルポート
□個別特性
□共通特性
□因子分析
□レヴィン
□行動抑制系
　（BIS）
□行動賦活系
　（BAS）

### 問36 ビッグ・ファイブ　　　　　　　正答　1

「日常生活の中で重要とされる個人差は、日常使用される言語の中で記号化されている」とする**基本辞書仮説**に基づき人の特徴を表す特性語の整理から人のパーソナリティを理解しようとする試みを**心理辞書的研究**という。

この心理辞書的研究に基づいて人を5つの次元で説明しようとするのが**ビッグ・ファイブ**である（質問紙研究から発展した**主要5因子理論**も、パーソナリティを5つの次元で表そうとすることは共通している）。高次因子を設定したモデルもあり、そこでは$\alpha$と$\beta$（前者は、5因子の中の神経症傾向と調和性と誠実性がまとめられたものであり、後者は、外向性と経験への開放性がまとめられたものである。なお、安定性因子と柔軟性因子とする研究者もいる）という上位の因子が想定されている。

以上から、 aは心理辞書的研究、bは$\alpha$と$\beta$が当てはまり、正答は**1**である。

□基本辞書仮説
□心理辞書的研究
□ビッグ・ファイブ
□主要5因子理論

**問37 パーソナリティの諸理論**　　　正答　**2**

1．**コスタとマックレー**（Costa, P. T. Jr. & McCrae, R. R.）は**主要5因子理論**の研究者。

2．正しい。**ケリー**（Kelly, G. A.）のパーソナリティ理論は、**パーソナル・コンストラクト理論**である。

3．**レヴィン**もパーソナリティについての相互作用論を提唱しているが、主要5因子理論ではない。

4．**マックアダムス**（McAdams, D. P.）はパーソナリティの3層構造を提唱しているが、生態学的システム論ではない。**生態学的システム論**は、**ブロンフェンブレンナー**（Bronfenbrenner, U.）によるものであり、子どもの発達全般にかかわる環境要因を説明するものである。

□コスタ
□マックレー
□ケリー
□パーソナル・コンストラクト理論
□レヴィン
□マックアダムス
□生態学的システム論
□ブロンフェンブレンナー

**問38 新相互作用論**　　　正答　**4**

　**新相互作用論**においては、個人と状況が行動に影響するだけではなく、状況は人によって意味が異なり、人が状況を作り出し、また、行動が人や状況にも影響を及ぼすと考える。

　したがって、正答は**4**である。

**問39 パーソナリティの一貫性**　　　正答　**3**

**a**：適切である。特に**首尾一貫性**の理解が重要である。

**b**：適切でない。個人の状況は状況的要因に影響されずに常に一定の行動パターンを示す、ということは**絶対的一貫性**についてのものとなる。なお、**相対的一貫性**とは、個人の行動は場面で多少変動するにしても、個人間の相対的な位置づけは変化しないということを示す。

**c**：適切である。**人間−状況論争**によって、パーソナリティの一貫性に関する意識の高まりなどが生じた。また、状況要因を積極的にパーソナリティ研究に取り込むモデルや方法論が開発された。

**d**：適切でない。人間−状況論争以前でも、レヴィンのように状況要因を考慮する考え方は存在した。

　したがって、適切なものの数は2つなので、正答は**3**である。

**4**

社会・感情・性格

**問40　パーソナリティの測定**　　　　正答　**3**

**KEY WORD**

1. **質問紙法**は特性論に基づくものが多く、カテゴリーに分類するのではなく、特性の個人差を表すために用いられることが多い。

2. **投影法（投映法）**においては、信頼性と妥当性の乏しさが科学的に示されるなど、回答の解釈には注意する必要がある。

3. 正しい。**面接法**は調査面接と臨床面接に分けられ、また、構造化面接と半構造化面接と非構造化面接に区分される。

4. **観察法**には、観察者の存在が対象者に明示されない非参与観察もあり、その場におらずにビデオ等で録画したものを後で解析するという方法もある。

□質問紙法
□投影法（投映法）
□面接法
□観察法

**問41　信頼性と妥当性**　　　　正答　**4**

a：適切でない。再検査法によって確認されるのは「**内的整合性**」ではなく「**安定性**」である。

b：適切でない。**信頼性**が低ければ妥当性は低いものとなる。

c：適切である。近年はそのように考えられている。

d：適切である。信頼性と妥当性が高くなければ適切にパーソナリティ特性を測定することはできない。

　したがって、正答は**4**である。

□内的整合性
□安定性
□信頼性
□妥当性

**問42　行動遺伝学**　　　　正答　**2**

　**行動遺伝学**においては、遺伝や環境の影響力を明らかにするために、一卵性双生児と二卵性双生児の比較などを行う双生児研究も行われる。遺伝要因には、複数の遺伝子が持つ個々の影響を加算的に反映した**相加的遺伝**と遺伝子同士の組合せの効果を反映した**非相加的遺伝**がある。また、環境要因にはきょうだいが共通して経験する**共有環境**と、きょうだい一人一人が独自に経験する**非共有環境**がある。

　以上から、ａは行動遺伝学、ｂは非相加的遺伝、ｃは非共有環境が当てはまり、正答は**2**である。

□行動遺伝学
□相加的遺伝
□非相加的遺伝
□共有環境
□非共有環境

**問43　知能**　　　　正答　**4**

1. 固定マインドセットと成長マインドセットの２つに分けら

れ、どちらかを有するとされている。

2. ほかに階層説などがある。

3. **偏差知能指数**（偏差IQ）で示される。なお、知能検査が登場した頃には、精神年齢（検査問題として設定されている年齢）を用いる知能指数が用いられていた。

4. 適切でない。**ストグディル**（Stogdill, R. M.）などによって、知能も関係していることが示されている。

**問44** 非認知能力　　　　　正答　**4**

1. **非認知能力**という考えは21世紀になってから広まった。

2. **社会情動的スキル**と非認知能力は同じような枠組みで検討されている。

3. 比較的短期間の介入によっても変化することが知られている（たとえばスティーガー〈Stieger, M.〉ほか）。

4. 適切である。知能や学力のような従来の認知能力テストで測定されるものではないし、また、健康や主観的ウェルビーイングを予測しうると考えられている。

**問45** パーソナリティ症　　　正答　**3**

　**A群**は、不信と疑い深さの様式を有する。他者からは奇妙で風変わりに見えることが多いという特徴がある。猜疑性パーソナリティ症、シゾイドパーソナリティ症、統合失調型パーソナリティ症が含まれる。

　**B群**は、他人の権利を無視し侵害するような様式を有する。他者からは演技的で、情緒的で、移り気に見えることが多いという特徴がある。反社会性パーソナリティ症、ボーダーラインパーソナリティ症、演技性パーソナリティ症、自己愛性パーソナリティ症が含まれる。

　**C群**は、従属的でしがみつく行動をとり、分離に対する強い恐怖を持つという様式を有する。他者からは、不安または恐怖を感じているように見える特徴がある。回避性パーソナリティ症、依存性パーソナリティ症、強迫性パーソナリティ症が含まれる。

　以上から、適切な組合せはbとdの2つなので、正答は**3**である。

**KEY WORD**

□固定マインドセット
□成長マインドセット
□偏差知能指数
□ストグディル

□非認知能力
□社会情動的スキル

□（パーソナリティ症の）A群
□（パーソナリティ症の）B群
□（パーソナリティ症の）C群

## 精神分析理論（療法） ／ 問 題

→解説はp.203～

**問1** 精神分析療法に関する記述として、適切なものはどれか。

1. 精神分析療法を実施した際にクライエントにおける抵抗の現象は、そのこと自体に意味があるため、無理に治療を進めず中断してかまわない。

2. クライエントがセラピストに向ける感情のことを逆転移感情と呼ぶ。

3. ユング（Jung, C. G.）の考案した自由連想法の導入によって、精神分析の考えは飛躍的に広まっていった。

4. 精神分析療法を開始し、さまざまな解釈を行う中で生じる感情を繰り返し体験し、解釈する過程をワークスルーと呼ぶ。

**問2** 以下のa～eのうち、夢についての精神分析理論の記述として、適切なものの組合せはどれか。

a：フロイト（Freud, S.）は、夢には願望充足の意味があると考えていた。

b：ユング（Jung, C. G.）は、夢は補償的に働いていると考えており、個人的無意識だけを理解することが重要であると考えていた。

c：精神分析理論では、さまざまな理論的展開があるが、夢の分析は重要な方法の一つである。

d：夢に現れるイメージを元型（げんけい）と呼び、フロイトは解釈に利用した。

1. a、b
2. a、c
3. b、c
4. b、d

**\*\***
**問3** 以下のa〜dは、精神分析理論における心の構造と本能について述べたものである。適切な記述に○、不適切な記述に×を付けた場合、○と×の組合せとして正しいものはどれか。

a：フロイト（Freud, S.）は、人には生まれつき備わっている現実対応の方法として、快感原則があるとした。

b：イド（エス）とは、人が無意識に持つ欲望、本能、願望などが存在する領域である。

c：リビドーとは心の動きであり、自我によってのみ操作される。

d：超自我とは、本能欲求のことであり、自我の調整機能をものともしない機能を持つ。

```
       a   b   c   d
1. ○ ─ ○ ─ × ─ ○
2. ○ ─ × ─ ○ ─ ×
3. × ─ ○ ─ × ─ ×
4. × ─ × ─ ○ ─ ○
```

**\***
**問4** 以下の文章はアイデンティティについて述べたものである。空欄a〜dに当てはまる語の組合せとして正しいものはどれか。

　（　a　）は（　b　）を発展させ、独自のライフサイクル論を展開した。たとえば、青年期において自分自身の目標を定め、心身が安定した状態をアイデンティティの獲得ととらえており、一方でそれがうまくいかない場合をアイデンティティの（　c　）状態と呼んでいた。また青年期の時期になかなかアイデンティティが定まらない状態のことを（　d　）と呼び、青年期特有の猶予状態を定義づけた。

|   | a | b | c | d |
|---|---|---|---|---|
| 1. | クライン（Klein, M.） | 心理−性的発達論 | 危機 | クライシス・インターベンション |
| 2. | フロイト（Freud, S.） | 心理−社会的発達論 | 危機 | クライシス・インターベンション |
| 3. | ユング（Jung, C. G.） | 心理−性的発達論 | 拡散 | モラトリアム |
| 4. | エリクソン（Erikson, E. H.） | 心理−社会的発達論 | 拡散 | モラトリアム |

5

臨床・障害

\*\*
**問5** アタッチメントに関する記述として、最も妥当なものはどれか。

1. 生後まもない乳幼児には関係のない概念であり、思春期以降に強い影響を与える概念である。
2. 母親などの養育者との相互作用によって形成されるつながりをさしている。
3. アタッチメントに関する心の問題は、成人期以降になるとほとんど改善している。
4. メンタライゼーションの概念はアタッチメントとは関係のない概念である。

\*
**問6** 元型に関する記述として、適切なものはどれか。

1. アニマ、アニムス、ペルソナ、シャドウなどがイメージの名称としてある。
2. 個人的無意識を解釈していく過程の中で現れ出てくる、個人的なイメージの総称である。
3. フロイト（Freud, S.）によって理論化された元型論は、分析心理学において発展していった。
4. ユング（Jung, C. G.）が夢の解釈の際に中心に据えていた願望充足の理論において、元型は重要な概念となっている。

\*\*
**問7** メンタライジング（mentalizing）に関する記述として、最も妥当なものはどれか。

1. フロイト（Freud, S.）が考案した概念であり、転移関係を通してクライエントを理解する考え方である。
2. 乳幼児期に獲得するとされる心の機能に大きく関係しており、愛着理論と関係のある概念である。
3. 基本的にセラピストが理解したクライエントの無意識に焦点を当て、直接的な言動を重要視はしていない。
4. 直接的な言動を重視し、その背景にある心の動きには関心を払わない概念である。

## 精神分析理論（療法）　解　説

### 問1　精神分析療法　　　　　　　　　　　正答　4

1. 精神分析療法を実施したクライエントが**抵抗**を示すことはよくあることであり、治療的に扱うことに意味がある。中断は抵抗の持続を意味してしまう。

2. クライエントがセラピストに向ける感情は**転移感情**である。**逆転移感情**は、セラピストがクライエントへ向ける感情のことをさす。セラピストの未解決の個人的課題からクライエントに感情を向ける逆転移と、セラピストとクライエントの相互作用によって生み出される逆転移感情がある。

3. **自由連想法**を考案したのは**フロイト**（Freud, S.）である。**ユング**（Jung, C. G.）は、治療を通して語られる夢などからさまざまなイメージを膨らませていく**拡充法**を提唱した。

4. 適切である。精神分析療法の実践においては、感情や出来事を解釈することによって治療が進んでいくが、一度の解釈では変化が生まれにくい。そのため、似たような出来事や感情、新たな出来事でありながら根底に通じている類似の感情を解釈し続ける**ワークスルー**の過程によって、クライエントの変化が促進されると考えられている。

**KEY WORD**
- □抵抗
- □転移感情
- □逆転移感情
- □自由連想法
- □フロイト
- □ユング
- □拡充法
- □ワークスルー

### 問2　夢　　　　　　　　　　　　　　　　　正答　2

**a**：適切である。**フロイト**は1900年に『夢解釈』を出版し、**夢**に関する自らの立場を明らかにした。夢には抑圧された願望が現れ出る面があるとし、夢はその**願望の充足**を図るとした。

**b**：適切でない。**ユング**は個人的な無意識だけではなく、人類の普遍的な無意識ともいえる**集合的無意識**が夢に現れ出ると考えており、集合的無意識を理解していくことも重要であるとしている。

**c**：適切である。精神分析理論では、転移感情や逆転移感情の解釈だけではなく、報告された夢内容に関する分析もクライエント理解につながる方法として重要視されている。

**d**：適切でない。夢に現れるイメージを**元型**と呼び、集合的無意識との関係から論じたのはフロイトではなくユングである。元型には「グレートマザー」「老賢者」「アニマ・アニムス」「セルフ」といったものがある。

**KEY WORD**
- □フロイト
- □夢
- □願望の充足
- □ユング
- □集合的無意識
- □元型

したがって、正答は 2 である。

🔑**KEY** WORD

**問3　心の構造と本能**　　　　　　　正答　**3**

**a**：適切でない。**快感原則**は現実対応の方法ではなく、快感を求める無意識的傾向をさしている。現実対応の方法は現実原則と呼んでいる。

**b**：適切である。**フロイト**は心の**局所論**として意識、前意識、無意識を規定し、**構造論**として**イド（エス）**、**自我**、**超自我**を規定した。その中でイド（エス）は無意識領域にあり、欲望、本能、願望などを表すとされている。

**c**：適切でない。**リビドー**は快感原則に則った心の動きのことをさしており、自我によってのみ操作されるものではない。イド（エス）・超自我・自我それぞれが心の動きに影響を与える。

**d**：適切でない。超自我は本能欲求ではなく、それを抑え込もうとする機能を持つ。イド（エス）からもたらされる本能欲求や、それを調整する自我の機能を監視する機能を持つ。のちに良心や社会的規範を形成することになる。

したがって、正答は 3 である。

□快感原則
□フロイト
□局所論
□構造論
□イド（エス）
□自我
□超自我
□リビドー

**問4　アイデンティティ**　　　　　　　正答　**4**

**エリクソン**（Erikson, E. H.）はフロイトの**心理－性的発達論**をベースに置きつつ、親や社会との接点が発達に影響を与えると考え、**心理－社会的発達論**を展開した。その中で自我の発達を乳幼児期・児童期・思春期・青年期・成人期・老年期と分類し、それぞれの心理－社会的課題と危機を示した。特に青年期の課題の一つとして、**アイデンティティ**の確立を挙げた。アイデンティティの確立が行われない場合を拡散状態と呼んだ。また青年期特有のアイデンティティを定めるまでの期間を「**モラトリアム（猶予期間）**」と呼び、青年期に自らを考える重要性を説いた。

aにはエリクソン、bには心理－社会的発達論、cには拡散、dにはモラトリアムが当てはまり、正答は 4 である。

□エリクソン
□心理－性的発達論
□心理－社会的発達論
□アイデンティティ
□モラトリアム

**問5** アタッチメント　　　　　　　　正答　2

1. **アタッチメント**は乳幼児期早期の親子関係によって形成されるシステムであり、乳幼児の発達に非常に影響を与える。思春期以降においても、アタッチメントの形成のありようが対人関係などに強い影響を与える。

2. 妥当である。母親などの養育者と乳児との間に形成される関係性のことをアタッチメントと呼ぶ。哺乳・授乳関係などにおいて、不快状態が快状態に変わりゆく体験の質がアタッチメントの形成に影響を与える。

3. 乳幼児期に形成されたアタッチメントは、人生全体において広く影響を与える場合がある。虐待などを受けた乳幼児のアタッチメントの状況は、成人期以降も対人関係などさまざまな場面で影響を与えることがある。

4. **メンタライゼーション**の概念はアタッチメントの概念に由来している。アタッチメントの関係性の中で、養育者が言葉にならない子どもの思いを想像し伝えていく過程を通して、メンタライゼーションは形成される。

**問6** 元型　　　　　　　　　　　　　　正答　1

1. 適切である。**元型**的イメージは**集合的無意識**にあるとされ、選択肢に挙げたもののほかに「グレートマザー」「老賢者」「セルフ」などがある。

2. 元型は集合的無識に由来するイメージのことであり、個人的なイメージのことではない。

3. フロイトではなく**ユング**によって考案されたものである。フロイト自身は個人内にある抑圧された願望や夢に現れ出た願望を解釈していくことが重要としていたが、ユングは人の個人の無意識だけではなく、夢などに現れ出る元型も解釈していくことが重要であるとし、精神分析とは異なる**分析心理学**を発展させた。

4. **夢の解釈**の際に**願望の充足**の概念を重要視していたのはフロイトである。ユングが夢の解釈の中心に据えていたのは、集合的無意識から由来される元型的イメージや、個人的意識に対する補償機能である。

□元型
□集合的無意識
□ユング
□分析心理学
□夢の解釈
□願望の充足

**問7 メンタライジング**　　　　　　　　　　正答　2

1．選択肢の記述は精神分析技法全般をさしている。**メンタライジング**は自分や他者の行為の背景に思いをはせる力のことであり、**アタッチメント**理論と関係がある。アタッチメントに問題を抱え、メンタライジングの機能がうまく働かない人たちに、**フォナギー**ら（Fonagy, P. et al.）は、MBT（メンタライゼーション・ベースド・セラピー）を考案している。

2．妥当である。

3．メンタライジングの概念は、無意識に焦点を与えるのではなく、直接的な言動を重要視する。クライエントから発せられた言動の背景にある意味を言葉にしていくことで、メンタライジング機能の改善を図っていく。

4．直接的な言動を重視しつつ、背景にある心の動きに関心を払うのがメンタライジングの考えである。背景にある心の動きに関心を払い、意識化していくことで、クライエントの他者の心や行動の背景に思いをはせられるように支援する考えである。

**問8**　A群には人名が、B群には人名に関連の深い用語が示されている。次の組合せのうち、正しいものはどれか。

|  | ［A群］ | | ［B群］ |
|---|---|---|---|
| 1. | エリス（Ellis, A.） | ———— | 自己教示訓練 |
| 2. | ジェイコブソン（Jacobson, E.） | ———— | 恐怖条件づけ |
| 3. | ワトソン（Watson, J. B.） | ———— | 漸進的筋弛緩法（ぜんしんてききんしかん） |
| 4. | ウォルピ（Wolpe, J.） | ———— | 系統的脱感作法（だっかんさ） |

**問9**　バンデューラ（Bandura, A.）の観察学習に関する記述として、正しいものはどれか。

1. ある行動を学習するためには、個体自身の経験（直接経験）が重要であることを示した。
2. 観察学習は、注意、保持、運動再生、動機づけの4つの過程によって成立すると考えられている。
3. 代理強化とは、モデルを観察している観察者が、モデルの代わりに報酬や罰を与えられることをいう。
4. バンデューラ（1965）が幼児を対象として行った実験では、大人（モデル）が人形に乱暴な言動を行った後に、報酬を受ける映像を見た群（報酬群）は、罰を受ける映像を見た群（罰群）と暴力のシーンだけで映像が終わった群（統制群）と比べて、その後同じ人形がある部屋で自由に遊ばせた場合にモデルと一致する言動の数が有意に多かった。

**問10**　次の文章の空欄a〜dに当てはまる語句の組合せとして、正しいものはどれか。

　動機づけ面接とは、協働的なスタイルの会話によって、クライエント自身が変わるための動機づけを高め、（　a　）を促す方法である。（　a　）を促すには、クライエントの（　b　）を引き出すことが必要であり、そのために用いられるカウンセリングスキルとして（　c　）等がある。動機づけ面接は（　d　）によって開発された。

|  | a | b | c | d |
|---|---|---|---|---|
| 1. | 行動変容 | チェンジトーク | OARS | ミラーとロルニック（Miller, W. R. & Rollnick, S.） |
| 2. | 行動変容 | 維持トーク | 認知再構成法 | ミラーとロルニック（Miller, W. R. & Rollnick, S.） |
| 3. | 認知変容 | 維持トーク | OARS | ベックとエリス（Beck, A. T. & Ellis, A.） |
| 4. | 認知変容 | チェンジトーク | 認知再構成法 | ベックとエリス（Beck, A. T. & Ellis, A.） |

5

臨床・障害

**＊＊**
**問11** 以下のa～gの記述のうち、認知行動療法に関する記述として適切なもの
に○、適切でないものに×を付けた場合、○と×の組合せとして正しいものはど
れか。

a：クライエントの転移の解釈が重視される。

b：人間の行動や情動にかかわる問題に加え、認知にかかわる問題をも治療の標的
とする。

c：学習理論などにおける心理学の成果を応用しており、エビデンス（実証性）を
基盤としている。

d：一人の創始者による単一の理論に基づくものではなく、大きく2つの心理療法
を源流として発展してきた。

e：フェルトセンスに注意を向け、それを言葉にしていく中で生じるフェルトシフ
トによって、パーソナリティの変容が起こる。

f：エンプティチェアなどの技法を用いて、クライエントが今ここでの気づきを得
ることや未完了な経験を完了させることをめざして行われる。

g：人間には本来、自己実現に向かう傾向が備わっていると考え、クライエントが
心理的適応に近づくことができるような治療環境を提供することが最も重視さ
れる。

　　　　a　b　c　d　e　f　g
**1.** ○─○─×─×─○─×─○
**2.** ○─×─×─○─○─○─×
**3.** ×─○─○─○─×─×─×
**4.** ×─×─○─×─×─○─○

**\*\***
**問12**　行動・認知行動理論（療法）に関する記述として、正しいものはどれか。

1．ストレス反応を低減することを目的とした、絶えず変化していく認知的または行動的努力のプロセスをコーピングと呼ぶ。
2．エクスポージャー（曝露法）とは、個人の過去の苦痛な経験を言語化させ、洞察を得ることで症状を取り除く治療法である。
3．負の強化とは、特定の行動の後に、個人にとっての嫌悪刺激（罰）が提示されることによって、その行動の出現頻度が増えることをいう。
4．行動療法において、レスポンデント条件づけの原理は、学習者の自発的で意図的な行動の増減を目的として利用される。トークンエコノミー法やシェイピングは、このレスポンデント条件づけの原理を応用した方法である。

**\***
**問13**　ソーシャルスキル・トレーニングに関する記述として、**誤っている**ものはどれか。

1．ソーシャルスキル・トレーニングは、行動理論や社会的学習理論に基づいている。
2．一般的に、教示、モデリング、行動リハーサル、フィードバック、分化などの要素で構成される。
3．対人関係を構築し、それを維持するために必要な行動を習得するためのトレーニングをいう。
4．ソーシャルスキルの不足のために対人行動上に問題が生じている人を対象に治療的効果をねらって行われるほか、予防や教育として行われることもある。

**\*\***
**問14**　自律訓練法の記述として、正しいものはどれか。

1．ジェイコブソン（Jacobson, E.）によって開発されたセルフコントロール法である。
2．自律訓練法の標準練習のうち、第2公式は内臓活動の調整をねらった腹部温感練習である。
3．標準練習で用いられる公式化された自己教示的言葉を言語公式という。
4．自律訓練法を行う際には、公式に関連する身体感覚が変化するよう積極的な注意を向けることが重要となる。

## 行動・認知行動理論（療法）　解 説

### 問8　行動・認知行動理論（療法）に関連する人名　　正答　4

1. **エリス**（Ellis, A.）は**論理情動行動療法**（論理療法、REBT とも呼ばれる）の創始者であり、**自己教示訓練**の創始者は**マイケンバウム**（Meichenbaum, D. H.）である。
2. **ジェイコブソン**（Jacobson, E.）は、**漸進的筋弛緩法**を開発した。**恐怖条件づけ**は、**ワトソン**（Watson, J. B.）がアルバート坊やに対して行った実験が有名である。
3. 漸進的筋弛緩法を開発したのは、ワトソンではなくジェイコブソンである。
4. 正しい。**ウォルピ**（Wolpe, J.）は**系統的脱感作法**を開発した。

### 問9　バンデューラの観察学習　　正答　2

1. 行動の学習は、他者の経験の観察によっても生じることを示した。
2. 正しい。**バンデューラ**（Bandura, A.）は、**観察学習**は、注意、保持、運動再生、動機づけの4つの過程によって成立すると考えた。
3. **代理強化**とは、モデルの行動が強化されるのを観察した他の人の行動が間接的に強化される現象をいう。
4. 乱暴な行動を模倣する程度について、報酬群と統制群の間に有意な差は認められず、罰群は他の2群と比べて有意に少なかった。

### 問10　動機づけ面接　　正答　1

a：**動機づけ面接**（motivational interviewing；MI）とは、協働的なスタイルの会話によって、クライエント自身が変わるための動機づけを高め、行動変容を促す方法である。
b：行動変容を促すには、クライエントの**チェンジトーク**を引き出すことが必要である。「お酒を控えたい」「喫煙が身体に悪いのはわかっている」など、変化に向かうクライエントの発言をチェンジトークという。その反対に、「ストレスがたまるとついお酒を飲んでしまう／タバコを吸ってしまう」な

ど、変化に否定的で、現状のままでいることに価値を見いだ
そうとする発言を**維持トーク**という。

**c**：動機づけ面接で用いられる、コアなカウンセリングスキルに
は「開かれた質問（open questions）」「是認（affirming）」
「聞き返し（reflection）」「サマライズ（summarizing）」「許
可を得ての情報提供と助言（informing and advising）」の5
つがある。4つ目までのスキルは、それぞれの英語の頭文字
を取って、**OARS**（オールス）と呼ばれる。

**d**：動機づけ面接は、ミラーとロルニック（Miller, W. R. &
Rollnick, S.）によって開発された。ベック（Beck, A. T.）は
認知療法、エリスは論理情動行動療法（論理療法、REBT
とも呼ばれる）の創始者である。

したがって、正答は**1**である。

**5**

臨床・障害

---

**問11** 認知行動療法　　　　　　　　　　　**正答　3**

**a**：適切でない。精神分析療法に関連する記述である。

**b**：適切である。**認知行動療法**では、行動、認知、情動、生理の
各側面が相互に影響を与え合うことを前提としており、各側
面に多面的に働きかけることで変容を起こし、治療効果を引
き出す。

**c**：適切である。認知行動療法は、学習理論などにおける心理学
の成果を応用しており、エビデンス（実証性）を基盤として
いる。すなわち、これまでに治療効果が実証されているさま
ざまな行動的技法と認知的技法を効果的に組み合わせた治療
パッケージが用いられる。

**d**：適切である。認知行動療法は、一人の創始者による単一の理
論に始まるものではなく、行動療法と認知療法という2つの
起源を持つ。

**e**：適切でない。フォーカシングに関連する記述である。

**f**：適切でない。ゲシュタルト療法に関連する記述である。

**g**：適切でない。クライエント中心療法に関連する記述である。
したがって、正答は**3**である。

□認知行動療法

**問12 行動・認知行動理論（療法）に関連する語句　　正答　1**

1. 正しい。**コーピング**は対処と訳される場合もある。
2. **エクスポージャー**とは、不安や恐怖のために避けている刺激（状況やイメージ）に向き合うことによって、刺激に対する不適応的な反応を軽減する治療技法である。
3. **負の強化**とは、特定の行動の後に、個人にとっての嫌悪刺激（罰）が除去されることによって、その行動の出現頻度が増えることをいう。
4. **レスポンデント条件づけ**の原理は、恐怖症の治療等において用いられる。学習者の自発的で意図的な行動の増減を目的として、**トークンエコノミー法**や**シェイピング**に用いられているのは、**オペラント条件づけ**の原理である。

□コーピング
□エクスポージャー
□負の強化
□レスポンデント
　条件づけ
□トークンエコノ
　ミー法
□シェイピング
□オペラント条件
　づけ

**問13 ソーシャルスキル・トレーニング　　正答　2**

1. **ソーシャルスキル・トレーニング**（SST）は、行動理論や社会的学習理論に基づいている。たとえば、スキルの実行に対する強化やスモールステップでの取組みはオペラント条件づけ、モデリングは社会的学習理論に基づく。
2. 誤り。ソーシャルスキル・トレーニングは一般的に、教示（スキルの概念やトレーニングの意義の説明）、**モデリング**（望ましいモデルの提示）、行動リハーサル（スキルの練習）、フィードバック（適切な行動の強化、修正）、**般化**（日常生活場面での実践）などの要素で構成される。
3. 対人関係を構築し、それを維持するために必要な行動（ソーシャルスキル）を習得するためのトレーニングを、ソーシャルスキル・トレーニングという。生活技能訓練ともいう。
4. ソーシャルスキル・トレーニングは、問題が生じた後だけでなく、問題が生じる前に予防や教育として行われることもある。

**問14** 自律訓練法　　　　　　　　　　　　　　**正答　3**

1．自律訓練法は**シュルツ**（Schultz, J. H.）によって創案された。

2．自律訓練法の**標準練習**は、背景公式と第 1 公式から第 6 公式までのおのおのの練習から構成されており、第 2 公式は血管拡張をねらった四肢温感練習である。

3．正しい。自律訓練法の標準練習は、背景公式から第 6 公式までの 7 つの**言語公式**を段階的に習得するように構成されている。

4．自律訓練法の練習の際には、**受動的注意集中**という注意の向け方が重要となる。

**5**

臨床・障害

## 人間学的理論（心理療法） 問 題 →解説はp.216〜

\*\*
**問15** クライエント中心療法の説明として、最も妥当なものはどれか。

1．クライエント中心療法は、カウンセラーがクライエントの話す内容をすべて肯定していく方法である。
2．クライエント中心療法は、マズローとロジャーズ（Maslow, A. H. & Rogers, C. R.）の共同研究の成果である。
3．クライエント中心療法は、カウンセラーの技術よりも態度を重視するアプローチである。
4．クライエント中心療法は、相手の言うことをひたすら繰り返す技法である。

\*
**問16** フォーカシングは、人が自らの内なる感じ（フェルトセンス）に直接触れることによって展開していく、内省的な心理学的アプローチであり、人間性心理学の最も代表的な方法の一つである。

このフォーカシング技法の開発者は誰か。

1．エリクソン（Erikson, E. H.）
2．ジェンドリン（Gendlin, E. T.）
3．クランボルツ（Krumboltz, J. D.）
4．ロジャーズ（Rogers, C. R.）

\*
**問17** マズロー（Maslow, A. H.）は、人間のさまざまな欲求は階層構造をなしていると考え、「欲求の階層説」を提唱した。彼の理論によると、ある欲求は、それ以前に生じていたより低次の欲求が満たされた後に初めて生じてくるものであると考えられている。

マズローの理論において、次のさまざまな欲求のうち、最も低次の欲求はどれか。

1．生理的欲求
2．安全の欲求
3．自己実現の欲求
4．所属の欲求

**\*\***

**問18** ジェンドリン（Gendlin, E. T.）は独自の概念と理論構成によって、心理療法における人格変化の問題に新たな光を当てることに成功した。ジェンドリンが心理療法における人格変化を説明するために用いた概念はどれか。

1．逆転移
2．セルフ（自己）
3．体験過程
4．カタルシス

**\*\***

**問19** 次の文中の空欄に当てはまる語句として、正しいものはどれか。

ロジャーズ（Rogers, C. R.）の提唱したベーシック・エンカウンターグループには、メンバーのほかに、（　　　）と呼ばれる専門家が入って、さまざまな葛藤の解決や誤解の解消などに当たる。

1．リーダー
2．トレーナー
3．コーチ
4．ファシリテーター

**\*\*\***

**問20** 以下のa～dのうち、マズロー（Maslow, A. H.）のいう「自己実現」についての記述として、**適切でないもの**の組合せはどれか。

a：自己実現している人は、ごく一部の職業にしか見られない。
b：自己実現の可能性はすべての人に開かれている。
c：自己実現している人は孤独の時間を享受している。
d：自己実現している人は、自分への関心がとても強い。

1．a、b
2．a、c
3．a、d
4．b、d

**\*\*\***

**問21** クライエント中心療法の新しい展開であるプリセラピーに関する記述として、**最も妥当なもの**はどれか。

1．不安障害へのアプローチとして有効である。
2．健常者の自己探索に有効である。
3．キャリアカウンセリングの援助技法である。
4．統合失調症者と治療的関係そのものを築こうとする試みである。

## 人間学的理論（心理療法） 解 説

### 問15 クライエント中心療法　　　正答　3

1. **クライエント中心療法**において、カウンセラーはクライエントに肯定的態度はとるが、話す内容をすべて肯定するわけではない。
2. **マズロー**（Maslow, A. H.）はクライエント中心療法の創始者ではない。
3. 妥当である。クライエント中心療法の最大の特徴は技法よりも態度を重要視する点にある。
4. クライエント中心療法においては、相手が言わんとしていることのリフレクション（伝え返し）は行うが、相手が言った言葉をおうむ返しのように、ひたすら繰り返すわけではない。

### 問16 ジェンドリン　　　正答　2

1. **エリクソン**（Erikson, E. H.）は自我同一性理論の提唱者。
2. 正しい。**ジェンドリン**（Gendlin, E. T.）は心理療法の過程に関する研究から**フォーカシング**を開発した。
3. **クランボルツ**（Krumboltz, J. D.）は最近ではプランド・ハップンスタンス(計画された偶発性)の提唱者として知られる。
4. **ロジャーズ**（Rogers, C. R.）はクライエント中心療法の提唱者。

### 問17 欲求の階層説　　　正答　1

1. 正しい。睡眠や食事等の生理的欲求は最も低次の欲求である。
2. 安全の欲求は生理的欲求が満たされた後に生じてくる。
3. 自己実現の欲求は承認の欲求が満たされた後に生じてくる。
4. 所属の欲求は安全の欲求が満たされた後に生じてくる。

### 問18 体験過程　　　正答　3

1. **逆転移**は精神分析の治療関係を説明する用語。
2. セルフは**ユング**の人格理論の用語。
3. 正しい。体験過程は個人の内側に絶えず流れている曖昧な感じの流れのこと。ジェンドリンは体験過程と象徴の相互作用との観点から人格変化を説明した。
4. **カタルシス**は心理的浄化作用のこと。

KEY WORD

□クライエント中心療法
□マズロー

□エリクソン
□ジェンドリン
□フォーカシング
□ロジャーズ

□欲求の階層説

□体験過程
□逆転移
□ユング
□ジェンドリン
□カタルシス

**問19** **ファシリテーター**　　　　　　　　正答　**4**

**1.** リーダーは構成的グループ・エンカウンターで使われる名称。

**2.** **エンカウンターグループ**はトレーニングを目的としない。

**3.** エンカウンターグループにコーチ役は不必要である。

**4.** 正しい。ベーシック・エンカウンターは、特定の目標に誘導することなく、メンバー間のやり取りから自然と生まれてくるプロセスを尊重する。このプロセスが滞ったときにそれを促進する役割の専門家が必要となる。それが**ファシリテーター**（グループ・プロセスの促進者）である。

**5**

臨床・障害

**問20** **自己実現**　　　　　　　　　　　　正答　**3**

**a**：適切でない。**自己実現**は特定の職業に制約されない。

**b**：適切である。自己実現の可能性はすべての人に開かれており、職業にもかかわりはない。

**c**：適切である。自己実現者は孤独の時間を楽しむ傾向がある。

**d**：適切でない。自己実現者は自己への関心はむしろ薄くなる。
　　したがって、正答は**3**である。

**問21** **プリセラピー**　　　　　　　　　　正答　**4**

　「いま－ここ」の関係性の展開はカウンセリングの基本であるが、重篤な関係障害を抱えたクライエントはその前提条件からの支援が必要となる。**プリセラピー**は、カウンセリングにおける「**心理的接触**（psychological contact）」を前提にできないクライエントへの援助技法である。

**1.** 不安障害においては、治療的関係の構築自体はそれほど困難ではないため、プリセラピーは用いられない。

**2.** 健常者においては、援助関係の構築自体はそれほど困難ではないため、プリセラピーは用いられない。

**3.** キャリアカウンセリングにおいては、治療的関係の構築自体はそれほど困難ではないため、プリセラピーは用いられない。

**4.** 妥当である。プリセラピーは、通常の心理療法においては前提となってきた治療的関係の成立そのものにアプローチする試みである。特に、治療的関係の構築が困難である重い統合失調症者とのかかわりにおいて重要な試みである。

## 心理学的アセスメント \ 問 題

➡解説はp.220〜

**問22** 心理学的アセスメントの質問紙法に関する記述として、**適切でないもの**は
どれか。

1．ミネソタ多面人格目録（MMPI）とは、550項目からなる質問紙法であり、被
検者による意図的操作が難しい検査法である。
2．矢田部ギルフォード性格検査（YG性格検査）とは、4つのパターンに分類す
ることでパーソナリティを理解しやすくしている質問紙法の検査法である。
3．東大式エゴグラム（TEG）とは、交流分析の考えから構成されている質問紙
法の検査法である。
4．質問紙法は検査の意図が比較的わかりやすく、被検者による意識的な操作が可
能な側面を持つ。

＊＊
**問23** 心理学的アセスメントの投影法（投映法）に関する記述として、最も妥当
なものはどれか。

1．投影法とは、クライエントが回答結果を意図的に操作しにくい心理検査アセス
メントである。
2．投影法の一つであるロールシャッハテストは、集団での実施が容易であり、回
答結果に最も歪みが生じにくい心理検査である。
3．投影法は検査の手順が明確に定められているため、検査者が熟達していなくて
も容易に実施できる。
4．投影法は心理療法開始の際の最初の心理アセスメントとして行われることが多
いが、心理療法経過後には行ってはならない。

**問24** テストバッテリーに関する記述として、最も妥当なものはどれか。

1．テストバッテリーとは、同じ種類の心理検査だけを何種類も組み合わせること
である。
2．テストバッテリーとは、心理検査の結果を被検者に伝えることを意味してい
る。
3．テストバッテリーとは、異なる種類の心理検査を組み合わせて行うことであ
る。
4．テストバッテリーとは、被検者と検査者の関係性を考慮した組合せを考える必
要性から生まれた言葉である。

**問25** 以下の文章の空欄a・bに当てはまる語句の組合せとして、正しいものはどれか。

心理アセスメントのために用いられる心理検査（性格検査・知能検査など）が満たしていなければならない条件は、（　a　）・（　b　）・標準化・実用性などである。

|   | a | b |
|---|---|---|
| **1.** | 統合性 | 独立性 |
| **2.** | 統合性 | 妥当性 |
| **3.** | 信頼性 | 独立性 |
| **4.** | 信頼性 | 妥当性 |

\*\*
**問26** 知能検査に関する記述として、最も妥当なものはどれか。

**1.** 内田クレペリン精神作業検査を実施することで知能指数が判明する。

**2.** 偏差知能指数は平均を100、標準偏差を15となるような正規分布になるよう換算した指数のことである。

**3.** ウェクスラー式知能検査は、実施が簡便であり、比較的初心者でも実施が可能な知能検査である。

**4.** 知能検査を実施することで、発達障害を有しているかどうか判別ができる。

\*
**問27** カウンセリングにおける「行動観察・面接法」に関する記述として、最も妥当なものはどれか。

**1.** カウンセラーは、クライエントの心的状況を知るために、自分自身がかかわることで影響を与えていると自覚を持つことが大切である。

**2.** カウンセラーは、クライエントの心的状況を知るために、初回面接での情報はうそが多く、重要視しないほうがよいとされている。

**3.** カウンセラーは、クライエントの心的状況を知るために、あらかじめ決まった質問をする構造化面接法に従って面接を行うことが好ましい。

**4.** カウンセラーは、クライエントの心的状況を知るために、実験観察法を用いて面接を行うことが好ましい。

5

臨床・障害

## 心理学的アセスメント　　解　説

**問22　質問紙法**　　　　　　　　　　　　正答　**2**

**1.** ミネソタ多面人格目録（MMPI）はハサウェイとマッキンリー（Hathaway, S. R. & McKinley, J. C.）によって開発された心理検査であり、通常版は550項目の質問項目から構成されている。臨床尺度に加えて、妥当性尺度を有しており、被検者が意図的に回答を操作するとある程度判別できるようになっているため、操作が難しい**質問紙法**の一つである。

**2.** 適切でない。**矢田部ギルフォード性格検査（YG性格検査）**は、回答結果を「平均型」「不安定積極型」「安定消極型」「安定積極型」「不安定消極型」の5つの型に分類する。ギルフォード（Guilford, J. P.）によって考案、矢田部達郎らにより作成された心理検査である。12の因子で構成されており、臨床場面以外でも利用がなされる検査の一つである。

**3.** **東大式エゴグラム（TEG）**は、バーン（Berne, E.）によって創始された交流分析の考えをもとに開発された心理検査である。回答結果を5つの自我状態「批判的な親」「養育的な親」「大人」「自由な子ども」「順応した子ども」に分類し、パーソナリティを測定する。

**4.** 質問紙法は、投影法や作業検査法と比べると質問の意図がわかりやすく、被検者が意図したい方向性に回答を操作できる側面を持っているため、使用する際には注意が必要である。

**問23　投影法（投映法）**　　　　　　　　正答　**1**

**1.** 妥当である。**投影法（投映法）**は質問紙法とは異なり、何を意図している検査なのか実施されている最中でもわかりにくいため、クライエントが回答結果をなんらかの方向づけをして操作をするのが困難な検査法である。

**2.** **ロールシャッハテスト**は、テスターとクライエントが1対1で応答しながら実施する心理検査であるため、集団での実施は適していない。

**3.** 投影法は検査手順などが定められているが、クライエントの回答態度や主観的な回答内容などを考慮したうえで実施、解釈を行う必要がある。したがって、検査者は熟達していることが求められる。

4. 投影法は心理療法の開始前にアセスメントとして用いられることの多い心理検査であるが、心理療法開始後も実施は可能である。ただし、心理療法を担当しているセラピストが担当する場合には、クライエントを検査によって「評価する」という要因が入ってくるため、注意が必要である。心理療法経過後にも行うことは問題ない。

**問24 テストバッテリー　　　　　　　　　　正答　3**

1. **テストバッテリー**とは、目的や測定する対象の異なる種類の心理検査を組み合わせることをさしている用語である。
2. テストバッテリーは心理検査の組合せのことである。心理検査の結果を伝えることは検査**フィードバック**と呼んでいる。
3. 妥当である。
4. バッテリーという言葉からは、人と人との組合せを連想させるが、被検者と検査者の関係性を考慮する言葉ではない。ここでのバッテリーは一組のもの、一連のものをさしており、検査の組合せのことをさしている。

□テストバッテリー
□フィードバック

**問25 心理検査の条件　　　　　　　　　　　正答　4**

**信頼性**と**妥当性**が、心理検査が満たさなければならない条件である。信頼性とは、検査の結果が同様の条件下であれば同じ結果が得られることをさしている用語である。妥当性は、検査の目的を正確にとらえて、測定しようとするものをしっかりと測定できる正確さのことをさしている。**標準化**は、検査を開発する際に、妥当性、信頼性、客観性のある検査項目となっているかの検討を行い、多くの統計的な検証がなされているか、一般に広く使用することができるかどうかを判断するプロセスのことをさしている。**実用性**は、開発された心理検査が実施時間や判定、経費、労力などについても無理なく実施できるかどうかを判断する考えのことである。ほかに、検査方法が統一され、テスト結果の客観性が保たれているかどうかの**客観性**や、設問等の難易度などのバランスがまとまっているかを見る**弁別性**がある。これらの概念が、心理検査が満たす必要のある条件として挙げられている。

したがって、正答は4である。

□信頼性
□妥当性
□標準化
□実用性
□客観性
□弁別性

**5**

臨床・障害

**問26 知能検査** 　　正答　2

1. **内田クレペリン精神作業検査**は作業検査法であり、**知能指数**ではなくパーソナリティを測定する検査である。クライエントに動作を求める課題を行い、その動作結果のプロセスからクライエントのパーソナリティを求める。

2. 妥当である。一般的な知能指数はこの結果から得られた数値のことをさしている。学力的な偏差値は、平均を50とし、標準偏差を10としている。

3. **ウェクスラー式知能検査**は実施が簡単ではなく、実施には習熟を要するとされている。年齢による実施検査の違いや、検査を構成する項目の概念を理解していることが求められるため、習熟には時間を要する検査である。

4. **発達障害**を有しているかどうかは知能検査では判別はできない。知能検査を実施することで認知能力のバランスや偏りを見ることができるため、どのような場面では力が発揮できるのか、発揮できないのかなどの判断材料として適しているため、教育場面では有効な検査である。

KEY WORD
- □内田クレペリン精神作業検査
- □知能指数
- □ウェクスラー式知能検査
- □発達障害

**問27 行動観察・面接法** 　　正答　1

1. 妥当である。カウンセラーの存在自体がクライエントにとって影響を与えるため、クライエントの状況を知るための情報収集であっても、聴き方や態度一つでさまざまな影響を与えることを自覚しておく必要がある。

2. 初回面接の情報は決してうそが多いわけではなく、また初めて話されることには大きな意味があることが多く重要視される。仮にうそがあったとしても、なぜわざわざ初回面接でうそをついているのかを考えることでクライエント理解につながっていく。

3. 決まった質問をする**構造化面接**をカウンセリングで行うことは珍しい。ある程度自由な質問を行う**半構造化面接**を行うことのほうが好ましい。

4. 操作された**実験観察法**では、クライエントの通常の心的状況を理解することは難しい。自然な状況のクライエントを理解するために**自然観察法**の形で対応することが多い。

- □構造化面接
- □半構造化面接
- □実験観察法
- □自然観察法

\*
**問28** DSM に関する記述として、最も妥当なものはどれか。

1. DSM は、アメリカ心理学会が作成した、問題行動や不適応行動の診断・分類基準である。

2. DSM は、精神疾患の分類と、これらの疾患に対する診断の基準を明確にしたマニュアルである。

3. DSM-5-TR における神経症の診断基準は、精神分析の無意識と防衛機制を適用している。

4. DSM は、もとは死亡統計（死因や疾病の分類）から発展した診断や分類基準である。

\*\*
**問29** 以下の統合失調症に関するa〜eの記述で適切なものには○、不適切なものには×を付けた場合、その組合せとして正しいものはどれか。

a：20世紀初頭に、ブロイラー（Bleuler, E.）によって「早発性痴呆」と名づけられた。

b：統合失調症の急性期の治療には、ソーシャルスキル・トレーニング（SST）や作業療法などのリハビリテーションプログラムが必須である。

c：陰性症状として、感情の平板化、思考の貧困、意欲の欠如が挙げられる。

d：症状に妄想があれば、統合失調症と診断される。

e：DSM-5-TR において、統合失調症と診断する特徴的な症状のうち、少なくとも1つは、妄想、幻覚、まとまりのない発語のどれかである。

　　　a　b　c　d　e
1. ○—○—×—○—×
2. ○—×—○—×—○
3. ×—○—×—○—×
4. ×—×—○—×—○

\*\*
**問30** DSM-5-TR における抑うつ症群の記述について、最も妥当なものはどれか。

1. DSM-5-TR から、抑うつ症群に新型うつ病という診断名が登場した。

2. うつ病は、抑うつエピソードを基準に診断される。

3. 抑うつ症群は気分の障害であり、精神病性の症状が伴うことはない。

4. うつ病と診断された場合、その後診断名が変わることはない。

**\*\***
**問31** 以下の心的外傷後ストレス症（PTSD）に関するa〜eの記述で適切なものには〇、不適切なものには×を付けた場合、その組合せとして正しいものはどれか。

a：外傷的出来事とは、転居、転職、離婚など本人のライフイベントでストレス因となる出来事である。

b：外傷的なストレスに曝露して、その反応としての特徴的な症状が1か月以上持続する慢性の障害である。

c：外傷的出来事についての苦痛な夢を繰り返し見ることが多い。

d：治療ガイドラインでは、発症直後には周囲の励ましが必須としている。

e：6歳以下の子どもの場合には、この診断は該当しない。

```
      a   b   c   d   e
1.  〇ー〇ー×ー〇ー×
2.  〇ー×ー×ー〇ー〇
3.  ×ー〇ー〇ー×ー×
4.  ×ー×ー〇ー×ー〇
```

**\***
**問32** 以下のパニック症に関するa〜eの記述で適切なものには〇、不適切なものには×を付けた場合、その組合せとして正しいものはどれか。

a：DSM-5-TR では、不安を前景とする不安症群に分類される。

b：基本的特徴として、予期しないパニック発作によって引き起こされる。

c：パニック発作が治まれば、それ以前と変わらない生活が続けられる。

d：パニック発作はパニック症に特徴的な症状であり、他の疾患に現れることはない。

e：治療には、薬物療法と併せて認知行動療法やリラクセーションを用いる。

```
      a   b   c   d   e
1.  〇ー〇ー×ー〇ー×
2.  〇ー〇ー×ー×ー〇
3.  ×ー×ー〇ー〇ー×
4.  ×ー×ー〇ー×ー〇
```

**\*\***

**問33** 以下の文章の空欄A〜Eに当てはまる用語a〜hの組合せとして、正しいものはどれか。

　従来（　A　）といわれてきた発達障害の一つは、数々の研究を通して、その成因や概念が大きく変化してきた。カナー（Kanner, L.）の1943年の論文により（　A　）概念は広まり、その後報告された自閉的精神病質の症例は、のちにウィング（Wing, L.）により（　B　）として再提案された。DSM-5からは、神経発達症群の大項目のもとに、（　A　）や（　B　）を連続体でとらえる（　C　）、限局性学習症、知的発達症、（　D　）などが分類された。

　一方、日本の文部科学省は、発達障害の子どもたちの教育を視野に入れ、2007（平成19）年度から本格的に（　E　）支援教育に乗り出した。発達障害者支援法において発達障害とは、「（　A　）、（　B　）、学習障害、（　D　）その他これに類する脳機能の障害」と定義している。

a：アスペルガー症候群　　b：自閉症　　　　c：ADHD
d：自閉スペクトラム症　　e：特殊　　　　f：特別

|   | A | B | C | D | E |
|---|---|---|---|---|---|
| **1.** | a | b | c | d | e |
| **2.** | a | d | b | e | e |
| **3.** | b | a | d | c | f |
| **4.** | b | c | d | a | f |

**\*\***

**問34** 解離症に関するa〜eの記述で適切なものには〇、不適切なものには×を付けた場合、その組合せとして正しいものはどれか。

a：解離（dissociation）という用語は、フロイト（Freud, S.）のヒステリー研究に由来する。

b：解離性健忘とは、自分にとって重要な個人情報を思い出すことができない状態であり、通常の物忘れでは説明できないものである。

c：全生活史健忘といわれる記憶喪失は、解離性健忘の重篤な状態である。

d：解離性同一症を示す人の中には、小児期に重篤な身体的・性的虐待を受けた経験を持つという研究報告がある。

e：離人感とは、自分自身の精神活動や身体が自分でないように感じる感覚であり、幻覚妄想状態時に起きる。

```
   a  b  c  d  e
```

**1.** 〇—〇—×—×—×

**2.** 〇—×—×—〇—〇

**3.** ×—〇—〇—〇—×

**4.** ×—×—〇—×—〇

**\***

**問35** 摂食症に関する記述として、最も妥当なものはどれか。

**1.** 神経性やせ症も神経性過食症も、必ず過食のエピソードを伴う。

**2.** 神経性過食症の場合は、食べることを抑制できないという欲求が強いため、自己の体型や体重には無頓着である。

**3.** この病気で死に至ることはほとんどない。

**4.** 神経性やせ症の重症度は、BMI（body mass index）で特定する。

**\*\***
**問36** 以下の児童虐待に関するa〜eの記述で適切なものには〇、不適切なものには×を付けた場合、その組合せとして正しいものはどれか。

a：虐待を受けている子どもを一時保護する必要があるが、保護者の同意が得られないとき、その妥当性判断を司法（裁判所）が担うことになった。

b：DSM-5では、長期的・反復的なトラウマを体験した人に複雑性PTSDという診断を新たに設けた。

c：虐待を受けた子どもの主にキャリア教育の役割を担うプログラムが、トラウマ・インフォームド・ケアである。

d：性的虐待の加害者は、見知らぬ大人である場合がほとんどである。

e：虐待を受けた子どもの生活史を振り返る支援技法に、ライフストーリーワークがある。

　　a　b　c　d　e
**1.** 〇—×—〇—×—〇
**2.** 〇—×—×—×—〇
**3.** ×—〇—×—〇—×
**4.** ×—×—〇—〇—×

**\*\*\***
**問37** 以下の認知症に関する記述a〜eのうち、正しいものの組合せはどれか。

a：認知症は成人期早期までに始まる、進行性の疾患である。

b：認知症の中核症状として、せん妄や妄想が必須である。

c：慢性、進行性の疾患であるが、なかには適切な治療により認知機能の改善が見込まれる認知症もある。

d：認知症をきたす代表的な疾患に、アルツハイマー病や脳血管障害がある。

e：認知症をスクリーニングする代表的な神経心理検査には、MMSEやBDI-Ⅱがある。

**1.** a、b
**2.** b、c
**3.** c、d
**4.** d、e

**精神疾患・病理　解　説**

**問28 DSM**　　　　　　　　　　　　　　正答　**2**

**1．** DSMはアメリカ精神医学会が作成した。

**2．** 妥当である。

**3．** DSM-Ⅲ（DSM-5-TRも同様）からは症状記述を主とし、診断には曖昧すぎるとして「神経症」の用語が排除された。

**4．** ICDに関する記述である。

DSM（Diagnostic and Statistical Manual of Mental Disorders）：アメリカ精神医学会（APA）が作成した精神疾患の診断・統計マニュアルであり、2022年にDSM-5-TRが公表された。

ICD（International Classification of Diseases）：世界保健機関（WHO）が作成する国際的に統一した基準の死因および疾病の分類。2019年にICD-11をWHO総会で採択し、2022年発効。

**問29 統合失調症**　　　　　　　　　　　正答　**4**

**a**：適切でない。クレペリン（Kraepelin, E.）が、1899年に「**早発性痴呆**」と名づけ、その後、1911年にスイスの**ブロイラー**（Bleuler, E.）が「Schizophrenie（精神分裂病）」を提唱した。日本語訳は2002年に「**統合失調症**」に名称変更した。

**b**：適切でない。急性期は薬物を主体とし、症状が改善し安定した段階で、ソーシャルスキル・トレーニング（SST）や作業療法などのリハビリテーションに取り組む。

**c**：適切である。**陽性症状**には、妄想、幻覚、まとまりのない会話や行動、緊張病性の行動などがある。

**d**：適切でない。双極症やうつ病でも、誇大妄想、罪業妄想などの精神病性の特徴を伴う場合がある。

**e**：適切である。**DSM-5-TR**における「統合失調症」の診断基準Aでは、「①妄想、②幻覚、③まとまりのない発語、④ひどくまとまりのないまたは緊張病性の行動、⑤陰性症状のうち2つ以上かつそれぞれが1か月間ほとんどいつも存在すること。またそのうち少なくとも1つは①か②か③である」としている。

　したがって、正答は**4**である。

**KEY WORD**

□DSM
□ICD

□クレペリン
□早発性痴呆
□ブロイラー
□統合失調症
□陽性症状
□DSM-5-TR

**KEY WORD**

☐DSM-5-TR

☐抑うつエピソード

☐抑うつ症群

☐うつ病

☐躁病エピソード

☐軽躁病エピソード

5

臨床・障害

**問30 うつ病の診断** 　　　正答　2

1．新型うつ病という概念は学術誌や学会で検討されたものではなく、DSM-5-TRに新型うつ病という診断名はない。

2．妥当である。抑うつエピソード（抑うつ気分、興味喜びの喪失、食欲や体重の著しい変化、不眠・過眠、疲労感気力の減退、集中困難、自殺念慮など特徴的症状が一日中かつ2週間存在する）に従って診断される。

3．抑うつ症群における、うつ病の診断では、気分に一致する精神病性の特徴を伴うかどうか特定する必要がある。

4．障害の経過の中で、躁病エピソードや軽躁病エピソードが出現した場合は、双極症の診断となる。

**問31 心的外傷後ストレス症（PTSD）** 　　　正答　3

　心的外傷後ストレス症（PTSD）の外傷的出来事とは、危うく死ぬか重傷を負う、性的暴力を受ける出来事に暴露することであり、そのことによる不安や解離、感情の麻痺など特徴症状が1か月以上過ぎても持続する場合、心的外傷後ストレス症（PTSD）と診断され、慢性の疾患である。主な症状は、外傷体験の繰り返される侵入再体験（フラッシュバック）、関連する刺激の持続的回避、感情の麻痺や周囲の出来事に対する反応性の減退、そして、覚醒亢進状態が挙げられる。

a：不適切である。ライフイベントなどのストレス因に反応して情動や行動の症状が出現するのは、適応反応症である。

b：適切である。

c：適切である。覚醒時や夢でも外傷体験を繰り返し体験する。

d：不適切である。ガイドラインには、被害を受けた人が傷つきやすい言葉（安易な励ましなど）が記載されている。

e：不適切である。6歳以下の子どもの場合も、別に独立した項目を適用して診断する。PTSDは小児期を含むどの年齢にも起こりうる。

　したがって、正答は3である。

**問32 パニック症** 　　　　　　　　　正答 **2**

🔑 **KEY WORD**

DSM-5-TRやICD-11では、病的な不安を中心症状とする一群を**不安症群**としてまとめている。**パニック症**、広場恐怖症、限局性恐怖症、社交不安症、全般性不安症などが含まれ、小児・児童期に代表的な分離不安症や場面緘黙（かんもく）も、不安に関連するとしてここに含まれる。

- a：適切である。
- b：適切である。パニック症と診断するためには繰り返される予期しないパニック発作の存在が必要である。
- c：不適切である。発作に関連した行動や状況を回避するようになる。
- d：不適切である。パニック発作は、広場恐怖症、PTSD、物質使用群などほかの疾患でも起きうる。
- e：適切である。

したがって、正答は **2** である。

□不安症群
□パニック症

**問33 神経発達症群、自閉スペクトラム症** 　　正答 **3**

- **A**：**自閉症**。自閉症研究は、1943年に**カナー**（Kanner, L.）によって報告された早期幼児自閉症から始まった。DSM-Ⅳにおいて、自閉性障害（自閉症）は、①社会的な交流活動の質的障害、②コミュニケーションの質的障害、③限定された行動、関心、活動の常同的反復があること、かつ3領域（①対人的相互反応、②対人的コミュニケーションをとるための言語、③象徴的あるいは想像的な遊び）のうち少なくとも1領域における遅れや偏りが3歳以前に見られることが診断基準となっていた。
- **B**：**アスペルガー障害（症候群）**。1944年アスペルガー（Asperger, J. F. K.）によって報告された自閉的精神病質を、のちにウィング（Wing, L.）が自閉症との類似性に着目し、アスペルガー症候群として再提案した。
- **C**：**自閉スペクトラム症（ASD）**。DSM-Ⅳにおいて「広汎性発達障害」のカテゴリーに分類されていた「自閉性障害」や「アスペルガー障害」などが、DSM-5から「自閉スペクトラム症」にまとめられた。基本的特徴は、①社会的コミュニケ

□自閉症
□カナー
□アスペルガー障害（症候群）
□自閉スペクトラム症（ASD）
□聴覚過敏
□神経発達症群
□ADHD
□特別支援教育

ーションや相互作用を維持させることの問題、②行動や興味の限定された反復パターン、の両方を満たすこと。また②の診断基準の中に、感覚刺激に対する過敏さ（**聴覚過敏**、触覚過敏）または鈍感さ（痛みなどに対する）、という項目が設けられた。スペクトラムという概念は下位分類を持たないため、その重症度によって支援の必要性を評価する。なお、DSM-5-TRでは、**神経発達症群**に知的発達症、自閉スペクトラム症、注意欠如多動症、限局性学習症などが含まれる。

D：**ADHD**。DSM-Ⅳ-TRでは注意欠如および破壊的の行動障害に分類されていたが、DSM-5からは注意欠如多動症としてASDと同じ神経発達症群にまとめられた。基本的特徴は、不注意および／または多動－衝動性の持続的な様式で社会的・学業活動に直接悪影響を及ぼすほどである。

E：**特別支援教育**。文部科学省は、それまでの盲学校、聾（ろう）学校、養護学校という特別な場で教育を行う特殊教育から、子ども一人一人の教育的ニーズに応じて、特別な教育的支援を必要とする子どもたちのための特別支援教育に理念の転換を図り、「発達障害」も支援の対象とした（2007〈平成19〉年）。この場合の発達障害とは、発達障害者支援法による定義「自閉症、アスペルガー症候群、その他の広汎性発達障害、学習障害、注意欠陥多動性障害、その他のこれに類する脳機能の障害」により、学術的な発達障害とは必ずしも一致しないとしている。

したがって、正答は**3**である。

**問34** 解離症 　　　　　　　　　　　　　　　正答 **3**

**解離症群**の特徴は、意識、記憶、同一性、情動、知覚、身体表象、運動制御、行動の正常な統合が破綻するか、不連続になることであり、しばしば心的外傷の直後に生じ、症状に対する混乱や症状を回避したい願望と関連している。ここには**解離性健忘**、**解離性同一症**（以前の多重人格性障害）、**離人感・現実感喪失症**が含まれる。

a：不適切である。解離という用語は、**ジャネー**（Janet, P. M. F.）のヒステリー研究に由来する。

□解離症群
□解離性健忘
□解離性同一症
□離人感・現実感喪失症
□ジャネー

**5**

臨床・障害

**KEY WORD**

b：適切である。DSM-5-TRの診断基準である。

c：適切である。

d：適切である。

e：不適切である。自分自身が自分でないように感じている一方
　　では、それが自分の主観的な問題であると気づいている。

したがって、正答は **3** である。

---

**問35　摂食症**　　　　　　　　　　　　　　　　　**正答　4**

　**摂食症**は、不食による極端なやせを主症状とする**神経性やせ症**（anorexia nervosa; AN）と**神経性過食症**（bulimia nervosa; BN）とに大別される。発症年齢は10代後半から20代前半にかけてピークがあるが、時代とともに拡大傾向にある。約6〜7割程度が治癒・改善されるが、全体の5％前後が死に至っている。病状は、多くの場合、極端なやせあるいは肥満、やせに伴う無月経、低血圧、便秘、貧血、過食によるむくみなどが認められる。活動性の亢進も多く認められ、とりわけ神経性やせ症の場合には顕著である。

1．ANの制限型では過食・排出行動はない。

2．ANもBNも自己評価は、自己の体型や体重に過剰に影響を
　　受けている。

3．1ないし2割が不変なまま遷延し、全体の5％前後が死に至
　　るといわれる。

4．妥当である。BMI＝体重〔kg〕÷（身長〔m〕）$^2$

□摂食症
□神経性やせ症
□神経性過食症
□BMI

---

**問36　児童虐待**　　　　　　　　　　　　　　　　**正答　2**

　**児童虐待**は、わが国では1990年代以降、社会的な注目を集めるようになった。虐待を受けた子どもは、深刻な心理的ダメージを受けるだけでなく、身体発育や認知などの発達的課題を抱えていることが少なくない。その支援に当たっては、トラウマや**愛着**を視野に入れたアプローチとともに、福祉関係者との協働が求められる。その際に、関連法規等の理解を深めておく必要がある。

a：適切である。これまでは児童相談所長の職権だったが、2022（令和4）年6月の**児童福祉法**改正で、一時保護の司法審査が公布から3年以内に実施されることになった。

□児童虐待
□愛着
□児童福祉法
□複雑性PTSD

**b**：不適切である。**複雑性PTSDを診断に導入したのはICD-11**である。

KEY WORD

**c**：不適切である。トラウマ・インフォームド・ケアは、トラウマという「眼鏡」で子どもが自身の言動を支援者と理解していくことで、トラウマからの回復をめざすアプローチである。

**d**：不適切である。性的虐待の加害者は子どもと顔見知りの大人がほとんどであるほか、幼児期の被害も無視できないことがわかっている。

**e**：適切である。適切でない環境で育った子どもは変化の多い生活を余儀なくされていることが多いため、生活史をつないでいくライフストーリーワークが重要になる。

したがって、正答は **2** である。

---

**問37** 認知症　　　　　　　　　　　　　　　　**正答　3**

**a**：誤り。**認知症**はそれまで正常に発達していた知的機能が、器質的原因によって持続的に障害され、社会生活に支障をきたすようになった状態である。

**b**：誤り。認知症の**中核症状**は、**記憶障害、見当識障害、実行機能障害**などであり、せん妄や妄想は周辺症状である。なお**周辺症状**は、認知症に伴う行動・心理症状（behavioral and psychological symptoms of dementia; BPSD）として患者のADLや介護負担に大きく影響し、重要な問題となっている。

**c**：正しい。正常圧水頭症や脳腫瘍などの疾患は、適切な治療により認知機能の改善が見込まれる（treatable）認知症である。

**d**：正しい。代表的な認知症として、**アルツハイマー型認知症、血管性認知症、レビー小体型認知症、前頭側頭型認知症**がある。

**e**：誤り。認知症のスクリーニングに用いられる代表的な検査は、改訂長谷川式簡易知能評価スケール（**HDS-R**）やMMSE（Mini-Mental State Examination）がある。BDI-Ⅱはベック抑うつ質問票。

したがって、正答は **3** である。

□認知症
□中核症状
□記憶障害
□見当識障害
□実行機能障害
□周辺症状
□BPSD
□アルツハイマー型認知症
□血管性認知症
□レビー小体型認知症
□前頭側頭型認知症
□HDS-R
□MMSE

5
臨床・障害

## その他の心理療法・技法 　問　題　→解説はp.237〜

\*
**問38**　一般的なインテーク面接の留意点として、**最も適切な**ものはどれか。

1．アセスメントのために、クライエントの抱えた問題の理解と整理、そして全体像を把握することが求められる。

2．クライエントから具体的な面接技法を要望された場合、それに添ってカウンセリング担当者を決めることが重要である。

3．インテーク面接では客観的な情報収集を大きなねらいとするため、クライエントとのラポールの構築は重視しないことが大切である。

4．インテーク面接を引き受けた以上は責任を持ち、必ず以後の相談を受け入れる必要がある。

\*\*\*
**問39**　フラストレーションに関する記述として、**最も妥当な**ものはどれか。

1．いわゆる"小1プロブレム"や"中1ギャップ"問題の一因としては、セリエ（Selye, H. H. B.）のいう欲求不満耐性の低さが挙げられる。

2．フラストレーションは、なんらかの原因で欲求が阻害された状態をさし、一方、葛藤は回避（マイナス）の選択肢で板挟み状態であるが、ともに心理的な緊張状態である。

3．フラストレーションは性的欲求不満状態と直結し、その対処として、人は防衛機制を用いて、無意識的に精神面での安定を保っている。

4．フラストレーションに対しては、ストレスマネジメントなどの心理教育を用いて軽減させること、あるいは予防することが重要である。

\*\*
**問40**　愛着障害と関連性の深い記述として、**適切でない**ものはどれか。

1．スピッツ（Spitz, R. A.）は、ある施設保育児においては養育者と子どもとの愛情接触が欠如することが観察され、それが施設病の一因となっているとした。

2．ボウルビィ（Bowlby, E. J. M.）は、乳幼児期における養育者による養育環境が不十分な場合、子どもの人格形成や精神衛生上に問題が生じることを指摘し、スキンシップという用語を用いてこの重要性を推奨した。

3．ハーロウ（Harlow, H. F.）の子ザル実験では、子ザルが2種の人工物の代理母に対して、材質の質感の相違により異なる反応を示すことが観察された。

4．反応性愛着障害の主な特徴として、養育者からの情緒的交流に対して関心を示さず、また、養育者に対し、いらだち、恐怖、悲しみなどの反応を示す。

**\*\***

**問41** 以下の電話相談の対応に関する留意事項a〜fのうち、適切なものに〇、不適切なものに×を付けた場合、〇と×の組合せとして正しいものはどれか。

a：一般的な来所相談と比べ、電話相談は、受容・共感・傾聴などカウンセリング理論は共通であるが、実施機関の運営方針や相談体制による制約があるため、運営マニュアルに沿う必要がある。

b：いわゆる "一期一会" の原則で、1回の電話応対の中に会話が凝集しているので、1回で相談を完結するように結論を出す必要がある。

c：何度も電話をかけてくる、いわゆる "リピーター" に対しては、電話をかけることが「学習」されているので、誤学習を「消去」する必要がある。したがって、誤学習を繰り返さないために電話を切る対処が求められる。

d：電話をなかなか切ろうとしない相談者に対しては、制限時間を予告し、その時間を1分程度過ぎたら切ることが重要である。

e：自殺企図を示す相談者には、会話をモニターし、また、通知番号表示が可能な場合は、警察機関などに連絡することもありうる。

f：相談者が性的な話題を語る場面では、速やかに電話を切る必要がある。

　　　　a　b　c　d　e　f
1．〇—×—〇—×—〇—〇
2．〇—×—×—×—〇—×
3．×—〇—〇—〇—×—×
4．×—〇—×—〇—×—〇

**\*\***

**問42** リフレーミングおよびジョイニングに関する記述として、**適切でないもの**はどれか。

1．リフレーミングにより、これまでのクライエントによる一義的な見方ではない別の見方を気づかせ、それにより硬直した問題を打開することが可能となる。

2．ジョイニングは、治療者がクライエントおよびその家族に「つながっている」という感覚を導き出すような治療者のアプローチである。

3．リフレーミングでは、クライエント自身やその家族の発言を活用し、その発言の意味づけを変換することにより、彼らの抱いていた認知の変容を促す効果をもたらす。

4．ジョイニングは、初回面接では控えめにし、面接を重ねるごとにそのウエートを置くように留意が必要である。

**\*\***
**問43** グループ療法に関する記述として、最も妥当なものはどれか。

1. 個人療法に比べ、治療費面では一般的にコストがかかる。

2. 複数のクライエントの集合体であるグループの相互作用を活用し、クライエントのリーダー育成を目標とする。

3. 集団療法、集団精神療法、グループ・セラピー、グループ・アプローチなどと呼ばれ、なかには、個人とグループの両方の形態、あるいは、両者を組み合わせたものも含まれる。

4. グループ療法の代表例としては、サイコドラマ、精神分析、ベーシック・エンカウンターなどがある。

**\*\***
**問44** セルフヘルプ・グループおよび当事者研究に関する記述として、**適切でないもの**はどれか。

1. セルフヘルプ・グループでは、小児性愛の対象者（患者）の会もある。

2. 当事者研究のグループは、セルフヘルプ・グループ同様、同一の問題を抱えるメンバーによる専門家を含まないグループ形態である。

3. 当事者グループの会合では、レクリエーション活動が含まれることもある。

4. 当事者研究の当事時者はマイノリティ性を持つことが多いため、研究を行う際には、対象者の価値観や認識を理解するため共同参画する姿勢が重要である。

**\*\*\***
**問45** 臨床動作法に関する記述として、**誤っている**ものはどれか。

1. 動作法により、地球の重力に基づいて、自身の置かれた体軸・身体軸を体感できるように、つまり立体的な空間認知ができるようになることが期待される。

2. 災害時の心理職の支援活動として、人々の置かれた緊張場面を改善しリラクセーションをもたらすために、心理教育の一環として開発された。

3. 自身が考える意識的な"自己のこころ"は、動作法を習得することによる"動作のこころ"と本来は調和し、一体的になることが日常生活で大切である。

4. 体の特定部位の痛みなどの不調に関するとらえ方として、こころの悩みや問題などの緊張に対して、体の特定部位に閉じ込めてしまうという解釈がある。

## その他の心理療法・技法　解 説

1. **適切である。アセスメント**の他の重要な点としては、①必要に応じ**心理テスト**を用いる、②クライエントとの次回からの**治療（カウンセリング）契約**に関する合意を得る、および③相談機関の枠組み（面接時間や料金）の説明なども含まれる。

2. クライエントのニーズを尊重することは重要であるが、**ケースカンファレンス**で、クライエントに最適な担当者および面接技法を総合的に検討することのほうが重要である。仮にクライエントが特定の技法を要望し、かつ、受け入れ機関がそれに対応していない場合は、その旨を伝える必要がある。

3. 前半部分の記述は重要なポイントであるが、**インテーク面接**においても、**共感的理解**と**傾聴スキル**を通じた**ラポール**がとれた円滑な二者関係によってこそ、クライエントが発言しやすくなる。インテーク面接から、すでにカウンセリングは始まっているともいえる。

4. その熱意は評価できるが、インテーク面接の結果、クライエントの抱えた問題が受け入れ機関では対応していない場合、あるいは、その問題に対してよりふさわしい相談機関が他にある場合は、紹介することがある。

**KEY WORD**

- □ アセスメント
- □ 心理テスト
- □ 治療（カウンセリング）契約
- □ ケースカンファレンス
- □ インテーク面接
- □ 共感的理解
- □ 傾聴スキル
- □ ラポール

**5**

臨床・障害

**問39　フラストレーション（欲求不満）　　正答　4**

1. セリエ（Selye, H. H. B.）は**ストレス**学説を提唱したが、発問の**欲求不満耐性**（frustration tolerance）を打ち出したのは、**ローゼンツァイク**（Rosenzweig, S.）である。なお、ローゼンツァイクは投影法の**P–F スタディ**（絵画欲求不満テスト；Picture-Frustration Study）を開発した。

2. フラストレーションの要因として、対象の欠如・喪失・障壁など外部的要因および個人の心身に関係する内部的要因が挙げられる。フラストレーションと関連し、**葛藤**（conflict）も緊張状態に置かれるが、葛藤には、回避だけではなく、接近（プラス）同士の板挟み状態もある。2つ以上の選択肢に置かれた葛藤は、4つに類別して理解できる。①接近－接近型（正の誘意性 vs. 正の誘意性）、②接近－回避型（正の誘意性 vs. 負の誘意性）、③回避－回避型（負の誘意性 vs. 負の誘意性）、④二重接近－回避型（正・負の誘意性 vs. 正・負の誘意性）である。

3. 前半が妥当でなく、後半は妥当である。フラストレーションは複合的な要因で生じ、なかには性的なものも含まれるが、それがすべてではない。フラストレーションによる不適応反応として、無意識に働く心理作用のことを**防衛（適応）機制**（defense mechanisms）として、**フロイト**（Freud, S.）はとらえた。これには、「抑圧」「合理化」など諸種に分類される。

4. 妥当である。現代社会では大人も子どももストレスフルな状態に置かれ、また自己実現の選択肢が増えていることもあり悩み多き時代である。ここで集団における**心理教育**（サイコエデュケーション）が有効であり、学校教育段階で獲得していることが期待される。**ストレスマネジメント**のほかには、**ソーシャルスキル・トレーニング**や**アサーショントレーニング（訓練）**などが挙げられる。

KEY WORD

□セリエ
□ストレス
□欲求不満耐性
□ローゼンツァイク
□P–Fスタディ
□フラストレーション
□葛藤
□防衛(適応)機制
□フロイト
□心理教育
□ストレスマネジメント
□ソーシャルスキル・トレーニング
□アサーショントレーニング（訓練）

**KEY WORD**

1. 1800年代から各国の小児科医により、病院や孤児院などの閉鎖的施設に長期間置かれた子どもの死亡率の高さや身体・精神発達の遅れが指摘されていたが、これらは当初、施設の管理・栄養面に起因するものと理解されていた。しかしながら、小児精神科医で精神分析家の**スピッツ**（Spitz, R. A.）は、**ホスピタリズム**（施設病〈施設症〉）の先駆的研究を行い、施設の子どもは結果的に母子分離に置かれていたことが要因であることを突き止めた。その後、ボウルビィによる**母性的養育の剥奪**（deprivation of maternal care）、または**母性剥奪**（maternal deprivation）の研究につながった。

2. 適切でない。その後この理論を体系化したのは、イギリスの児童精神分析家の**ボウルビィ**であり、前半部分は正しいが、後半は誤り。日常よく使用するスキンシップは和製英語である。彼は、乳児に対する養育者の**愛着**（**アタッチメント**；attachment）を通じた密着行動による、乳児の不安感の低減や活動性の拡大について議論した。

3. ハーロウ（Harlow, H. F.）によるアカゲザルの実験では、子ザルが母ザルを模した針金製よりも、布製の人工母のほうに抱きつく傾向が観察された。

4. 反応性**愛着障害**のその他の特徴として、喜びなどの陽性感情は制限される。要因としては、次の3つのうち1つないしは複数経験している。①養育者の社会的ネグレクトまたは剥奪により、愛情欲求が満たされていない、②里親など養育者の頻回な交代、③養育場面における個々のアタッチメント場面が著しく制限されていること、などである。

□スピッツ
□ホスピタリズム
□母性剥奪
　（母性剥奪）
□ボウルビィ
□愛着
　（アタッチメント）
□愛着障害

**5**

臨床・障害

## 問41 電話相談　　　　　　　　　　　　　正答　2

KEY WORD
□電話相談
□いのちの電話

　**電話相談**では、「**いのちの電話**」がよく知られている。匿名性や相談の24時間体制、そして心理・教育分野以外での幅広い相談にも対応していることが、特徴的である。

**a**：適切である。カウンセラーは、これらのことを留意して相談に当たる必要がある。したがって、本問題すべての留意事項に関しては、機関の方針により多少の幅が生じてくるので、相談スタンスをアレンジしていく工夫が重要である。

**b**：適切でない。文章後半部分が誤り。もちろん電話相談では、"一期一会"の原則でカウンセラーは相談に当たることが求められるため、相談者の抱える問題が一定程度解消し、気持ちが安堵するように、来所相談より少し積極的な問題解決が期待される。ただ、それでも1回の相談では困難な場合は、次回の相談を促し、あるいは来所相談を提案することも必要になってくる。

**c**：適切でない。文章後半部分が誤り。リピーターの中には暇を持て余して世間話の感覚で電話相談を利用し、また相談件数が多い機関名では、その相談中は1回線分が不通になり他者の相談ができなくなるという問題が生じてしまう。しかしながら、リピーターには身近に相談できずに悩んでいることがあり、その気持ちを受容することが重要である。

**d**：適切でない。「1分程度」が誤り。電話相談では相談者の表情が見えない分、相談の終わりのタイミングを計るのが困難であり、また、相談者の都合で一方的に切られてしまうこともある。相談件数が多い機関では、受け入れ目安の時間制限を設けている場合があるが、このような場合はその旨を相談者に言及し、また、カウンセラーが相談の終わり部分の"まとめ作業"に取りかかることが必要になってくる。

**e**：適切である。このようなケースでは、慎重かつ臨機応変な対応が欠かせない。相談者の辛い気持ちを十分に受け止めて一時的な興奮状態を緩和させ、身近に相談が可能な家族や友人の支援が得られるかなどに言及した後でも困難な場合、最終的な方策の一つとして、所属長の許可を得てから通報という選択肢もありうる。

**f**：適切でない。「速やかに」が誤り。カウンセラーはその話題についての不快感を伝え、なぜそのような気持ちになったか問い、"クールダウン"させていく。それでも改善が見られない場合は、最終的にこれ以上の相談は受け入れない旨を言及したうえで電話を切る。

したがって、正答は **2** である。

**問42　リフレーミング、ジョイニング　　　正答　4**

1．リフレーミング（reframing）の技法は、**家族療法**や短期療法で用いられ、クライエントの抱える問題についての一義的な見方を変容することにより、その後の対処行動に影響を及ぼさせることをねらいとする。

2．ジョイニング（joining）は、治療者がクライエントおよびその家族に「つながっている」という感覚を導き出すような治療者による関係性構築のアプローチである。

3．クライエントや家族の抱く意味づけの変換とは、彼らが問題ととらえている見識とは逆説的な立場をカウンセラーが介入（提案）することにより、彼らの抱く問題の別視点、つまり、プラス側面や逆の立場など認知の変容をもたらす作用があり、その結果、問題が解消、改善されることがある。

4．適切でない。ジョイニングのかかわりは、すべての面接場面で重要であり、特に"初回面接"において、クライエントへのかかわりの第一歩となるので重要視する。

□リフレーミング
□家族療法
□ジョイニング

**5**

**臨床・障害**

**問43　グループ療法　　　　　　　　正答　3**

　多くの心理療法では、1名のセラピスト／カウンセラーが1名のクライエントに当たる**個人療法**が一般的であるが、グループ療法では、数名から10名程度のクライエントを対象とする。グループ療法の典型例としては、**サイコドラマ（心理劇）**や、**3**に列挙した心理療法がある。広義には森田療法、ピア・カウンセリング、セルフヘルプ・グループなども含まれる。

1．カウンセラーは同時間で複数のクライエントを担当できるので、コストパフォーマンスの面では同等かむしろ逆である。

2．グループ療法では一般的にクライエントの自発性や積極性を

□個人療法
□サイコドラマ
　（心理劇）
□ゲシュタルト療法

促すものであり、その結果としてグループにおけるリーダーの特性を秘めていた者がよりリーダー性を伸ばしていくケースも副次的に期待できよう。しかしながら、「リーダー育成を目標」とはしていない。

3. 妥当である。諸種の心理療法の中には、個人療法の形態をとるものと、グループ療法の形態をとるものとがある。一方、両者の形態をとるものもある。両方の形態の例として、**ゲシュタルト療法**、交流分析、遊戯療法、芸術療法、音楽療法、ダンス療法などが挙げられる。また、サイコドラマの技法のロールプレイでは、1対1でも行うことができる。

4. 精神分析は集団的精神分析療法もあるが、一般的には治療者とクライエントとの二者関係における無意識領域の分析に焦点を当てた個人療法の形態が主である。したがって「グループ療法の代表」ではない。

#### 問44 セルフヘルプ・グループ、当事者研究　　正答　2

**セルフヘルプ・グループ**は、当時、アメリカの**アルコール依存症者**によって発足した**AA**（Alcoholic Anonymous）の会に端を発し、当初は、専門家を含まない同一の問題を抱えるグループによる、メンバーの入れ替わりの可能性もある定期的な会合で、メンバーは円座し、順番に発言をしつつも他のメンバーはその発言に対して質問を行わないというのがオーソドックスであった。日本では、グループに専門家が関与するなど、広くとらえられている。

**当事者研究**は、ソーシャルワーカーの向谷地生良（むかいやちいくよし）が学生時代に難病患者や身体障害者のボランティアに参加した際に当事者との交流経験を「自分ごと」の態度で接したことが原点となる。精神科医の川村敏明は、同時期に病院におけるAA活動を通じ、患者－医師の横並び関係の重要性を認識した。両者は交流し、当事者と支援者が対等で、支援者も当時者の一員となることを重視した。これは、以後の日本における当事者研究の根幹理念となる。問題を持つ当時者が"研究対象"として置かれた自らについて類似問題を持つ他の当事者とかかわることにより問題解決に臨むことであり、また、支援者はそのプロセスを同目線でかかわっていく。

KEY WORD

□セルフヘルプ・グループ
□アルコール依存症
□AA
□当時者研究

1. 近年、同質の問題を抱えるセルフヘルプ・グループでは、そ
   の集団対象は拡大している。
2. 適切でない。当事者研究におけるグループでは、セルフヘル
   プ・グループに準じた会合を行う場合もあるが、より広範囲
   な活動が含まれ、また、治療者や研究者など専門家が共同参
   画することもある。
3. 当事者グループでは、レクリエーションその他の活動はメン
   バーの話し合いで運営されるケースが一般的である。
4. 研究者は当時者の視点に立ち、研究を共同創造（co-production
   of resarach）していく。

## 問45 臨床動作法　　　　　　　　　正答　2

**成瀬悟策**による**臨床動作法**の原理や適応に関する問題である。

□成瀬悟策
□臨床動作法

1. このように動作法を体験することにより、自身の体軸を基準
   として、前後、左右、上下の三次元の認知が明確に感じ取れ
   るようになる。こうして、全身の微妙な動きに対して注意が
   払われ、細部にこころが行き届く。
2. 誤り。そもそも臨床動作法を心理教育の範疇に分類すること
   は一般的ではない。もちろん基礎的な体の脱力を得るための
   ごく一部のワークは例外的に適用可能かもしれないが、身体
   接触を伴う場合もあるので、各自のパーソナルスペースの距
   離感や体に触れる際の許可などの配慮が必要になってくる。
3. 前者の意識的な"主動感"は、成長とともに複雑化・多様化
   していく傾向になる。一方、後者の前意識的な"動作感"は
   普段は注目する機会はほとんどないであろう。動作法によ
   り、双方をモニタリングしながら調和的に活動することがで
   き、心身の安定がもたらされる。
4. 肩こりや腰痛など身体の歪みや痛みに関する動作法のとらえ
   方としては、それらの身体症状の根源的なこころの問題を受
   け入れるのには耐え難いので、無意識的に回避するために体
   の特定部位に力が入ってしまい、結果として緊張状態にな
   り、それらの諸症状が発生するととらえられている。

# 6 神経・生理

脳の構造と機能 問題 ➡解説はp.246〜

**問1** 脳領域に関する記述として、**適切でない**ものはどれか。

1. 中心溝（ローランド溝）は前頭葉と頭頂葉の境目となっている。
2. 右半球の一次視覚野は、対側に位置する左眼に投射される視覚情報の処理を担っており、同側に位置する右眼の視覚情報は処理しない。
3. 終脳は大脳皮質、大脳基底核、および大脳辺縁系などを含み、大脳辺縁系は帯状回、扁桃体などから構成される。
4. 脳幹は中脳、橋、延髄によって構成され、生命維持にかかわるさまざまな機能を制御している。

**問2** ホメオスタシスに関する記述として、最も妥当なものはどれか。

1. ホメオスタシスは生命を維持するために内部環境を一定に保ち続けようとする機能であり、セリエ（Selye, H. H. B.）によって提唱された。
2. ホメオスタシスの維持は副交感神経によって行われ、交感神経は関与しない。
3. ホメオスタシスのめざす目標値は常に一定ではなく、外部環境や目的とする行動によって変わる。
4. 視床下部や下垂体といった内分泌腺は、ホメオスタシスの維持に関与している。

**\*\***
**問3** 視床下部の機能に関する記述として、妥当なものはどれか。

1. 視床下部腹内側核を破壊すると、動物が餌をほとんど食べなくなる。
2. 視床下部外側野は満腹中枢と呼ばれる。
3. 視床下部は小脳と密接にかかわり、情動や本能行動と呼ばれる最も基本的な行動の発現にかかわる。
4. 視索前野は生殖行動の維持に不可欠な領域である。

**\*\*\***
**問4** 生体リズムおよび睡眠に関する記述として、妥当なものはどれか。

1. およそ24時間を周期とする生体リズムをウルトラディアンリズム（ultradian rhythm）、24時間より短いリズムを概日リズム（circadian rhythm）と呼ぶ。
2. 視床下部視交叉上核の細胞群のみが、時計遺伝子によって生体リズムを刻んでいる。
3. 睡眠は、段階1〜4と段階REMに分類され、段階REMは約90分おきに出現する。
4. 睡眠は、深睡眠とされる段階1から始まり、うとうとした状態の段階4へと徐々に移行するパターンの周期性を示す。

**問5** 扁桃体の構造の機能に関する記述として、妥当なものはどれか。

1．大脳皮質に位置し、視覚的刺激に対する反応を調節する。

2．免疫系機能に重要な役割を担い、Ｔ細胞やＢ細胞の成熟や活性化に関与する。

3．脳幹に位置し、呼吸や消化、睡眠・覚醒など、生存に直結する身体の生理機能を調節する。

4．大脳辺縁系に位置し、社会的行動や無意識の感情にかかわり、感情の表現や理解にも影響を与える。

**問6** 大脳辺縁系に関する記述として、妥当なものはどれか。

1．海馬を含む組織であり、空間認識や宣言的記憶、新しい情報の獲得や長期記憶の形成に重要な役割を担う。

2．大脳皮質に含まれる組織であり、意思決定や行動制御、運動の計画・実行に重要な役割を担う。

3．大脳皮質に含まれる組織であり、感覚情報の統合や情動の調節、情動の処理やストレス反応に重要な役割を担う。

4．小脳を含む組織であり、睡眠や覚醒の調節、身体の生体リズムの調整に重要な役割を担う。

**問7** 感覚処理系に関する記述として、最も妥当なものはどれか。

1．視覚系から入力される特定の運動方向などに反応する神経細胞は、高次視覚野であるMT野およびMST野に見られる。

2．体性感覚（触覚）の一次感覚野はシルビウス溝にある。

3．ヒトにおいて、嗅覚情報は嗅球に伝えられた後、速やかに視床を介して大脳新皮質の一次嗅覚野に送られる。

4．甘味は舌の先端部で、酸味は舌の奥の外側部で感じる。

**問8** 言語処理に関する記述として、最も妥当なものはどれか。

1．言語情報は左脳のみで処理される。

2．読み書きに問題が生じる失語症がある。

3．ウェルニッケ野の損傷によって、言葉を話すことが難しくなるが、言語の理解能力は保持される。

4．手話の理解、生成には視覚野および運動野が関与しており、言語野は関係しない。

## 脳の構造と機能　解説

### 問1　脳領域　　正答　2

1. **大脳皮質**には溝（脳溝）と突出した面（脳回）が交互に存在する。特に大きな脳溝として、外側溝（シルビウス溝ともいう）、中心溝（ローランド溝ともいう）、頭頂後頭溝が存在し、これらの脳溝と後頭前切痕と呼ばれるくぼみを利用して脳は4つの領域に区分される。中心溝は前頭葉と頭頂葉に分ける境目として利用されている。

2. 適切でない。ある半球の**一次視覚野**は対側の視野、つまり、右半球であれば左視野の情報を処理する。これは、半球と同側の網膜に投影された光を処理する神経経路が存在するためである（両眼の左視野からの光は両眼の右網膜に投射され、この情報が右半球の一次視覚野で処理される）。

3. 前脳胞から発達した終脳（大脳）は、大脳皮質、**大脳基底核**、および大脳辺縁系から構成される。大脳皮質は大脳基底核と**大脳辺縁系**を包むように存在している。大脳基底核は線条体・視床下核などから構成され、大脳辺縁系は帯状回、**扁桃体**、側坐核、**海馬**などから構成される。

4. 中脳、橋、延髄をまとめて脳幹と呼ぶ。脳幹は生命維持に重要な機能を制御しており、特に延髄は呼吸や心臓、血管、嚥下などの制御を行っている。

□大脳皮質
□一次視覚野
□大脳基底核
□大脳辺縁系
□扁桃体
□海馬

### 問2　ホメオスタシス　　正答　4

1. **ホメオスタシス**を提唱したのは生理学者の**キャノン**（Cannon, W. B.）である。**セリエ**（Selye, H. H. B.）は生体内の反応を乱す要因をストレッサーと定義し、生体がストレッサーに曝されると、ストレッサーの種類によらず、下垂体と副腎皮質を軸とした非特異的な反応が生じることを指摘した。

2. ホメオスタシスを維持するために、神経系のみならず、内分泌系や免疫系も関与している。

3. ホメオスタシスは生体の内部環境を一定に保とうとする働きであり、その目標値は変動しない。外部環境や行動によって適切な目標値が異なるという考え方は、**アロスタシス**として知られており、目標値を変動させることで、生体としての安定性を維持する働きとして想定されている。

□ホメオスタシス
□キャノン
□セリエ
□アロスタシス
□視床下部
□下垂体

**4.** 妥当である。ホメオスタシスの維持には神経系、内分泌系、免疫系の働きが重要である。**視床下部**と**下垂体**は内分泌系における司令塔のような役割を担っており、ホルモン産生や分泌を調整することで、生体内の安定性、すなわちホメオスタシスを維持している。

---

### 問3 視床下部の機能（摂食行動・性行動） 正答 4

**1.** 視床の腹側部にある領域は**視床下部**と呼ばれ、ホルモンの分泌や自律神経系の働きを制御するほか、個体の生存や種の繁栄に必須の本能行動の調節など、多様な機能を持つ。視床下部の神経細胞が直接体液をモニターしたり、あるいは血中にホルモンを放出したりすることから、これらの神経細胞のいくつかは**血液脳関門**を介さずに直接血液と接している。第三脳室の脇にある**室傍核**(しつぼうかく)の神経細胞は、**下垂体後葉**(じくさく)に軸索を伸ばしてそこからバソプレシンまたはオキシトシンを放出する。**視床下部腹内側核**を破壊すると動物は極度の肥満になり、逆に**視床下部外側野**を破壊すると餌をほとんど食べなくなることから、これらの領域は摂食調節領域とされている。また、視床下部前方の**視索前野**は母性行動や生殖行動に不可欠な領域であるとともに、体温調節も行っている。

**2.** 視床下部外側野は食欲の喚起にかかわるため、**摂食中枢**と呼ばれる。

**3.** 視床下部は**大脳辺縁系**とも密接な関係を持ち、情動や本能行動と呼ばれる最も基本的な行動の発現、維持には不可欠な領域である。

**4.** 1の解説より、妥当である。

---

### 問4 視床下部の機能（生体リズム、睡眠） 正答 3

**1.** **生体リズム**が示すリズムには、さまざまな長さのものが知られている。
概日周期（**サーカディアンリズム**、circadian rhythm）：およそ24時間周期
短日周期（**ウルトラディアンリズム**、ultradian rhythm）：24時間より短い周期

KEY WORD

□視床下部
□血液脳関門
□室傍核
□下垂体後葉
□視床下部腹内側核
□視床下部外側野
□視索前野
□摂食中枢
□大脳辺縁系

6
神経・生理

□生体リズム
□サーカディアンリズム
□ウルトラディアンリズム
□時計遺伝子

長日周期（infradian rhythm）：24時間より長い周期
概月周期（circalunar rhythm）：およそ1か月の周期
概年周期（circannual rhythm）：およそ1年周期

2．肝臓をはじめとする内臓にも**時計遺伝子**の発現が知られており、それらも生体リズムを刻んでいる。

3．妥当である。**睡眠段階**は、浅いほうから段階1、2、3、4の4段階と段階**REM**の全部で5段階に分けられる（レクトシャッフェンとケイルズ〈Rechtschaffen, A.& Kales, A.〉による国際基準）。段階1は入眠時のうとうとした状態。**低振幅速波**や**シータ波**が現れ、ゆっくりとした眼球運動（slow eye movement; **SEM**）が観察される。段階2は自覚的にも眠りに入った状態で、**睡眠紡錘波**と**K複合波**が現れるのが特徴。SEMは消失する。段階3は中等度睡眠。かなり大きい刺激を与えないと起きない。**デルタ波**は20〜50％未満。段階4は深睡眠。デルタ波が50％以上を占める。上記の1〜4をまとめて、**non-REM（ノンレム）**睡眠と呼ぶ。これに対してREM（レム）睡眠は、低振幅の脳波と素早い眼球運動が特徴である。段階REMは個人差があるが、おおむね約90分おきに出現する。

4．3の解説より妥当でない。

**問5 大脳辺縁系の機能（扁桃体） 正答 4**

1．視覚情報の処理は、主に大脳新皮質の視覚野や視床核などの領域が担っている。大脳新皮質は、脳の最も外側に位置し、前頭葉、頭頂葉、側頭葉、後頭葉から構成される。主たる機能として、前頭葉は人格や社会的行動、意思決定にかかわり、頭頂葉は知覚や感覚情報の処理、言語の理解にかかわる。側頭葉は聴覚情報の処理や言語の生成、視覚情報の解釈にかかわり、後頭葉は視覚情報の処理と空間認識にかかわる。

2．口蓋扁桃（扁桃腺）に関する記述である。

3．脳幹は、脳の深部に位置し、生命活動の調節や自律神経系の制御、運動機能の管理、睡眠・覚醒の制御、感覚情報の伝達などの役割を担う。延髄、橋、中脳の3つの主要な部位から構成される。延髄は心臓や呼吸などの自律機能を、橋は情報

伝達を、視床下部や視床核を含む中脳は、視覚・聴覚情報の
処理や運動制御にかかわる。

4．妥当である。**扁桃体**は**大脳辺縁系**に位置し、感覚器官からの
情報を速やかに入力し、感情反応の引き起こすトリガーとな
る。また、他者の感情の認識や社会的行動に影響を与える。
特に、**恐怖・ストレス反応**に重要な役割を担っている。

---

### 問6 大脳辺縁系の機能（海馬）　　　　　正答　1

1．妥当である。**海馬**は大脳辺縁系に属する重要な構造の一つで
ある。主に海馬とその周辺領域からなる海馬系と呼ばれる領
域が、学習と記憶の形成にかかわる。**海馬**は、情報処理の中
心となる海馬体、さらにその周囲の**歯状回**と呼ばれる領域で
構成されている。**空間記憶**に重要な役割を担い、多様な動物
で**場所細胞**の存在が確認されている。また、海馬における神
経細胞間のシナプス結合が長期的に強化される現象である**長
期増強**（long-term potentiation; **LTP**）は、海馬において顕
著である。LTP によって、シナプスの効率的な情報伝達が
増強され、長期的な記憶の形成や保持が可能となる。

2．前頭前野に関する記述である。前頭前野は、大脳皮質に位置
し、高次の認知機能を担っている。意思決定や行動制御、運
動の計画・実行のほか、複雑な情報処理、抽象的思考、そし
て将来の行動の計画や実行にかかわる。意思決定において
は、さまざまな選択肢の中から最適な選択を行う際に重要な
役割を果たすと考えられている。選択肢の評価や比較、リス
ク評価、そして行動の結果を予測する能力、不適切な行動の
抑制、対人関係における行動調整にもかかわるとされる。

3．この機能は扁桃体に関する記述である。大脳皮質は扁桃体を
含まない。

4．大脳辺縁系は**小脳**を含まない。小脳は、脳幹部の一部を構成
し、運動制御や姿勢調整、そして感覚の調節などに関与して
いる。小脳の体積は脳全体に対照すれば小さいものの、その
神経組織は密度が高く、皮質の表面積は大脳皮質の半分以上
に達する。これにより、小脳皮質は大脳皮質よりも多くのニ
ューロンを含んでいる。**プルキンエ細胞**は、小脳の唯一の出

□海馬
□歯状回
□空間記憶
□場所細胞
□長期増強（LTP）
□小脳
□プルキンエ細胞
□手続き記憶
□小脳内部モデル

**6**

神経・生理

力として機能し、小脳核のニューロンに情報を送る役割を果たしている。最近の研究では、小脳の役割が単なる運動制御にとどまらず、自律神経機能や感情の調節など、より高次の脳機能にも関与している可能性が示唆されている。そのため、小脳の研究は神経科学と臨床医学の分野においてますます重要視されている。自転車に乗る、楽器を演奏する、スポーツをする、などの複雑な運動技能を習得する際の**手続き記憶**、外界の状況に基づいて行動の予測や制御を行う際の**小脳内部モデル**にかかわることも知られている。

### 問7 大脳新皮質と感覚処理 　　　　正答 1

1. 妥当である。視覚情報処理は、**一次視覚野**（V1）から始まり、高次視覚野（V2以降）へと進行する。V1では、色、方位、動き、空間周波数、両眼視差などの情報を入力する。高次視覚野では、V1からの情報を統合し、視覚の全体像を構成する機能を担っている。**五次視覚野**（V5）は、視覚運動情報が処理されており、運動野（**MT野**）と運動選択性野（**MST野**）を含む。MT野は、運動する事物の動きを検出し、それらを追跡する機能に、MST野は視覚的な動きの方向、速度、加速度などの情報を選択的に処理し、視覚的な動きの特徴やパターンを抽出する機能にかかわる。

2. **体性感覚野**は、主に大脳皮質の一部である頭頂葉に位置し、主に**中心後回**および中心結節の前後に存在する。身体部位からの触覚、圧覚、温度感覚などの情報を入力している。体性感覚野は、身体の各部位に対応する**体性感覚地図（ホムンクルス）**を持つことが、カナダの脳神経学者**ペンフィールド**（Penfield, W. G.）によって発見された。

3. におい分子はまず鼻腔内の**嗅上皮**の嗅細胞の受容体に結合し、その情報は脳内の嗅球を介して速やかに**梨状葉皮質**および**嗅内皮質**に直接投射する。一方、他の感覚系では、視床を介して大脳皮質の各一次感覚野へと感覚情報が伝達され、その後大脳辺縁系に情報が集約される。

4. 人が認識する基本的な味には、塩味、酸味、苦味、甘味、**うま味**が含まれる。従来の舌の地図による味覚感受性の差異に

**KEY WORD**

□一次視覚野（V1）
□五次視覚野（V5）
□MT野
□MST野
□体性感覚野
□中心後回
□体性感覚地図
　（ホムンクルス）
□ペンフィールド
□嗅上皮
□梨状葉皮質
□嗅内皮質
□うま味
□味覚細胞

ついては、その後の研究によって否定されており、現在では**味覚細胞**は舌全体に分布しており、すべての基本味を舌のあらゆる部分で感じることができることが明らかになっている。

**問8 言語処理系（失語症含む）　　　　正答　2**

1．一般に、**言語野**は左半球にあるが、両半球に存在する人も確認されている。さらに、読み書きにかかわる脳領域は両側性に存在しているという報告もある。

2．妥当である。書字や読字の障害の中には、失書を伴わない失読があり、これを**純粋失読**という。さらに、全語読みができない、すなわち語句を全体として認識できない**表層性読字障害**、読むことはできるが内容が理解できない**直接性読字障害**、全語読みはできるが語句を1語ずつ発音して読むことができない**音韻性読字障害**などがある。一方、書字障害には、音韻的に語句を発音することも書くこともできない音韻性書字障害、視覚に基づく書字に困難を示す正書法書字障害などがある。

3．感覚性言語野である**ウェルニッケ野**の損傷により、音声言語の意味を理解することができなくなる**受容性失語症（ウェルニッケ失語）**が見られることがある。一方、運動性言語野である**ブローカ野**の損傷により、音声言語は理解できるが、言語の表出が適切にできなくなる**表出性失語症（ブローカ失語）**が見られることがある。

4．ブローカ野の損傷により、手話の生成ができなくなる事例が確認されている。音声言語に先んじてジェスチャーによるコミュニケーションが行われており、手の動きを見て模倣するといった活動から進化して発話が生じた可能性も示唆されている。

□言語野
□純粋失読
□表層性読字障害
□直接性読字障害
□音韻性読字障害
□ウェルニッケ野
□受容性失語症
　（ウェルニッケ失語）
□ブローカ野
□表出性失語症
　（ブローカ失語）

**6**

神経・生理

## 神経細胞の構造と機能 ＼ 問 題 ➡解説はp.254～

**問9** 神経細胞の構造と機能に関する記述として、最も妥当なものはどれか。

1．ある一つの神経細胞の樹状突起と細胞体はそれぞれ分離しているため、神経伝達物質を介した情報伝達を行う。

2．神経伝達物質はある神経細胞のシナプス前細胞部分で産生された後、同細胞のシナプス後細胞部分から分泌される。

3．軸索起始部で発生した活動電位は軸索末端へと伝播する。

4．樹状突起の周りにはミエリン鞘が存在し、これが活動電位の伝達効率を上げている。

**問10** シナプスと情報伝達に関する記述として、**最も妥当でない**ものはどれか。

1．神経細胞における出力繊維は軸索であり、入力繊維は樹状突起である。

2．主に樹状突起上に見られる棘突起（スパイン）と呼ばれる突起状の構造は、一度形成されるとほぼ変化しない。

3．神経細胞における情報の伝わり方には、シナプスを介する化学的伝達と、軸索を介する電気伝導がある。

4．神経系には興奮性神経と抑制性神経があり、前者にはグルタミン酸系、後者にはγ-アミノ酪酸系がある。

＊＊
**問11** 神経伝達物質グルタミン酸に関する記述として、**最も妥当でない**ものはどれか。

1．シナプス前終末から放出されたグルタミン酸は、受容体に結合して興奮性の電位を引き起こし、神経細胞の興奮を誘導する。

2．脳内グルタミン酸神経の機能やその異常が、アルツハイマー病などの神経変性疾患やうつ病や統合失調症などの精神疾患の病態にかかわっている。

3．脳内グルタミン酸神経は痛覚の調節にも関与し、痛みの感覚を抑制する効果がある。グルタミン酸が不足すると疼痛感覚が増加する可能性がある。

4．イオンチャンネル型受容体として、α-amino-3-hydroxy-5-methyl-4-isoxazolepropionic acid（AMPA）受容体と N-methyl-D-aspartate（NMDA）受容体を持つ。

**問12** セロトニン、ノルアドレナリンに関する記述として、**適切でない**ものはどれか。

1. 抑うつ状態は、セロトニンやノルアドレナリン濃度が高まり、これらが受容体と過度に結合することで発症すると考える説が有力である。
2. セロトニンとノルアドレナリンは、アドレナリン、ヒスタミン、ドーパミンなどの他の神経伝達物質と合わせてモノアミンと総称される。
3. セロトニンは記憶に関与している。
4. ノルアドレナリンは記憶に関与している。

\*\*
**問13** 神経伝達物質 γ-アミノ酪酸（GABA）に関する記述として、**最も妥当でない**ものはどれか。

1. GABA_A 受容体は、クロライド（$Cl^-$）イオンチャンネルを介して抑制性シナプス後電位を調節しており、鎮静作用や抗不安作用、筋弛緩作用などの薬理学的効果に関与している。
2. GABA_B 受容体は、Gタンパク質結合型受容体で、カリウムイオン（$K^+$）が細胞外への流出によって、神経細胞の興奮性の減少を引き起こす。
3. GABA 神経系の受容体の異常は、てんかんや睡眠障害などの神経精神疾患の発症に関与している。
4. GABA は血液脳関門を通過しやすい性質を有するため、GABA を含む食品を摂取すると、脳内の GABA 神経系に速やかに作用する。

\*
**問14** 膜電位に関する記述として、最も妥当なものはどれか。

1. 神経細胞が活動していないときの膜電位は（細胞の種類にもよるが）およそ $-70mV$ を示し、これを静止膜電位と呼ぶ。
2. 膜電位がマイナスからプラスへと変化することを過分極と呼び、プラスからマイナスへと変化することを脱分極と呼ぶ。
3. 膜電位が過分極によって閾値を超えると、活動電位が生じる。
4. 膜電位が閾値を超えると活動電位が生じるが、この活動電位の大きさは膜電位の大きさに比例する。

## 神経細胞の構造と機能　解　説

### 問9　神経細胞の構造と機能　　　　　正答　3

**KEY WORD**

□細胞体
□樹状突起
□軸索
□神経伝達物質
□シナプス
□全か無の法則

1. 脳の神経細胞は**細胞体**、**樹状突起**、**軸索**から構成されており、細胞体から樹状突起が伸びている。樹状突起で他の神経細胞からの情報を受け取り、一定の条件が満たされた場合、この信号が軸索を通って、他の神経細胞へと伝達される。

2. **神経伝達物質**を分泌する神経細胞の軸索終末部とこれを受け取る神経細胞の樹状突起の間には隙間が存在する。この部位を**シナプス**と呼ぶ。このシナプスを軸に、前者をシナプス前細胞、後者をシナプス後細胞と呼ぶ。すなわち、神経伝達物質はある神経細胞（シナプス前細胞）の軸索終末部から他の神経細胞（シナプス後細胞）の樹状突起へと分泌される。

3. 妥当である。**全か無の法則**にのっとって活動電位が生じた場合、この電気的活動は軸索を伝導し、軸索終末部へ伝えられる。

4. ミエリン鞘は樹状突起ではなく軸索を囲んでおり、軸索を伝導する活動電位の伝導速度を速める働きがある。

### 問10　シナプスと神経伝達物質　　　　正答　2

□軸索
□樹状突起
□細胞体
□棘突起（スパイン）
□シナプス電位
□活動電位
□電気的伝導
□シナプス
□神経伝達物質
□化学的伝達
□グルタミン酸
□GABA
□アセチルコリン
□ドーパミン
□ノルアドレナリン
□セロトニン

1. **軸索**および**樹状突起**は、神経細胞の**細胞体**から伸びる長い突起であるが、形状および機能は異なる。軸索は出力繊維として機能する一方、樹状突起は入力繊維として機能する。

2. 妥当でない。**棘突起（スパイン）**は、サイズの大きい数種類の神経細胞の樹状突起に見られる突起状の構造であり、ここにもシナプスが形成される。スパインは一度形成されると、通常は安定しているが、実際には長期増強における反復刺激（テタヌス）など、学習・記憶の形成や、ホルモンなどで短時間に変化することがわかっている。

3. 細胞体に集まる**シナプス電位**が閾値を超えると、**活動電位**と呼ばれる神経細胞の電気的な活動が軸索を伝わる（**電気的伝導**）。これが再び軸索末端の**シナプス**に至ると、そこで**神経伝達物質**が放出され、受容細胞の受容体に結合し、受容細胞における神経の興奮または抑制が引き起こされる（**化学的伝達**）。

4. 脳内のシナプスにおける化学的伝達にかかわる代表的な神経

伝達物質は、**グルタミン酸**、**GABA**、**アセチルコリン**、**ドー**
**パミン**、**ノルアドレナリン**、**セロトニン**、**ヒスタミン**、**オピ**
**オイド**、**内在性カンナビノイド**などである。その中で主要な
情報伝達は、興奮性作用を持つグルタミン酸、抑制性作用を
持つ GABA を介して行われ、両者のバランスによって脳の
領野間で情報のやり取りを行っている。その他の神経伝達物
質は、制御・調節の働きを持つとされる。

**KEY WORD**

□ヒスタミン
□オピオイド
□内在性カンナビ
　ノイド

## 問11 神経伝達物質系（グルタミン酸）　　正答　3

1. グルタミン酸神経は脳内の代表的な**興奮性神経**である。グル
タミン酸は前駆物質であるグルタミンから、酵素である**グル**
**タミナーゼ**により生成される。

2. **アルツハイマー病**では、脳内グルタミン酸神経が機能不全を
示し、**神経細胞死**やシナプスの損失が引き起こされる。これ
により、アルツハイマー病の特徴である認知機能障害が進行
する。**統合失調症**では、神経回路の機能やシナプスの形成に
影響が生じ、幻覚や妄想などの症状が生じるとされる。うつ
病では、脳内グルタミン酸の放出や受容体の活性が低下し、
情動や行動の調節に機能不全が生じるとされる。

3. 妥当でない。GABA 系に関する記述である。GABA は、脳
内に広く存在する代表的な抑制性神経伝達物質である。痛覚
情報を処理する**一次体性感覚野**において GABA 受容体に結
合することで痛覚の調節を行っている。GABA の異常は慢
性疼痛症状の発症や悪化に関与している。

4. **グルタミン酸受容体**は、イオンチャンネル共役型として **NMDA**
**受容体**、**AMPA 受容体**、**カイニン酸受容体**の3つ、代謝共役型
として**代謝型グルタミン酸受容体**がある。特に AMPA 受容体
と NMDA 受容体は学習・記憶の神経基盤として重要である。

□興奮性神経
□グルタミナーゼ
□アルツハイマー病
□神経細胞死
□統合失調症
□一次体性感覚野
□グルタミン酸受
　容体
□NMDA 受容体
□AMPA 受容体
□カイニン酸受容体
□代謝型グルタミ
　ン酸受容体

## 問12 神経伝達物質系　　正答　1

1. 適切でない。うつ状態ではシナプスにおける**セロトニン**や**ノ**
**ルアドレナリン**濃度の低下が報告されている。この要因の一
つに、シナプス前細胞の軸索終末部が分泌した神経伝達物質
を再取り込みしてしまうため、神経伝達物質がシナプス後細

□セロトニン
□ノルアドレナリン
□アドレナリン
□ドーパミン

**6**

**神経・生理**

胞に存在する受容体と結合しないことが挙げられている。このため、セロトニン・ノルアドレナリン再取り込み阻害薬などは、シナプス前細胞の再取り込みを阻害することで、シナプスにおける神経伝達物質の濃度を上げ、受容体との結合を促すように働く。

2．セロトニン、ノルアドレナリン、**アドレナリン**、ドーパミン、ヒスタミンなどの神経伝達物質はモノアミンと総称される。なお、上述のセロトニンやノルアドレナリンがうつ状態と関係しているとする説はモノアミン仮説と呼ばれる。

3．先述のようにセロトニン濃度は記憶や情動と密接に関係しており、恐怖条件づけの機序（すなわち、恐怖記憶の定着）に関与しているとの報告もある。

4．セロトニン同様、ノルアドレナリンも記憶や情動と密接に関係しており、恐怖記憶の定着に関与していると考えられている。

### 問13 神経伝達物質系（γ-アミノ酪酸） 正答 4

1．**GABA** は、脳および脊髄に広く分布する抑制性神経伝達物質である。前駆物質であるグルタミン酸から酵素である**グルタミン酸脱炭酸酵素（GAD）**によって生成される。いわゆる発作の抑制にもかかわるとされる。**GABAA 受容体**は、イオンチャンネル共役型で、それ自体が塩素イオン（Cl⁻）チャンネルの構造を持つ。主たる結合部位とは GABA 結合部位である。このほか、ベンゾジアゼピン、バルビツレート、ピクロトキシン、プロゲステロンなどの**ステロイドホルモン**と結合する部位など、GABA 結合部位以外にも、多くの結合部位を持つが、これらの部位に結合する天然の内因性作動薬は発見されていない。

2．**GABAB 受容体**は、**G タンパク質共役型受容体**である。神経保護作用も持ち、神経細胞の機能維持にもかかわる。そのため、GABAB 受容体の異常は**神経変性疾患**や神経障害に影響すると考えられている。

3．てんかんは神経細胞の異常な興奮活動によって引き起こされる神経疾患であり、GABA 受容体の異常がその発症に関与

KEY WORD

- □GABA
- □グルタミン酸脱炭酸酵素（GAD）
- □GABAA 受容体
- □ステロイドホルモン
- □GABAB 受容体
- □G タンパク質共役型受容体
- □神経変性疾患
- □血液脳関門

することが示唆されている。たとえば、GABA 受容体の減少や機能低下によって神経細胞の興奮性が亢進し、てんかん発作の発生が促進される可能性がある。また、睡眠障害も、GABA 受容体の機能低下によって睡眠の調節が妨げられる背景として示唆されている。

4. 妥当でない。**血液脳関門**は、脳と血液の間にあるバリアであり、脳への外部からの物質の侵入を制御する。GABA は、食品やサプリメントなどを通じて外部から摂取されるが、GABA の分子は比較的大きく、消化管を通過し血液中に吸収され、血液脳関門を通過する際には制限される。すなわち、一般的な食品から摂取した GABA が直接脳に影響を与えるとは考えられない。しかし、GABA 受容体は末梢の神経組織に広く分布しており、食品から摂取した GABA が神経活動を抑制し、筋肉の緊張を減少させたり、神経興奮性を抑制し、リラックス効果をもたらしたりする可能性はある。

## 問14 膜電位　　　　　　　　正答　1

1. 妥当である。神経細胞が活動していないとき、この神経細胞内はカリウムイオン（K⁺）濃度が高く、神経細胞外はナトリウムイオン（Na⁺）濃度が高い。イオンは濃度の低いほうへと移動しようと働くため、カリウムイオンが神経細胞内から外へと移動する。これにより生じる細胞内外の電位差を**静止膜電位**と呼び、およそ−70mV を示す。

2. 膜電位がマイナスからプラスへと変化することを**脱分極**と呼び、この膜電位の変化を興奮性シナプス後電位と呼ぶ。この逆に、膜電位がプラスからマイナスへと変化することを**過分極**と呼び、この膜電位を抑制性シナプス後電位と呼ぶ。

3. 脱分極によって静止膜電位が閾値に達することで活動電位が生じる。

4. 活動電位は膜電位が閾値を超えた際に生じるが、これは全か無かの法則に従う。すなわち、膜電位が閾値を超えれば、この電位の大きさにかかわらず、一定の大きさの活動電位が生じることとなる。

□静止膜電位
□脱分極
□過分極

257

## 神経内分泌系と自律神経系 | 問 題 →解説はp.260〜

**＊＊**
**問15** 神経内分泌系に関する記述として、**適切でない**ものはどれか。

1. ストレス刺激によって視床下部からコルチコトロピン放出ホルモンが分泌され、これにより下垂体からコルチコトロピンが分泌される。この結果、副腎皮質から糖質コルチコイド、ヒトの場合はコルチゾールが分泌され、血糖の調整が行われる。

2. ストレス刺激によって交感神経系活動が高まると、副腎髄質からアドレナリンやノルアドレナリンが分泌され、血圧の上昇などが生じる。

3. 血中のコルチゾールを測定する方法は侵襲性が高いため、心理学領域ではしばしば唾液、爪、毛髪に含まれているコルチゾールが測定される。

4. 黄体形成ホルモンは、女性の月経周期と関連しており、排卵前後で同ホルモン濃度が上昇することでプロゲステロンの分泌が促進される。男性では黄体形成ホルモンが産生されない代わりに、性腺刺激ホルモンがテストステロンの分泌を直接的に促進させる。

**＊＊**
**問16** 自律神経系に関する記述として、**適切でない**ものはどれか。

1. 主に副交感神経活動の亢進により、涙腺から涙液が分泌される。

2. 交感神経活動が優位な状態ではエクリン汗腺からの発汗が促進され、副交感神経活動が優位な状態では同汗腺からの発汗が抑制される。

3. 心臓は交感神経と副交感神経（心臓迷走神経）の二重支配を受けており、両神経系の心臓に対する作用は拮抗している。

4. 自律神経系の支配下にある器官の活動を自らの意思で制御することは難しい。ただし、バイオフィードバック訓練などを受けることで、これらの活動をある程度制御することが可能となる。

**＊＊**
**問17** ポリグラフに関する記述として、**適切でない**ものはどれか。

1. 複数の生理反応を同時に記録する装置をポリグラフと呼ぶ。

2. 睡眠段階を判定するためには脳波、眼球運動、呼吸、表面筋電図などを同時記録するポリグラフを利用した検査が有用である。

3. 犯罪捜査で実施されている隠匿情報検査はポリグラフを利用した検査であり、被検査者が事件に関連する記憶を有しているかを調べる。

4. ポリグラフを利用した検査では人体を計測機器とセンサーを介してつなぐため、医師もしくは臨床検査技師立ち会いのもと実施しなければならない。

**＊＊**

**問18** 脳波に関する記述として、最も妥当なものはどれか。

1．N400は、自身や他者の行動エラー直後に生じる事象関連電位である。

2．アルファ波はシータ波より低い周波数帯域の基礎律動成分であり、覚醒時から睡眠段階1にかけて顕著に出現し、この出現率は評定区間で50％を超える。

3．皮質脳波（ECoG）法では、頭皮上に電極を配置することで、大脳皮質の活動を記録する。

4．光や音といった外部刺激だけでなく、心臓活動や眼球運動といった身体活動に同期した事象関連電位も存在する。

**＊＊＊**

**問19** 心臓血管反応に関する記述として、**適切でない**ものはどれか。

1．平均血圧（MBP）は、1分間に排出される血液の量（CO）と末梢の血管抵抗の総和（TPR）の積で求めることができる。

2．交感神経の活動によってノルアドレナリンが分泌され、心臓側では$\beta$アドレナリン作動性受容体に、血管側では$\alpha$アドレナリン作動性受容体に作用する。

3．ストレス課題時に参加者のペットが参加者と一緒の空間に存在することで、ストレス課題に対する心臓血管反応が軽減する。

4．能動的−受動的対処モデルではストレス事態を避けることができない（つまり、事態をコントロールできない）可能性が存在する場合には、心臓活動に起因する血圧上昇が生じると考えられている。

## 神経内分泌系と自律神経系　解 説

### 問15　神経内分泌系　　　　　　　　正答　4

1. 視床下部と下垂体を軸とした内分泌系の経路は、**視床下部－下垂体－副腎（HPA）軸**、視床下部－下垂体－生殖腺（HPG）軸、視床下部－下垂体－甲状腺（HPT）軸などが挙げられる。HPA軸では視床下部からの**コルチコトロピン放出ホルモン（副腎皮質刺激ホルモン放出ホルモン）**を受けて、下垂体から**コルチコトロピン（副腎皮質刺激ホルモン）**が分泌され、これにより、副腎皮質から糖質コルチコイド（ヒトの場合は**コルチゾール**）が分泌され、血糖調整が生じる。

2. ストレス刺激によって視床下部－交感神経－副腎髄質（SAM）経路が活性化されると、副腎髄質からアドレナリンやノルアドレナリンが分泌される。この結果、心臓や血管の収縮が調整され、血圧上昇などがもたらされる。

3. 採血による血中コルチゾールの測定は侵襲性が高い。このため、血中コルチゾールとの高い相関が認められている唾液コルチゾールの利用が広まっている。また、血中や唾液中のコルチゾールは採取時や採取日の内分泌系の反応を評価可能なのに対し、爪や髪の毛は数か月間のコルチゾールを評価できることが示されている。

4. 適切でない。HPG軸において、視床下部からゴナドトロピン放出ホルモン（性腺刺激ホルモン放出ホルモン）が分泌されることで、下垂体前葉から**ゴナドトロピン（性腺刺激ホルモン）**の分泌が促進される。これにより、黄体形成ホルモン（および卵胞刺激ホルモン）の分泌が促進される。黄体形成ホルモンは男女ともに分泌され、これにより、女性では主にプロゲステロン、男性では主にテストステロンの分泌が促される。

### 問16　自律神経系　　　　　　　　　正答　2

1. 涙腺は**交感神経**と**副交感神経**の支配を受けているが、流涙の生起メカニズムには交感神経はほとんど関与していないことが確認されている。

2. 適切でない。エクリン腺は交感神経の単独支配を受けており、交感神経活動が亢進することで発汗が生じる。また同活

KEY **WORD**

□視床下部－下垂体－副腎（HPA）軸
□視床下部－下垂体－生殖腺（HPG）軸
□コルチコトロピン放出ホルモン（副腎皮質刺激ホルモン放出ホルモン）
□コルチコトロピン（副腎皮質刺激ホルモン）
□コルチゾール
□ゴナドトロピン（性腺刺激ホルモン）

□交感神経
□副交感神経
□バイオフィードバック

動が沈静することで発汗が抑制される。

3．心臓は交感神経と副交感神経の支配を受けており、両神経系の活動は拮抗している。

4．心臓や汗腺といった自律神経支配下にある器官の活動を自ら制御することは難しい。ただし、これら器官の活動を**バイオフィードバック**し、制御訓練を重ねることで、一定の活動制御を行うことが可能となる。

## 問17 ポリグラフ 　　正答 4

1．**ポリグラフ**は測定装置をさす用語である。睡眠段階を判定するポリグラフ検査では睡眠ポリグラムという言葉が使用されることがあるが、ポリグラムはポリグラフで計測されたデータをさす用語である。

2．**睡眠段階**は**脳波**、眼球運動、表面筋電位を基本とする生体反応によって区分されるため、同段階の判定にはポリグラフ検査が実施される。

3．**隠匿情報検査**は、犯人や警察などしか知りえない犯罪関連の知識を被検査者が有しているかを調べる記憶検査である。たとえば「あなたが盗んだのはネックレスですか？」「あなたが盗んだのは時計ですか？」など、下線部をいくつか変えて繰り返し質問する。被検査者が盗まれた物品（たとえばネックレス）を知っていれば、ネックレスを尋ねたときと他の物品を尋ねたときの生体反応に差が生じる。これにより、被検査者が犯罪関連の知識を有している可能性を判断していく。

4．適切でない。ポリグラフ検査の実施には医師や臨床検査技師の立ち会いは必要ない。

## 問18 脳波 　　正答 4

1．**N400**は言語処理、特に意味処理を反映していると考えられている。自身や他者の行動エラー直後に生じる**事象関連（脳）電位**としてはエラー関連陰性電位が知られている。

2．**アルファ波**よりシータ波のほうが低い周波数帯域の基礎律動成分である。また、睡眠段階1では評定区間におけるアルファ波の出現率が50％未満となる。

3．皮質脳波（ECoG）は皮質の表面に頭蓋内電極を配置することで記録される。脳の実質を露出させて、これに電極を配置するため、侵襲性の高い記録方法である。心理学研究における脳波計測のほとんどは、頭皮上に電極を配置することで行われる。

4．妥当である。**心電図波形**（特にR波）に時間的に同期した心拍誘発電位は内受容感覚などを対象とした研究で利用される。また眼球停留時点（すなわち、サッカード終了時点）に同期した眼球停留関連電位は視覚的注意や夢見体験などを対象とした研究で利用される。

### 問19 心臓血管系反応　　　　　　　　正答 4

1．平均**血圧**は平均血圧（MBP）＝**心拍出量**（CO）×**全末梢抵抗**（TPR）の式で表すことができる。つまり、心臓から流れる血液量と血管を流れる血液の流れにくさ（抵抗）を掛け合わせることで、血液が血管内壁を押す力（すなわち、血圧）が計算される。

□血圧
□心拍出量
□全末梢抵抗

2．交感神経活動の亢進によりノルアドレナリンが分泌されると、これが心臓の$\beta$アドレナリン作動性受容体に作用し、心収縮力が増大する。血管では$\alpha$アドレナリン作動性受容体に作用し、血管収縮が生じる。

3．実験参加者がストレス課題を受ける際に、ペット、パートナー、友人などが一緒にいるとストレス反応が軽減し、ストレス反応からの回復も促すことが報告されている。ただし、同伴者が参加者の課題を評価可能な状況では、逆にストレス反応を高めてしまう可能性もある。

4．適切でない。能動的－受動的対処モデルでは、個人がストレス事態を避けることができる（つまり、事態をコントロールできる）場合には、心臓活動に起因する血圧上昇が生じるとされている。また、コントロール可能性がないと感じる場合は、血管活動に起因する血圧上昇が生じるとされている。

**問20** 遺伝子改変動物または遺伝子工学的手法に関する記述として、**適切でない**ものはどれか。

1. 発現させたい遺伝子を特定の細胞種に挿入したマウスを、ノックインマウスと呼ぶ。
2. 遺伝子工学的手法が登場するまで、心理学の動物実験では遺伝子は研究対象として扱われなかった。
3. トランスジェニックとは「遺伝子の導入」を意味し、トランスジェニックマウスは外部から特定の遺伝子（外来遺伝子）を人為的に導入したマウスをさす。
4. ゲノム上の特定の遺伝子の必須部分（遺伝子産物を作るために必要な部分）を外来遺伝子と置換して、その遺伝子を破壊する遺伝子工学的手法（ノックアウト法）があり、これを利用して作製したマウスをノックアウトマウスと呼ぶ。

**問21** 動物のオープンフィールドテストに関する記述として、最も妥当なものはどれか。

1. ラットもマウスも、同じ大きさのオープンフィールドを使用してテストするのが一般的である。
2. 動物の脱糞数は、オープンフィールドテストの評価項目に含まれない。
3. オープンフィールドでの動物の自発的活動の観察は、情動性や運動機能を調べる一般的な方法である。
4. 新奇オープンフィールドでの水平移動距離および垂直活動量の低下は、動物の不安関連行動の減少として解釈される。

**問22** 左右の大脳半球を連絡している脳梁などの交連線維を切断された分離脳患者に、眼前のスクリーンに刺激提示をするというテストを行った。このとき予想される結果として、適切であると考えられるのはどれか。ただし、この患者の言語中枢は左半球にあるものとする。

1. 左視野に"spoon"という単語を提示したところ、その単語が何であったかを口頭で答えることができた。
2. 左視野にスプーンの絵を提示したところ、その絵が何であったかを口頭で答えることができた。
3. 右視野に"apple"という単語を提示したところ、スクリーンの裏手に置いてある選択肢の中から右手を用いて正しくリンゴを選ぶことができなかった。
4. 右視野に自動車の写真を提示したところ、その写真が何であったかを口頭で答えることができた。

6

神経・生理

263

**\*\***
**問23** ヘッブ（Hebb, D. O.）の理論に関する記述として、最も妥当なものはどれか。

1. ヘッブ則とは、神経細胞間の伝達効率増大の原理を記述したものである。

2. ヘッブ則に従って伝達効率が増大した神経細胞群内ネットワークを、位相連鎖と呼ぶ。

3. ヘッブ則は科学的実証が困難であり、実際の現象としての科学的検証に至っていない。

4. ヘッブ則に従って伝達効率が増大した神経細胞群内ネットワークのうち、大脳新皮質に存在するものを特に細胞集成体と呼ぶ。

**\*\***
**問24** 学習や記憶の基礎メカニズムに関する記述として、**適切でない**ものはどれか。

1. 神経線維を高頻度に刺激すると、その下流にあるシナプスの伝達効率が増加する現象を長期増強という。

2. AMPA 受容体のシナプス後膜上における減少は、長期抑圧の分子メカニズムの一つであると考えられている。

3. 長期増強の過程で NMDA 受容体が開くと、大量のカルシウムイオンが神経細胞に流入する。

4. すべての長期増強はタンパク質の合成を伴う。

***

**問25** 睡眠は、段階1～4と段階 REM（rapid eye movement）に分類され、段階4は最も深い睡眠状態と考えられている。図Iは正常な成人の一晩の睡眠段階の変化を図示したものである。図IIはそれぞれ覚醒時と睡眠時の5つの脳波記録である。この図に関する記述として、適切であると考えられるのはどれか。

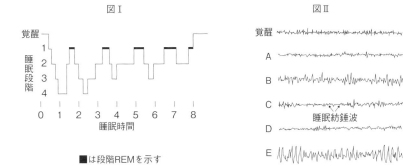

図I

覚醒
睡眠段階 1 2 3 4
0 1 2 3 4 5 6 7 8
睡眠時間

■は段階REMを示す

図II

覚醒
A
B
C
睡眠紡錘波
D
E

1．Aの睡眠段階では徐波の割合が高く、起こすと夢を見ていたと報告する場合が多い。

2．Bの睡眠段階ではK複合波と呼ばれる脳波が認められ、これは聴覚刺激への反応と考えられている。

3．Cの睡眠段階では自覚的にも眠りに入った状態で、睡眠段階の中では出現量が最も多い。

4．Dの脳波はEの脳波に比べてデルタ波の割合が多い。

*

**問26** 脳の神経可塑性に関する記述として、**適切でない**ものはどれか。

1．ヒトにおいて、神経新生は成体の脳では生じないと考えられてきたが、生体の脳でも、海馬で神経新生が生じることが確認された。

2．神経可塑性には、これが生じやすい感受性期と呼ばれる期間がある。

3．幻肢痛の生起メカニズムには神経可塑性が関係していると考える説が唱えられている。

4．生理学におけるベル（Bell, C.）の法則は、神経可塑性の生起メカニズムに関する法則の一つである。

**\*\***
**問27** 幻肢および幻肢痛に関する記述として、**適切でない**ものはどれか。

1. 切断された腕や脚が存在しているように感じ続ける現象を幻肢と呼ぶ。

2. 幻肢の痛みは切断部位の刺激によって発生する。

3. 腕や脚の切断を受けた人に、幻肢痛と呼ばれる幻肢の慢性的な強い痛みが生じることが報告されている。

4. 幻肢痛の典型的な訴えとして、切断された手が強く握られて爪が手のひらに食い込んでいる感覚がある。

**\*\***
**問28** 情動に関する記述として、適切なものはどれか。

1. 19世紀末には身体的反応が感情に先行する中枢起源説が主流であった。

2. 末梢起源説はジェームズ＝ランゲ説とも呼ばれる。

3. ジェームズ＝ランゲ説では、視床で処理された情報が視床下部と大脳皮質に送られ、視床下部は末梢へと情報を送って感情の表出を制御する。

4. ジェームズ＝ランゲ説では、大脳皮質が情動の経験を生み出すと説明している。

**\***
**問29** バイオフィードバック、ブレイン・マシン・インターフェイス（BMI）に関する記述として、最も妥当なものはどれか。

1. バイオフィードバック訓練を経ても脳波の基礎律動を制御するのは困難であり、特にアルファ波は制御訓練を行っても制御成績が良くならない。

2. バイオフィードバックによる生体反応の制御は、古典的条件づけ学習に基づく。

3. 脳活動の情報をもとに電子機器を操作する BMI を、運動型（出力型）BMI と呼ぶ。

4. BMI は侵襲性の高い手法のため、現在のところ BMI 開発は動物を対象とした実験にとどまっている。

**問30** 脳機能測定法に関する記述として、**適切でない**ものはどれか。

1. 機能的核磁気共鳴画像（functional magnetic resonance imaging; fMRI）は、核磁気共鳴現象を利用してヒトの脳の局所血流量の変化から活動部位を測定する装置である。

2. PET（positron emission tomography）は、陽電子放出核種で標識した放射性物質を生体に投与し、放射性物質から放射される陽電子が周囲の電子と結合するときに放射されるガンマ線を計測し、その脳内分布を計算して断層画像として表示する装置である。

3. 脳の神経細胞群の電気的活動により電場が形成される。頭皮上まで伝搬した電場を頭皮上の2点間の電位差として記録したのが、脳波（electroencephalograph; EEG）である。

4. 近赤外分光法（near infrared spectroscopy; NIRS）は、高齢者を対象とした研究で広く利用されているが、乳幼児の脳機能測定には適用が難しい。

**問31** 自閉スペクトラム症に関する記述として、最も妥当なものはどれか。

1. 自閉スペクトラム症の原因に遺伝子は含まれず、劣悪な養育環境によって引き起こされるという考え方が主流である。

2. 自閉スペクトラム症は脳の灰白質でのみ障害が認められる。

3. 自閉スペクトラム症は社会脳の機能的異常が原因と考えられており、社会脳は視床が最も重要な部位であると考えられている。

4. 自閉スペクトラム症の症状は発達早期の段階で必ず出現する。

**問32** 注意欠如多動症（ADHD）に関する記述として、適切なものはどれか。

1. ADHD は成人してから発症することがある。

2. ADHD には実行機能の障害が認められ、実行機能の神経基盤には視床が含まれる。

3. ADHD には報酬系の障害が認められ、報酬系の神経基盤には小脳が含まれる。

4. ADHD における報酬系の障害については、とりわけ、目前の小さな報酬よりも将来の大きな報酬に飛びつきやすくなる特徴がある。

**6**

神経・生理

＊＊
**問33** 記憶障害に関する記述として、最も妥当なものはどれか。

1．順向性記憶障害とは、時間を進むにつれて記憶力が低下することである。

2．重度の逆向性記憶障害は、内側側頭葉を含む海馬と小脳の損傷によって起こる。

3．逆向性記憶障害とは、脳損傷の前に起こった出来事が思い出せない障害である。

4．視床下部を切除された患者 H. M. は、短期記憶、長期記憶の形成がともに極めて困難であり、作話などの症状も認められた。

＊＊
**問34** 高次脳機能障害のリハビリテーションに関する記述として、妥当なものの組合せはどれか。

a：高次脳機能障害のリハビリテーションプログラムには、就労移行支援プログラムは含まれない。

b：高次脳機能障害のリハビリテーションプログラムには、生活訓練プログラムが含まれる。

c：医学的リハビリテーションには、薬物治療は含まれない。

d：医学的リハビリテーションには、外科的治療が含まれる。

1．a、c

2．a、d

3．b、c

4．b、d

＊＊
**問35** 認知症に関する記述として、最も妥当なものはどれか。

1．アルツハイマー型認知症は、海馬の萎縮が特徴である。

2．レビー小体型認知症の主な症状は、記憶障害である。

3．アルツハイマー型認知症は、血管性認知症とも呼ばれる。

4．前頭側頭型認知症は、萎縮部位に老人斑が認められる。

## 問20　遺伝子改変動物・遺伝子工学的手法　　正答　2

1. **ノックインマウス**では、トランスジェニックマウスで行われる外来遺伝子のランダムな挿入と異なり位置効果の心配がない。また、コピー数もコントロールでき、必要なシスエレメントもすべてそろっているため、期待どおりの発現パターンを得やすい。

2. 適切でない。ヒトを対象とした心理学の初期の論争に遺伝−環境論争がある。しかし、20世紀前半の行動研究においては行動主義が席巻し、行動は環境の影響によって成立するという考え（環境主義）が優勢だった。一方、トリオン（Tryon, R. C.）は**選択交配実験**をラットの迷路走行に絞って行い、行動表現型を選択的に育てられることを示して環境主義に一石を投じた。トリオンはさらに交差里親コントロール実験も行い、遺伝以外の方法で迷路学習能が親から子へ伝わった可能性を検討した。このように、遺伝子工学的手法が登場するまでは選択交配実験や交差里親コントロール実験などの手法により、遺伝子と行動との関係を探る研究があった。

3. 通常は外来遺伝子が生殖細胞系にも導入され、次世代に受け継がれる場合をさす。ただし、外来遺伝子が一部の組織や細胞に局所的に導入され、次世代に受け継がれない場合も広義の**トランスジェニックマウス**に含まれる。外来遺伝子はゲノム上のランダムな位置に挿入されている。

4. マウスの実験動物としての特長を理由にすべての遺伝子の**ノックアウトマウス**を作製する国際プロジェクトが立ち上がり、それらを包括したInternational Knockout Mouse Consortium（IKMC）や、さらに遺伝子改変マウスの表現型を網羅的に解析するInternational Mouse Phenotyping Consortium（IMPC）が設立され、精力的に研究が進められている。

## 問21　動物のオープンフィールドテスト　　正答　3

　オープンフィールドでの動物（特に齧歯類）の自発的活動の観察は、**情動性**や**運動機能**を調べる一般的な方法である。

　初期のオープンフィールドは、床の表面がいくつかの小さな正

□ノックインマウス
□選択交配実験
□トランスジェニックマウス
□ノックアウトマウス

**6**

神経・生理

□オープンフィールド
□情動性

KEY WORD

□運動機能
□移動距離
□滞在時間

方形に区画された大きな木の箱で作られていた。オリジナルのオープンフィールドは大きく、円形または正方形であり、齧歯類の自発活動を観察者がマニュアルで定量化していた。たとえば、内壁がすべて黒で塗られ、床面が細い白線で25ブロックに区画されたオープンフィールドでの水平面上での歩行運動は、あらかじめ定められた時間（5分あるいは1時間）で、線をまたいだ、あるいは区画に進入した回数を観察者が定量した。正方形、長方形、円形などの装置は現在でも一般的に使用されている。

　オープンフィールドの大きさは研究室間でかなり異なる。大きいオープンフィールドは1m²以上あり、長距離の移動を可能にし、不安関連行動の要素を検出しやすい。ラットとマウスは同じサイズのオープンフィールドでテストされてきたが、探索活動性を計測したり、不安傾向を検出したりするためには、十分な面積を確保する必要がある。よって大きい動物に対してはより大きなオープンフィールドを適用することが妥当である。

　自動化されていないオープンフィールドテストでは、のちにその行動を定量化できるようにテストセッションが録画される。録画されたセッションをテスト後に採点することで、被験体のそばに観察者がいることによる混交要因を避けられる。現在では、観察者が行動記録を取るタイプのオープンフィールドは、ほとんどが自動化された装置に取って代わられている。研究室で日常的に使われている自動化された近年のオープンフィールドはフォトセルビームあるいはビデオレコーディングカメラ、そしてそれらのデータを解析するソフトウェアが装備されている。$x$、$y$、$z$ 座標のビーム遮断から得られる指標として、水平**移動距離**、垂直活動量、総移動距離、中心**滞在時間**、周辺滞在時間などがある。

　一般的に、新奇オープンフィールドでの水平移動距離および垂直活動量の低下、中心滞在時間の減少は動物の不安関連行動の増加と解釈されることが多い。また、中心部における移動距離および活動量を総移動距離および活動量で除した値は、その値が小さいほど不安が高いと解釈されることが多い。このほかに脱糞数やすくみ行動の反応時間も不安の指標として用いる場合がある。

　したがって、正答は **3** である。

**問22** 分離脳  正答 **4**

1. **分離脳**の研究で有名なのは、**ガザニガ**（Gazzaniga, M. S.）と**スペリー**（Sperry, R. W.）によるものである。この実験では、分離脳患者の前のスクリーン上の左視野または右視野の位置にタキストスコープを使って瞬間的に刺激を提示する。たとえば左視野に、"spoon" と提示すると、それは患者の右半球にのみ入力される。しかし、交連線維が切断されているために、右半球の体験は左半球に伝えることができない。本問の前提条件として、言語を司る領域は左半球にあるとされているため、右半球に入力された情報を言語で報告することができないと予想される。そのため、**1** は誤りである。

2. 左視野にスプーンの絵を提示されても、右半球の体験は**言語中枢**のある左半球に伝えることができないため、その絵が何であったかを口頭で答えることはできない。

3. 右視野から左半球に入力された情報は言語で報告することができ、右手を用いて正しく選ぶことができる。

4. 適切である。右視野から左半球に入力された情報は言語で報告することができる。

□分離脳
□ガザニガ
□スペリー
□言語中枢

**問23** ヘッブの理論  正答 **1**

　**ヘッブ**（Hebb, D. O.）は1949年に出版した『**行動の機構**』という著書で、のちに生物心理学分野で重要視される3つの概念を提唱している。それらは**ヘッブ則**、**細胞集成体**、**位相連鎖**である。ヘッブ則とは、「神経細胞Aの軸索が神経細胞Bの興奮を引き起こすのに十分なほど近接して存在し、その発火活動に反復して、または持続して関与する場合には、一方のあるいは双方の神経細胞になんらかの成長過程や代謝的な変化が生じ、神経細胞Bを発火させる細胞群の一つとして、神経細胞AからBへ送る情報の伝達効率が増大する」という仮説である。著書が出版された1949年当時、これは仮説であったが、1966年にレモ（Lømo, T.）がこの仮説を支持する知見を報告し、現在ではヘッブ則、ヘッブ学習則などと呼ばれている。
　特定の刺激が神経細胞に与えられると、その刺激に反応する特定の神経細胞群でヘッブ則に応じた伝達効率の増大が認められ、

□ヘッブ
□行動の機構
□ヘッブ則
□細胞集成体
□位相連鎖

KEY WORD

神経細胞群内で促通性の高いネットワークを形成する。そして、このネットワークを細胞集成体と呼ぶ。一つの細胞集成体が感覚入力の結果として発火するとき、その細胞集成体の活動がその刺激についての知覚であると仮定し、さらに、対応する感覚入力なしに発火する場合には、その活動はその刺激についての心象であると仮定した。複数の刺激が連続して頻繁に生じると、複数の興奮した細胞集成体が相互に連合するようになり、細胞集成体間のネットワークを成立させると考え、これを位相連鎖と呼んだ。『行動の機構』に記載されたヘッブ則、細胞集成体、位相連鎖という3つの概念は、学習などの経験依存的行動変容の神経機構解明に貢献する概念として、現在、生物心理学分野、行動神経科学分野で重要視されている。

　ヘッブ則に従って伝達効率が増大した「神経細胞群内」ネットワークは細胞集成体であり、その細胞集成体間（神経細胞群間）のネットワークを位相連鎖と呼ぶので**2**は誤り。**3**、**4**も解説から誤りとなる。したがって、正答は**1**である。

**問24　長期増強（eLTP、lLTP）、長期抑圧**　　**正答　4**

□長期増強
□グルタミン酸
□長期抑圧
□受容体

**1.** シナプスの高頻度の活動によって、そのシナプスの伝達効率が長期にわたって変化する現象を**長期増強**（long-term potentiation; LTP）という。実際に記憶の過程で長期増強が生じているかは動物実験では証明されており、最も有力な記憶の神経モデルと考えられている。

**2.** 長期増強が起きるためには**グルタミン酸**受容体の一種であるNMDA受容体が必要である。このNMDA受容体を開くための条件は2つある。一つはグルタミン酸がNMDA受容体に結合することであり、もう一つはその結合によりシナプス後膜が強く脱分極されることである。いったんNMDA受容体が開くと、大量のカルシウムイオンが神経細胞に流入する。このイオンの流入はシナプス後膜上にグルタミン酸受容体の一種であるAMPA受容体を増加させ、これが長期増強の分子機構の一つであると考えられている。一方、**長期抑圧**（long-term depression; LTD）ではAMPA受容体のシナプス後膜上における減少が分子メカニズムの一つであると考え

られている。また、シナプス後膜に流入したカルシウムイオンの作用によって一酸化窒素が産生され、それがシナプス前膜へ情報を伝達する。その結果、シナプス前膜から分泌されるグルタミン酸の量が増加または減少する。これも長期増強または長期抑圧の分子機構の一つと考えられている。高頻度刺激によって生じる長期増強のメカニズムとしては、**受容体**レベルの機構と、樹状突起スパインの構造変化を伴う機構（遺伝子発現を介するタンパク合成の変化）の両方があると考えられている。

3. 2の解説より適切である。

4. 適切でない。長期増強にはタンパク質の合成を伴わない前期 LTP（early-LTP; eLTP）と、タンパク質の合成を伴う後期 LTP（late-LTP; lLTP）とがある。

**問25 睡眠と脳波、レム睡眠とノンレム睡眠　　正答　3**

　**睡眠段階**は、浅いほうから段階1、2、3、4の4段階と段階 REM の全部で5段階に分けられる（レクトシャッフェンとケイルズ〈Rechtschaffen, A. & Kales, A.〉による国際基準）。段階1は入眠時のうとうとした状態。**低振幅速波**や**シータ波**が現れ、ゆっくりとした眼球運動（slow eye movement; SEM）が観察される。段階2は自覚的にも眠りに入った状態で、**睡眠紡錘波**と**K複合波**が現れるのが特徴。SEM は消失する。段階3は中等度睡眠。かなり大きい刺激を与えないと起きない。**デルタ波**は20〜50％未満。段階4は深睡眠。デルタ波が50％以上を占める。上記の1〜4をまとめて、**non-REM（ノンレム）**睡眠と呼ぶ。

　これに対して REM（レム）睡眠は、低振幅の脳波と素早い眼球運動、さらに筋緊張の消失が特徴である。また、レム睡眠の段階で起こすと、夢を見ていたと報告することが多い。レム睡眠不足期間後のレム睡眠の代償性の増加は、レム睡眠がノンレム睡眠の量とは別個に調節されており、特有の機能を持つことを示唆している。しかし、レム睡眠の生物学的意義については多くの説が提唱されており、詳細は明らかでない。

　以上を踏まえて、図Ⅱは次に述べる特徴で脳波を判別し、解答することができる。Cは睡眠紡錘波が認められるので睡眠段階2

□睡眠段階
□REM
□低振幅速波
□シータ波
□SEM
□睡眠紡錘波
□K複合波
□デルタ波
□non-REM
（ノンレム）

である。また、BとEは徐波が認められ、その割合からBが睡眠
段階3、Eが睡眠段階4と推定することができる。Aは睡眠段階
1であり、Dが段階REMであるが、これは判別せずとも文章の
適切性は判断できる。

1. 徐波は認められない。

2. 睡眠段階2は自覚的にも眠りに入った状態で、睡眠紡錘波と
   K複合波が現れる。睡眠紡錘波が認められるのはCであり、
   Bではない。

3. 適切である。Cは睡眠段階2であり、すべての睡眠段階の中
   で最も多く認められる。

4. デルタ波は徐波でありEに多く認められる。

### 問26 脳の神経可塑性 　　　　正答 4

1. 成熟したヒトにおいても海馬の歯状回と線条体で**神経新生**が
   生じることが確認されている。

2. 子ネコの片目を光から遮断した後に、この目に光を当てても
   一次視覚野の応答は確認されない。しかし、ある程度成熟し
   たネコに同様の手続きを行った場合、光に対する一次視覚野
   の応答は確認される。このように神経可塑性が生じる生後間
   もない期間を感受性期や臨界期と呼ぶ。

3. 幻肢痛は身体の変化に伴って生じた不適切な可塑性によって
   生じていると考える仮説が提唱されている。

4. 適切でない。ベル（Bell, C.）の法則（ベル＝マジャンディ
   の法則）は脊髄の前根は遠心性神経が通り、後根は求心性神
   経が通っているという法則である（ただし、一部例外あり）。
   神経可塑性に関連した法則には**ヘッブ則**が挙げられる。

□神経新生
□ヘッブ則

### 問27 幻肢と幻肢痛 　　　　正答 2

　**幻肢痛**は切断部位の刺激によって発生するという考え方が一般
的だった。しかし、切断部位から脳に至る神経伝導路に外科的処
置を施しても効果がないことから、近年、**脳の再構築**が原因の一
端を担っていると考えられるようになった。これも、神経可塑性
を表す現象の一つである。幻肢痛には、**神経心理学的治療法**が適
用されることがある。

□幻肢痛
□脳の再構築
□神経心理学的治
　療法

したがって、正答は**2**である。

## 問28 情動の中枢起源説と末梢起源説　　　　正答　2

　情動には身体的反応である「**情動の表出**」という側面と、意識にのぼる「**情動の経験**」という側面がある。たとえば、涙が出るというのは前者であり、悲しいというのは後者である。19世紀末には身体的反応が感情に先行する**末梢起源説（ジェームズ＝ランゲ説）**が主流であったが、1930年頃に身体的反応がなくても感情が生起する**中枢起源説（キャノン＝バード説）**が台頭してきた。キャノン＝バード説では視床で処理された情報が視床下部と大脳皮質に送られ、視床下部は末梢へと情報を送って感情の表出を制御する。視床下部は、さらに大脳皮質へ感情の経験にかかわる情報も送る。そして、大脳皮質は視床と視床下部から送られてきた情報を統合して感情の経験を生み出すと説明している。

　大脳皮質を除去されたイヌは「**偽の怒り**（sham rage）」と呼ばれる攻撃を伴わない威嚇の表出を見せるという先行研究を踏まえ、キャノン（Cannon, W. B.）は、ネコの大脳皮質、視床、視床下部を除去する実験を行った。その結果、大脳皮質、視床、視床下部の前部を除去しても偽の怒りが見られるが、視床下部がすべて除去されると、この行動が見られなくなることが示された。現在では、情動には視床下部、大脳辺縁系、網様体、大脳新皮質などが関与していると考えられている。

　したがって、正答は**2**である。

## 問29 バイオフィードバックとBMI　　　　正答　3

1. アルファ波やベータ波は、バイオフィードバック訓練によってある程度制御できることが報告されている。
2. バイオフィードバックを介した生体反応の制御学習は、オペラント条件づけに基づいていると考えられている。
3. 妥当である。運動型**BMI**は、身体制御が困難になった個人の脳情報を記録し、これをもとに電動車いすなどの外部デバイスを操作可能にする。感覚型BMIは、外部センサーで記録した情報を脳へ入力し、これらの感覚を生じさせる。
4. ヒトの脳から記録した情報から、義足や義手を動かす技術な

**KEY WORD**

□情動の表出
□情動の経験
□情動の末梢起源説
　（ジェームズ＝
　ランゲ説）
□情動の中枢起源説
　（キャノン＝バ
　ード説）
□偽の怒り

**6**

神経・生理

□ブレイン・マシ
　ン・インターフ
　ェース（BMI）

どがすでに開発されている。

**問30** 脳機能測定法（fMRI、PET、NIRS）　　正答　**4**

1．fMRI は、核磁気共鳴現象を利用してヒトの脳の局所血流量の変化から活動部位を測定する装置であり、生体にとって有害な放射線やX線を用いない、有用な研究手段として期待されている。

2．PET は1975年にワシントン大学で最初に開発されて以来、fMRI が登場するまでは唯一のヒトの脳の代謝活動の計測装置として利用され、さまざまな知見が蓄積されている。

3．EEG は脳電図（electroencephalogram）とも呼ばれる。また、脳波の研究では、その個体が生きている限り絶え間なく自発的に出現する自発脳波と、光や音あるいは自発的な運動といった特定の事象に関連して一過性に生じる**事象関連電位**を解析する。さらに、神経活動によって生じる磁場（脳磁場）を測定する装置は脳磁計（magnetoencephalography; MEG）と呼ばれる。

4．適切でない。**近赤外分光法（NIRS）**は乳幼児などを対象に広く利用されている。これは、近赤外線の光を利用して、脳や筋肉の血中のヘモグロビンの濃度の変化を測定し、血中の酸素化の状態や脳血流の変化を評価するものである。

□fMRI
□PET
□EEG
□事象関連電位
□MEG
□近赤外分光法
　（NIRS）

**問31** 自閉スペクトラム症　　正答　**4**

　**自閉スペクトラム症**（autism spectrum disorder; ASD）は「社会的コミュニケーションおよび相互関係における持続的障害」「限定された反復する様式の行動、興味、活動」を特徴とする精神・神経疾患であり、症状は発達早期の段階で必ず出現し、社会や職業、そのほかの重要な機能に重大な障害を引き起こす。病因について、遺伝子、神経系、内分泌系におけるさまざまな異常が報告されているが、発症につながる明確な要因は明らかにされていない。

　ASD 発症とのかかわりが示唆される遺伝子のデータベースが公開されており（https://gene.sfari.org/）、そこには900以上の遺伝子が登録されている。ASD 患者の脳における形態学的異常

□自閉スペクトラ
　ム症（ASD）
□社会脳
□紡錘状回
□上側頭溝
□側頭頭頂接合部
□前頭葉内側部

として、前頭葉での脳回の数、神経細胞数やその配置など、灰白質での異常が報告されている。さらに、白質でも異常が報告されており、ASD 患者では短い軸索を含む白質の容量が健常者に比べて増加し、離れた脳領域をつなぐ長い軸索を含む白質の容量は増えない。

　ASD 患者の脳では形態学的異常に加えて、**社会脳仮説**の観点から機能的異常も報告されている。社会的コミュニケーションおよび相互関係を担う社会脳は、限局した脳領域で担われるのではなく、複数の領域に局在すると考えられ、**紡錘状回、上側頭溝、側頭頭頂接合部、前頭葉内側部**等が含まれる。情動や価値判断に関与する扁桃体や、動作の理解や模倣などに関与する下頭頂回などの脳領域も社会脳の一部として含むことがある。ASD 患者では社会脳の活動パターンが定型発達者と異なるという報告があるが、詳しくはわかっていない。

　したがって、正答は **4** である。

---

**問32** ADHD　　　　　　　　　　　　　　**正答** **2**

　**注意欠如多動症**（attention-deficit/hyperactivity disorder; ADHD）は、不注意、多動性、衝動性という症状で定義され、12歳以前から症状を認める神経発達症である。その病態として、背外側前頭前野から背側線条体、尾状核に投射され、淡蒼球、黒質、視床下核から視床を経て前頭連合野に至る回路が基盤となる**実行機能**の障害と、さらには、前頭眼窩野、前帯状回から腹側線条体、側坐核に投射され、腹側淡蒼球、視床を経て前頭連合野に至る回路が基盤となる**報酬系**の障害が考えられている。

　実行機能は「目標を達成するために自分の考えや欲求を制御する機能」であり、「思考の実行機能」と「感情の実行機能」に大別できる。これらの実行機能は幼児期に著しく発達し、幼児期の実行機能の発達レベルは大人になったときの経済状態や健康状態を予測することが複数の研究から明らかにされている。また、実行機能の発達は遺伝的要因や胎内環境、家庭の経済状態、虐待経験などの環境要因と密接な関係があることが示唆されている。36種の動物を対象とした比較心理学研究から、実行機能はヒト特有の機能ではなく、チンパンジーやオランウータンなどのヒト以外

□注意欠如多動症
　（ADHD）

□実行機能

□報酬系

□報酬遅延の障害

の霊長類、さらには鳥類、齧歯類にも存在することが報告されて
いる。

ADHD における報酬系の障害については、とりわけ、将来の
大きな報酬よりも目前の小さな報酬に飛びつきやすくなる**報酬遅
延の障害**が顕著である。

したがって、正答は **2** である。

### 問33 順向性記憶障害、逆向性記憶障害と外傷部位　正答　3

**順向性記憶障害**は、新しい情報の記憶が困難である記憶障害で
ある。純粋な順向性記憶障害を呈する人は、脳損傷前の出来事は
思い出せるが、損傷後に得た情報を保持できない。これに対して
**逆向性記憶障害**では、脳損傷の前に起こった出来事が思い出せな
い。記憶障害をこのように区別することは可能であるが、純粋な
順向性記憶障害の事例は少なく、実際は脳損傷より前の、ある期
間に起こった出来事に対する逆向性記憶障害も伴うことが多い。

順向性記憶障害は**内側側頭葉**を含む**海馬**の損傷によって起こる
ことが報告されている。てんかん治療の試みとして内側側頭葉を
含む海馬の切除手術を受けた **H. M.** という患者は、手術前 2 年間
に起こった出来事に関しては軽度の逆向性記憶障害を示してい
た。しかし、さらに以前の記憶はほぼ正常に保たれていた。ま
た、重度の順向性記憶障害を呈し、**短期記憶**能力は正常であった
が、宣言的な**長期記憶**の形成は極めて困難であったことが報告さ
れている。

時間経過に伴い記憶力が徐々に低下する現象は順向性記憶障害
ではないので **1** は誤り。内側側頭葉を含む海馬の損傷で起きる記
憶障害は順向性記憶障害であり、小脳の損傷では運動の記憶形成
が障害される。そのため **2** は誤り。H. M. は内側側頭葉を含む海
馬を切除されたので **4** は誤り。したがって、正答は **3** である。

### 問34 高次脳機能障害のリハビリテーション　　正答　4

**高次脳機能障害**に至る原因は、出現する症状、個人の特性によ
りさまざまであるが、主に脳血管障害、脳症、脳炎等の病気や、
脳外傷等の事故によって脳が損傷されたために障害が引き起こさ
れることが多い。高次脳機能障害の原因と、どの程度の機能の変

□順向性記憶障害
□逆向性記憶障害
□内側側頭葉
□海馬
□H. M.
□短期記憶
□長期記憶

□高次脳機能障害
□神経心理学的検査
□リハビリテーシ
　ョンプログラム

化が認められるかは、**神経心理学的検査**によって明らかにされ、その後の支援として**リハビリテーションプログラム**が行われる。リハビリテーションプログラムには、一般的に、発症・受傷からの相対的な期間と目標によって、**医学的リハビリテーションプログラム**、**生活訓練プログラム**、**就労移行支援プログラム**の3つがある。

医学的リハビリテーションには、個々の認知障害の処をめざす認知リハビリテーション以外に、心理カウンセリング、薬物治療、外科的治療なども含まれる。一方、生活訓練、就労移行支援では、認知障害が大きな問題であったとしても、訓練の対象は認知障害そのものではなく、日常生活や職業において必要と考えられる動作や技能を獲得あるいは習得することに主眼が置かれている。

したがって、正答は**4**である。

## 問35 認知症 　　　　　　正答 1

認知症にはさまざまな種類があるが、その中に**アルツハイマー型認知症**という病気がある。これは、記憶、学習および少なくとも1つのほかの認知領域の低下の証拠が明らかであり、着実に進行性で緩徐^(かんじょ)な認知機能の低下があって、安定した状態が続くことはなく、さらに、混合性の病因の証拠がない、すなわち、ほかの神経疾患、精神疾患、または全身性疾患がないということに特徴づけられる。アルツハイマー型認知症は、記憶、学習機能が低下するだけでなく、感情や人格も変化する。アルツハイマー型認知症の病理所見として、海馬を含む側頭葉内側、頭頂葉、前頭葉に萎縮が認められる。さらに、萎縮部位に一致して神経細胞の脱落と反応性グリオーシス、老人斑、神経原線維変化を認める。

アルツハイマー型認知症以外にも認知症は複数あり、**血管性認知症**、**レビー小体型認知症**、**前頭側頭型認知症**が知られている。このうち、アルツハイマー型認知症と同様に記憶障害が顕著な認知症は血管性認知症であり、レビー小体型認知症や前頭側頭型認知症ではその他の症状が特徴となっている。

したがって、正答は**1**である。

**KEY WORD**

☐医学的リハビリテーションプログラム

☐生活訓練プログラム

☐就労移行支援プログラム

**6**

神経・生理

☐アルツハイマー型認知症

☐血管性認知症

☐レビー小体型認知症

☐前頭側頭型認知症

➡解説はp.288〜

**記述・推測統計 ＼ 問 題**

**問1** 100点満点（1点刻み）で採点した国語と理科のテスト得点の幹葉図（みきはず）を以下に示す。この幹葉図から読み取れる内容として、最も妥当なものはどれか。

| 国語 | | 理科 | |
|---|---|---|---|
| 4 | | 4 | 14449 |
| 5 | 667 | 5 | 00448 |
| 6 | 123344466779 | 6 | 33 |
| 7 | 2 | 7 | 2226 |
| 8 | 4 | 8 | 0 |
| 9 | | 9 | |

**1.** 国語の最頻値（さいひんち）は61点から69点である。

**2.** 国語の分散の値は理科の分散よりも大きい。

**3.** 国語の中央値は64点、理科の中央値は54点である。

**4.** 国語の歪度（わいど）は負であり、尖度（せんど）は正規分布の尖度よりも小さい。

**問2** 変数 $x_1$ から変数 $x_4$ の箱ひげ図と4変数のヒストグラムを（a）から（d）に示す。変数 $x_1$ から変数 $x_4$ に関する記述として、最も妥当なものはどれか。

変数 $x_1$ から変数 $x_4$ の箱ひげ図

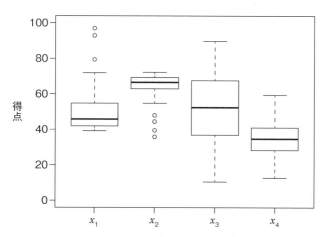

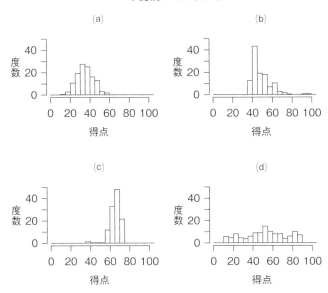

4変数のヒストグラム

1. 分散が最大の変数は $x_3$ である。

2. 変数 $x_1$ のヒストグラムは（c）である。

3. 変数 $x_4$ のヒストグラムは（d）である。

4. 中央値（メジアン）が最小の変数は $x_2$ である。

7

統計・測定・評価

**問3** 以下の4種類のデータについて（各データとも10人）、代表値として中央値を用いることが適切であると考えられるものはどれか。

**1.** 通学時間のデータ（単位は分）

20, 40, 50, 50, 60, 30, 40, 60, 40, 30

**2.** 足の大きさのデータ（単位はcm）

25.5, 26.0, 27.0, 25.5, 25.5, 27.5, 28.0, 27.5, 26.5, 25.0

**3.** 毎月の小遣いのデータ（単位は円）

10000, 6000, 8000, 150000, 15000, 12000, 9000, 10000, 8000, 13000

**4.** 反応時間のデータ（単位はms）

600, 700, 650, 700, 720, 680, 700, 800, 810, 730

\*
**問4** 標準偏差に関する記述として、最も妥当なものはどれか。

**1.** 素点（粗点）を10倍して5を加え変換した場合、変換後の標準偏差は、素点の標準偏差を10倍して5を加えた値になる。

**2.** 標準偏差は外れ値の影響を受けにくい指標である。

**3.** 2つの変数を合成した場合、その合成得点の標準偏差は、もとの変数それぞれの標準偏差の合計になる。

**4.** 標準偏差は、それぞれのデータの値の二乗の平均から、平均値の二乗を引いて、ルートを取ることで計算できる。

\*
**問5** ある小学校で算数と国語のテスト（いずれも100点満点）を実施したところ、算数のテスト結果は平均値45点、標準偏差5点、国語のテスト結果は平均値60点、標準偏差10点であった。このときの記述として、最も妥当なものはどれか。

**1.** 算数で50点を取ったAさんの算数の偏差値は51である。

**2.** 国語で70点を取ったBさんの国語の偏差値は、算数で60点を取ったCさんの算数の偏差値よりも高い。

**3.** 国語で70点を取ったDさんの国語の偏差値は60である。

**4.** 算数で35点を取ったEさんの算数の偏差値は、国語で50点を取ったFさんの国語の偏差値と等しい。

**問6**　以下の散布図は、10人の学生に対して、心理テストA（横軸）、心理テスト B（縦軸）を実施した結果である（いずれのテストも10点満点）。心理テスト Aと心理テストBのピアソンの積率相関係数の値はおおよそいくらか。

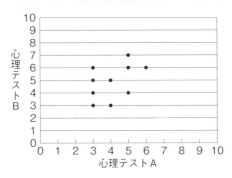

1. $-0.30$
2. $0.20$
3. $0.45$
4. $0.60$

\*
**問7**　ある中学校の先生が「中間テストの成績上位者の多くが、期末テストで成 績を下げている」という事実を報告した。このことに関する意見として、最も妥 当なものはどれか。

1. 疑似相関を疑うべきである。
2. 慢心して怠ける学生が多いからだ。
3. 回帰効果であって実質的な意味がある。
4. 1でない正の相関があるときに生じる数学的な事実にすぎない。

## 7 統計・測定・評価

**問8** ある意見に対して男子75名と女子120名に賛否を求めたところ、以下のクロス集計表の結果を得た。このクロス集計表のカイ二乗統計量はいくらか。

|  | 賛成 | 反対 | 計 |
|---|---|---|---|
| 男子 | 25 | 50 | 75 |
| 女子 | 40 | 80 | 120 |
| 計 | 65 | 130 | 195 |

1. 0
2. 2.17
3. 3.84
4. 20.63

**問9** 標本分散と不偏分散に関する記述として、最も妥当なものはどれか。

1. 不偏分散は散布度の指標ではない。
2. 不偏分散の期待値は母分散に一致する。
3. 同じデータについて、標本分散は常に不偏分散よりも大きい。
4. 不偏分散の正の平方根として計算される標準偏差も不偏性を持つ。

**問10** 成功確率 $p$ が0.3、試行数 $n$ が5の2項分布において、成功回数 $x$ が4回以上となる確率はいくらか。

1. 0.03
2. 0.06
3. 0.12
4. 0.24

**問11** 検定における第1種の誤り（第1種の過誤）に関する記述として、最も妥当なものはどれか。

1. 対立仮説が正しいときには第1種の誤りを犯すことは絶対にありえない。
2. 第1種の誤りを犯す確率は標本の大きさ（サンプルサイズ）の影響を受ける。
3. 帰無仮説が棄却されなかったときには第1種の誤りを犯している可能性がある。
4. 第1種の誤りとは、帰無仮説が正しくないときに、統計的に有意なデータが得られることである。

**問12** 統計的仮説検定の結果、5％水準で有意となった。このときの正しい解釈はどれか。

1. 帰無仮説が正しい確率が5％以下である。
2. 対立仮説が正しい確率が5％以下である。
3. 帰無仮説が正しいとき、手元のデータで得られた大きさよりも極端な大きさの統計量が得られる確率は5％以下である。
4. 対立仮説が正しいとき、手元のデータで得られた大きさよりも極端な大きさの統計量が得られる確率は5％以下である。

**問13** 母平均の95％信頼区間について述べた説明として、最も妥当なものはどれか。

1. 母平均が標本より求めた信頼区間に含まれる確率は.95である。
2. サンプルサイズを大きくすると、95％信頼区間の幅は大きくなる。
3. 何度もデータを取ってその都度信頼区間を求めると、それらのうち95％は母平均を含む。
4. サンプルサイズが等しければ、99％信頼区間の幅は95％信頼区間の幅よりも小さくなる。

**問14** 母集団と標本に関する記述として、最も妥当なものはどれか。

1. 標本平均は、母集団分布として正規分布を想定した場合にのみ、母平均の不偏推定量となる。
2. 相関係数の検定では、まず標本相関はゼロであるという帰無仮説を立てる。
3. 母集団から無作為に抽出したある標本について、その度数分布を描いたものが標本分布である。
4. 母集団から無作為に抽出した標本から求めた推定値と、母数の値の差を、標本誤差という。

7

統計・測定・評価

**\*\***
**問15** 頑健性（がんけん）と最も関連の深い記述はどれか。

**1．**データに外れ値が含まれていると、平均が外れ値のある側に引きずられる。

**2．**測定誤差が含まれるデータで相関係数を計算すると、真値による相関係数よりも低い値になる。

**3．**標本の大きさ（サンプルサイズ）が大きくなるほど、推定値が母数の値に近い値を取りやすくなる。

**4．**無作為抽出によらない標本から計算される検定統計量の帰無分布は、無作為標本を前提とした帰無分布と一致しない。

**\*\***
**問16** 独立な2群の平均値差に関する $t$ 検定の検定力（検出力）に関する記述として、**適切でない**ものはどれか。

**1．**有意水準の値が大きいほど検定力は高い。

**2．**母集団における2群の平均値差が大きいほど検定力は高い。

**3．**母集団における各群内の分散が大きいほど検定力は高い。

**4．**全体の標本の大きさが一定なら各群の標本の大きさの差が小さいほど検定力は高い。

**問17** 要因 $A$ が2水準（$A_1$, $A_2$）、要因 $B$ が3水準（$B_1$, $B_2$, $B_3$）であるような2要因デザインの実験で、2要因を組み合わせた6つの各セルの平均が以下の表のようになった。このとき、要因 $A$ の主効果、要因 $B$ の主効果、$A \times B$ の交互作用の有無に関する記述として、最も妥当なものはどれか。ただし、6つのセルとも人数が等しく、効果の有無については統計的に有意であるかどうかは問わないものとする。

|  | $B_1$ | $B_2$ | $B_3$ |
|---|---|---|---|
| $A_1$ | 7.0 | 4.0 | 7.0 |
| $A_2$ | 5.0 | 8.0 | 5.0 |

**1．**要因 $A$ の主効果のみがある。

**2．**要因 $B$ の主効果のみがある。

**3．**$A \times B$ の交互作用のみがある。

**4．**要因 $A$ および要因 $B$ の主効果と $A \times B$ の交互作用がある。

＊＊
**問18**　3条件を設けた実験を行い、平均値に対して対応のない $t$ 検定（独立標本の $t$ 検定）を行ったところ、以下の結果を得た。この検定結果にボンフェローニ（Bonferroni）法による多重比較を適用して得られる結論はどれか。ただし、$t$ 検定の対立仮説を両側対立仮説、多重比較全体の有意水準を0.05とする。

$t$ 検定の結果

| 比較した平均 | $\|t$ 値$\|$ | 自由度 |
|---|---|---|
| 条件1－条件2 | 1.2825 | 53 |
| 条件1－条件3 | 2.0133 | 63 |
| 条件2－条件3 | 0.6952 | 58 |

$t$ 分布表における棄却値（$\|t\|$）と有意水準の関係

| 自由度 | 両側対立仮説の有意水準（$\alpha$） | | | | |
|---|---|---|---|---|---|
| | 0.01 | 0.02 | 0.03 | 0.04 | 0.05 |
| 53 | 2.6718 | 2.3988 | 2.2301 | 2.1055 | 2.0057 |
| 58 | 2.6633 | 2.3924 | 2.2248 | 2.1010 | 2.0017 |
| 63 | 2.6561 | 2.3870 | 2.2204 | 2.0971 | 1.9983 |

**1.** 3条件の平均に有意差は認められない。

**2.** すべての条件間で平均に有意差が認められる。

**3.** 条件1と条件3との間で平均に有意差が認められる。

**4.** 条件2と条件3との間で平均に有意差が認められる。

## 記述・推測統計　解説

**問1　幹葉図**　　　　　　　　　　　　　　　　正答　**3**

1. 国語の**幹葉図**では、縦線の左側の数値が2ケタ目の値（4から9）、右側の数値が1ケタ目の値（1から9）を表すので、64点が**最頻値**（3名）である。

2. 国語は56点から84点まで散らばっているが、全体の7割が60点台に集中している。それに対し、理科は41点から80点まで幅広く散らばっている。したがって、国語の分散は理科の分散よりも小さい。

3. 妥当である。標本の大きさは17名であるから、上位9位の得点が中央値である。幹葉図から上位9位の得点を読み取ると国語は64点、理科は54点である。

4. 幹葉図は**ヒストグラム**の形を示すので、国語のヒストグラムは非対称的で、高得点のほうの裾が長く延びていることが読み取れる。したがって、国語の**歪度**は正である。また、幹葉図から国語のヒストグラムの尖り方（裾の広がり方）が正規分布の尖り方よりも大きいことが見て取れる。したがって、国語の**尖度**は正規分布の尖度よりも大きい。

**問2　箱ひげ図とヒストグラムの関係**　　　　正答　**1**

　箱ひげ図において中央の太線は**中央値**（メジアン）を示し、中央値を挟む上下の箱が示す得点の範囲にそれぞれ25％の度数が入る。さらに、**外測値**（外れ値、全体の得点分布から大きく外れる得点）がないとき、箱の上下に延びるひげが示す得点の範囲にそれぞれ25％の度数が入る。そして、ひげの上下に○印で表示される得点が外測値である。

　したがって、箱ひげ図から読み取れる分布の中央値や歪みなどから、4つの変数のヒストグラムは、変数 $x_1$ が（b）、変数 $x_2$ が（c）、変数 $x_3$ が（d）、変数 $x_4$ が（a）であると読み取れる。

1. 妥当である。4つの箱ひげ図を比べると、箱とひげが示す得点の範囲は変数 $x_3$ が最も大きい。このことから、4変数の中では変数 $x_3$ の**分散**が最大であることが強く推測される。

2. 変数 $x_1$ の箱ひげ図から、得点が大きいほうへ歪んで分布していることが読み取れる。しかし、ヒストグラム（c）が示す変数は裾が得点の小さいほうへ延びている。

KEY WORD

□幹葉図
□最頻値
□ヒストグラム
□歪度
□尖度

□箱ひげ図
□中央値(メジアン)
□外測値(外れ値)
□分散

**3.** 変数 $x_4$ の中央値は最小であり、しかも、ほぼ左右対称に分布しているので、変数 $x_4$ のヒストグラムは（a）である。

**4.** 変数 $x_2$ の中央値は 4 変数の中で最も大きい。

### 問3　中央値　　　　　　　　　　　　　　　正答　**3**

　一般に、**外れ値**の存在するデータについては、**代表値**として**平均値**ではなく中央値を用いることが望ましい。問題の 4 種類のデータの中で、顕著に外れ値が認められるのは **3** のデータである。150000円という、他のデータの値から突出した値が存在することがわかる。実際には、外れ値であることを認定する明確な基準はないが、4 つの選択肢の中では、**3** のデータの外れ値が最も顕著であるといえる。

□外れ値
□代表値
□平均値

### 問4　標準偏差　　　　　　　　　　　　　　正答　**4**

**1.** **素点**を10倍して 5 を加えた場合、変換後の**標準偏差**は、素点の標準偏差を単に10倍した値になる。

**2.** 標準偏差は、**平均値**同様、**外れ値**の影響を受けやすい。

**3.** 2 つの変数の**合成得点**の標準偏差は、もとの変数それぞれの標準偏差の単純合計にはならず、両変数の関係によって変わってくる。

**4.** 妥当である。標準偏差の定義式を展開することにより、「それぞれのデータの値の二乗の平均から、平均値の二乗を引いて、ルートを取る」という式を導出することができる。

□素点
□標準偏差
□平均値
□外れ値
□合成得点

**7**

統計・測定・評価

**問5** 偏差値 　　　　　　　　　　　　　　　　　　　　　　正答 **3**

$z$ 得点は（データの値－平均値）÷標準偏差であり、**偏差値**は $z$ 得点×10＋50である。

1．Aさんの算数の $z$ 得点は（50－45）÷5＝1で、偏差値は 1× 10＋50＝60である。

2．Bさんの国語の $z$ 得点は（70－60）÷10＝1で、偏差値は 1× 10＋50＝60 である。一方、Cさんの算数の $z$ 得点は（60－ 45）÷5＝3で、偏差値は 3×10＋50＝80 である。

3．妥当である。Dさんの国語の $z$ 得点は（70－60）÷10＝1で、 偏差値は 1×10＋50＝60 である。

4．Eさんの算数の $z$ 得点は（35－45）÷5＝－2で、偏差値は －2×10＋50＝30 である。一方、Fさんの国語の $z$ 得点は （50－60）÷10＝－1で、偏差値は －1×10＋50＝40 である。

**KEY WORD**
□ $z$ 得点
□平均値
□標準偏差
□偏差値

**問6** 相関係数 　　　　　　　　　　　　　　　　　　　　　正答 **3**

**散布図**より、10人のデータは以下のように整理される（学生の 番号は、適当にふってある）。

| 学生 | 心理テストA | 心理テストB |
|---|---|---|
| 1 | 5 | 6 |
| 2 | 4 | 3 |
| 3 | 3 | 6 |
| 4 | 5 | 4 |
| 5 | 6 | 6 |
| 6 | 4 | 5 |
| 7 | 3 | 3 |
| 8 | 3 | 4 |
| 9 | 5 | 7 |
| 10 | 3 | 5 |

□散布図
□平均値
□標準偏差
□共分散

このデータより、心理テストAの**平均値**は4.1、**標準偏差**は約 1.04、心理テストBの平均値は4.9、標準偏差は1.3、心理テスト Aと心理テストBの**共分散**は0.61となる。したがって、心理テス トAと心理テストBの相関係数は 0.61÷（1.04×1.3）＝約0.45 とな る。「散布図を見た『感じ』よりも、相関係数（の絶対値）はか なり大きめの値になる」（市川伸一）といわれることもある。

**問7** 回帰効果 　　　　　　　　　　　**正答　4**

1. **疑似相関**とは第三の変数の影響によって現れる見かけ上の相関のことである。この問題とは関係ない。

2. 「慢心して怠ける学生が多いからだ」と考えてしまうのは、**回帰効果**を考慮していないことによる誤った解釈である。

3. 「回帰効果であって実質的な意味がない」なら正しい。

4. 妥当である。2つの変数間に正の相関があるときに、一方の変数で極端な値を取るものは、他方の変数ではそれほど極端な値にはならず、平均に近い値を取るようになる。これを回帰効果という。回帰効果は、相関が1でないときに生じる数学的な事実にすぎない。

**問8** カイ二乗統計量 　　　　　　　　　**正答　1**

カイ二乗統計量は $2 \times 2$ の**クロス集計表**の場合、

$$\chi^2 = \frac{N(n_{11}n_{22} - n_{12}n_{21})^2}{n_1 . n_2 . n_{.1} n_{.2}}$$ により求められる（あるいは、クロス集計

表の各セルの**期待度数**を求めて、$\frac{(観測度数 - 期待度数)^2}{期待度数}$ の合計

として求めることも可能である）。

|  | $B_1$ | $B_2$ | 計 |
|---|---|---|---|
| $A_1$ | $n_{11}$ | $n_{12}$ | $n_1 .$ |
| $A_2$ | $n_{21}$ | $n_{22}$ | $n_2 .$ |
| 計 | $n_{.1}$ | $n_{.2}$ | $N$ |

この式に当てはめて計算すると、$\chi^2 = 0$ と求められる。しかし、本問の場合、男子、女子ともに賛成：反対＝1：2と同じ比率になっていることに気づけば、男女により意見への賛否に違いがない、すなわち、これらの変数間に**連関**がないということがわかる。連関がない（＝**独立**である）ならば、カイ二乗統計量の値は0である。このように、カイ二乗統計量の意味を理解していれば、計算をすることなく正答を出すことが可能である。

---

**問9** 標本分散と不偏分散 　　　　　　　正答 　2

1. 不偏分散、標本分散いずれも**散布度**の指標である。
2. 妥当である。ある推定量（統計量）の平均（**期待値**）がその推定量で推定しようとしている母数に一致するとき、その推定量は**不偏性**を持つという。不偏分散は不偏性を持ち、不偏分散の期待値は母数である母分散に一致する。
3. 標本分散＝（データの値－平均）²の合計÷データ数
   不偏分散＝（データの値－平均）²の合計÷（データ数－1）
   よって、常に不偏分散のほうが標本分散よりも大きくなる。
4. 不偏分散の正の平方根として計算される標準偏差は不偏性を持たない。このため、不偏標準偏差という呼び方はできない。注意が必要である。

**問10** 2項分布 　　　　　　　　　　　正答 　1

　成功確率 $p$、試行数 $n$ の 2 項分布 $B(n, p)$ において、成功回数が $x(x = 0, 1, 2, \cdots, n)$ となる確率 $P(x)$ は
$$P(x) = {}_nC_x\, p^x (1-p)^{n-x}$$
である。ここで、
$$_nC_x = \frac{n!}{x!(n-x)!}$$
である。したがって、成功回数 $x$ が 4 回以上となる確率は、
$$P(4) + P(5) = 5!/(4! \times 1!) \times 0.3^4 \times 0.7^1 + 5!/(5! \times 0!) \times 0.3^5 \times 0.7^0$$
$$= 0.02835 + 0.00243$$
$$= 0.03078$$
である。したがって、正答は**1**である。

　一方、**中心極限定理**に基づいて、$n$ が大きいときは 2 項分布を平均 $np$、分散 $np(1-p)$ の正規分布 $N(np, np(1-p))$ へ近似させて $P(x)$ を計算することができる。本問の場合は $n$ が小さいが、2 項分布 $B(n, p)$ を正規分布 $N(np, np(1-p))$ へ近似させて本問で要求されている確率を計算すると、
$$P(x \geq 3.5) = P\!\left(z \geq \frac{3.5 - 5 \times 0.3}{\sqrt{5 \times 0.3 \times 0.7}}\right)$$
$$= P(z \geq 1.9518)$$
$$= 0.0255$$

となる。$n$ が小さいので、この値は2項分布に基づく真の値との相違がやや大きいものの、この方法を用いても正答を選択できる。なお、$P(z \geq 1.96) = 0.025$ は有意性検定で頻繁に利用される関係であるから、記憶にとどめてほしい。

【問11】 第1種の誤り　　　　　　　　正答　1

1. 妥当である。対立仮説が正しい（**帰無仮説**が誤りである）ときには、帰無仮説を棄却して正しい判断がなされるか、帰無仮説を棄却できずに**第2種の誤り**を犯すかのどちらかしかないから、**第1種の誤り**を犯すことはありえない。

2. 第1種の誤りを犯す確率は**有意水準**$\alpha$によって決まり、標本の大きさの影響は受けない。

3. 帰無仮説が棄却されなかった場合、仮に帰無仮説が正しいとすれば正しい判断ができたことになるし、帰無仮説が誤りであるとすれば第2種の誤りを犯したことになるから、第1種の誤りを犯している可能性はない。

4. 第1種の誤りとは、帰無仮説が正しいときに、誤って帰無仮説を棄却してしまう（統計的に有意であるような標本が得られる）ことである。

KEY WORD

□帰無仮説
□第2種の誤り
□第1種の誤り
□有意水準

**7**

統計・測定・評価

**KEY WORD**

## 問12 帰無仮説と対立仮説 　　正答　3

　帰無仮説とは、差がない・効果がないといった、本来研究者が主張したいこととは反対の内容を意味する仮説のことをいう。一方、対立仮説とは、差がある・効果があるといった、本来研究者が主張したいことを意味する仮説のことである。**統計的仮説検定**では、差がない・効果がないという帰無仮説のもとで、実際に得られたデータから算出された検定統計量の実現値以上の値がどれくらいの確率で出現するのかを求める。この確率が5％以下だった場合に、帰無仮説を棄却し、「5％水準で**有意**である」と報告する。

　このように、統計的に有意であるという結果は、帰無仮説や対立仮説の正誤の確率を議論するものではない。よって、**1**と**2**は誤りである。

　統計的仮説検定では、帰無仮説は正しいものと仮定する。その仮定のもとでのデータの（検定統計量の）出現する**条件付き確率**を求める。よって、**3**が正答となる。

□統計的仮説検定
□有意
□条件付き確率

## 問13 信頼区間 　　正答　3

1. **母平均**は定数であり、**確率変数**ではない（変動しない）。よって、母平均が、ある特定の**信頼区間**に含まれる確率は、その区間が母平均を含む区間であれば1であり、含む区間でなければ0である。
2. **サンプルサイズ**を大きくすると、95％信頼区間の幅は小さくなる。
3. 妥当である。何度もデータを取ってその都度信頼区間を求めると、それらのうち95％は母平均を含む。これが信頼区間の意味である。
4. サンプルサイズが等しければ、99％信頼区間の幅は95％信頼区間の幅よりも大きくなる。

□母平均
□確率変数
□信頼区間
□サンプルサイズ

**問14** 母集団と標本　　　　　　　　　　　正答　**4**

1. **標本平均**は、**母集団分布**によらず、**母平均**の**不偏推定量**となる。
2. **相関係数**の検定では、まず**母相関**はゼロであるという**帰無仮説**を立てる。
3. ある**標本**について**度数分布**を描いたものは、あくまで度数分布であり、「標本の分布」である。「**標本分布**」は理論的なものであり、**標本統計量**の変動を示す。
4. 妥当である。**標本抽出**に伴う誤差のことを**標本誤差**という。

**7**

統計・測定・評価

**問15** 頑健性　　　　　　　　　　　　　正答　**4**

1. **外れ値**による統計量への影響は、外れ値に対する抵抗性の説明である。
2. 測定誤差が大きくなるほど**信頼性**が低下するのに伴って変数間の相関係数が小さい値を取るのは、**相関係数の希薄化**の説明である。
3. 標本の大きさが大きいほど推定値が母数付近の値を取る確率が高くなるというのは、推定量の**標準誤差**の説明である。
4. 正しい。**頑健性**とは、統計手法が前提としている仮定と真の状態が異なる場合に、その手法を適用して得られる結果が妥当である程度のことである。無作為標本を前提とした検定を無作為抽出によらない標本に適用すると、理論的な**帰無分布**と実際の帰無分布が一致せず、**第1種の誤り**を犯す確率を意図した**有意水準**にコントロールできないなどの問題が生じる。

**問16** 検定力（検出力）　　　　　　　　正答　**3**

1. **有意水準**を大きくすると**棄却域**が広くなり**検定力**が高くなる。

2. **母集団**における2群の**平均値差**が大きくなると、**標本**データから計算される検定統計量（$t$ 値）が大きな値を取りやすくなり検定力が高くなる。

3. 適切でない。母集団における各群内の**分散**が大きくなると、標本データから計算される**検定統計量**（$t$ 値）は小さな値を取りやすくなり検定力が低くなる。

4. 一般に標本の大きさ（サンプルサイズ）が大きくなるほど検定力は高くなり、また、全体の標本の大きさが一定なら2群の標本の大きさが均等のときが最も検定力が高くなる。

**問17** 主効果と交互作用　　　　　　　　正答　**3**

　要因 $A$ および要因 $B$ の水準ごとにまとめた**平均**を表に追加すると以下のようになる。この水準ごとの平均が異なる要因は**主効果**があることになるが、要因 $A$ も要因 $B$ も水準間で平均に差がないから、どちらの要因についても主効果はないことがわかる。

|  | $B_1$ | $B_2$ | $B_3$ | 全体 |
|---|---|---|---|---|
| $A_1$ | 7.0 | 4.0 | 7.0 | 6.0 |
| $A_2$ | 5.0 | 8.0 | 5.0 | 6.0 |
| 全体 | 6.0 | 6.0 | 6.0 | |

　また、2つの要因を組み合わせたセルごとの平均をプロットすると以下の図のようになる。この図で要因 $A$ の水準ごとに要因 $B$ の水準の平均を結んだものが平行であれば $A×B$ の交互作用はないことになるが、図より明らかに平行ではないから、$A×B$ の**交互作用**はあるといえる。

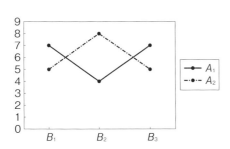

以上より、$A \times B$ の交互作用のみがあるという **3** が正答となる。

**問18 多重比較**　　　　　　　　　　　　　　　　　　正答　**1**

　多くの**多重比較**法が提案されているが、**ボンフェローニ**（Bonferroni, C. E.）**法**はその一つである。ボンフェローニ法は**平均**を比較する回数を $m$ 回としたとき、1回の **$t$ 検定**の有意水準 $\alpha'$ を $\alpha/m$ とする。したがって、本問の場合は有意水準 $\alpha$ を0.05として $t$ 検定を3回行うので、$\alpha' = 0.05/3 = 0.0167$ である。

　条件1と条件2の $t$ 検定は自由度が53で $|t$ 値$| = 1.2825$ であるから**有意確率**（**$p$ 値**）は0.05よりも大きい。したがって、条件1と条件2の平均に有意差は認められない。

　また、条件1と条件3の $t$ 検定は自由度が63で $|t$ 値$| = 2.0133$ であるから有意確率（$p$ 値）は0.05よりも小さい。しかし、「$t$ 分布表における棄却値と有意水準の関係」において両側対立仮説の有意水準（$\alpha$）が0.04のときの棄却値が2.0971であるから、有意確率（$p$ 値）は0.04よりも大きい。したがって、条件1と条件3の間で平均に有意差は認められない。

　さらに、条件2と条件3の $t$ 検定は自由度が58で $|t$ 値$| = 0.6952$ であるから有意確率（$p$ 値）は0.05よりも大きい。したがって、条件2と条件3の平均に有意差は認められない。

　以上により、ボンフェローニ法による多重比較では3条件の間に有意な平均差は認められないので、正答は**1**である。

□多重比較
□ボンフェローニ法
□平均
□$t$ 検定
□有意確率（$p$ 値）

## 多変量解析　問題

➡解説はp.302～

＊＊
**問19**　3変数 $x_1$、$x_2$、$x_3$ を独立変数に、$y$ を従属変数とする重回帰分析を行ったところ、以下の結果を得た。標準偏回帰係数に関する最も妥当な解釈はどれか。

| 独立変数 | 標準偏回帰係数 |
|---|---|
| $x_1$ | 0.7 |
| $x_2$ | 0.2 |
| $x_3$ | 0.1 |

1．$y$ への影響力は $x_1$ が最大であり、標準偏回帰係数の値の大きさの順に $x_1$、$x_2$、$x_3$ と $y$ への影響力が減少していくことがわかる。

2．$x_1$ の0.7とは、$x_2$、$x_3$ を固定した状態で $x_1$ を1標準偏差分増加させると、$y$ の予測値が「0.7×$y$ の標準偏差」分増加することを示している。

3．上記の結果は、$y$ の分散の70％（0.7）を $x_1$ が説明し、残りの30％（1−0.7）を $x_2$ と $x_3$ が説明していることを示している。

4．$x_1$ と $y$、$x_2$ と $y$、$x_3$ と $y$ の単相関は、それぞれ0.7、0.2、0.1である。

\*
**問20**　4つの説明変数 $x_1$、$x_2$、$x_3$、$x_4$ を用いて目的変数 $y$ を重回帰予測したところ、次の結果を得た。標本の大きさは100である。正しい説明はどれか。

・分散分析表

| 変動因 | 自由度 | 平方和 | 平均平方 | $F$値 | 有意確率（$p$値） |
|---|---|---|---|---|---|
| モデル | 4 | 1762.137 | 440.534 | 5.61 | 0.0004 |
| 誤差 | 95 | 7466.612 | 78.595 | | |
| 合計 | 99 | 9228.750 | | | |

・決定係数　　　　　　　　　0.191
・自由度調整済み決定係数　0.157

・切片と偏回帰係数の推定値と有意性検定の結果

| 説明変数 | 偏回帰係数の推定値 | 標準誤差 | 有意確率（$p$値） | 偏回帰係数の標準化推定値 |
|---|---|---|---|---|
| 切片 | 23.346 | 8.849 | 0.010 | 0.000 |
| $x_1$ | 0.256 | 0.136 | 0.063 | 0.191 |
| $x_2$ | 0.120 | 0.107 | 0.262 | 0.114 |
| $x_3$ | 0.089 | 0.072 | 0.218 | 0.128 |
| $x_4$ | 0.185 | 0.085 | 0.031 | 0.226 |

1．重相関係数は約0.44である。
2．この結果のみからは、重相関係数に関する有意性検定の結果を知ることはできない。
3．有意水準を0.05として偏回帰係数の有意性検定を行うと、説明変数 $x_4$ に関する帰無仮説のみが棄却されない。
4．決定係数と自由度調整済み決定係数の差が0.034と小さいので、4つの説明変数の間に多重共線性が疑われる。

**問21**　因子分析における因子軸の回転に関する記述として、**適切でない**ものはどれか。

1．単純構造は斜交解でのみ得られる。
2．代表的な直交回転にバリマックス法がある。
3．代表的な斜交回転にプロマックス法がある。
4．直交解では因子パタン行列と因子構造行列が一致する。

**\*\***
**問22** ある6つの観測変数（$X_1$ から $X_6$）について、因子分析（主因子法・バリマックス回転）を行った結果、以下の因子負荷を得た。観測変数 $X_2$ の共通性の値はどれか。

| 観測変数 | 因子1 | 因子2 | 共通性 |
|---|---|---|---|
| $X_1$ | 0.9 | 0.1 | |
| $X_2$ | 0.8 | 0.1 | |
| $X_3$ | 0.7 | 0.2 | |
| $X_4$ | 0.2 | 0.8 | |
| $X_5$ | 0.1 | 0.7 | |
| $X_6$ | 0.1 | 0.6 | |
| 因子寄与 | | | |

1. 0.53
2. 0.65
3. 0.70
4. 0.82

**問23** 共分散構造分析におけるカイ二乗統計量を用いたモデル適合度の評価を行ったところ、自由度10のあるモデルが検定の結果採択されなかった。そこで、モデルに置いていた母数の制約を1つ外して自由母数とし、もう一度モデル適合度の評価を行った。以下に挙げるA〜Dの $\chi^2$ 値のうち、この修正後のモデルが採択されるものの組合せとして正しいものはどれか。ただし、有意水準は5%とし、カイ二乗分布の上側確率5%に対応する値は以下の表で与えられるものとする。

| 自由度 | 上側確率5%に対応する値 |
|---|---|
| 9 | 16.919 |
| 10 | 18.307 |
| 11 | 19.675 |

A： $\chi^2 = 16.5$
B： $\chi^2 = 17.5$
C： $\chi^2 = 19.5$
D： $\chi^2 = 20.5$

1．Aのみ
2．Dのみ
3．AとBとC
4．BとCとD

**問24** 変数A〜Dの4変数について、以下の図で示すパス係数を持つモデルが適合するとき、変数Aから変数Dへの総合効果はいくらになるか。

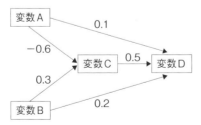

1． $-0.3$
2． $-0.2$
3． 0.0
4． 0.1

## 多変量解析　解 説

### 問19　標準偏回帰係数　　　　　　　正答　2

1. **回帰係数**は、他の変数を考慮したうえでの値であるから、**単相関**のような解釈は間違っている。

2. 妥当である。回帰係数の値は、「他の変数が一定であった場合」という条件付きである。

3. **説明率**（**重相関係数の二乗**）は、$y$ の**予測値**と $y$ との相関であり、回帰係数の値が示すものではない。

4. 標準偏回帰係数の値は、単相関の値と同じではない。

KEYWORD

□回帰係数
□単相関
□説明率
□重相関係数の二乗
□予測値

### 問20　重回帰分析　　　　　　　　　正答　1

1. 正しい。決定係数の正の平方根が**重相関係数**に等しいので、重相関係数は約0.44である。

2. この分散分析表は**決定係数**の有意性検定の結果を示すが、重相関係数は決定係数の正の平方根に等しいので、この表が重相関係数の有意性検定の結果を示すともいえる。

3. 説明変数 $x_4$ の有意確率（$p$ 値）は0.05よりも小さいので、帰無仮説は棄却される。したがって、標準偏回帰係数が0.226と小さいことに注意したうえで、母集団において偏回帰係数が 0 ではないとみなして考察を進める。

4. 決定係数と自由度調整済み決定係数から**多重共線性**の有無を判断することはできない。

□重相関係数
□決定係数(説明率)
□多重共線性

## 問21 直交解と斜交解 　　　　　正答　1

1. **適切でない。** 単純構造とは、各因子が一部の観測変数にのみ影響を与え、反対に、観測変数は1つの因子のみから影響を受けるような**因子パタン**のことをいう。**因子の回転**は（**直交解**であれ、**斜交解**であれ）、解が単純構造になることをめざして行われる。

2. **バリマックス法**は代表的な直交回転の一つである。

3. **プロマックス法**は代表的な斜交回転の一つである。

4. 直交解では因子パタン行列と因子構造行列が一致する。斜交解ではこれらが一致しない。このため、斜交解のほうがいろいろな情報を持つので、解釈が難しい。

　なお、因子に無相関を仮定するのが直交解であり、因子軸を直交させたまま因子を回転する。因子に相関を仮定するのが斜交解であり、因子軸を1本ずつ自由に回転させることができる。よって、斜交解のほうがより単純構造へ近づけることができる。

## 問22 因子分析の共通性 　　　　　正答　2

　バリマックス回転は直交解であるから、観測変数 $X_2$ の**共通性**は、**因子負荷**の二乗を横に足せばよい。したがって、$0.8^2 + 0.1^2 = 0.64 + 0.01 = 0.65$ と求められる。

　なお、因子負荷の二乗を縦に足した値は**因子寄与**と呼ばれ、因子2の場合は、$0.1^2 + 0.1^2 + 0.2^2 + 0.8^2 + 0.7^2 + 0.6^2 = 1.55$ と求められる。

　ただし、斜交解では因子寄与に複数の定義がある。

7

統計・測定・評価

## 問23 モデルの採否を検定するカイ二乗統計量　　正答 **1**

**KEYWORD**
□カイ二乗統計量
□棄却域
□自由度
□母数

　**カイ二乗統計量**に基づいたモデルの採否の検定では、カイ二乗統計量が**棄却域**に入るとそのモデルはデータに適合していないとみなされ、逆に棄却域に入らない場合にモデルが採択される。また、検定の**自由度**は観測変数の数を $n$、推定される自由**母数**の数を $p$ とすると $df = \dfrac{n(n+1)}{2} - p$ であるので、自由度10のモデルから母数の制約を1つ除外して自由母数が1つ増えると自由度は9になる。したがって、この検定の棄却域は $\chi^2 > 16.919$ であり、A〜Dのうち、値がこの範囲外にあるAの場合のみモデルが採択される。

　したがって、正答は**1**である。

## 問24 パス解析　　正答 **2**

□パス解析
□直接効果
□間接効果
□総合効果
□パス係数

　**パス解析**において、変数Xから変数Yへの効果として、他の変数を経由せずにXからYに直接パスが引かれる**直接効果**、Xから他の変数を経由してYまでパスが引かれる**間接効果**、直接効果と間接効果を合わせた**総合効果**の3種類を考えることができる。これらの効果の大きさはそれぞれ、

直接効果：XからYへ直接引かれたパスに対する**パス係数**

間接効果：XからYまで経由するすべてのパスに対するパス係数の積

総合効果：直接効果と間接効果の和

として求めることができる。本問の場合、変数Aから変数Dへの直接効果の値は0.1、間接効果は変数Cを経由するもののみであり、その値は $-0.6 \times 0.5 = -0.3$ である。したがって、総合効果はこれらの和 $0.1 + (-0.3) = -0.2$ となる。

**問25** 間隔尺度に関する説明として、最も妥当なものはどれか。

1．間隔尺度において許容可能な変換は線形変換までである。
2．間隔尺度において可能な計算は四則演算である。
3．間隔尺度は絶対的原点を持つ尺度である。
4．間隔尺度では測定値同士の比を問題にできる。

**問26** SD（semantic differential）法に関する説明として、最も妥当なものはどれか。

1．一つ一つの刺激を対にして刺激が持つ属性の強さを比較判断させ、尺度構成を行う方法である。
2．学級のような集団の中で好きな人や嫌いな人の名前を回答させ、集団内の社会的ネットワークを図表化する方法である。
3．一連の質問項目が一次元性の条件を満たすと仮定し、回答パターン行列に基づいて質問項目の階層構造化を図る方法である。
4．「良い－悪い」「強い－弱い」「重い－軽い」などの相反する意味を持つ形容詞を対にして双極的な評定尺度を作り、概念や事物などに関する印象評定を行う方法である。

\*\*
**問27** 3変数（$x_1$, $x_2$, $x_3$）の得点の平均と分散共分散行列を以下に示す。3変数の合計点を求めたとき、クロンバックの $\alpha$ 係数の値はいくらか。

| 変数 | 平均 | 分散共分散行列 | | |
| --- | --- | --- | --- | --- |
| | | $x_1$ | $x_2$ | $x_3$ |
| $x_1$ | 60 | 50 | 25 | 20 |
| $x_2$ | 55 | 25 | 80 | 30 |
| $x_3$ | 65 | 20 | 30 | 90 |

1．0.40
2．0.53
3．0.61
4．0.73

**問28** 次のa～dのうち、研究の内的妥当性と外的妥当性の説明として正しい組合せはどれか。

a：データが本来測定したかった構成概念を正しく反映している程度

b：刺激や課題が現実に起こる日常的な状況をよく反映している程度

c：独立変数と従属変数との間の因果関係の推論を正当化できる程度

d：研究結果をその研究で用いられた対象以外にも一般化できる程度

|  | 内的妥当性 | 外的妥当性 |
|---|---|---|
| **1.** | a | b |
| **2.** | a | d |
| **3.** | c | b |
| **4.** | c | d |

## 問25　間隔尺度　　　　　　　　　　　　正答　1

1. 妥当である。間隔尺度は、定数倍、線形変換までは許容可能であるが、単調変換、一対一変換は許容不可能である。
2. 四則演算が可能な尺度は**比尺度**である。
3. 絶対的原点を持つ尺度は比尺度である。
4. 測定値同士の比を問題にできるのは比尺度である。

**KEY WORD**

□比尺度

## 問26　SD法　　　　　　　　　　　　　　正答　4

1. **一対比較法**である。サーストン（Thurstone, L. L.）の比較判断の法則に基づく方法、ブラッドリー（Bradley, R.）とテリー（Terry, M. E.）の方法、シェッフェ（Scheffé, H.）の方法などがある。
2. **ソシオメトリー**である。そして、成員の相互関係を図表化したものをソシオグラムという。使用に当たっては回答者・集団に対して倫理的な配慮が必要とされる。モレノ（Moreno, J. L.）によって開発された。
3. **ガットマン尺度法**である。ガットマン（Guttman, L. H.）が提案したため、このように呼ばれる。尺度分析法（scalogram analysis：スケーログラム・アナリシス）とも呼ばれる。この方法は統計的な基準に従って尺度の一次元性を乱す項目を削除して、項目の階層構造化を図る。
4. 妥当である。セマンティック・ディファレンシャル法、意味微分法とも呼ばれる。オズグッド（Osgood, C. E.）によって開発された。**SD法**を用いて得られた回答を因子分析すると、評価性、活動性、力量性の3因子が抽出されることが多い。

なお、態度や意見を求める設問文に対して「まったくそう思わない」「そう思わない」「どちらでもない」「そう思う」「とてもそう思う」などのような回答カテゴリーを用意したうえで選択肢に得点を与える方法があり、**リッカート**（Likert, R.）**法**と呼ばれる。

□一対比較法
□ソシオメトリー
□ガットマン尺度法
□SD法
□リッカート法

**7**

統計・測定・評価

**問27 クロンバックの α 係数**　　　　　　　　正答　**3**

　信頼性係数を推定する方法として再検査法、平行検査法、折半
法、内的整合性（内的一貫性）に基づく方法などが提案されてい
る。また、主成分分析や因子分析法を用いた方法も提案されてい
る。クロンバック（Cronbach, L. J.）の α 係数は、内的整合性
（内的一貫性）に基づく方法の一つであり、次式によって定義さ
れる。α 係数は信頼性係数の下界（かかい）の一つである。

$$\alpha = \frac{変数の数}{変数の数-1}\left(1 - \frac{変数の分散の合計}{合計点の分散}\right) \tag{1}$$

　この定義式に該当する数値を代入すると、

$$\alpha = \frac{3}{2}\left(1 - \frac{50+80+90}{50+80+90+25\times2+20\times2+30\times2}\right)$$

$$= 0.61$$

となる。したがって、正答は **3** である。

　ところで、定義式は

$$\alpha = \frac{変数の数}{変数の数-1}\left(\frac{変数の共分散の合計}{合計点の分散}\right) \tag{2}$$

と書き換えることができる。したがって、各共分散が大きくなる
ほど α 係数は大きな値を取る。つまり、合計点を構成する変数の
相関関係が大きいほど、α 係数は大きな値となる。

　なお、変数が２つの場合、α 係数の定義式は折半法に基づく信
頼性係数の推定式と一致する。また、２値（正答・誤答、賛成・
反対など）しか取らない変数に α 係数の定義式を適用すると、キ
ューダー = リチャードソン（Kuder, G. F. & Richardson, M. W.）
の公式20と一致する。

a～dの文はそれぞれ以下のものの説明となっている。

**a**：**測定の妥当性**。測定値が類似の構成概念を測定したデータと
　　相関が高いこと（収束的証拠）や異なる構成概念を測定した
　　データと相関が低いこと（弁別的証拠）など、さまざまな観
　　点からの証拠によって測定の妥当性が担保される。

**b**：**生態学的妥当性**。実験室実験などで、さまざまな条件を統制
　　しようとするあまり、日常的な場面とはかけ離れすぎた状況
　　を与えると、現実の場面における行動の予測や理解に役に立
　　たないような生態学的妥当性の低い研究となる。

**c**：**内的妥当性**。研究で用いた**独立変数**以外にも**従属変数**に影響
　　を与える要因（剰余変数）が存在すると内的妥当性が低い研
　　究となる。実験参加者を実験条件に無作為配置することは独
　　立変数以外の要因を統制して内的妥当性を高めるための方法
　　の一つである。

**d**：**外的妥当性**。たとえば、男性だけを対象として行った研究の
　　結果を女性にも適用しようとすると外的妥当性の問題が生じ
　　る。**母集団**から無作為抽出した**標本**を用いることは外的妥当
　　性を高めるための方法の一つである。

　したがって、正答は **4** である。

□測定の妥当性
□生態学的妥当性
□内的妥当性
□独立変数
□従属変数
□外的妥当性
□母集団
□標本

**7**

統計・測定・評価

## 評価 問題

➡解説はp.313〜

**問29** 心理検査に関する記述として、**最も妥当な**ものはどれか。

1. ミネソタ多面人格目録（MMPI）、矢田部ギルフォード性格検査（YG性格検査）、ベンダーゲシュタルトテスト、エゴグラムは質問紙法の心理検査である。

2. 内田クレペリン精神作業検査、ベック抑うつ質問票（BDI）、顕在性不安尺度（MAS）、コーネル・メディカル・インデックス（CMI）は作業検査法の心理検査である。

3. バウムテスト、HTPテスト、ロールシャッハテスト、主題統覚検査（TAT）、絵画欲求不満テスト（P-Fスタディ）は投影法（投映法）の心理検査である。

4. 質問紙法の性格検査の多くは、類型論に依拠している。

**問30** 知能検査に関する記述として、**適切でない**ものはどれか。

1. WISC-Ⅴは、全検査知能指数と４つの主要指標得点で結果を表示することができる。

2. WISC-Ⅴは、知能指数の平均値が100、標準偏差が15となるように標準化されている。

3. 田中ビネーⅥは、乳幼児期から学童期までは精神年齢を算出することができる。

4. A式知能検査は言語性検査であり、B式知能検査は非言語性検査である。

**問31** 認知能力検査や言語能力検査に関する記述として、**適切でない**ものはどれか。

1. KABC-Ⅱは、カウフマンら（Kaufman, A. S. et al.）によって開発された認知能力検査であり、認知尺度としては「同時尺度」「継次尺度」「学習尺度」「計画尺度」の４つから構成されている。

2. KABC-Ⅱは、旧ソ連の心理学者であるヴィゴツキー（Vygotsky, L. S.）の神経心理学理論とCattell-Horn-Carroll（CHC）理論に依拠して開発された。

3. 日本版KABC-Ⅱの適用年齢は、２歳６か月から18歳11か月までである。

4. オズグッド（Osgood, C. E.）の言語情報処理モデルに依拠して開発されたITPAは、コミュニケーションの「回路」「過程」「水準」の三次元でとらえることができる。

**＊＊**
**問32** 教育評価に関する記述として、最も妥当なものはどれか。

1. 目標に準拠した評価における評価基準は、「～ができる」「～がわかる」といった質的な指標をさす。

2. 1単位時間終了時に実施する評価を診断的評価と呼び、学期末や学年末に行う評価を総括的評価と呼ぶ。

3. ポートフォリオは、子どもの作品やワークシート、自己評価票などを長期的・継続的に収集したものである。

4. 標準学力テストのうち、目標に準拠した評価に基づくテストを NRT、集団に準拠した評価に基づくテストを CRT と呼ぶ。

**＊**
**問33** 教育評価に関する記述として、最も妥当なものはどれか。

1. パフォーマンス評価とは、運動や演奏などの実技系教科に限定された評価法である。

2. 通知表（通信簿）は、すべての学校で必ず発行しなければならないと法的に定められてはいない。

3. アンダーアチーバーとは、学力水準に比べて知能水準が一定水準以上劣っている児童・生徒をさす。

4. 目標に準拠した評価では、各評価段階の配分比率は決まっている。

**＊＊**
**問34** 教育評価における歪みに関する記述として、**適切でない**ものはどれか。

1. キャリーオーバー効果とは、よくできた答案を続けて採点した後にできの悪い答案を採点すると、必要以上に厳しく評価してしまうことをさす。

2. テスト問題が児童・生徒にとって易しすぎると、成績上位群も成績下位群も得点が満点近くになり群間差が見られない現象を天井効果と呼ぶ。

3. 児童・生徒に対してある種の期待を教師が持つと、その期待に合う行動をとり、結果としてその期待どおりになる現象のことをピグマリオン効果と呼ぶ。

4. 被評価者の一側面が優れていれば、その人全体が優れていると判断してしまう歪みのことを寛容効果と呼ぶ。

**＊＊**
**問35** 指導要録に関する記述として、最も妥当なものはどれか。

1．指導要録の保存期間は、「学籍に関する記録」は20年間であり、「指導に関する記録」は10年間である。

2．2019年に改訂された小学校児童指導要録と中学校生徒指導要録の「各教科の学習の記録」欄には、「観点別学習状況」欄が設けられており、評価観点は「知識・技能」「思考・判断・表現」「関心・意欲・態度」の３つである。

3．小学校児童指導要録の「各教科の学習の記録」欄の「評定」は、小学３年生以上に設けられている。

4．小学校児童指導要録と中学校生徒指導要録の「総合的な学習の時間の記録」欄は、各学校で評価観点を定め、観点ごとに目標に準拠した評価を用いて３段階で評価を行う。

## 問29　心理検査の種類　　　　正答　3

1. ベンダーゲシュタルトテストは**作業検査法**の心理検査である。他の3つの検査は**質問紙法**の心理検査である。
2. ベック抑うつ質問票（BDI）、顕在性不安尺度（MAS）、コーネル・メディカル・インデックス（CMI）は質問紙法の心理検査である。
3. 妥当である。バウムテストとHTPテストは、**投影法（投映法）**の心理検査の中で**描画法**に該当する。主題統覚検査（TAT）は、マレー（Murray, H. A.）の欲求理論をもとに作成されている。
4. 質問紙法の性格検査の多くは、**特性論**に依拠している。因子分析により特性が明らかにされ、質問紙が作成された。他方、**類型論**は、性格をタイプに分ける考え方で、フランスやドイツで研究が進められた。

□作業検査法
□質問紙法
□投影法（投映法）
□描画法
□特性論
□類型論

## 問30　知能検査　　　　正答　1

1. 適切でない。2021年に日本版が発行された**WISC-V**は、検査の構成が変更され、**全検査知能指数（FSIQ）**と5つの**主要指標得点**（言語理解、視空間、流動性推理、ワーキングメモリー、処理速度）で結果を評価することができる。なお、5つの**補助指標得点**（量的推理、聴覚ワーキングメモリー、非言語性能力、一般知的能力、認知熟達度）も利用することができる。プロフィールから個人内差を見ることができる5～16歳用（日本版）の**個別式知能検査**である。
2. WISC-Vは、知能指数の平均値が100、標準偏差が15となるように標準化され、**偏差知能指数（DIQ）**が算出できる。
3. **田中ビネーⅥ**は、13歳まで精神年齢（mental age; MA）を算出することができる。また、田中ビネーⅤまでは偏差知能指数を算出するのは14歳以降であったが、Ⅵからは13歳以下でも偏差知能指数が新たな指標として採用された。
4. **A式知能検査**は言語を素材とした**言語性検査**であり、**B式知能検査**は図形や記号、計算などを素材とした**非言語性検査**である。

□WISC-V
□全検査知能指数（FSIQ）
□主要指標得点
□補助指標得点
□個別式知能検査
□偏差知能指数
□田中ビネーⅥ
□A式知能検査
□言語性検査
□B式知能検査
□非言語性検査

7

統計・測定・評価

**問31 認知能力検査・言語能力検査** 　正答　2

1. 日本版 **KABC-Ⅱ** は、大きく**認知尺度**と**習得尺度**に分けられる。前者は、「同時尺度」「継次尺度」「学習尺度」「計画尺度」の4つから、後者は、「語彙尺度」「読み尺度」「書き尺度」「算数尺度」の4つから構成されている。アメリカ版 KABC-Ⅱ は、日本版 KABC-Ⅱ と異なり、読み・書き・算数などの基礎的学力に対応した習得尺度は含まれていない。今次の改訂で新設された「計画尺度」は、前頭葉の働きである**プランニング**能力を測定しようとする検査である。従前は、プランニング能力を測定できる検査は、**ルリア**（Luria, A. R.）の神経心理学理論に依拠したダスら（Das, J. P. et al.）によって開発された **DN-CAS**（Das-Naglieri Cognitive Assessment System）のみであった。ただし、KABC-Ⅱ と DN-CASで測定されるプランニング能力は異なっている。

2. 適切でない。KABC-Ⅱ は、旧ソ連の心理学者であるルリアの神経心理学理論と Cattell-Horn-Carroll（**CHC**）理論に依拠して開発された。CHC 理論は、流動性推理、結晶性能力、長期記憶と検索、短期記憶、視覚処理などを広範的な能力としてとらえる考え方である。

3. 改訂前の日本版 K-ABC では、適用上限年齢が12歳11か月までであったが、改訂版の日本版 KABC-Ⅱ では、適用上限年齢が18歳11か月までに拡大され、高校生にも適用できるようになった。

4. カーク（Kirk, S. A.）によって開発された **ITPA** は、オズグッドの言語情報処理モデルに依拠している。ITPA は、コミュニケーションの「回路」「過程」「水準」の三次元でとらえることができ、検査項目は表象水準（受容過程・連合過程・表現過程）と自動水準（構成過程・配列記憶過程）に分けられる。

**問32 教育評価** 　正答　3

1. 「〜ができる」「〜がわかる」といった質的な指標は、**評価規準**と呼ばれる。「十分に満足できる」「おおむね満足できる」「努力を要する」といった量的な指標は、**評価基準**と呼ばれ

KEY WORD
- KABC-Ⅱ
- 認知尺度
- 習得尺度
- プランニング
- ルリア
- DN-CAS
- CHC理論
- ITPA
- 評価規準
- 評価基準
- 形成的評価

る。

**2.** 1単位時間終了時に実施する評価を**形成的評価**と呼び、指導の改善に生かすことが大切である。P（Plan）→D（Do）→C（Check）→A（Action）という指導過程のサイクルにおいて形成的評価に該当するC（Check）は、「**指導と評価の一体化**」を進めるために重視しなければならない。**診断的評価**は、入学直後や学年の冒頭で、これまでの学習到達状況を把握し、回復指導などに役立てるための評価である。**総括的評価**は、学期末や学年末に行う評価である。

**3.** 妥当である。**ポートフォリオ**は、子どもの作品やワークシート、自己評価票などを長期的・継続的に収集したものであり、教師が子どもを評価するだけではなく、子ども自身の振り返りや子ども同士の相互評価にも生かすことができる。

**4.** 標準学力テストのうち、目標に準拠した評価に基づくテストを **CRT**（criterion-referenced test）、集団に準拠した評価に基づくテストを **NRT**（norm-referenced test）と呼ぶ。NRTは、得点が正規分布するように作題されているのに対して、CRT は、高得点に得点分布が凝集するように作題されている。

KEY WORD

□指導と評価の一体化
□診断的評価
□総括的評価
□ポートフォリオ
□CRT
□NRT

**7**

統計・測定・評価

---

**問33** 教育評価　　　　　　　　　　　正答　**2**

**1.** **パフォーマンス評価**は、実技教科だけでなく理科における実験や観察のしかた、数学の自由記述問題、作品、レポート、口頭発表など多岐にわたっている。パフォーマンス評価では、**ルーブリック**（評価指標）を用いて採点することが多い。パフォーマンス評価は、**オーセンティック評価**（真正の評価）の一つである。

**2.** 妥当である。**指導要録**は必ず作成しなければならない（学校教育法施行規則第28条）が、**通知表（通信簿）**は学校で必ず発行しなければならないという法的根拠はない。

**3.** **アンダーアチーバー**とは、知能水準に比べて学力水準が一定水準以上劣っている児童・生徒をさす。他方、**オーバーアチーバー**とは、知能水準に比べて学力水準が一定水準以上優れている児童・生徒をさす。

□パフォーマンス評価
□ルーブリック
□オーセンティック評価
□指導要録
□通知表（通信簿）
□アンダーアチーバー
□オーバーアチーバー

**4.** **目標に準拠した評価**では、各評価段階の配分比率は決まって おらず、児童・生徒の学習到達度に応じて各段階に配分す る。他方、**集団に準拠した評価**では、統計学的に各評価段階 の配分比率は決まっている。たとえば、5段階集団準拠評価 （相対評価）では、「1」が7％、「2」が24％、「3」が38 ％、「4」が24％、「5」が7％となる。

**KEY WORD**

□目標に準拠した 評価
□集団に準拠した 評価

**問34** 教育評価における歪み　　　　　　　　**正答　4**

**1.** キャリーオーバー効果とは、よくできた答案を続けて採点し た後にできの悪い答案を採点すると、必要以上に厳しく評価 してしまい、逆に、できの悪い答案を続けて採点した後によ くできた答案を採点すると、必要以上に甘く評価してしまう ことをさす。

**2.** テスト問題が児童・生徒にとって易しすぎると、成績上位群 も成績下位群も得点が満点近くになり群間差が見られなくな る現象を**天井効果**と呼ぶ。これに対して、テスト問題が難し すぎると、成績上位群も成績下位群も得点が0点近くになり 群間差が見られなくなり、これを**床効果**と呼ぶ。

**3.** 児童・生徒に対してある種の期待を教師が持つと、その期待 に合う行動をとり、結果としてその期待どおりになる現象の ことを**ピグマリオン効果**とローゼンタールら（Rosenthal, R. et al.）は命名した。**教師期待効果**とも呼ばれる。

**4.** 適切でない。被評価者の一側面が優れて（劣って）いれば、 その人全体が優れている（劣っている）と判断してしまう歪 みは、**ハロー効果**のことである。ハロー効果は、**光背効果**、 **後光効果**とも呼ばれる。**寛容効果**とは、好意を持っている児 童・生徒を他の児童・生徒よりも肯定的・好意的に評価して しまう歪みのことをさす。

□キャリーオーバ ー効果
□天井効果
□床効果
□ピグマリオン効果
□教師期待効果
□ハロー効果
□光背効果
□後光効果
□寛容効果

KEY WORD

□指導要録
□証明機能
□指導機能
□観点別学習状況

1. **指導要録**は、**証明機能**と**指導機能**の2つの性格を有している。証明機能の部分は「学籍に関する記録」が該当し、保存期間は20年間である。指導機能の部分は「指導に関する記録」が該当し、保存期間は5年間である。「指導に関する記録」には、各教科の学習、総合的な学習の時間（小・中学校）、総合的な探究の時間（高等学校）、外国語活動（小学3〜4年生）、「特別の教科道徳」（小・中学校）、特別活動、行動、総合所見、出欠の記録などの項目がある。

2. 2019年に改訂された小学校児童指導要録と中学校生徒指導要録の「各教科の学習の記録」には、従前と同様に「**観点別学習状況**」欄が設けられている。評価観点は、すべての教科で「知識・技能」「思考・判断・表現」「主体的に学習に取り組む態度」の3つに統一された。各評価観点について、3段階の目標に準拠した評価を行うことになっている。なお、「特別の教科道徳」では、「評定」や「観点別学習状況」での数値的な評価は行わず、文章記述とする。そして、高等学校生徒指導要録の「各教科の学習の記録」には、新たに「観点別学習状況」欄が設けられ、小・中学校と同様に3段階の目標に準拠した評価で行うことになった。

3. 妥当である。小学校児童指導要録の「各教科の学習の記録」欄の「評定」は小学3年生以上に設けられており、小学1〜2年生では「評定」はない。小学校児童指導要録の「評定」は、3段階の目標に準拠した評価で行い、中学校生徒指導要録の「評定」は、5段階の目標に準拠した評価で行う。

4. 「総合的な学習の時間の記録」は、小学校・中学校いずれも各学校で評価観点を定め、学習活動の内容を記述し、児童・生徒にどのような力が身についたかを文章で記述することになっており、数値的な評価は行わない。

**7**

統計・測定・評価

**\***
**問1**　産業心理学の父ミュンスターバーグ（Münsterberg, H.）について述べた文章として、正しいものはどれか。

1．メイヨー（Mayo, G. E.）のもとで心理学を学んだ。
2．「最良の仕事」について論じ、課業管理の基礎を築いた。
3．ホーソン実験を通して人間関係論を展開した。
4．彼の唱えた「最適な人」という概念は、仕事に合った人を選ぶという考え方である。

**\*\***
**問2**　今日の成果主義的な処遇は、多くの仕事の場で支配的である。そのもととなる評価の方法も含めて、次のうち**正しくない**ものはどれか。

1．日本の成果主義は、仕事の結果のみが評価される。
2．成果主義のもとでは評価結果が処遇に直結しやすいので、高い成果があがらないことが続くとやる気を失う人が少なくない。
3．成果主義のもとでは、年功的な賃金のウエートは下がる。
4．成果主義的な評価と処遇のために、日本的経営の中で培われた「心理的契約」が破棄されたと感じる中高年者が多い。

**\*\***
**問3**　以下の文章の空欄a〜cに当てはまる言葉の組合せとして、最も適切なものはどれか。

　ディーセント・ワークとは、仕事の場における心理的・経済的・社会的な安寧すなわち（　a　）をさす言葉で、わが国では、「（　b　）のある人間らしい仕事」と訳されている。この（　b　）は、仕事の中にある自律性・自由裁量などの働く人々の（　c　）にかかわるものや労働条件、人間関係などによって大きな影響を受ける。

|  | a | b | c |
|---|---|---|---|
| 1． | ウェルビーイング | 働きがい | 成長要求 |
| 2． | ウェルビーイング | 産業民主主義 | 公平感 |
| 3． | 労働の人間化 | 職務満足感 | 感情 |
| 4． | QWL | 職務満足感 | 動機づけ |

**\***
**問4**　職務設計に関連する言葉や人名の組合せとして、**正しくない**ものはどれか。

1．テイラー（Taylor, F. W.）――――――時間研究
2．職務再設計――――――――――――社会−技術システム論
3．職務拡大――――――――――――――職務の垂直的拡大
4．ハーズバーグ（Herzberg, F.）――――職務充実

**\*\***
**問5** 企業の能力開発に関する文章として、適切なものはどれか。

1. 企業が実施するさまざまな能力開発は、個人のキャリア発達とは無関係である。

2. 個人的な人間関係をベースとするメンタリングは、企業の能力開発の試みとは相いれない。

3. 企業の行う能力開発はOJTを中心とし、off-JTがそれを補完しているが、受け手の側の自己啓発意欲が低いと効果は上がらない。

4. CDPは、キャリア設計を助けるパートナーのことである。

**\*\***
**問6** 以下は産業・組織心理学の用語の組合せとして、bがaに包摂される（aがbよりも上位の概念である）関係を表している。以下の組合せのうち**正しくないもの**はどれか。

|  a | b |
|---|---|
| 1. 評価の歪み（エラー） ——— | 寛大化傾向 |
| 2. 職務関与 ——— | 職務態度 |
| 3. 人間性疎外・疎外感 ——— | 無力感 |
| 4. 人事考課 ——— | コンピテンシー |

**\*\*\***
**問7** 近年わが国では、雇用の多様化やダイバーシティという言葉がよく使われるが、それらに関連する文章として正しいものはどれか。

1. 働く人々は、組織の効率を最大限に上げることを求められており、そのためには周りの人と歩調を合わせ同じような働き方をすべきである。

2. 働く女性の仕事は基本的に男性の補助であり、結婚や出産を機に退職することは社会的に望ましい。

3. 現代の組織の中では、正社員と非正社員、男性と女性、若年者と高齢者、日本人と外国人など多様な人々が、多様な雇用契約の形態で働いている。組織はそれらの人々を性別や価値観・働き方などによって差別することなく、公平・公正に処遇すべきである。

4. 組織は長期的な存続と発展が求められているので、長期に働いてほしい人と短期間だけ必要に応じて働いてほしい人は区別し、前者は手厚く処遇するべきである。

## 8 産業・組織

**問8** 働く人々のメンタルヘルスについて述べた文章として、正しいものはどれか。

1. メンタルヘルスの一次予防としては、専門医や心理カウンセラーなどの専門職によるケアが挙げられる。
2. メンタルヘルス不調者が増え続けているので、その人たちの復職プログラムの充実が大きな課題になっている。
3. メンタルヘルスの対策としては、集団健診時の問診やミーティング・研修などを通した啓蒙活動よりも、EAP（従業員支援プログラム）などの外部資源の活用が盛んである。
4. 仕事ストレスに対する上司などの気づきや声かけよりも、働く人々の意欲向上に直結する賃金上昇のほうが、メンタルヘルス対策として有効である。

**問9** 次の文章のうち、働き方改革についての記述として**適切でない**ものはどれか。

1. さまざまな不平等の是正をめざしており、同一労働同一賃金も達成目標の一つになっている。
2. 誰もが同じ職場で働くばかりでなく、テレワークやリモートワークもより積極的に活用すべきである。
3. 男性の長時間労働の是正は、ワーク・ライフ・バランスをめざすうえで好ましくない。
4. 少子高齢化による労働力不足や労働生産性の低さなどの課題に対処するために提唱された。

## 問1　産業心理学の父ミュンスターバーグ　　正答　4

1. ミュンスターバーグ（Münsterberg, H.）は、ライプツィヒ大学のヴント（Wundt, W. M.）のもとで心理学を学んだ
2. **課業管理**の基礎を築いたのは、**テイラー**（Taylor, F. W.）の科学的管理法である。
3. **ホーソン実験**を通して人間関係論を展開したのは、**メイヨー**ら（Mayo, G. E. et al.）である。
4. 正しい。ミュンスターバーグは『心理学と産業能率』で最適の人、最良の仕事、最高の効果という3領域について論じており、「最適の人」では、人事・職業に関連するものとして適性や職業指導に関連する事項を扱っている。

## 問2　成果主義と評価　　正答　1

1. 正しくない。日本では、成果の評価基準が曖昧であることから、結果だけで評価すると不公平感や評価（者）への不信感が大きくなりがちで、働く人々がやる気を失うなどの例も少なくなかった。その結果、成果に至るプロセス、すなわち、努力や状況も勘案した評価が指向されている。
2. **成果主義**は短期的な業績・成果が直近の処遇に大きく反映するので、給与が上がらない状況が続く可能性もあり、その期間が長引くと、やる気を失うメンバーが職場に増え転・退職者の増加につながるなど、組織にとっても好ましくない状況を引き起こしがちである。そのため、低業績者の業績を向上させる能力開発支援の努力が上司に求められる。
3. 成果主義は、短期的な業績・成果が直接的に処遇に反映する割合が高く、従来の年功的な給与（年齢給や勤続給）の割合は低下する。
4. **日本的経営**とは、年功序列的な処遇（年齢や勤続の長さに対応した賃金カーブの設定や昇進など）や終身雇用に代表される雇用慣行で、長期雇用を前提とした処遇が暗黙の了解（**心理的契約**）のもとに定着していた。成果主義と中高年齢者を対象としたリストラの進行は、そのような働く人々の期待を大きく裏切るものとなった。

KEY WORD

□ミュンスターバーグ
□課業管理
□テイラー
□ホーソン実験
□メイヨー

□成果主義
□日本的経営
□心理的契約

**8**

産業・組織

KEY WORD

## 問3 ディーセント・ワーク　　　正答　1

1. 適切である。**ウェルビーイング**（well-being）は、心理的な安寧や安心、幸福（感）などを表すが、国や地域によっては、安心して生活できる安全な社会であることや物理的な社会資本の充実などをさす場合もある。**働きがい**は、生きがいにもつながり、人生全体の幸福感や**職務満足感**などにつながるもので、JDS（職務診断調査）などで示される個人の**成長要求**を充たす職務の内容や労働条件の充実、職場の人間関係などを含む労働環境によって規定されるものである。

2. **産業民主主義**は、仕事の場においても資本家対労働者などの階級対立をなくし、民主主義を実現し平等であろうとする考え方である。このような感情は、働きがいの一部を構成するにとどまる。自律性・自由裁量などは公平感とは結びつかない。

3. **労働の人間化**は、**QWL**（労働生活の質的向上）と並んで仕事の中での人間らしさの充足をめざす試みということができ、**ディーセント・ワーク**という言葉の前に使われていた言葉である。仕事の中で抱く肯定的感情である職務満足感は、その大きな構成要因である。

4. 働く人々を仕事に動機づけるものは、成長要求（欲求）を充足する仕事内容だけでなく、労働条件や人間関係、さらには社会全体の状況も大きな要因である。

□ウェルビーイング
□働きがい
□職務満足感
□成長要求
□産業民主主義
□労働の人間化
□QWL
□ディーセント・
　ワーク

## 問4 職務設計　　　正答　3

1. テイラーは、職務を客観的に明らかにし、賃率を決めるため、その職務を構成する個々の作業に要する時間を正確に測定することから始めた。

2. **社会－技術システム論**は、技術の特性に合わせて人の働き方を変えるという職務設計の方法ではなく、それを扱う人（の集団）の特性、そして人と技術の相互作用も併せて**同時最適化**を図ろうとする職務再設計の考え方の一つである。

3. 正しくない。**職務拡大**は、複数の人々が担っている細分化された職務をある程度の幅のある一塊の職務に再編成して、個々の働く人が担う仕事に多様性を持たせようとするもの

□社会－技術シス
　テム論
□同時最適化
□職務拡大
□職務の水平的拡大
□動機づけ－衛生
　要因理論
□成長要求
□職務充実

で、**職務の水平的拡大**という。

4．ハーズバーグ（Herzberg, F.）の**動機づけ－衛生要因理論**から導き出された職務設計の考え方が、**成長要求**の充足を念頭に置いた**職務充実**である。

## 問5　能力開発　　　　　　　　　　正答　3

1．企業が従業員に施す能力開発は重要な**生涯教育**の機会であり、**キャリア発達**を促進するうえでも重要な役割を果たしている。

2．上司や先輩が**OJT**以外に特定の部下や後輩に指導的な配慮・支援をすることも**メンタリング**であり、それは職務遂行に必要な知識や態度の形成に大きな役割を果たすことが多く、企業にとって極めて有益な行為である。

3．適切である。OJTや**off-JT**は組織目標の達成のために行われるが、同じような指導が行われても、それを受ける側の成長の度合いは彼らの自己啓発意欲の強さに依存している部分が大きい。

4．**CDP**は、**キャリア開発プログラム**（career development program）の略である。

□生涯教育
□キャリア発達
□OJT
□メンタリング
□off-JT
□キャリア開発プログラム（CDP）

**8**

産業・組織

## 問6　産業・組織心理学のキーワード　　正答　2

1．**人事考課**に際し、評価者が陥りやすい評価の歪みの代表的なものとしては、ハロー効果、中心化傾向、寛大化傾向、対比誤差などがある。

2．正しくない。**職務関与**は、職務満足感、コミットメントと並ぶ**職務態度**に包摂される主要な概念の一つである。したがって職務態度がより上位の概念になる。

3．ブラウナー（Blauner, R.）は『産業における疎外と自由』の中で、**疎外**を物理的な孤立と精神的疎外に分け、後者については無意味感、無力感、社会的孤立、自己疎隔の4つに分けている。

4．わが国の人事考課は、成果主義の進展に伴い評価基準として高業績者の能力や行動などを基準とする**コンピテンシー**が用いられるようになったが、その内容が曖昧なためにさまざ

□人事考課
□職務関与
□職務態度
□ブラウナー
□疎外
□コンピテンシー

な改良が加えられている。

### 問7 ダイバーシティ 　　　　　正答　3

1. 組織の効率を上げるためには、働く人がそれぞれの**ワーク・ライフ・バランス**がとれていることに満足しながら働けるようにすることが大事であり、時間や場所を全員均一にして就労させる必要がない仕事も多い。

2. 働く男女の間に能力や適性の差が認められることは少なく、女性が男性の補助でよいという**ジェンダー**（社会的な性差）を肯定する証拠はない。女性の長い人生を考えれば、多くの働く女性が結婚や出産を機に退職し職業的キャリアを中断することは、人生の豊かさを高めるためにも、また社会全体の活力を維持するうえからも望ましいとはいえない。

3. 正しい。多様な外見的特性や価値観が併存する社会においては、合理的な根拠がない差別は排除され、働く人々は、その仕事に応じて**同一労働同一賃金**の原則に即して、公平・公正に評価・処遇されるべきである。

4. 公平・公正な評価・処遇が求められる社会では、長期的な雇用を前提にした労働者であろうが、短期的な労働需要に応じて雇用された労働者であろうが、労働の内容が同じならば同じ評価基準と賃率が適用され、処遇に差をつけるべきではない。

**KEY WORD**
- □ ダイバーシティ
- □ ワーク・ライフ・バランス
- □ ジェンダー
- □ 同一労働同一賃金

### 問8 メンタルヘルス 　　　　　正答　2

1. **メンタルヘルスの一次予防**は、メンタルヘルス不調者の発生を予防することが目的で、組織のメンバー全員が対象となり、セルフケアの習得や研修などによる啓蒙、ストレスチェックなどが行われる。専門医や心理カウンセラーなどの専門職は**二次予防・三次予防**でかかわってくる。

2. 正しい。厚生労働省の「令和4年労働安全衛生調査」によれば、過去1年間にメンタルヘルス不調により連続1か月以上休業または退職した労働者がいた事業所の割合は13.3%（令和3年は10.1%）、またメンタルヘルス不調により連続1か月以上休業した労働者の割合は0.6%（同0.5%）、退職した労

**KEY WORD**
- □ メンタルヘルス
- □ 一次予防
- □ 二次予防
- □ 三次予防
- □ 復職プログラム
- □ EAP
- □ 仕事ストレス
- □ 気づき
- □ 声かけ

働者の割合は0.2％（同0.2％）となっている。そのため、求職者のスムーズな職場復帰を可能にする適切な段階を追った**復職プログラム**の設計は急務となっている（統計資料がある平成24年の調査では、休職者の55％が復職している）。

3. メンタルヘルスの対策としては、集団健診時の問診やミーティング・研修などを通した啓蒙活動などの一次予防は広く普及しているが、**EAP**などの外部資源を活用したケアや復職支援である二次予防や三次予防は十分とはいえない。

4. 賃金の上昇は一時的には職務満足感や動機づけを高める効果があり、職務満足感の向上はメンタルヘルスの向上にも貢献するとも考えられるが、**仕事ストレス**への早期対応を可能にするには、仕事の性質や質的・量的な負荷、周囲との関係、支援の有無など当人の置かれている状況がよくわかっている上司や同僚などによる**気づきや声かけ**のほうがメンタルヘルス対策として有効である。

**8**

**産業・組織**

## 問9　働き方改革　　　　　　　　　正答　3

**働き方改革**は、少子高齢化による労働力不足や労働生産性の低さなどの課題に対処するために提唱されたもので、2017年3月に「**長時間労働の是正**」「**柔軟な働き方**がしやすい環境整備」などの具体的な方向性を示した「働き方改革実行計画」がまとめられ、2018年6月には「働き方改革関連法」が成立した。

そこでは、育児や介護との両立など働く人々のニーズの多様化に対応する施策が模索され、就業機会の拡大や意欲・能力を存分に発揮できる環境づくりが課題になっている。特に、ワーク・ライフ・バランスの向上をめざした長時間労働の是正や働く場所や時間の自由度の拡大（**テレワーク**や**リモートワーク**、**フレックスタイム**、**短時間勤務**など）、男女間や正規・非正規間などの不平等の是正をめざす同一労働同一賃金などが主な柱とされている。

そのため、男女を合わせた一般労働者の平均年間総労働時間（男性のほうが長い）が2,000時間に近くなるような現状は、非仕事生活の時間が十分取れないことを意味し、より短縮されるべきである。したがって、**3**は誤りである。

□働き方改革
□長時間労働
□柔軟な働き方
□テレワーク
□リモートワーク
□フレックスタイム
□短時間勤務

➡解説はp.329〜

**組織行動** \ **問 題**

\*\*
**問10** 以下の文章の空欄a〜cに当てはまる用語の組合せとして、正しいものはどれか。

　産業心理学の父と呼ばれるミュンスターバーグ（Münsterberg, H.）は、経済生活上の諸問題について、①最適な（　a　）、②最良の（　b　）、③最高の（　c　）という3つの観点から心理学の応用を考えた。

| | a | b | c |
|---|---|---|---|
| **1.** | 人材の選抜 | 仕事方法 | 工作器具 |
| **2.** | 人材の選抜 | 仕事方法 | 効果発揮 |
| **3.** | 人間関係 | 賃金制度 | 工作器具 |
| **4.** | 人間関係 | 賃金制度 | 効果発揮 |

\*
**問11** 組織のグローバル化に伴う異文化間コミュニケーションの問題を考える手がかりとして、ホール（Hall, E.）が提唱した文化的なコンテクストの概念が役立つ。コンテクストについての説明として適切なもの2つの組合せはどれか。

a：「目で語る」「あうんの呼吸」は、ハイ・コンテクスト文化に見られる行動である。

b：人々の価値観や文化的背景が互いに独立しているのが、ハイ・コンテクスト文化の特徴である。

c：ロー・コンテクスト文化では、一般に会話の量は少なくなる。

d：ロー・コンテクスト文化では、明瞭で具体性のある表現でコミュニケーションをとることが求められる。

**1.** a、c

**2.** a、d

**3.** b、c

**4.** b、d

\*\*
**問12** キャリア発達に関する理論とその研究者の組合せとして、**適切でないもの**はどれか。

**1.** 計画された偶発性 ——————— クランボルツ（Krumboltz, J.）

**2.** キャリア・アンカー ——————— レヴィンソン（Levinson, D.）

**3.** ライフ・キャリア・レインボー ——— スーパー（Super, D. E.）

**4.** 六角形モデル ——————— ホランド（Holland, J.）

** 
**問13** 以下の文章の空欄に当てはまる用語の組合せとして、正しいものはどれか。

ハックマンとオルダム（Hackman, J. R. & Oldham, G. R.）の職務特性モデルでは、中心的な職務次元として、技能の多様性、課業の（　　　）、課業の（　　　）、自律性、フィードバックの5特性を挙げている。

1．難易度・魅力
2．難易度・有意味性
3．一貫性・魅力
4．一貫性・有意味性

**問14** 以下の文章の空欄a・bに入る当てはまる用語の組合せとして、正しいものはどれか。

職場いじめの一つであるセクシャル・ハラスメントについては、一般的に2つのタイプが知られている。「女性従業員に対して性的なからかいや卑猥な言動を投げかけた」というケースは（　a　）、「昇給をちらつかせ個人的なつきあいを求めたが断わられたため、報復的な解雇や配置転換をした」というケースは（　b　）に相当する。

|  | a | b |
|---|---|---|
| 1． | 環境型ハラスメント | 報復型ハラスメント |
| 2． | 環境型ハラスメント | 対価型ハラスメント |
| 3． | ジェンダー・ハラスメント | 報復型ハラスメント |
| 4． | ジェンダー・ハラスメント | 対価型ハラスメント |

** 
**問15** 組織と人とのかかわりに関する心理学的なアプローチの研究とその研究者の組合せとして、<u>適切でない</u>ものはどれか。

1．アルダファー（Alderfer, C. P.）――――ERG 理論
2．マグレガー（McGregor, D. M.）――――X-Y 理論
3．リッカート（Likert, R.）――――――アクション・リサーチ
4．ハーズバーグ（Herzberg, F.）――――動機づけ–衛生要因理論

**8**

産業・組織

\*
**問16** 人事考課などで見られる評定のバイアスのうち、対象者への一般的・全体的な印象が、対象者の個々の行動に対する評定を肯定的あるいは否定的な方向に歪める傾向を何と呼ぶか。

1．後光効果（halo effect）
2．論理的誤差（logical error）
3．中心化傾向（centralization tendency）
4．寛大化傾向（leniency tendency）

\*
**問17** ストレス性疾患の一種であるバーンアウト（burnout）を探るうえでの手がかりとして、**直接関係のない**ものはどれか。

1．情緒的消耗感
2．人的資源管理
3．ヒューマン・サービス従事者
4．脱人格化

\*\*\*
**問18** 動機づけ（モチベーション）理論に関する記述として、最も妥当なものはどれか。

1．ヴルーム（Vroom, V. H.）の唱えた道具性期待理論には、期待（Expectancy：$E$）、誘意性（Valence：$V$）、相互依存性（Interdependence：$I$）の3つの要因が組み込まれている。
2．デシ（Deci, E. L.）の内発的動機づけ理論によれば、内発的動機づけの本質は、有能さ（competence）と自己効力（self-efficacy）の感覚である。
3．ロウラー（Lawler, E. E.）の動機づけモデルでは、期待は「能力→業績（$A→P$）」期待と「業績→成果（$P→O$）」期待の2つに分かれる。
4．動機づけの内容理論と過程理論という分類から見るならば、ロックとレイザム（Locke, E. A. & Latham, G. P.）の提唱した目標設定理論は、過程理論に含まれる。

## 問10　ミュンスターバーグの貢献　　　　　正答　2

1．工作器具については、**テイラー**の**科学的管理法**の中で強調された。科学的管理法は**単純化**（simplification）、**専門化**（specialization）、**標準化**（standardization）の3つを基本とするが、このうち標準化では、仕事に応じて適切な工具や器具を準備することが中心となる。

2．正しい。**ミュンスターバーグ**は経済生活上の諸問題について、3つの観点から心理学の応用を考えた。第一は「最適な人材の選抜（The best possible man）」で、職業と適性、科学的職業指導と科学的な管理の方法などの問題が含まれる。第二は「最良の仕事方法（The best possible work）」で、学習と訓練、単調や注意・疲労などの現象が含まれる。第三は「最高の効果発揮（The best possible effect）」で、経済的欲求の充足、広告や陳列の効果の問題などが含まれる。

3．人間関係、賃金制度、工作器具ともに、ミュンスターバーグの観点とは異なる。人間関係は、ミュンスターバーグの時代から下って1920〜1930年代にかけて行われた、いわゆる**ホーソン実験**において注目されるようになった。

4．賃金制度については、科学的管理法を提唱したテイラーが、成績に応じて報酬を支払う**刺激賃金制度（差別出来高払い制度）**を考案した。

## 問11　文化的コンテクスト　　　　　正答　2

a：適切である。生活習慣や価値観など、文化的な背景が共通している度合いの高い、**ハイ・コンテクスト文化**では、直接的で明確な表現よりも、相手のメッセージに含まれる意味や意図を自分から読み取ろうとする傾向が見られる。

b：適切でない。ハイ・コンテクスト文化とは、コンテクストの共有度が高い文化をいう。

c：適切でない。**ロー・コンテクスト文化**では、コンテクストの共有度が低いため、明確に意思を伝えるには言葉が主体になり、したがって会話の量も増えることになる。

d：適切である。コンテクストの共有度合いが低い中では、曖昧さを排し、具体的で正確な表現が重視される。

**KEY WORD**

- テイラー
- 科学的管理法
- 単純化
- 専門化
- 標準化
- ミュンスターバーグ
- ホーソン実験
- 刺激賃金制度（差別出来高払い制度）

8

産業・組織

- 文化的コンテクスト
- ハイ・コンテクスト文化
- ロー・コンテクスト文化

したがって、正答は **2** である。

**問12　キャリア発達理論と研究者**　　　　**正答　2**

1. **計画された偶発性**（planned happenstance）は**クランボル
   ツ**（Krumboltz, J.）が提唱している概念であり、予期せぬ出
   来事がキャリアの機会に結びつくことを意味する。
2. 適切でない。**キャリア・アンカー**とは、職業生活を送る中で
   個人が意思決定のよりどころ（アンカー）としているものを
   意味する。**シャイン**（Schein, E. H.）が組織内キャリア発達
   理論の中で提唱した概念である。レヴィンソン（Levinson,
   D.）はライフ・サイクル理論の研究者であり、トランジショ
   ン・サイクル・モデルを提唱した。
3. **ライフ・キャリア・レインボー**とは、キャリア発達を時間と
   役割の2つの視点からとらえたもので、**スーパー**（Super,
   D. E.）の理論において重要な柱となるものである。
4. **六角形モデル**とはホランド（Holland, J.）が提唱したもの
   で、キャリア選択につながる6つのパーソナリティ類型を示
   している。6つの頭文字を取って**RIASEC モデル**とも呼ば
   れる。

□計画された偶発性
□クランボルツ
□キャリア・アン
　カー
□シャイン
□ライフ・キャリ
　ア・レインボー
□スーパー
□六角形モデル
□RIASEC モデル

**問13　職務特性モデル**　　　　　　　　　**正答　4**

　**ハックマン**と**オルダム**（Hackman, J. R. & Oldham, G. R.）の
提唱した**職務特性モデル**では、以下に挙げる5つの中心的な職務
次元が仮定されている。
**技能多様性**：その仕事を遂行するために求められる、さまざまな
　　　能力や技能の程度。
**課業一貫性**：その仕事が全体の一部分にすぎないのか、あるいは
　　　初めから終わりまでその成果を確認できるような一貫性とま
　　　とまりを持った仕事であるかどうかの程度。
**課業有意味性**：その仕事が組織の内外を問わず人々の生活に本質
　　　的な影響をもたらす程度。
**自律性**：仕事のスケジュールや手続きを独立して自由に進めるこ
　　　とができる程度。
**フィードバック**：自ら、あるいは周囲を通じて仕事遂行の効果に

□ハックマン
□オルダム
□職務特性モデル
□技能多様性
□課業一貫性
□課業有意味性
□自律性
□フィードバック

関する明確な情報を得ることができる程度。

したがって、正答は **4** である。

### 問14 セクシャル・ハラスメント　　　　　正答　2

　**セクシャル・ハラスメント**（セクハラ）とは、一般に、相手の意に反する性的な言動や性的行為の要求を意味し、職場で見られるいじめ（ハラスメント）の代表的なものの一つである。セクハラは大別して2つに分けることができる。

**環境型セクハラ**：仕事環境を悪化させ、就業を困難にするような悪影響を及ぼす性的な言動をさす。異性関係をしつこく聞かれる、性的なうわさを流される、猥談を聞かされる、故意に身体を触られる、職場に猥褻なポスターや雑誌を持ち込まれるといった行為は、環境型セクハラに含まれる。

**対価型セクハラ**：職務上の地位や権限を利用し対価を示すことで性的行為や性的関係を要求する言動をさす。従えば正規雇用や昇給、昇進などの利益を、拒否した場合は降格や減給、解雇といった不利益や報復行為を匂わせて性的関係を求めるといった行為は、対価型セクハラの典型である。

　**ジェンダー・ハラスメント**とは、「とかく女は」などといった、性差別的で不快な一般的言動をさす。

　セクハラにおける報復行為は対価型セクハラに含まれる。

　したがって、正答は **2** である。

□セクシャル・ハラスメント
□環境型セクハラ
□対価型セクハラ
□ジェンダー・ハラスメント

**8**

産業・組織

## 問15 組織への心理学的アプローチ　　　正答　3

1. **アルダファー**（Alderfer, C. P.）はマズロー（Maslow, A. H.）の欲求5段階説に対して、存在（existence）、関係（relatedness）、成長（growth）の3段階の階層説を提唱した。それぞれの段階の頭文字を取り、**ERG理論**と呼ばれる。

2. **マグレガー**（McGregor, D. M.）は、組織に働く人々に対する人間観を2つに分類した。一つは、人は本来的に怠け者であり、管理にはアメとムチを必要とするという考え方であり、**X理論**と総称される。もう一つは、人は本来達成感や自己実現を求めて進んで働く存在ととらえる考え方で、**Y理論**と総称される。

3. 適切でない。**リッカート**（Likert, R.）は、組織管理のシステムを、システム1（独善的専制型）、システム2（温情的専制型）、システム3（協議的管理型）、システム4（集団参加型）の4タイプに分類した。リッカートによれば、4つの中では**システム4**を採用している組織の業績が最も高い。アクション・リサーチは、社会問題の実践的な解決をめざし、レヴィン（Lewin, K.）によって提唱された、理論と実践の相互フィードバックを基本とする研究方法。

4. **ハーズバーグ**は、満足と不満足を一次元の連続体上に位置するものではなく、それぞれ独立した次元にあるものととらえた。そして、充足時には強い満足感を生じるが不充足時には特段の不満を生じない要因を**動機づけ要因**（motivator）と呼び、不充足時には強い不満足を生じるが充足しても特段の満足につながらないような要因を**衛生要因**（hygiene factor）と呼んだ。

□アルダファー
□ERG理論
□マグレガー
□X理論
□Y理論
□リッカート
□システム4
□ハーズバーグ
□動機づけ要因
□衛生要因

**問16** 評定のバイアス　　　　　　　　　　　正答　**1**

1. 正しい。**後光効果**：被評定者に対する「好き・嫌い」といった感情を伴う全体的な印象が、被評定者の部分的な特徴の評定にも影響を与えてしまうバイアス。**ハロー効果、光背効果**ともいう。

2. **論理的誤差**：被評定者がある特徴を持っているとみなされると、それに関連する（と評定者が思っている）すべての特徴も備えているだろうと判断してしまうバイアス。特徴Aを持っていれば特徴Bも持っている（両者が包み込まれて一つになっている）ということから、**包装効果**とも呼ばれる。

3. **中心化傾向**：評定に自信を持てない場合などに、無意識のうちに平均的（中心的）な付近に評定が集中してしまうバイアス。

4. **寛大化傾向**：評定が無意識のうちに肯定的あるいは好意的な方向に歪むバイアス。評定者に自信が欠けていたり、被評定者と敵対したくない場合などに生じる。

□ 評定のバイアス
□ 後光効果
□ ハロー効果
□ 光背効果
□ 論理的誤差
□ 包装効果
□ 中心化傾向
□ 寛大化傾向

**問17** バーンアウト　　　　　　　　　　　　正答　**2**

1. **情緒的消耗感**はバーンアウトの中で見られるものである。対人的サービスを提供する中では、他者の私的な領域にまで介入しなければならないこともある。こうした過程で情緒的な疲労感や消耗感が蓄積していく。

2. 直接関係しない。人的資源管理とは、組織で運用されるさまざまな制度を通じて、従業員に経営上の意思決定を伝え影響を与えること。従業員は組織にとって経営上の重要な資源と位置づけられる。バーンアウトとは直接関係はない。

3. **ヒューマン・サービス**従事者とは、看護や介護、教育など、対人的なサービスを提供する現場で働く人々をさす。バーンアウトは、ヒューマン・サービス従事者に多く見られるストレス性疾患として知られている。

4. **脱人格化**はバーンアウトに見られるものであり、サービスの受け手に対する非人間的な対応を意味する。情緒的消耗感が亢進していく中で生じる。

8

産業・組織

## 問18 動機づけ理論　　　　　正答 4

KEYWORD

1. **ヴルーム**（Vroom, V. H.）の**道具性期待理論**では、行動への動機づけの強さを、**期待**（Expectancy：*E*）、**誘意性**（Valence：*V*）、**道具性**（Instrumentality：*I*）の３つの要因で予測しようとする。説明中にある相互依存性（Interdependence）は誤りである。

2. **デシ**（Deci, E. L.）の**内発的動機づけ理論**では、自分を取り囲む環境を効果的に処理することのできる**有能さ**（competence）の感覚と、自分自身が行動の主体として自由意思で選択できるという**自己決定**（self-determination）の**感覚**が、内発的動機づけの本質とされる。自己効力（self-efficacy）とは、バンデューラ（Bandura, A.）の提唱した概念であり、特定の行動や状況にうまく対処することができるかどうかについての本人の判断（期待）を意味する。

3. **ロウラー**（Lawler, E. E.）はヴルームの理論を修整し、精緻な期待理論モデルを構築した。ヴルームのモデルでは、期待が何に対する期待なのかが明確でないという批判があった。ロウラーのモデルでは、期待を、努力（Effort）することが業績（Performance）につながるだろうと考える「*E*→*P*」**期待**と、業績達成が成果（Outcome）につながるだろうと考える「*P*→*O*」**期待**の２つに分け、期待の持つ意味をより明確にした。

4. 妥当である。動機づけ理論は、**内容理論**（content theory）あるいは内容モデル（content model）と、**過程理論**（process theory）あるいは過程モデル（process model）に分類される。前者は人を動機づけるものはそもそも何なのかという、動機づけの源泉や根源を明らかにしようとする理論であり、マズローの欲求階層説はその代表的なものといえる。後者は動機づけがなぜ、どのように変化するのかの過程を明らかにしようとする理論であり、目標設定理論はこの分類に入る。このような分類の視点とは別に、デシの理論に見られるように、動機づけを内発的と外発的に分けるアプローチもある。

KEY WORD

- □ヴルーム
- □道具性期待理論
- □期待
- □誘意性
- □道具性
- □デシ
- □内発的動機づけ
- □有能さ
- □自己決定感
- □ロウラー
- □「*E*→*P*」期待
- □「*P*→*O*」期待
- □内容理論
- □過程理論

**問19** リーズン（Reason, J.）の不安全行為の分類において、基本的なヒューマンエラーの組合せとして妥当なものはどれか。

1．スリップ・ラプス・ミステイク
2．スリップ・ラプス・違反
3．スリップ・ミステイク・違反
4．ラプス・ミステイク・違反

**問20** 技能習熟などにかかわる学習の研究に関する説明として、**妥当でない**ものはどれか。

1．フィッツとポズナー（Fitts, P. M. & Posner, M. I.）は、技能を必要とする作業の特徴として、「体制化」「目標指向」「フィードバック」を挙げた。
2．コルブ（Kolb, D. A.）は、学習を「経験を変換することを通して知識を形成するプロセス」と定義したうえで、経験学習理論を提唱した。
3．レイヴとウェンガー（Lave, J. & Wenger, E.）は、学習は状況に埋め込まれており、学習者が学ぶのは「知識」であり、そこに技能も含まれていると考えた。
4．ポランニー（Polanyi, M.）は、「語りうることより多くのことを知ることができる」ことから、暗黙知（tacit knowledge）の重要性を主張した。

**問21** 産業事故を未然防止するためのリスク評価手法として、**妥当でない**ものはどれか。

1．事故関連樹法（event tree analysis; ETA）
2．根本原因分析法（root cause analysis; RCA）
3．欠陥関連樹法（fault tree analysis; FTA）
4．故障モード影響解析法（failure mode and effects analysis; FMEA）

**問22** リスク評価によって判定されたリスクレベルが判定される。このレベルに応じて対策をとるとともに、その結果を利害関係者および広く地域住民に公開することとして妥当なものはどれか。

1．リスクテイキング
2．リスクアセスメント
3．リスク認知
4．リスクコミュニケーション

8

産業・組織

\*
**問23** 仮説や信念を検証する際にそれを支持する情報ばかりを集め、反証する情報を無視または集めようとしない傾向として妥当なものはどれか。

1．確証バイアス
2．正常性バイアス
3．後知恵バイアス
4．多数派同調性バイアス

\*\*
**問24** 高度に複雑化・大規模化した組織での事故の影響は組織全体や社会に及ぶ。組織の安全性に関する理論と提唱者の組合せとして、**妥当でない**ものはどれか。

1．ノーマルアクシデント理論 ─────── ペロー（Perrow, C.）
2．高信頼性組織 ──────────── ホルナゲル（Hollnagel, E.）
3．リスクホメオスタシス理論 ───── ワイルド（Wilde, G. J. S.）
4．組織文化の３層モデル ──────── シャイン（Schein, E. H.）

\*
**問25** 1986年に発生したチェルノブイリ原子力発電所事故を契機として生まれた、安全に対する新たな概念として妥当なものはどれか。

1．安全文化
2．レジリエンス
3．企業の社会的責任
4．コンプライアンス

\*\*
**問26** 人間が設計意図とは異なる操作をしたときにでさえ、危険な状況を招かない、あるいはそもそもそういった操作ができないように配慮し、設計段階から対策を講ずるという設計思想として妥当なものはどれか。

1．フールプルーフ
2．フェールセーフ
3．レスポンシブルケア
4．フォールトトレラント

**問27** 障害の有無、老若、男女、人種、体型、言語や文化の相違などを問わず、どのような特性を持つ人間にも起こりうる障壁を除去する方策として妥当なものはどれか。

1. バリアフリー
2. ユーザビリティ
3. ピクトグラム
4. ユニバーサルデザイン

8

産業・組織

## 作業行動　解説

### 問19　ヒューマンエラー　　　正答　1

リーズン（Reason, J.）は、**不安全行為**（unsafe act）を意図しない行動と意図した行動に大別した。そして、意図しない行動として**スリップ**（slip）と**ラプス**（lapse）、意図した行動として**ミステイク**（mistake）と**違反**（violation）に分けた。

スリップは、注意の欠落などによりうっかり行動したエラーである。

ラプスは、行動途中でそれに必要な情報を失念することによるエラーである。

ミステイクは、意図どおりに行動したが、その意図や計画自体が間違っていたことによるエラーである。

違反は、安全を脅かす意図的な不適切行動であり、基本的なヒューマンエラーには含まれない。

したがって、基本的なエラーはスリップ・ラプス・ミステイクであり、正答は**1**である。

- □リーズン
- □不安全行為
- □スリップ
- □ラプス
- □ミステイク
- □違反

### 問20　技能の習熟　　　正答　3

1. **フィッツ**と**ポズナー**（Fitts, P. M. & Posner, M. I.）によると、体制化とは、技能には常に一連の統合化された動作を伴うことを意味する。目標指向とは、技能を必要とする動作には常になんらかの目的がかかわっていることを示す。また、フィードバックは、技能には動作に対する反応を利用することが必要であることを示したものである。

2. **コルブ**（Kolb, D. A.）は、具体的経験・内省的観察・抽象的概念化・能動的試行の4ステップからなるサイクルを回すことで、経験が知識に変換され学習されるという**経験学習理論**を提唱した。

3. 妥当でない。**レイヴ**と**ウェンガー**（Lave, J. & Wenger, E.）は「状況」にこそ学習の本質があると考える**状況論的学習理論**を提唱した。そして、学習者が学ぶのは**実践の文化**であるとし、未熟練者は**正統的周辺参加**として位置づけられると考えた。

4. **ポランニー**（Polanyi, M.）は、自分自身は気がついていなくとも身体が知っている**暗黙知**（tacit knowledge）の重要性

- □フィッツ
- □ポズナー
- □コルブ
- □経験学習理論
- □レイヴ
- □ウェンガー
- □状況論的学習理論
- □実践の文化
- □正統的周辺参加
- □ポランニー
- □暗黙知

を指摘し、個人特有の体験には言葉では正確に表現できず他者に伝達・説明できない知識こそが言語化される知識の基盤となっていると主張した。

### 問21 リスク評価手法　　　　　　　正答　2

1. **事故関連樹法**（event tree analysis; ETA）は、事故の契機となる事象を端緒として、機械・設備の各部分や作業工程の各段階での連鎖的影響を枝分かれ式に記述し分析するリスク評価手法の一つである。

2. 妥当でない。**根本原因分析法**（root cause analysis; RCA）は、事故や不具合発生などの原因を探求するために「なぜ」を繰り返すことで根本原因を追求し、再発防止策の立案に活用される事故分析手法であるがリスク評価手法ではない。

3. **欠陥関連樹法**（fault tree analysis; FTA）は、システムの故障を頂上事象とし、故障を発生させる可能性のある事象を下位に向かって列挙し連結させる樹状図を作成し、システム故障の確率を算出するリスク評価手法の一つである。

4. **故障モード影響解析法**（failure mode and effects analysis; FMEA）は、システムの構成要素に起こりうる故障モードを予測し、想定される原因や影響を解析することで設計や計画上の問題点を摘出するリスク評価手法の一つである。

□事故関連樹法
□根本原因分析法
□欠陥関連樹法
□故障モード影響
　解析法

### 問22 リスクマネジメント　　　　　　正答　4

1. **リスクテイキング**とは、危険と知りながら敢行する意思決定プロセスに基づく意図的なリスクの受容行動である。この行動は、危険性とリスク敢行に伴う利得認知との関係に依拠して変化する。

2. **リスクアセスメント**とは、職場の潜在的な危険性や有害性を特定しこれを除去・低減するための手法であり、リスクを特定・分析・評価するプロセス全体を意味する。

3. **リスク認知**は、定量的に表現されたリスクに対する主観的な見積もり（評価・予測）を意味し、**スロヴィック**（Slovic, P.）は、リスク認知を「恐ろしさ因子」と「未知性因子」から説明した。

□リスクテイキング
□リスクアセスメ
　ント
□リスク認知
□スロヴィック
□リスクコミュニ
　ケーション

8

産業・組織

4．妥当である。**リスクコミュニケーション**とは、対象についてのさまざまな側面やリスクに関する情報について地域住民を含めて利害関係者が意見を交換し、情報を共有するとともに相互に意思疎通を図りながら、リスク状態やその対処に関する合意形成の一つである。

### 問23　認知バイアス　　　正答　1

1．妥当である。**確証バイアス**とは、自己の願望や信念に基づきこれを裏づける情報を重視・選択し、反証となる情報を軽視・排除し、それにより自己の願望や信念を補強する心的傾向である。
2．**正常性バイアス**とは、異常事態が発生しても危険性を示す情報を正常の範囲内としてとらえ過小評価したり無視したりすることで心的バランスを保とうとする特性である。
3．**後知恵バイアス**とは、ある事象が起こったことを後から見ると事前に十分予見可能であったと見積もるバイアスである。
4．**多数派同調性バイアス**とは、異常事態が発生した際に、辺りに大勢の人がいると、とりあえず周囲の人の動きを探りながらそれに合わせて同じ行動をとることが適切と考えるバイアスである。

□確証バイアス
□正常性バイアス
□後知恵バイアス
□多数派同調性バイアス

### 問24　組織の安全性に関する理論　　　正答　2

1．**ペロー**（Perrow, C.）は、高度で複雑なシステムを有する組織では事故に至ることは必然とする**ノーマルアクシデント理論**（normal accident theory）を提唱した。
2．妥当でない。**ワイク**と**サトクリフ**（Weick, K. E. & Sutcliffe, K. M.）が、**高信頼性組織**には、失敗から学ぶ、単純化を許さない、オペレーションを重視する、復旧能力を高める、といった特徴があると指摘した。
3．**ワイルド**（Wilde, G. J. S.）は、あるリスク水準を知覚した人間は安全対策が施されることで、減少分のリスクに応じて自分の利得を求めて行動を変化させると考え、**リスクホメオスタシス理論**を提唱した。
4．**シャイン**（Schein, E. H.）は、人工物、信条と価値観、基本

□ペロー
□ノーマルアクシデント理論
□ワイク
□サトクリフ
□高信頼性組織
□ワイルド
□リスクホメオスタシス理論
□シャイン
□組織文化の3層モデル

的仮定からなる**組織文化の3層モデル**を提唱し、これは安全
文化概念の構築に多大な影響を与えた。

## 問25 安全文化　　　　　　　　　　正答　1

1. 妥当である。**安全文化**とは経営トップから現場の一人一人が
   安全最優先の意識を持ち、組織として安全確保に向けて取り
   組んでいる状態であり、**リーズン**は、**報告する文化・正義の
   （公正な）文化・柔軟な文化・学習する文化**の4つの要素を
   挙げた。
2. **レジリエンス**とは物理学用語から援用され、精神医学では極
   度の不利な状況に直面しても正常な平衡状態を維持すること
   ができる能力とされ、組織心理学では業務上の潜在的な危険
   性に対する抵抗力、回復力、弾力のこととされる。
3. **企業の社会的責任**（corporate social responsibility; **CSR**）
   とは、利潤の極大化、顧客の満足、株主価値の拡大といった
   企業活動に限らず、基盤とする社会とのかかわりの中で負う
   べき社会的存在としての企業の役割責任のことである。
4. **コンプライアンス**とは、企業が法律や内規などのごく基本的
   なルールに従って活動することであるが、ただ法令を守るこ
   とだけでなく、顧客や社会からの信頼に応え誠実に業務を行
   い、高い水準の企業理念や厳しい倫理規範を実践するという
   ことから遵守・応諾・従順などの意味を包摂する。

□安全文化
□リーズン
□報告する文化
□正義の（公正な）
　文化
□柔軟な文化
□学習する文化
□レジリエンス
□企業の社会的責
　任（CSR）
□コンプライアンス

**8**

産業・組織

**問26 安全人間工学**　　　　　　　　　　　**正答　1**

1. 妥当である。**フールプルーフ**とは、人間が機器を操作する際にその構造や機能をよく知らないあるいは注意力が低下した状態で行動する場合にも使用者が危険な状況を招かない、そもそも誤った操作ができないように配慮した設計思想である。

2. **フェールセーフ**の概念に基づいた機械は、安全確認のためのセンサーが故障した場合でも機械を停止するよう作られている。たとえば、石油ストーブの対震自動消火装置がある。これ自身が安全のための装置であるが、これが故障したときにもストーブは火が消えるように設計されている。

3. **レスポンシブルケア**とは、特に化学産業界で製品の開発から製造、使用、廃棄に至るすべての過程において、自主的に環境・安全・健康を確保し、社会からの信頼性向上とコミュニケーションを行う活動のことである。

4. **フォールトトレラント**とは、システムの一部で故障や誤動作が発生しても、他の機器でそれを補完してシステム全体の機能を保ち危険確率を低減させて機械の信頼性を維持させる設計思想である。

□フールプルーフ
□フェールセーフ
□レスポンシブルケア
□フォールトトレラント

**問27 ユニバーサルデザイン**　　　　　　　　**正答　4**

1. **バリアフリー**とは、障害者や高齢者など身体的機能が低下したユーザーが生活していくうえで障壁（バリア）となるものを除去（フリー）する発想を意味する。

2. **ユーザビリティ**とは、ある製品が、指定された利用者によって、指定された利用状況下で、指定された目的を達するために用いられる際の有効さ、効率および満足度の度合いである。

3. **ピクトグラム**とは、特定の言語を使わない・分からない場合であっても、誰に対しても情報を伝えられるように簡略化されたデザインのことである。

4. 妥当である。**ユニバーサルデザイン**は、障害の有無、年齢、性別、人種等にかかわらず多様なユーザーが共通に利用できるように機器や環境をデザインするという考え方である。

□バリアフリー
□ユーザビリティ
□ピクトグラム
□ユニバーサルデザイン

**\*\***
**問28** 以下の文章の空欄に当てはまる用語はどれか。

　広告心理学は19世紀末から20世紀初頭のスコット（Scott, W. D.）の研究に始まり、第二次世界大戦後は、広告の送り手（マーケター）と受け手すなわち消費者のコミュニケーションととらえる研究が大きなウエートを占めた。特に、近年は広告の受け手がどのようにそれを認知し購買行動に結びつけるか（結びつけないか）という（　　）が受け入れられている。

１．AIDMA モデル
２．広告効果測定
３．ブランド・ロイヤリティ
４．認知的情報処理モデル

**\***
**問29** 消費者に対応した新製品の開発を話題にするとき、市場細分化という言葉がよく使われる。次のうち市場細分化に最も関連の深い言葉はどれか。

１．金のなる木
２．ターゲット
３．心理的財布
４．ポストモダン・アプローチ

**問30** 消費者が購買行動に至る意思決定を行う際には、消費者が購買する商品やサービスに高い関心を持つ（高関与）か、関心が低い（低関与）かで、そのプロセスは異なる。高関与の商品選択に関して、そのプロセスを構成する要因として**適切でない**ものはどれか。

１．覚醒
２．欲求認識
３．情報探索
４．購買後評価

**8**

産業・組織

**\*\***
**問31** アーカー（Aaker, D. A.）は、消費者のブランド選択の根拠を、ブランドの資産価値（ブランド・エクイティ）という概念で表した。ブランド資産価値には「知名度」「知覚品質」「ブランド・ロイヤリティ」「（　　）」の４つの要素がある。空欄に入る適切な言葉はどれか。

1．ブランド・イメージ
2．ブランド連想
3．ブランド一貫性
4．ブランド・パーソナリティ

**\*\***
**問32** 消費者への説得的コミュニケーションの一つに「譲歩的要請法（door-in-the-face technique)」と呼ばれる技法がある。次のうちこの技法に最も関係のある例はどれか。

1．試供品や無料体験を提供し、その後でその商品購入を勧める。
2．魅力的な条件を提示し、客が購入を決めた後で未提示だった不利な条件を加える。
3．初めに定価を提示し客が断ったところで、用意していた割引値段を提示する。
4．この機会を逃すとその商品を手に入れることは難しくなることを強調する。

**問33** ディヒターら（Dichter, E. et al.）は、消費者行動を解明する方法として、消費者の内面的動機の調査「モチベーション・リサーチ」を提唱した。次のうちモチベーション・リサーチの技法と**直接関係しない**ものはどれか。

1．グループ・インタビュー法
2．投影法
3．圧迫面接法
4．深層面接法

**問34** 流行現象の生起にかかわる人間の欲求に**該当しない**ものはどれか。
1．自己実現欲求
2．同調性欲求
3．新奇性欲求
4．差別化欲求

**問35** 消費者の購買意思決定過程を説明するために提案された「ハワード゠シェス・モデル（Howard-Sheth model）」が基礎としている理論はどれか。

1．認知心理学理論
2．学習心理学理論
3．精神分析理論
4．社会的認知理論

## 市場・消費者行動　解　説

### 問28　広告心理学　　　　　　　　　　　　正答　4

1. **AIDMA モデル**：消費者がどのような広告に注目し、どのような広告を好み、記憶し想起するかということに注目したモデル。

2. **広告効果測定**：広告を媒体を通して発信した後、それによって生じた反応を測定すること。媒体の到達度、内容の到達度、消費者の心理的変化、消費者の行動の変化などを測る。

3. **ブランド・ロイヤリティ**：銘柄忠実度とも訳され、顧客がブランドに執着する程度を表す言葉で、ブランドに対する肯定的態度のこと。また、特定ブランドの反復的**購買行動**の面からとらえることもある。

4. 正しい。**認知的情報処理モデル**：1980年代に注目された消費者の広告情報処理に関する理論で、消費者の認知的活動が情報処理プロセスに介在するというモデル。

### 問29　市場細分化　　　　　　　　　　　　正答　2

1. **金のなる木**：PPM（product portfolio management）分析による分類の一つで、成熟期の事業分野で将来的な成長への期待は小さいが、競争上の優位性は高い事業。

2. 正しい。**ターゲット**：市場細分化は、特定の消費者のタイプ（これを**ターゲット**という）を設定し、**ライフスタイル**・価値観、所得・社会的階層、年代、性、職業などの属性に対応した、製品の開発やマーケティングを行う。

3. **心理的財布**：同じ額の対価を払うにしても、対象となる製品やサービスによって、心の痛み具合は異なる。田中正雄と北出修平による因子分析では、生活水準引き上げ用財布、付き合い用財布、趣味用財布Ⅰ・Ⅱなど9つの因子があるとされている。

4. **ポストモダン・アプローチ**：20世紀後半にハーシュマンとホルブルック（Hirschman, E. C. & Holbrook, M. B.）によって提唱された消費者心理に関する理論で、従来の科学的実証主義に対して、自己内省法を用いた解釈主義の立場をとるアプローチ。

**問30** 消費者の意思決定プロセス　　　　正答　**1**

1. **適切でない。覚醒**：周囲に敏感になり刺激に反応する状態になっていること。**消費者の意思決定プロセスには含まれない**概念。

2. **欲求認識**：消費者が、現状を自分にとって望ましいものではないと認識すること。

3. **情報探索**：自分にとって望ましい状態を手に入れるのに必要な製品やサービスに関する情報を捜し求めること。

4. **購買後評価**：購入した製品やサービスが期待どおりであれば満足、そうでなければ不満となり、それが次の購買行動に影響を与える。

**問31** ブランド・エクイティ　　　　正答　**2**

　アーカー（Aaker, D. A.）によれば、**ブランドは無形の資産価値**を有している。すなわち、知名度（よく知られ認知されている）、知覚品質（高品質イメージを持っている）、**ブランド・ロイヤリティ**（ブランドへの愛着がわく）、ブランド連想（豊かで広がりのあるイメージを連想できる）の4つで、このほかに特許や商標など法制度で保護される資産価値がある。

　したがって、正答は**2**である。

　**1**のブランド・イメージは、知覚品質に含まれる。**3**のブランド一貫性は、ブランドの強さに関する要素である。**4**の**ブランド・パーソナリティ**は、ブランドの個性や特徴に関する概念である。

**8**

**産業・組織**

## 問32 消費者への説得的コミュニケーション 　　正答　3

KEY WORD

心理学者チャルディーニ（Cialdini, R. B.）は、承諾を導く5つの原理を提示したが、**譲歩的要請法**（door-in-the-face technique）は、その中の返報性の原理に含まれるものであり、人は承諾することが相手のとった行動へのお返し（返報性）を意味すると考えたときに、相手からの要請を承諾する傾向が強まる。

1. 一貫性の原理に含まれる**段階的要請法**（foot-in-the-door technique）である。
2. 同じ原理の中での**承諾先取り法**（low-ball technique）である。
3. 正しい。初めに出した要請（高い値段）を引っ込め譲歩（割引き）することで、客に「次は自分が譲歩する（購入を決める）番だ」と思わせる、返報性を意識させる技法である。
4. 希少性の原理と呼ばれる。

□説得的コミュニケーション
□譲歩的要請法
□段階的要請法
□承諾先取り法

## 問33 モチベーション・リサーチ 　　正答　3

モチベーション・リサーチは、1950年代から60年代にかけて広く用いられた。

1. **グループ・インタビュー法**は、参加者間に生まれる相互作用を利用して消費者の欲求を探る技法であり、現在も活用されている。
2. 投影法は臨床心理学の手法であるが、消費者の無意識の欲求を探る手法として用いられた。
3. 直接関係しない。圧迫面接法は、対象者に対して高圧的な態度を取る、意地の悪い質問をするなど、心理的な負荷（ストレス）をかけてその対応を見ようとする面接法である。採用面接などで用いられる技法であり、モチベーション・リサーチとは直接関係はない。
4. **深層面接法**は、対象者個人への広範囲にわたる詳細な面接を通して商品への購買動機を探る技法である。

□モチベーション・リサーチ
□グループ・インタビュー法
□深層面接法

**問34** 流行現象　　　　　　　　　　　　　**正答　1**

　社会学者の**ジンメル**（Simmel, G.）などによると、**流行現象**を生み出す原動力として人間が持つ３つの欲求が挙げられる。

1. 該当しない。**自己実現欲求**とは、マズローの欲求階層理論で述べられた欲求で、流行現象には直接関係しないと考えられる。
2. **同調性欲求**とは、他者の行為を模倣することで社会や集団に順応しようとする欲求である。
3. **新奇性欲求**とは、目新しいものがもたらす心理的刺激を求め退屈を紛らわせたいという欲求である。
4. **差別化欲求**とは、他者から自分を区別して自己の独自性を表現したいという欲求である。

**問35** 消費者の購買意思決定モデル　　　　**正答　2**

　ハワードとシェス（Howard, J. A. & Sheth, J. N.）によって1969年に提唱された**ハワード＝シェス・モデル**は、1950〜60年代の**学習理論**に基づいたものである。

1. **認知心理学理論**とは、知識や記憶といった人間の認知機能を中心にして人間の行動を説明しようとする立場である。
2. 正しい。学習理論の中でも新行動主義（S-O-R 理論）に基づいている。
3. **精神分析理論**は、フロイト（Freud, S.）により創始された理論で、無意識の存在を前提とした理論である。消費者行動研究の中ではモチベーション・リサーチの理論的基礎として強い影響を与えた。
4. **社会的認知理論**とは、社会事象を人間が理解する場合の仕組みを説明するための理論で人間が持つ認知的バイアス（歪み）の存在が強調される。**行動経済学**とともに近年の消費者行動研究において強い影響力を持っている。

**8**

産業・組織

# 9 健康・福祉

健康心理学 問 題

→解説はp.355〜

\*
**問1** ブレスロー（Breslow, L.）のいう7つの健康生活習慣に**含まれていない**ものはどれか。

1．十分な睡眠をとる
2．朝食を毎日とる
3．毎日歯を磨く
4．間食をあまりしない

\*
**問2** わが国における生活習慣病に関する記述として、最も妥当なものはどれか。

1．悪性新生物の死因別死亡率が近年増加している第一の要因は、生活習慣病である。
2．喫煙は、がんや呼吸器系疾患と同様に、心筋梗塞への悪影響が疫学的に証明されている。
3．心疾患と脳血管疾患を合わせた死亡数は、日本人の死亡数の3割を超えている。
4．生活習慣病の対策がとられるようになったのは、健康増進法の制定以降である。

\* \*
**問3** 健康行動に関するモデル（理論）のうち、「健康に関する知識、態度、信念のような個人的要因だけでなく、財源や援助資源、結果の評価などの社会的要因」の重要性を強調しているのはどれか。

1．合理的行為理論
2．計画的行動理論
3．トランスセオレティカル・モデル（transtheoretical model）
4．プリシード・プロシードモデル（PRECEDE-PROCEED model）

**問4** 健康行動に関する記述として、**適切でない**ものはどれか。

1. ヘルス・ローカス・オブ・コントロールの考え方では、外的統制者は、健康行動に対して主体的・積極的な態度を取る。

2. 健康行動モデルでは、パーソナリティが健康維持のための行動にプラスあるいはマイナスに影響し、その行動が疾病に影響すると考えている。

3. 健康日本21（第二次）の最終評価報告書（2022〈令和4〉年）によると、20〜64歳の運動習慣のある者の割合は、男女とも30％に満たない。

4. 有酸素運動を行うことが、状態不安や特性不安の減少と関係するといわれている。

**問5** プリシード・プロシードモデルには8つの段階があるが、第1段階とされるのはどれか。

1. 疫学診断

2. 教育・組織診断

3. 行動・環境診断

4. 社会診断

**問6** ストレスに関する記述として、最も妥当なものはどれか。

1. ストレスコーピングによってはストレスの増加を促すことがある。

2. 喜ばしい刺激はストレスを生起しない。

3. ストレスの程度には個人差は見られない。

4. ストレスの発生には、もっぱら環境的な要因が影響する。

**問7** ホームズとレイ（Holmes, T. H. & Rahe, R. H.）の「社会的再適応評価尺度」において、生活変化ユニット（LCU）得点が最も高いものはどれか。

1. 結婚

2. 生活条件の変化

3. 配偶者の死

4. 離婚

**9**

健康・福祉

**問8** ストレスコーピングに関する記述として、最も妥当なものはどれか。

1. ストレス反応は環境と認知的評価、ストレスコーピングとの相互作用によって決定されると説明するモデルを、トランスセオレティカル・モデルという。
2. ストレッサーをコントロールできるという認知的評価は、ストレスの緩和につながる。
3. 一度実行されたストレスコーピングは、ストレスが解消されるまで継続される。
4. 仕事で失敗して落ち込んでいるときに、気分を紛らわすために飲酒することはストレスコーピングではない。

**問9** 血液、尿、唾液などの体液から検出される生体物質で、ストレスの客観的指標とされる物質として、最も妥当なものはどれか。

1. インスリン
2. 尿酸
3. コルチゾール
4. コレステロール

**問10** ストレスマネジメント教育に関する記述として、**誤っている**ものはどれか。

1. 対象は年齢を問わない。
2. 一次予防に特化された教育である。
3. ストレスについての知識の習得とコーピングの練習が必要である。
4. 多様なコーピングを実践できるようになることが目標となる。

**問11** 健康関連QOLの測定を目的として開発された心理尺度はどれか。

1. GHQ
2. MMPI
3. MMSE
4. SF-36

\*\*
**問12** リハビリテーションについて、最も妥当なものはどれか。

1. リハビリテーションの目的は、病気やけがなどが原因で失われた心身の機能を
もとの状態へ回復することである。

2. リハビリテーションにかかわる専門職に心理職は含まれないとされている。

3. リワークとは、精神疾患を原因として休職している人に対する、職場復帰や職
場定着の支援を目的としたリハビリテーションプログラムをさす。

4. 精神科リハビリテーションは、急性期の症状が消失して落ち着いた状態になっ
たことを確認して開始される。

\*
**問13** 医療において、患者が治療方針の決定に積極的に参加し、その決定に従っ
て積極的に治療を受け入れようとすることを意味する用語として、最も妥当なも
のはどれか。

1. コンプライアンス（compliance）

2. セルフ・エフィカシー（self-efficacy）

3. セルフコントロール（self-control）

4. アドヒアランス（adherence）

\*\*
**問14** インフォームド・コンセントにおいて説明する**必要のない**ものはどれか。

1. 治療の方法

2. ヘルスプロモーションの方法

3. 病気についての今後の見通し

4. 治療や入院にかかる費用

\*\*
**問15** 健康とポジティブ心理学に関する記述として、最も妥当なものはどれか。

1. ポジティブ心理学が取り上げる人生の充実や幸福は、健康心理学では取り扱わ
ない。

2. ポジティブ心理学への注目に伴い、最近、運動のポジティブな心理的側面が注
目されている。

3. ポジティブ心理学の提案を受けて、サクセスフル・エイジングの実現が提案さ
れている。

4. 肯定的な心理社会的資源を育成し活用する健康生成モデルは、ポジティブ心理
学の研究が発展して提唱された。

**9**

健康・福祉

＊＊
**問16** レジリエンスの説明として、**適切な**ものはどれか。

1．深刻な心理的苦痛を感じながらも、それを受け流せる力
2．逆境にあって心理的苦痛を経験しても、そこから回復していく力
3．不快な状況でも心理的苦痛に陥らず対処し、精神的健康を保つ強さ
4．人が感じる心理的苦痛を緩和する、有形・無形の支援の効果

＊＊
**問17** 禁煙外来で保険診療を受けるための条件として、**必要でない**ものはどれか。

1．常習的な喫煙者であること
2．ニコチン依存症と診断されていること
3．直ちに禁煙しようとしていること
4．身近に禁煙をサポートしてくれる人がいること

＊
**問18** エンゲージメントに関する記述として、**適切でない**ものはどれか。

1．エンゲージメントは人のポジティブな側面を重視した概念である。
2．フロー体験はエンゲージメントと関連性がある。
3．エンゲージメントは働き中毒の反対概念である。
4．エンゲージメントは個人の弱点を補強する活動から成立する。

## 問1 ブレスローの7つの健康生活習慣 　　正答　**3**

　ブレスロー（Breslow, L.）がカリフォルニア州アラメダ郡で実施した10年間にわたる縦断的研究において、生活習慣と死亡率との関係を調べた。その結果、①喫煙をしない、②適度の**飲酒**かまったくしない、③定期的に**運動**する、④適正な体重を保つ、⑤十分な睡眠（7～8時間）をとる、⑥朝食を毎日とる、⑦間食をあまりしない、という7つの健康生活習慣を維持している人はそうでない人に比べて、死亡率や罹患率が低く、健康状態がよいことが明らかとなった。

- □ブレスローの7つ
  - の健康生活習慣
- □喫煙
- □飲酒
- □運動

**1、2、4.** いずれも含まれている。ブレスローの調査では、これらを含む7つの健康生活習慣を維持している人の死亡率は3つ以下の人に比べて、男性では28％、女性では43％であることが示されている。

**3.** 含まれていない。毎日歯を磨くことは口腔衛生上重要な行動であるが、ブレスローの調査における健康生活習慣には含まれていない。

## 問2 生活習慣病 　　正答　**2**

　**生活習慣病**が問題とされるのは、医療の充実や環境衛生の向上により、若年者の感染症が減少した結果、医療の対象として、長期にわたる生活習慣がもとになって生じる疾病が相対的に大きな割合を占めるようになってきたためである。この中でもリスク要因としては、喫煙習慣が真っ先に取り組むべき生活習慣ということができる。死因の上位に肺炎が入ってきたのは、高齢化に伴う誤嚥性肺炎の影響が大きい。

- □生活習慣病
- □成人病
- □健康増進法

**1.** 悪性新生物の死因別死亡率が近年増加している第一の要因は人口の高齢化である。年齢調整をしたデータではがんによる死亡率は近年むしろ低下傾向にあり、加齢の要因を除くとがん死亡率はまったく増加していない。

**2.** 妥当である。喫煙は、がんや呼吸器系疾患だけでなく心筋梗塞の大きなリスク因子である。

**3.** 死因別死亡数の死亡総数に対する割合を見ると、2022（令和4）年は、悪性新生物（がん）24.6％、心疾患14.8％、老衰11.4％、脳血管疾患6.9％であり、2018（平成30）年より老衰

**9**

健康・福祉

が第3位となり、脳血管疾患は第4位である。心疾患と脳血
管疾患を合わせると21.7％であり、3割に満たない。

4．生活習慣への対策は**成人病**と呼ばれた頃から始められてお
り、1996（平成8）年からは生活習慣病という名称で対策が
とられてきた。2002（平成14）年公布の**健康増進法**は、国民
が生活習慣の改善に自ら取り組むことを推進するものである。

**問3　健康行動モデル　　　　　　　正答　4**

1．**合理的行為理論**は、健康行動は特定の行動を実施すること
に対する個人的態度と、主観的規範に規定される行動意図によ
ってもたらされるという因果モデルである。

2．**計画的行動理論**は、無自覚的に行われる健康行動を説明する
ために主観的行動統制の考え方を加え、合理的行為理論を一
部修正したモデルである。

3．**トランスセオレティカル・モデル（TTM）**では、行動変容
は対象者のレディネス（無関心ステージ、関心ステージ、準
備ステージ、実行ステージ、維持ステージ）に応じた働きか
けが重要であることが強調されている。

4．**正しい。プリシード・プロシードモデル**では、健康行動の形
成や維持のためには、健康に関する知識、態度、信念のよう
な個人的準備要因だけでなく、財源や援助資源、結果評価な
どの社会的要因が重要であることが強調されている。

□合理的行為理論
□健康行動
□計画的行動理論
□トランスセオレ
　ティカル・モデル
　（TTM）
□プリシード・プ
　ロシードモデル

**問4　健康行動　　　　　　　　　　正答　1**

　**健康行動**は、健康状態を向上させる行動であり、種類は多岐に
わたる。ちなみに、厚生労働省の生活習慣病対策のスローガンは
「1に運動　2に食事　しっかり禁煙　最後にクスリ」というも
のである。運動と食事は健康行動の中核をなすものであり、喫煙
は最もリスクを高める習慣であるので、喫煙者では禁煙指導が優
先事項である。健康行動に影響を及ぼす個人要因としては効力感
など自己にかかわるもの、リスク認知に関係するもの、パーソナ
リティ要因などが研究されている。

1．適切でない。**ヘルス・ローカス・オブ・コントロール**は、健
康を左右しているのが、自分自身（内的）か、それ以外の要

□健康行動
□ヘルス・ローカ
　ス・オブ・コン
　トロール
□ストレス評価
□ストレスコーピ
　ング
□健康日本21

因（外的）かと考えていることで、健康行動が異なることを示しており、内的統制者は、自身の健康行動に対して主体的・積極的な態度を取るが、外的統制者は逆の傾向である。

2. パーソナリティと病気を結ぶ2つのモデルが考えられている。ストレス仲介モデルでは、パーソナリティは、**ストレス評価**や**ストレスコーピング**に影響を与える要因とされる。一方、健康行動モデルでは、パーソナリティが健康維持のための行動にプラスあるいはマイナスに影響し、その行動が疾病に影響すると考える。

3. **健康日本**21（第二次）の最終評価報告書（2022〈令和4〉年）によると、2019（令和元）年には、20〜64歳の運動習慣のある者の割合は、男性23.5％、女性16.9％で、ともに30％に満たない。この実態を受けて、2024（令和6）年度から開始した健康日本21（第三次）では、女性の健康もターゲットに取り上げられている。

4. 健康行動としての運動の身体的によい影響だけではなく、有酸素運動を行うことは、状態不安や特性不安を低下させ、うつについても低下させることが示されている。

**問5** 健康教育（プリシード・プロシードモデル）**正答 4**

**プリシード・プロシードモデル**は**グリーン**と**クロイター**（Green, L. W. & Kreuter, M. W.）によって開発された、ヘルスプロモーション実践に関するモデルの一つである。プリシード・プロシードモデルでは、まず、対象とする集団の**QOL**（生活の質）や社会目標、ニーズなどを検討する「社会診断」を行う。そして、「社会診断」で検討した社会目標などに影響を与える具体的な健康上の問題を検討する「疫学診断」を行い、健康上の問題に直接関連している具体的な行動および環境要因を検討する「行動・環境診断」を経た後に、行動・環境要因に影響する要因を検討する「教育・組織診断」を行う。

1. 疫学診断は社会診断を行った後に行う。
2. 教育・組織診断は社会診断、疫学診断、行動・環境診断を行った後に行う。
3. 行動・環境診断は社会診断、疫学診断を行った後に行う。

4．正しい。プリシード・プロシードモデルでは、介入の対象となるコミュニティにおける健康上の問題やニーズを把握する段階、つまり社会診断を第1段階としている。

### 問6 ストレス　　　　　　　　　　　　　　正答　1

　**ストレス**は「なんらかの刺激の発生によって**精神的・身体的興奮**が生起されるプロセス」と定義される。刺激は**ストレッサー**、心身の興奮は**ストレス反応**と呼ばれる。過度なストレス状態は心身に過重な負荷を与え弊害をもたらすが、**ストレスコーピング**によって低減することは可能である。

1．妥当である。アルコールや薬物の使用、暴力といった行動もストレスコーピングの一種であり、依存状態や社会からの孤立といった新たなストレス状況を生み出しやすい。

2．どのような刺激もストレッサーとなりえる。不快刺激だけでなく、快刺激もまた心身の興奮を生じさせる。

3．ストレスの程度は個人が置かれた状況や個人の特性（知的能力、感受性、自己効力感、サポート資源など）の違いによって異なる。

4．3と同じく環境的要因と個人的要因のどちらもがストレスに影響する。

### 問7 ストレッサー（社会的再適応評価尺度）　　正答　3

　**社会的再適応評価尺度**は**ホームズ**と**レイ**（Holmes, T. H. & Rahe, R. H.）によって開発されたものであり、**ライフイベント**スケールをストレスの客観的評定尺度として用いたものとされる。彼らは多くの人を対象にライフイベントの抽出を行い、「結婚」のLCU（生活変化ユニット）を50としたうえで、これを基準として、さまざまなライフイベントのLCUを算出した。

1．「結婚」のLCUは50であり、選択肢の中では「配偶者の死」、「離婚」の次に高い。

2．「生活条件の変化」のLCUは25であり、選択肢の中では最も低い値である。

3．正しい。「配偶者の死」のLCUは100であり、社会的再適応評価尺度にあるライフイベントの中で最も高い。

**KEY WORD**

□ストレス
□精神的・身体的興奮
□ストレッサー
□ストレス反応
□ストレスコーピング

□社会的再適応評価尺度
□ホームズ
□レイ
□ライフイベント
□LCU

4 ．「離婚」のLCUは73であり、選択肢の中では「配偶者の死」に次ぐ得点である。

## 問8 ストレスコーピング 正答 2

ラザラスとフォルクマン（Lazarus, R. S. & Folkman, S. K.）は、**ストレスコーピング**をストレス反応への対処方法として個人がとる認知的・行動的な努力とした。ストレスの原因の解決に重点を置いた**問題焦点型コーピング**と、感情の制御に重点を置いた**情動焦点型コーピング**がある。

1 ．トランスアクショナルモデルが正しい。トランスセオレティカル・モデルは、人が行動を変える場合に5つのステージを通るとする見方である。

2 ．妥当である。認知的評価は、ストレッサーが脅威か否かを判断する一次的評価と、ストレッサーに有効なストレスコーピングを検討する二次的評価に分けられる。

3 ．ストレスコーピングが有効であったか否かについて再評価される。ストレスの軽減に失敗したと評価された場合には、異なるストレスコーピングを選択することもある。ストレス状況に応じて、使用するストレスコーピングを変える能力をストレスコーピングの柔軟性という。

4 ．アルコールの摂取もストレスコーピングである。ただし、身体への健康障害や依存症をはじめ、新たなストレス状況を生み出すおそれがある。

□ラザラス
□フォルクマン
□ストレスコーピング
□問題焦点型コーピング
□情動焦点型コーピング

**9**

健康・福祉

## 問9 ストレスの生理的指標 正答 3

1 ．インスリンは血中の糖代謝を行う膵臓から分泌されるホルモンで、これの枯渇により糖尿病が出現する。**ストレス**によって分泌に影響はあるものの、直接ストレスと関係はしない。

2 ．尿酸は筋肉の疲労と関係の深い物質であり、精神的な意味の強いストレスや慢性疲労の状態との関係はない。

3 ．妥当である。脅威を感じると脳は直ちに視床下部から下垂体に命令を出し、**副腎皮質刺激ホルモン（ACTH）**を分泌させ、その結果副腎皮質から大量の**コルチゾール**が分泌されて糖産生を活発にする。その結果、ストレス負荷により数分で

□ストレス
□副腎皮質刺激ホルモン（ACTH）
□コルチゾール

血液中にコルチゾールが分泌される。さらに少し遅れて尿や唾液中にフリーコルチゾールと呼ばれる成分が分泌される。その量は血液中のそれに比べて微量だが、高速液体クロマトグラフィー法やエライザ（ELISA）法によって検出し、ストレス反応性を評価することができる。

4. コレステロールは血中から検出される脂質で、値が高いと高脂血症と呼ばれて血管内壁に蓄積して高血圧の原因となり、糖尿病、脳梗塞、心筋梗塞などのリスクファクターになる。ストレスと直接の関係はないものの、脂質異常の状態にある人では強いストレスによって増悪することが知られている。

### 問10 ストレスマネジメント教育　　　　正答　2

　**ストレスマネジメント教育**は、過度なストレスに対応するため、ストレスの実態（知識）と適切な**ストレスコーピング**のあり方を教えることである。

1. ストレスは老若男女を問わず生じる現象であり、いわば生きている限りつき合わなければならない。
2. 誤り。ストレスマネジメント教育は**一次予防**としての**集団教育**ができると同時に、個人的なアプローチ（たとえば学校の保健室におけるストレス低減法の教育）として**二次予防・三次予防**に活用することができる。
3. ストレスマネジメントを実践するためには、ストレスについての正しい理解とその低減のためのストレスコーピング法を習得する必要がある。
4. ストレッサーの種類はさまざまであり、対応するストレスコーピングも多様である。ストレスマネジメント教育では多くのストレスコーピング法を学び、状況に応じた対応ができるようになることが目標となる。

□ストレスマネジ
　メント教育
□ストレスコーピ
　ング
□一次予防
□集団教育
□二次予防
□三次予防

### 問11 QOL　　　　正答　4

　QOLの中で、特に健康に関連したQOLを**健康関連QOL**と呼ぶ。健康関連QOLを測定する心理尺度としては一般人も測定対象としている**SF-36**がよく知られている。このほか、特定の疾患の患者のQOLを測定する心理尺度もある。たとえば、糖尿病患

□QOL
□健康関連QOL
□SF-36
□GHQ

者を対象としたPAIDやITR-QOL、がん患者を対象とした
FACT、リウマチ患者を対象としたHAQなどが知られている。

1. GHQ（General Health Questionnaire）は一般的な健康度を
問う質問紙で、うつ気分や自殺願望などを評価するのに用い
られる。

2. MMPI（Minnesota Multiphasic Personality Inventory）は
ミネソタ多面人格目録で、人の性格特性を多面的に把握する
ために用いられる。

3. MMSE（Mini-Mental State Examination）は記憶能力や認
知機能を測定する尺度で、認知症の早期発見・早期診断のた
めに用いられることが多い。

4. 正しい。SF-36（MOS 36-Item Short-Form Health Survey）
は8つの領域における一般人および患者の健康関連QOLを
測定できる。

## 問12 リハビリテーションとQOL　　正答　3

1. リハビリテーションを実施しても、心身機能がもとの状態に
回復できないことも少なくない。心身機能に障害があっても
QOLを向上し、人間らしく生きる権利を回復すること（全
人的復権）を目的とする。

2. リハビリテーションの分野は、医学、職業、社会、教育、工
学など多岐にわたる。理学療法士、作業療法士、言語聴覚士
以外にも、心理職、看護師、管理栄養士ほかさまざまな専門
職が関与する。

3. 妥当である。リワークとは、精神疾患を原因として休職して
いる人に対する、職場復帰や職場定着の支援を目的としたリ
ハビリテーションプログラムをさす。

4. 急性期には、症状による不安定さの解消、安静状態が長期間
続くことによって生じる心身の機能低下（廃用症候群）の予
防を目的としてリハビリテーションが実施される。

□リハビリテー
　ション
□QOL
□リワーク
□廃用症候群

**9**

健康・福祉

## 問13　アドヒアランス　　　　　　　正答　4

1. **コンプライアンス**（compliance）とは法令を厳格に守るという意味があり、患者としては医師の処方箋どおりに厳格に薬を服用し、療養に励むことをいう。自らの意思による積極的な治療の受け入れというよりは、専門家の意見を厳格に守ることによって治療を円滑にするという若干消極的な意味合いとなる。

2. **セルフ・エフィカシー**（self-efficacy）は自己効力感と訳され、医療の場においては患者が行う**セルフケア**行動によって病状が改善することへの期待感、行動実現への自信などをさしていう。

3. **セルフコントロール**（self-control）とは一般に自制心を表すが、医療・健康分野では、血圧を自力で低い水準に保つためにストレスをためない、リラクセーション技法を身につけるなど、リラックス状態を自らの意思と行動によって制御すること、あるいは気分や感情を自分で調整することによって健康維持・増進に役立てることをさすことが多い。

4. 妥当である。他者からのお仕着せや命令によるのではなく、自分の意思で積極的に治療法を受け入れ、セルフケアを行うことが**アドヒアランス**（adherence）と呼ばれている。**生活習慣病**の改善や予防においてアドヒアランスは、こうした積極的な健康行動への動機づけ、セルフケア行動の習得・維持に有効であることから、重要視されている。

## 問14　インフォームド・コンセント　　正答　2

1、3、4．説明する必要がある。医療は専門性の高い領域であるため、これまで医療従事者の判断が優先されていたが、近年では患者の権利を守るために、医療従事者は治療法等について患者に十分説明したうえで、患者の同意の下に医療サービスを提供する必要性が高まっている。その説明の内容には、治療の方法、病気についての今後の見通し、薬の効能や副作用、治療に必要な費用等の情報が含まれる。いずれも患者が自らの病気について十分に理解したうえで、納得できる治療方法を選択するための重要な情報となる。

**KEY WORD**

- □コンプライアンス
- □セルフ・エフィカシー
- □セルフケア
- □セルフコントロール
- □アドヒアランス
- □生活習慣病

---

- □インフォームド・コンセント
- □ヘルスプロモーション

2．説明する必要はない。**ヘルスプロモーション**とは、病気予防
のために健康を管理するための活動であり、通常、健康教育
や疾病予防教育の中で行われる。

### 問15　健康とポジティブ心理学　　　　正答　2

　**ポジティブ心理学**は、ポジティブ感情やポジティブなパーソナ
リティなど精神的健康には関連を持つ領域であるが、元来は、健
康心理学とはほとんど関係がなく、身体的な健康を増進すること
は考えていなかった。しかし、結果として、人間の持つポジティ
ブな機能と病気にならず長寿であることなどの関係が示されたこ
ともあり、近年では、健康心理学領域とも近い関係になりつつあ
る。これは、ある意味では自然な流れであり、特に、**ウェルビー
イング**（well-being）の領域では、ポジティブ心理学の成果が健
康心理学に貢献する部分が大きい。

1．ポジティブ心理学が取り上げる人生の充実や幸福は、健康心
　理学でも、最終的な目標というべき極めて重要なテーマであ
　る。

2．妥当である。ポジティブ心理学への注目と同期するかのよう
　に、最近、さまざまな運動について、ポジティブな心理的側
　面が研究されてきている。**問4**の**4**の解説を参照。

3．**サクセスフル・エイジング**は、ポジティブ心理学より以前か
　ら議論されてきた考え方であり、高齢になっても疾病や障害
　がなく、認知的および身体的機能が高く、生産的な社会的参
　加があることとされてきた。近年はより緩やかに定義される
　ようであり、高齢化社会において、心身の健やかさを支援す
　る健康心理学もめざすべき内容である。

4．**健康生成モデル**は、1980年代に、アントノフスキー
　（Antonovsky, A.）によって提唱されたものである。その中
　核には**センス・オブ・コヒアランス**（SOC）があり、リス
　ク要因ではなく、健康によい影響を与える要因に注目してい
　るが、その始まりは社会学に基づいており、**セリグマン**
　（Seligman, M. E. P.）の提唱する科学的な研究に基づくポジ
　ティブ心理学とは直接的な関係にない。しかし、近年では健
　康生成モデルとポジティブ心理学の統合が提案されることも

□ポジティブ心理学
□ウェルビーイン
　グ（well-being）
□サクセスフル・
　エイジング
□健康生成モデル
□センス・オブ・
　コヒアランス
　（SOC）
□セリグマン

**9**

健康・福祉

ある（ジョセフとセイジ〈Joseph, S. & Sagy, S.〉, 2017）。

### 問16 レジリエンス　　　　　　　正答　2

　レジリエンスは、ストレスの高い状況や困難、脅威となる事態に遭遇して、いったんは心理的苦痛に陥っても、そこから回復していく力、過程、結果のことである。もとは復元力を意味する物理学の用語だが、今では心理学、精神医学、経営学などで幅広く使われる。人が柔軟で効果的な対処を行いながら、良好な適応を果たしていくことに注目する。深刻な事態の下でも精神的に健康な人の研究を端緒としつつ、日常的なストレスの否定的影響から立ち直る現象にも適用される。レジリエンスを高めるさまざまな教育が工夫されている。

1．**ストレス耐性**のことである。
2．妥当である。逆境でダメージを受けても乗り越えていく力は、レジリエンスに該当する。
3．**ハーディネス**のことである。
4．**ソーシャルサポート**によるストレス緩衝効果のことである。

### 問17 禁煙外来　　　　　　　　　正答　4

　バレニクリン（商品名はチャンピックス）やニコチン製剤（商品名はニコチネル）などの薬物を用いた**禁煙治療**を、医療保険（ニコチン依存症管理料）によって受けるには、①ニコチン依存の状態であると診断されること、②常習的な喫煙者であること、そして③直ちに禁煙しようとする者の3条件が絶対条件と定められている。

1．2015（平成27）年度までは、常習的な喫煙者であることは、1日の喫煙本数×喫煙年数で表される**ブリンクマン指数**が200以上の者と定義されていた。2016（平成28）年度から、34歳以下の者にはこの条件は撤廃された。長年の喫煙歴がある者にとってはこの指数は意味を持つが、若年者の禁煙を医療保険によって支援するには障害となっていたので、2016年度の診療報酬改定で見直された。
2．**ニコチン依存症**の診断は医師によってなされるが、その根拠として身体依存と精神依存の両面からの査定が求められる。

□禁煙治療
□ブリンクマン指数
□ニコチン依存症
□プロチャスカ
□トランスセオレ
　ティカル・モデル
　（TTM）

身体依存は、FTND（Fagerstrom Test for Nicotine Dependence；ヘザートンら〈Heatherton, T. F. et al.〉, 1991）により、ニコチン切れによる喫煙願望の強さを評価される。質問項目は6つあり、6点以上を高依存、4〜5点を中程度依存とする。精神依存は、TDS（Tobacco Dependence Screener）などを用いて評価する。TDSでは5点以上を精神依存ありとみなされている。

3. 直ちに禁煙しようとする者とは、喫煙者本人が自分の意思によって禁煙を決断し、実行することが明らかな者であり、**プロチャスカ**（Prochaska, J. O.）の**トランスセオレティカル・モデル**（transtheoretical model; **TTM**）では準備期から実行期への移行期にある者ととらえることができる。前熟考期にある者が他者の命令で、あるいは善意によって促されて禁煙治療を始めても、1年後禁煙継続率がよくないことがわかっている。したがって、禁煙に関心を持つ者が禁煙を自らの意思で決意し、禁煙開始の準備をし、何度か禁煙を試みている段階を越えた者だけが、医療保険による禁煙治療の対象とされる。

4. 必要でない。身近に禁煙をサポートしてくれる人がいるかどうかは、現時点で保険治療の必要条件ではない。とはいえ、禁煙をサポートしてくれる人がいる場合は、そうでない場合よりも圧倒的に禁煙成功率は高いことが知られている。心理的サポートは禁煙行動獲得のための重要な要素であることから、12週に5回のニコチン依存症管理料だけでは十分な治療効果は期待しにくい。薬物による治療効果を、専門家による心理的サポートや、禁煙仲間同士のピア・サポートによって強める活動にも、保険の適用が認められるよう期待される。

**9**

健康・福祉

**問18 エンゲージメント**　　　　**正答　3**

　エンゲージメントは、注意、コミットメント、気力、没頭といった心理状態が生み出す**パフォーマンス向上**のための現象をいう。1990年代において従業員のパフォーマンスを向上させる要因として注目され、従業員エンゲージメントやワークエンゲージメントなどの個別の呼び方が生まれてきた。さらに職場だけでなく、学生エンゲージメントという呼称で教育現場にまで波及している。**フロー体験**もエンゲージメントと関係性が深いとされる。

**1.** 個人の弱さに着目して克服するのではなく、「強さ」を見いだして強化する視点で展開される現象であり、**ポジティブ心理学**的アプローチとしてみなされている。

**2.** フロー体験はエンゲージメントの重要な要因とされる。

**3.** 適切でない。ワークエンゲージメントは喜びや有意義性の実感といった快適な情動と高い活動水準が特徴である。働き中毒（ワーカホリック）は不快な情動と高い活動水準が特徴であり、燃え尽き症候群（バーンアウト）は不快な情動と低い活動水準の状態である。このことからワークエンゲージメントは燃え尽き症候群の反対概念といえる。

**4.** 個人の強さを強化することである。

*
**問19**　ノーマライゼーションに関する説明として、**適切でない**ものはどれか。

1．脱施設化
2．障害者と健常者が区別なく共に生活する社会の実現
3．北欧社会から始まり、普及していった理念
4．障害者の能力を正常範囲となるように支援すること

＊＊
**問20**　第二種社会福祉事業に該当する事業として、正しいものはどれか。

1．母子家庭等日常生活支援事業と母子生活支援施設を経営する事業
2．児童自立支援施設を経営する事業
3．障害児入所施設と障害者支援施設を経営する事業
4．放課後児童健全育成事業

＊＊
**問21**　母子生活支援施設に関する記述として、**適切でない**ものはどれか。

1．対象となる女子が未成年の場合がある。
2．近年、DV（配偶者間暴力）被害者の保護と自立支援を目的とした入所が増加している。
3．対象となる女子の自立促進のための生活支援を目的としている。
4．生活の自立のために、入所した児童の就労支援も行っている。

＊＊＊
**問22**　児童養護施設における心理療法担当の職員に関する記述として、最も妥当なものはどれか。

1．すべての児童養護施設に心理療法担当職員を置かなくてはならない。
2．心理療法担当職員は、個人および集団心理療法の技術を有する者である。
3．心理療法担当職員は、大学院を修了した者でなくてはならない。
4．児童養護施設の対象に乳児は含まれないため、乳児については考慮しなくてよい。

**9**
健康・福祉

**＊＊**
**問23** 障害者差別解消法（障害を理由とする差別の解消の推進に関する法律）に関する記述として、最も妥当なものはどれか。

1．この法律は、障害者に対する差別をなくすために、その取組みを行政機関だけに課しており、国民には求めていない。
2．社会的障壁とは、道路の段差や通りにくい通路など、社会にある建造物に関することをさしている。
3．この法律は、国連の「障害者の権利に関する条約」に先立って日本で制定された法律である。
4．行政機関等や事業者は、障害があることによって、障害者に不当な差別的取扱いをしてはいけないことが明記されている。

**＊＊＊**
**問24** 児童福祉施設の職員に関する記述として、最も妥当なものはどれか。

1．児童館で児童に遊びを指導する職員となることのできる資格に、社会福祉士は含まれていない。
2．主に重症心身障害児を入所させる医療型障害児入所施設では、心理指導担当の職員を置かなくてはならない。
3．助産施設の職員として置かなくてはならない助産師は、助産師法で定められている。
4．障害児入所施設に、介護支援専門員を配置しなくてはならないことが定められている。

**問25** 障害者に関する手帳制度について、最も妥当なものはどれか。

1．精神障害者に対する手帳の名称は、精神障害者手帳である。
2．知的障害者のための療育手帳は、知的障害者福祉法に判定基準が明記されていない。
3．視覚障害者や聴覚障害者は、歩行できるので身体障害者手帳の対象とならない。
4．肢体不自由のある人に対しては、肢体不自由者手帳が交付される。

**問26** 発達障害者支援法で定義されている障害の組合せとして、正しいものはどれか。

1. 学習障害・知的障害・自閉症
2. 自閉症・知的障害・精神障害
3. 注意欠陥多動性障害・学習障害・自閉症
4. 自閉症・行動障害・注意欠陥多動性障害

**問27** 中途障害者の典型的な障害受容過程として、正しいものはどれか。

1. ショック→否認　　→混乱　　　　→解決への努力→受容
2. ショック→混乱　　→否認　　　　→解決への努力→受容
3. 否認　　→ショック→混乱　　　　→解決への努力→受容
4. 否認　　→ショック→解決への努力→混乱　　　　→受容

**問28** 価値転換理論に関する記述として、**適切でない**ものはどれか。

1. 価値転換理論を唱えたのは、ライト（Wright, B. A.）である。
2. 価値転換理論は、身体的な特徴については何も言及していない。
3. 価値転換理論は「比較価値から資産価値への転換」をその中心的な概念の一つとしている。
4. 価値転換理論は「障害の与える影響の制限」をその中心的な概念の一つとしている。

**問29** 身体障害に起因する器官劣等感という概念を提起したのは誰か。

1. フロイト（Freud, S.）
2. フロム（Fromm, E. S. P.）
3. アドラー（Adler, A.）
4. ユング（Jung, C. G.）

**9**

健康・福祉

\*\*
**問30** エンパワメントに関する説明として、適切な記述に○、不適切な記述に×を付けた場合、○と×の組合せとして正しいものはどれか。

a：エンパワメントを促進するには、本人・家族側に対しては、内発的動機づけを図ることである。

b：エンパワメントは、社会的弱者が自分自身の置かれている差別構造や抑圧されている要因に気づき、その状況を変革していく方法や自信、自己決定力を回復・強化できるように援助することである。

c：エンパワメントは、本人に代わって各種の決定を行うことで、本人に自己決定力を学んでもらうという考えに立脚している。

d：エンパワメントは医学モデルに立脚したソーシャルワークに含まれる。

e：エンパワメントとストレングス視点は互いに相いれない考え方である。

　　　a　b　c　d　e
1．○—○—×—×—×
2．○—×—○—○—○
3．×—○—○—×—×
4．×—×—○—○—×

\*\*
**問31** 偏見に関する記述として、**適切でない**ものはどれか。

1．接触理論はオルポート（Allport, G. W.）が唱えた理論で、偏見は共通の目標を追求する多数者集団と少数者集団との接触によって減少するというものである。

2．社会的距離尺度を用いて、偏見を測定することができる。

3．偏見は誤解とは意味が異なるから、正しい知識を与えられたとしても即座に解消できるとは限らない。

4．偏見と差別は実質的には同じことを示す用語である。

**問32** 高齢者に対する虐待に関する記述として、**適切でない**ものはどれか。

1．日本の法律における高齢者虐待の種別は、身体的虐待、ネグレクト、心理的虐待、性的虐待の4つである。

2．国の調査によると、養介護施設従事者等による高齢者への虐待と判断された件数は、養護者によるものに比べて少ない。

3．高齢者虐待防止法は、障害者虐待防止法に比べて、早い時期に制定されている。

4．高齢者虐待を受けたと思われる高齢者を発見した者がこのことを通報するところは、法律において、市町村となっている。

*

**問33** 日本の乳幼児健診制度として市区町村に実施の義務が課されているものに「1歳6か月児健康診査」があるが、その健診項目として**行われていない**ものはどれか。

1．精神発達の状況

2．育児上問題となる事項

3．眼の疾病および異常の有無

4．栄養状態

**

**問34** 高齢者介護を支える日本の介護保険制度においては、要介護の認定の基準として「要介護認定等基準時間」が定められており、それぞれの状態から要介護の基準を審査することとされている。それらに関する説明として、**適切でない**ものはどれか。

1．要介護認定等基準時間は、「直接生活介助・間接生活介助・生活動作関連介助・問題行動関連介助・機能訓練関連行為・医療関連行為」の6つの項目について審査を行う。

2．「要介護状態」とは、日常生活上の基本的動作について自分で行うことが困難であり、なんらかの介護を要する状態のことを意味する。

3．要介護認定等基準時間は、その所要時間により「要介護」の状態が5段階に設定されており、「要支援」と合わせると7つの分類がなされている。

4．要介護認定は、保険者である市区町村に設置される「介護認定審査会」で判定される。

**9**

健康・福祉

\*
**問35** 児童虐待に関する記述として、**適切でない**ものはどれか。

1. 児童虐待の一種として一般に「ネグレクト」と呼ばれる行為について、わが国の「児童虐待の防止等に関する法律」では、同居人が児童に対して身体的虐待などを加えることを制止しないなどの行為も含まれる。

2. 結果的に外傷が生じなくても、外傷が生じるおそれのある行為は、身体的虐待とみなされる。

3. 被虐待児童を養育する機能を担うものの一つとしての日本の里親制度には、現在「養育里親・親族里親・専門里親・代理里親・養子縁組により養親となることを希望する者」の5種類がある。

4. 児童虐待を受けたと思われる児童・生徒を発見した場合には、公立学校の教職員であっても児童相談所等に通告しなければならず、その際に公立学校教職員としての守秘義務違反に問われることはない。

## 問19　ノーマライゼーション　　　　正答　4

1. ノーマライゼーションの運動は、隔離中心主義的な知的障害児施設の中での人権侵害問題に対する告発に端を発している。それゆえ隔離中心主義批判、施設中心主義批判をその内に含み、脱施設化の流れを推し進めてきた。

2. ノーマライゼーションの運動は、障害者も普通の人と同じように、地域の中で共に生活しうるような社会的な基盤づくりを求めてきた。

3. デンマークの障害児を持つ親の会の運動として始まり、**バンク＝ミケルセン**（Bank-Mikkelsen, N. E.）や、スウェーデンの**ニィリエ**（Nirje, B.）などによって広められた。

4. 適切でない。障害者をノーマルに近づけるという思想ではない。

## 問20　第二種社会福祉事業　　　　正答　4

1. 母子家庭等日常生活支援事業は**第二種社会福祉事業**である（社会福祉法第2条第3項）が、**母子生活支援施設**を経営する事業は、**第一種社会福祉事業**である（社会福祉法第2条第2項）。

2. **児童自立支援施設**を経営する事業は、第一種社会福祉事業である（社会福祉法第2条第2項）。

3. 障害児入所施設を経営する事業および障害者支援施設を経営する事業は、第一種社会福祉事業である（社会福祉法第2条第2項）。

4. 正しい。放課後児童健全育成事業は、第二種社会福祉事業である（社会福祉法第2条第3項）。

**9**

健康・福祉

## 問21　母子生活支援施設　　　　正答　4

1. **母子生活支援施設**は、配偶者のない女子あるいはこれに準ずる事情のある女子であって、その者の監護すべき児童の福祉に欠ける場合に、その保護者および児童を保護する施設である。それゆえ、未成年の女子が対象となる場合もある。

2. 適切な記述である。

3. 適切な記述である。

4．適切でない。母親への自立促進のための生活支援や就労支援を行うほか、児童の健全育成のための支援、施設内保育、緊急一時保護事業等も行っているが、入所した児童の就労支援は行っていない。

**KEY WORD**

**問22 児童養護施設における心理療法担当職員　　正答　2**

1．児童養護施設の心理療法担当職員に関する規定は、**児童福祉施設の設備及び運営に関する基準**に定められている。「心理療法を行う必要があると認められる児童10人以上に心理療法を行う場合には、心理療法担当職員を置かなければならない」と規定されている（同基準第42条第3項）。

2．妥当である。「個人及び集団心理療法の技術を有するもの又はこれと同等以上の能力を有すると認められる者でなければならない」とある（同基準第42条第4項）。

3．大学の学部で心理学を専修する学科、またはこれに相当する課程を卒業した者とある（同基準第42条第4項）。

4．児童養護施設の対象には、幼児と少年とともに、乳児も含まれる（児童福祉法第41条）。

□児童養護施設
□児童福祉施設の
　設備及び運営に
　関する基準

**問23 障害者差別解消法　　　　　　　　　　　正答　4**

1．**障害者差別解消法**は、「障害を理由とする差別の解消の推進に関する法律」という名称で、障害を理由とする差別の解消を推進することを目的としている。この法律は、国・地方公共団体および民間事業者を主な対象とする一方で、同法第4条で国民の責務について述べている。

2．**社会的障壁**とは、「障害がある者にとって日常生活又は社会生活を営む上で障壁となるような社会における事物、制度、慣行、観念その他一切のものをいう」とある（同法第2条第2項）。

3．この法律は、国連の「**障害者の権利に関する条約**」をわが国が批准するための一環として、2013（平成25）年6月に制定された（施行は一部の附則を除き2016〈平成28〉年4月1日）。

4．妥当である（同法第7条第1項、第8条第1項）。

□障害者差別解消法
□社会的障壁
□障害者の権利に
　関する条約

**問24** 児童福祉施設の職員 　　　　　　正答 **2**

1. 児童館は**児童厚生施設**である。**児童福祉施設の設備及び運営に関する基準**に、児童に遊びを指導する者の要件の一つとして、社会福祉士が含まれている（同基準第38条第2項）。

2. 妥当である。同基準第58条第6項に規定されている。

3. 助産師は、保健師助産師看護師法に「厚生労働大臣の免許を受けて、助産又は妊婦、じよく婦若しくは新生児の保健指導を行うことを業とする女子をいう」とある（同法第3条）。

4. **介護支援専門員（ケアマネジャー）**は、**介護保険法**で定められている（同法第7条第5項）。児童福祉施設の設備及び運営に関する基準には、職員として配置することは定められていない。

□児童厚生施設
□児童福祉施設の
　設備及び運営に
　関する基準
□介護支援専門員
　（ケアマネジャー）
□介護保険法

**問25** 障害者に関する手帳制度 　　　　　　正答 **2**

1. 精神障害者に対する手帳は、**精神障害者保健福祉手帳**であり、精神障害者の自立と社会参加の促進を図ることを目的に創設された。

2. 妥当である。**療育手帳**制度は、知的障害者に対して一貫した指導・相談を行うことや各種の援護措置を円滑に実施するという目的から創設された。この制度は、知的障害者福祉法に基づく制度ではない。

3. 視覚障害者や聴覚障害者は、ともに身体障害者に区分され、**身体障害者手帳**の対象となる。この手帳は、身体障害者福祉法のサービス利用対象者であることを確認するための証票である。

4. 肢体不自由者は、身体障害者に区分されるため、身体障害者手帳の対象となる。

**9**

健康・福祉

### 問26 発達障害者支援法　　　　正答　3

1. 知的障害が誤り。
2. 知的障害と精神障害が誤り。
3. 正しい。**発達障害者支援法**において、発達障害者は、「自閉症、アスペルガー症候群その他の広汎性発達障害、学習障害、注意欠陥多動性障害その他これに類する脳機能の障害であってその症状が通常低年齢において発現するもの」と定義された。現行の発達障害者支援法では**注意欠如多動症**を、注意欠陥多動性障害と表記している。
4. 行動障害が誤り。発達障害に関連する行動障害については考慮すべき事項であるが、発達障害者支援法において行動障害は定義されていない。

### 問27 障害受容過程　　　　正答　1

　ショック期は障害の発生（発病・受傷）の直後であり、集中的な医療とケアを受けているときの心理状態である。続く否認期は心理的な防衛反応として生じる状態で、その後に来る混乱期は現実を否認し障害が完治することの不可能性を否定し切れなくなった結果生じる時期である。その後、前向きの建設的な努力が主になる解決への努力期を経て、受容期へと達する（上田敏ほかによる）。
　したがって、正答は**1**である。

### 問28 価値転換理論　　　　正答　2

　**価値転換理論**は、身体心理学者のライト（Wright, B. A.）によって4つの基本的な考えを中心に組み立てられた障害受容の基礎になる理論である。4つの考えとは、①価値の視野の拡大、②負の障害効果を不問にする、③身体的外観を二次的なものとする、④他人との比較ではなく自己本来の資産価値を見直す、ことである。

1. ライトは、価値転換理論の提唱者である。
2. 適切でない。上記③の反対の記述になっている。
3. ④と同意味の記述である。
4. ②と同意味の記述である。

□発達障害者支援法
□注意欠如多動症

□障害受容

□価値転換理論

**問29 器官劣等感** 　　正答　**3**

□器官劣等感

　ジークムント・フロイト（Freud, S.）、フロム（Fromm, E. S. P.）、アドラー（Adler, A.）、ユング（Jung, C. G.）のいずれも精神分析と関連の深い人物であるが、**器官劣等感**を唱えたのはアドラーである。アドラーは身体的な欠陥や異常が原因となって劣等感（器官劣等感）が形成され、それへの償いとして身体障害児（者）は不自然なあるいは妥当でない行動をとりやすいとした。

　したがって、正答は**3**である。

**問30 エンパワメント** 　　正答　**1**

□パターナリズム
□エンパワメント
□ソーシャルワーク
□ストレングス

**a**：適切である。

**b**：適切である。

**c**：不適切である。「本人に代わって各種の決定を行う」のは**パターナリズム**の説明であり、**エンパワメント**とは相反する考え方である。

**d**：不適切である。この内容は伝統的な**ソーシャルワーク**の説明といわれる。

**e**：不適切である。**ストレングス**視点は、人は心理的、身体的、社会的などのあらゆる側面にわたって未活用の能力を持つとみなすということで、エンパワメントとめざすべき方向は共通であり、最近では組み合わせて用いられる場合が多い。

　したがって、正答は**1**である。

**問31 偏見** 　　正答　**4**

□社会的距離
□偏見

**1**．適切な記述である。

**2**．バージェス（Burgess, E. W.）がアメリカ人の移民人種との親近性の程度を測定するために作成した**社会的距離**尺度を用いて、精神障害者の社会参加の問題に適用した例がある（クロセッティ〈Crocetti, G. M.〉）。

**3**．**偏見**の定義は必ずしも定まっていないが、合理的な根拠がないのにもかかわらず示される、意見や判断あるいはそれに伴う感情や態度のこととされ、誤解の「単なる間違った理解」とは異なり直ちに消失するものではない。

**4**．適切でない。偏見は意見・判断や、感情・態度であるが、差

別は不平等あるいは不利益な扱いを受けるなど具体的な行動を伴う。

### 問32 高齢者に対する虐待の防止　　正答　1

1．適切でない。**高齢者虐待**の種別は、**高齢者虐待防止法**（正しくは「高齢者虐待の防止、高齢者の養護者に対する支援等に関する法律」）第2条により、身体的虐待、ネグレクト、心理的虐待、性的虐待、経済的虐待と定義されている。

2．厚生労働省による「令和4年度　高齢者虐待の防止、高齢者の養護者に対する支援等に関する法律に基づく対応状況等に関する調査結果」で示されている。

3．高齢者虐待防止法は2005（平成17）年11月9日、障害者虐待防止法は2011（平成23）年6月24日に制定されている。したがって、高齢者虐待防止法のほうが早い時期である。

4．高齢者虐待防止法第7条には養護者による高齢者虐待に係る通報等に関する規定があり、同法第21条に養介護施設従事者等による高齢者虐待に係る通報等に関する規定がある。

□高齢者虐待
□高齢者虐待防止法

### 問33 乳幼児健診　　正答　3

「1歳6か月児**健康診査**」の具体的な健診項目は母子保健法施行規則に明記され、次の11項目である。①身体発育状況、②栄養状態、③脊柱および胸郭の疾病および異常の有無、④皮膚の疾病の有無、⑤歯および口腔の疾病および異常の有無、⑥四肢運動障害の有無、⑦精神発達の状況、⑧言語障害の有無、⑨予防接種の実施状況、⑩育児上問題となる事項、⑪その他の疾病および異常の有無。

□健康診査

1．上記⑦の項目である。

2．⑩の項目である。

3．行われていない。「眼の疾病および異常の有無」は「3歳児健康診査」にて行われるべき項目として挙げられており、1歳6か月児健診では指定されていない。

4．②の項目である。

## 問34　要介護認定　　　　　　　　　　正答　1

　介護保険法によって**要介護**の状態が記述されている。要介護の具体的な認定の手続きおよび基準は「要介護認定等に係る介護認定審査会による審査及び判定の基準等に関する省令」で定められている。要介護認定は「直接生活介助・間接生活介助・問題行動関連介助・機能訓練関連行為・医療関連行為」の５つの項目について、介護を受ける人の状態をもとに推計された時間に応じて、要介護の区分が介護認定審査会で決定される。その区分は「**要支援**１・２」と「要介護１」から「要介護５」の７つある。

**1.**　適切でない。「生活動作関連介助」という項目は存在しない。

**2.**　正しい。介護保険法第７条の意味するところである。

**3.**　正しい。上記「省令」に記述されている。

**4.**　正しい。介護保険法第14条に定められている。

## 問35　児童虐待　　　　　　　　　　　正答　3

　「児童虐待の防止等に関する法律」では、一般にいう「身体的虐待」「性的虐待」「**ネグレクト**」「心理的虐待」の４つが意味的に定義されている。**里親**制度は児童福祉法で規定されており、養育里親、専門里親、養子縁組里親、親族里親の４種類が定められている。2022（令和４）年の児童福祉法の一部改正によって、こども**家庭センター**の展開、里親支援事業とともに里親希望者への相談・援助を目的とした**里親支援センター**が児童福祉施設として位置づけられた。

**1.**　「防止法」第２条第３項による。

**2.**　同じく第２条第１項による。

**3.**　適切でない。里親制度において「代理里親」というものは存在しない。里親制度とは、保護者のない児童または保護者に監護させることが不適当であると認められる児童を、都道府県等が里親に委託して養育する制度である。

**4.**　「防止法」第６条第３項により、刑法等に定められた公務員の守秘義務違反には問われないものとされている。

□児童虐待
□ネグレクト
□里親
□こども家庭センター
□里親支援センター

9

健康・福祉

\*

**問1** 犯罪白書に記載されている以下の各用語の説明として、**誤っている**ものは
どれか。

**1.**「認知件数」：警察が発生を認知した事件の数をいう。

**2.**「検挙件数」：警察等が検挙した事件の被疑者の数をいう。

**3.**「発生率」：人口10万人当たりの認知件数をいう。

**4.**「検挙率」：検挙件数÷認知件数×100の計算式で得た百分比をいう。

\*\*\*

**問2** 1989（平成元）年以降の日本の「刑法犯認知件数」の推移の記述として、
最も妥当なものはどれか。

**1.** 1996（平成8）年から毎年戦後最多を更新し続け、2002（平成14）年にピーク
に達した。2003（平成15）年以降は一貫して減少していたが、2022（令和4）
年に増加に転じた。

**2.** 2001（平成13）年から増加を続け、2004（平成16）年をピークに2005（平成
17）年に減少に転じた。2013（平成25）年からは毎年戦後最少を更新し続けて
いる。

**3.** 2004（平成16）年から2016（平成28）年までは減少傾向にあり、その後はおお
むね横ばいで推移していたが、2022（令和4）年に戦後最少を更新した。

**4.** 1995（平成7）年から毎年低下し、2001（平成13）年には戦後最低を記録し
た。2002（平成14）年から増加傾向にあり、一時横ばいで推移していたが、
2014（平成26）年以降再び上昇している。ただし、2022（令和4）年には再び
低下した。

**問3** 犯罪白書によれば、日本において戦後一貫して認知件数が最も多い罪種は
どれか。

**1.** 殺人

**2.** 傷害

**3.** 詐欺

**4.** 窃盗

**\*\***

**問4** 再犯・再非行に関する記述として、**最も妥当でない**ものはどれか。

1．「再犯者」は、刑法犯により検挙された者のうち、前に道路交通法違反を除く犯罪により検挙されたことがあり、再び検挙された者をいう。

2．「再犯者率」は、刑法犯検挙人員に占める再犯者の人員の比率をいう。

3．「再犯者人員」は、2006（平成18）年以降減少傾向にあったが、2013（平成25）年以降はほぼ横ばいである。

4．「再犯者率」は、2006（平成18）年以降増加傾向にあったが、2016（平成28）年以降はほぼ横ばいである。

**\*\***

**問5** 犯罪白書に基づくと、少年による家庭内暴力事件の認知件数を表す文章として、最も妥当なものはどれか。

1．2022（令和4）年では、少年による家庭内暴力の認知件数は小学生が最も多い。

2．2022（令和4）年では、少年による家庭内暴力の認知件数は中学生が最も多い。

3．2022（令和4）年では、少年による家庭内暴力の認知件数は高校生が最も多い。

4．2022（令和4）年では、少年による家庭内暴力の認知件数は、学校に通っていない無職少年が最も多い。

**\*\*\***

**問6** 2023（令和5）年7月13日施行の改正刑法および刑事訴訟法では、強制性交等罪が不同意性交等罪に変更された。不同意性交等罪に関する記述として正しいものを組み合わせたときに、最も妥当な組合せはどれか。

a：アルコールもしくは薬物を摂取させることは、同意しない意思を形成したり、表明したり、全うすることが困難な状態の原因となりうる事由である。

b：睡眠中の相手への性交は、一緒に寝ている時点で不同意性交には当たらない。

c：16歳未満の子どもに性交等をすると、不同意性交等罪に該当する。ただし、相手が13歳以上16歳未満の場合は、行為者が5歳以上年長のときに限る。

d：不同意性交等罪の公訴時効期間は15年である。

e：不同意性交等罪は、法的な婚姻関係にあるため配偶者間では成立しない。

1．a、c、d

2．b、d、e

3．a、b、c、e

4．a、b、c、d、e

**10**

犯罪・非行

## 犯罪現象　解　説

### 問1　犯罪統計の用語　　　　　　　正答　2

　変動する犯罪情勢を理解するには、**犯罪白書**や**警察白書**等の**公式統計**で犯罪の動静を確認するとよい。このとき、公式統計を理解するには、一定の用語を理解しておく必要がある。

**1.** **認知件数**は、警察が発生を認知した事件の数を表す。

**2.** 誤り。**検挙件数**は警察等が検挙した事件の数であり、検察官に送致・送付した件数のほか、微罪処分にした件数等を含む。選択肢の記述は**検挙人員**の説明である。

**3.** 犯罪白書における**発生率**は、人口10万人当たりの認知件数を表す。

**4.** **検挙率**は、検挙件数÷認知件数×100の計算式で得た百分比である。なお、検挙件数には、前年以前に認知された事件に係る検挙事件が含まれることがあるため、検挙率が100％を超える場合がある。

KEY WORD

□犯罪白書
□警察白書
□公式統計
□認知件数
□検挙件数
□検挙人員
□発生率
□検挙率

### 問2　犯罪情勢　　　　　　　　　　正答　1

　犯罪白書を参考に戦後日本の**犯罪情勢**を概観すると、1946（昭和21）年以降、1980（昭和55）年頃までは多少の変動はあるが全体としては微減傾向であった。それ以降は微増を続け、1996（平成8）年から毎年戦後最多を更新して、2002（平成14）年にピークに達した。2003（平成15）年には減少に転じ、2021（令和3）年まで一貫して減少していたが、2022（令和4）年に増加に転じた。

**1.** 妥当である。記述内容は日本の犯罪情勢を反映している。

**2.** 選択肢は、検挙人員の推移に関する記述である。

**3.** 選択肢は、**殺人**の認知件数の推移に関する記述である。

**4.** 選択肢は、検挙率の推移に関する記述である。

　犯罪白書や警察白書では、刑法犯認知件数の全体像だけではなく、罪種や手口ごとの統計、その他の各指標も確認できる。

□犯罪情勢
□殺人

### 問3　認知件数の多い罪種　　　　　　正答　4

　犯罪白書によれば、日本において戦後一貫して認知件数が最も多い罪種は**窃盗**である。毎年、刑法犯認知件数のおおむね7割以上が窃盗である（令和5年版犯罪白書によると、2022〈令和4

□窃盗
□傷害
□詐欺

年における選択肢の各罪種の認知件数は、殺人853件、**傷害**19,514件、**詐欺**37,928件、窃盗407,911件）。このように総数が圧倒的に多い窃盗の増減により、犯罪情勢が左右される。なお、窃盗の手口別では、自転車盗や万引きが多くを占めるが、これらの手口は**暗数**が多いことが予想され、統計に表れない被害が多く存在する可能性がある。また、近年、社会的に注目される**特殊詐欺**を含めた詐欺は、2018（平成30）年から数年やや減少したが、2021（令和3）年には増加に転じている。

したがって、正答は**4**である。

（KEY WORD）

□暗数
□特殊詐欺

### 問4　再犯・再非行　　　　　正答　3

日本では、再犯防止が大きな課題となっている。平成19年版犯罪白書では、全犯罪者の約3割の再犯者が、約6割の犯罪を行っていると報告されている。こうした情勢から、犯罪対策閣僚会議では、2008（平成20）年に「**犯罪に強い社会の実現のための行動計画2008**」で再犯防止に取り組む必要性を明示した。それ以降、2012（平成24）年に「**再犯防止に向けた総合対策**」を策定し、2016（平成28）年には**再犯防止推進法**が成立した。同法に基づいて2017（平成29）年12月に**再犯防止推進計画**を閣議決定し、再犯防止の取組みを強化してきた。

ここでいう**再犯者**とは、刑法犯により検挙された者のうち、前に道路交通法違反を除く犯罪で検挙されたことがあり、再び検挙された者である。**再犯者率**とは、刑法犯検挙人員に占める再犯者の人員の比率である。再犯者や再犯者率から再犯の情勢を見ると、2006（平成18）年頃から初犯者、再犯者ともに検挙人員は一貫して減少している。しかし、初犯者に比べて再犯者の減少傾向が鈍く、再犯者率は増加の一途をたどってきた。2016（平成28）年頃からようやく再犯者率も横ばいになったが、それでも2022（令和4）年の検挙人員の47.9%が再犯者であるのが現状である。なお、**再非行少年**や**再非行少年率**についても確認しておきたい。

したがって、正答は**3**である。

□犯罪に強い社会の実現のための行動計画2008
□再犯防止に向けた総合対策
□再犯防止推進法
□再犯防止推進計画
□再犯者
□再犯者率
□再非行少年
□再非行少年率

**10**

犯罪・非行

### 問5　少年による家庭内暴力　　　　　正答　2

犯罪白書の統計では、家庭と学校における非行として、**家庭内**

□家庭内暴力

暴力、**校内暴力**ならびに**いじめ**に関する統計も報告されている。親から子の**虐待**や**配偶者間暴力**については社会的な認識が高いが、子から親に対する家庭内暴力もまた重要な問題である。

犯罪白書から過去の少年による家庭内暴力の情勢を見ると、2002（平成14）年から2012（平成24）年頃までは多少の増減はあるが、おおむね横ばいであった。ところが、2013（平成25）年を境に増加し、2021（令和3）年に微減したが、2022（令和4）年には再び増加した。なお、2022（令和4）年で就学状況別に認知件数を見ると、家庭内暴力の認知件数は中学生が最も多く、次いで高校生、小学生という順に認知件数が多い現状にある。

したがって、正答は **2** である。

**問6** 性犯罪（不同意性交等罪）　　　　　正答　**1**

2023（令和5）年7月13日施行の改正**刑法**および**刑事訴訟法**では、強制性交等罪や強制わいせつ罪が、**不同意性交等罪**や**不同意わいせつ罪**とされた。改正のポイントは、**暴行**や**脅迫**要件並びに**心神喪失**、**抗拒不能**要件を改めたこと、性交同意年齢を引き上げたこと（処罰対象は16歳未満とされ、13歳以上16歳未満については行為者が5歳以上年長の場合とされた）、身体の一部または物を挿入する行為の取り扱いを見直したこと、配偶者間でも不同意性交等罪などが成立することを明確にしたこと、不同意性交等罪の公訴時効期間が15年に延長されたことなどが挙げられる。

**性犯罪**の本質的な要素は、自由な意思決定が困難な状態で行われた性的行為であることである。この点を明示するために、改正法では「同意しない意思を形成し、表明し若しくは全うすることが困難な状態」の原因となりうる行為や事由が明示されている。そこに含まれるのが、①暴行または脅迫、②心身の障害、③アルコールまたは薬物の影響、④睡眠その他の意識不明瞭、⑤同意しない意思を形成し、表明しもしくは全うするいとまの不存在、⑥予想と異なる事態との直面に起因する恐怖または驚愕、⑦虐待に起因する心理的反応、そして⑧経済的または社会的な関係上の地位に基づく影響力による不利益の憂慮である。

したがって、正答は **1** である。

**KEY WORD**

- □校内暴力
- □いじめ
- □虐待
- □配偶者間暴力

- □刑法
- □刑事訴訟法
- □不同意性交等罪
- □不同意わいせつ罪
- □暴行
- □脅迫
- □心神喪失
- □抗拒不能
- □性犯罪

*
**問7**　非行少年の一つの人格特性として、刺激欲求特性が挙げられる。ズッカーマン（Zuckerman, M.）がこの特性と最も関連の深い非行・犯罪として挙げているものはどれか。

1．児童虐待
2．侵入窃盗
3．薬物濫用
4．特殊詐欺

\*\*
**問8**　以下のケースにおける少年Aの主張を、サイクスとマッツァ（Sykes, G. M. & Matza, D.）の中和の技術によって理解しようとした場合、ここで見られる技術として最も妥当なものはどれか。

15歳男子A、中学3年生。Aは数日前の深夜に、駅前で友人Bを殴（なぐ）ろうとして補導された。幸いBにけがはなかった。不満があるとたびたびこうした行動を示すAを心配した両親は、Aと一緒に法務少年支援センターに来室し、担当者Cと面談した。AはCとの面談で、「その日は、他の友達もいて、ゲーム内のアイテムを交換しようという話をしていた。でも、Bが他の友達ばかりえこひいきしてイライラしていた。Bはいつも他の友達をえこひいきする。Bが、えこひいきばかりするから殴ろうとしたんだ」と述べた。

1．自己責任の否定
2．損害の否定
3．被害者の否定
4．高度な忠誠心への訴え

\*\*\*
**問9**　ゴットフレッドソンとハーシ（Gottfredson, M. R. & Hirschi, T. W.）は、犯罪の多くは努力もせずに即座に欲求を満たそうとする短絡的行為であり、本質的に低自己統制の特徴を有していると考えた。このような概念化に基づいて、グラスミックら（Grasmick, H. G. et al.）は、低自己統制を測定するための尺度を作成したが、彼らが作成した低自己統制尺度は2つの二次因子からなる。この2つの二次因子に該当する組合せとして正しいものはどれか。

1．衝動性と易怒性
2．刹那（せつな）主義と利己主義
3．短絡主義と独善主義
4．攻撃性と排他性

**10**

犯罪・非行

**\*\*\***
**問10** 犯罪を精神病理としてとらえ、パーソナリティ症という精神医学的診断カテゴリーを用いて犯罪者を理解する方法がある。DSM-5-TRに含まれるパーソナリティ症のうち、犯罪と最も親和性が高いのは反社会性パーソナリティ症であるとされる。DSM-5-TRに基づいた場合、反社会性パーソナリティ症の診断基準に**含まれない**のはどれか。

**1**. 法にかなった行動という点で社会的規範に適合しないこと。
**2**. 衝動性、または将来の計画を立てられないこと。
**3**. 自分または他者の安全を考えない無謀さ。
**4**. 不適切で激しい怒り、または怒りの制御の困難。

**問11** 以下の記述のうち、怒りのコントロール技法として、効果がない、または逆効果の可能性があるものはどれか。

**1**. その場を離れる
**2**. 深呼吸
**3**. 相手をやっつけるイメージを思い浮かべる
**4**. 自分がなぜ怒っているのかを意識化する

**\***
**問12** 犯罪、特に非行行動について説明するサザランド（Sutherland, E. H.）の理論で、「これらの逸脱行動の原因は、パーソナリティや養育態度の問題というよりは、自分が属している親密な社会集団の中で、違法行為を好ましくないとする定義よりも好ましいとする定義が頻繁に表現され、その結果、親犯罪的態度が形成されるからである」というものはどれか。

**1**. 分化的接触理論
**2**. ラベリング理論
**3**. 非行下位文化理論
**4**. コンフリクト理論

**問13** マートン（Merton, R. K.）のアノミー理論では、ある社会において、社会の構成員が共通に目標とすべき文化的目標が与えられているのに、それを達成するための制度的手段が公平に与えられておらず、その結果、文化的目標が達成できない人々はアノミーと呼ばれる欲求不満状態になると考えた。マートンがアメリカ社会において、文化的目標として想定したものはどれか。

1．プロテスタンティズムの倫理の習得
2．貴族や特権階級への昇格
3．高学歴
4．地位と名声、経済的な成功

**問14** ハーシ（Hirschi, T. W.）が提唱した社会的絆（きずな）理論では、多くの者が犯罪に手を染めることなく、合法的な日常生活を送ることができるのは、社会的絆要因が存在するためであると考える。ハーシが示す4つの社会的絆要因のうち、学業や仕事、余暇活動などの合法的な生活で多忙な人には、犯罪を計画したり実行したりする時間も余裕もなく、ゆえに犯罪を行わないことを表す要因はどれか。

1．Attachment
2．Commitment
3．Involvement
4．Belief

**問15** 発達的観点から犯罪や非行を分析したモフィット（Moffitt, T. E.）は、犯罪者は青年期型反社会性タイプと生涯持続型反社会性タイプとに分けることができるという。このうち、生涯持続型反社会性タイプの行動様式が生じる原因として、モフィットが重視したリスクとして最も妥当なものはどれか。

1．周生期の負因に基づく脳損傷など神経心理学的リスク
2．幼少期の養育環境や教育環境などの環境心理学的リスク
3．両親の犯罪性遺伝子による遺伝学的リスク
4．両親のパーソナリティ特性によるパーソナリティ心理学的リスク

10

犯罪・非行

*
問16 南ロンドンで行われた大規模な縦断研究で、411名の少年たちの発達の様相を1953年から40年以上にわたって追跡し、非行・犯罪の発達要因を明らかにするうえで貴重な資料を提供している縦断的研究プロジェクトのことを何というか。

1．ケンブリッジ非行発達研究
2．フラミンガムコーホート研究
3．ピッツバーグ青少年非行研究
4．ロンドンおよびワイト島研究

**
問17 「ダニーディン子どもの健康と発達に関する長期追跡研究」において、キャスピ（Caspi, A.）やマックレイ（McClay, J.）、モフィット（Moffitt, T. E.）が明らかにした知見として最も妥当なものはどれか。

1．犯罪者は遺伝によって犯罪者になるべくしてなっているため、出生後の環境による影響はあまり受けない。
2．犯罪者は虐待などの幼少期の不遇な環境によって犯罪に走るのであり、遺伝的な影響はほとんど受けない。
3．「ある遺伝子型の子が、幼少期に不遇な境遇にさらされた場合に犯罪を行う」というように、犯罪には遺伝要因と環境要因が相互作用的に関与する。
4．遺伝要因と幼少期の環境要因は犯罪の原因として両方ともに重要であるが、両者は独立して犯罪の発現に関与している。

**問18** 以下の表は、犯罪（成人になってからの犯罪行為）や非行についての双生児研究の結果をまとめたものである。この表から読み取れることとして、最も妥当なものはどれか。

| 研究 | 対象 | 一卵性双生児一致率 | 二卵性双生児一致率 |
|---|---|---|---|
| クロニンジャーとゴッテスマン<br>(Cloninger, C. R. & Gottesman, I. I.) | 犯罪 | 34% | 18% |
| クリスチャンセンら<br>(Christiansen, K. O. et al.) | 犯罪 | 33% | 12% |
| ダルガードとクリングレン<br>(Dalgard, O. S. & Kringlen, E.) | 犯罪 | 26% | 15% |
| シールズ（Shields, J.） | 非行 | 80% | 78% |
| 林（Hayashi, S.） | 非行 | 80% | 75% |
| ライオンズ（Lyons, M. J.） | 非行 | 47% | 41% |

**1.** 犯罪も非行も遺伝よりも環境要因が重要である。

**2.** 犯罪も非行も環境よりも遺伝要因が重要である。

**3.** 犯罪は環境要因がより重要であるが、非行は遺伝要因がより重要である。

**4.** 犯罪は遺伝要因がより重要であるが、非行は環境要因がより重要である。

＊

**問19** 子どもの虐待は、大きな社会問題になっている。以下のa～eの記述のうち、正しいものの組合せはどれか。

a：未熟児出産は、虐待のリスクを上げる。

b：性的虐待の公式統計には、暗数が多い。

c：虐待をする親は、子どもに対して非現実的な期待をすることが多い。

d：子どもの生命を危険にさらすような虐待をするのは、母の内縁の夫が最も多い。

e：虐待された被害児童自身が児童相談所に通告するケースは、極めて少ない。

**1.** a、b、c、e

**2.** a、d、e

**3.** b、c、d、e

**4.** b、d

## 犯罪原因　解　説

### 問7　刺激欲求特性と非行　　　　正答　3

　非行と人格特性の関係は複雑であり、このタイプのパーソナリティだと、非行に走りやすいといった単純な関係は見られない。ただし、いくつかの人格特性は、非行や犯罪と関連性が相対的に高いことが指摘されている。たとえば、他人が自分に対して敵意を持っていると帰属しやすい**敵意帰属傾向**や**サイコパス傾向**などである。その中の一つに、**刺激欲求特性**がある。これはズッカーマン（Zuckerman, M.）などによって提唱されたものであり、スリルや興奮など強い刺激を求める特性で、この気質は神経系の不活発性、すなわち通常の環境下では適正水準の**覚醒**が得にくいという脳機能の性質を反映するものと仮定されている。この特性が強い少年は、日常生活が全体的に退屈に感じられ、刺激を求めて逸脱行動を行うことがある。刺激欲求特性が最も関連していると指摘されているのは、**薬物濫用**である。薬物によって引き起こされる異常な心理状態が彼らにとって強い魅力となるからである。

　他の選択肢については、サイコパス特性や共感性の低さなどがより関連している。

　したがって、正答は**3**である。

□敵意帰属傾向
□サイコパス傾向
□刺激欲求特性
□覚醒
□薬物濫用

### 問8　中和の技術　　　　正答　3

　**漂流理論**（ドリフト理論）の中核的な概念が、**サイクスとマッツァ**（Sykes, G. M. & Matza, D.）の**中和の技術**である。漂流理論では、非行少年たちは常に非合法的生活を送っているわけではなく、非合法的生活と合法的生活を漂流しながら生きていると考える。両生活を漂流しているために、非行少年たちは合法的生活の中で反社会的行動を合理化する必要が生じる。このときに用いられるのが中和の技術で、**自己責任の否定、損害の否定、被害者の否定、非難者への非難、高度な忠誠心への訴え**の5つがある。

1．自己責任の否定は、しかたなくやったとか、周りに誘われたからやったとか、行為の責任は自分にはないと考える方法である。

2．損害の否定は、誰にも迷惑はかかっていない、咎めを受けるような損害は与えていないと考える方法である。

3．妥当である。被害者の否定は、被害者が悪いのだとか、相手

□漂流理論
□ドリフト理論
□サイクス
□マッツァ
□中和の技術
□自己責任の否定
□損害の否定
□被害者の否定
□非難者への非難
□高度な忠誠心へ
　の訴え

に原因があるというように、被害者に責任を帰属する考え方である。

4．高度な忠誠心への訴えは、仲間のためにやったなど、自分の重視する価値や秩序、大儀を守るためやったことであると考える方法である。

### 問9　低自己統制　　　　　　　　　　　正答　2

　パーソナリティ特性の面から犯罪原因を探究する研究では、衝動性や低自己統制を重視する研究者がいる。特に、**ゴットフレッドソンとハーシ**（Gottfredson, M. R. & Hirschi, T. W.）は、犯罪の多くは、努力もせずに即座に欲求を満たそうとする短絡的行為であり、本質的に低自己統制の特徴を有していると考えた。こうした概念化に基づき、グラスミックら（Grasmick, H. G. et al.）は、低自己統制を測定する尺度を作成した。この尺度は、将来のことよりも目の前の快楽を追求する**衝動性**、努力を惜しみ単純さを好む**単純課題志向**、スリルや興奮を求める**リスク・シーキング**、体を動かすことを好む**身体活動性**、自分のことを最優先に考える**自己中心性**、些細なことでも激しい怒りを感じる**易怒性**の下位尺度で構成される。また、二次因子として、衝動性、単純課題志向、リスク・シーキング、身体活動性を合わせて**刹那主義**、自己中心性と易怒性を合わせて**利己主義**とされる。

　したがって、正答は **2** である。

### 問10　反社会性パーソナリティ症　　　　　正答　4

　**DSM-5-TR**では**パーソナリティ症**を、認知、感情、対人機能、衝動制御の領域で、その人が属する文化から期待されるより著しく偏った内的体験や行動の持続的様式としている。この様式は、青年期以降に長期安定的に生じ、柔軟性がなく、日常生活や社会生活で支障をきたしている状態とされる。DSM-5-TRには、10タイプのパーソナリティ症が規定されており、犯罪と最も親和性が高いのは**反社会性パーソナリティ症**（antisocial personality disorder; ASPD）であるとされる。ASPDには、他者の権利を無視し、侵害する行動様式の基準が示されている。

1．法にかなった行動という点で社会的規範に適合しないことは

□ゴットフレッドソン
□ハーシ
□衝動性
□単純課題志向
□リスク・シーキング
□身体活動性
□自己中心性
□易怒性
□刹那主義
□利己主義

**10**

犯罪・非行

□DSM-5-TR
□パーソナリティ症
□反社会性パーソナリティ症
□衝動性
□ボーダーラインパーソナリティ症

ASPDの基準に含まれる。これは、逮捕の原因になる行為を繰り返すことで示される。

2. **衝動性**、または将来の計画を立てられないことは基準に含まれ、目の前の快楽を衝動的に追及する行動傾向などに表れる。

3. 自分または他者の安全を考えない無謀さは基準に含まれる。自分や他人の安全を軽視し、無謀な行動をとる。

4. 含まれない。不適切で激しい怒り、または怒りの制御の困難は、**ボーダーラインパーソナリティ症**の基準の一つであり、このような内容でASPDの基準には挙げられていない。

### 問11 怒りのコントロール　　　　　　正答　3

　暴力犯罪の多くは、**怒りのコントロール**の失敗によって引き起こされる。したがって、生じた怒りをコントロールするための手法が開発されてきている。これを怒りのコントロール、あるいは怒りに対する認知行動療法という。怒りのコントロールにはさまざまな技法がある。

1. その場を離れる：**タイムアウト**という技法である。怒り対象が身近にあると、怒り感情が反すうされ増幅される危険性がある。その場を離れることによって、怒り感情を沈静化させることができる。

2. **深呼吸**：怒っているときは交感神経系の働きによって呼吸は速く浅くなっているが、このような呼吸パターン自体が、より怒り感情を高める危険性がある。呼吸は意図的にコントロールしやすいものなので、意図的に深呼吸することによって怒りをコントロールしやすくなる。

3. 相手をやっつけるイメージ：**カタルシス効果**をねらった対処法であるが、このイメージ化は怒りを増強させる危険性が大きく、効果がないか逆効果になる。これが正答である。

4. 自分がなぜ怒っているかの意識化：怒りの原因は直近にあった出来事だけでなく、最近の不満や不安、イライラなどが混在していることが少なくなく、これがすべて現在の怒りの対象に**投影**されてしまっている可能性がある。内省し、このような感情の流れを意識化することによって、怒りをコントロールしやすくなる。

□怒りのコントロール
□タイムアウト
□深呼吸
□カタルシス効果
□投影

**KEY WORD**

犯罪原因の**社会学的原因論**の立場から、犯罪の原因についての多くの理論が提唱されている。これらの理論の多くは犯罪社会学者が提唱したものである。

□社会学的原因論

これらの理論の中で、**サザランド**（Sutherland, E. H.）の提唱した理論は**分化的接触理論**といわれる。この理論によれば、逸脱行動は、自分が属している親密な社会集団の中で、他の集団成員が持っている犯罪親和的な態度や行動様式を学習することで生じると考える。心理学的にいえば、一種の社会学習、集団における規範の学習ということである。

□サザランド
□分化的接触理論
□ラベリング理論
□ベッカー
□統制側
□非行下位文化理論

**ラベリング理論**は、**ベッカー**（Becker, H. S.）によって提唱されたもので、**統制側**（警察や政府など）が一部の人々に選択的に犯罪者や非行者とのラベル付けを行うことが、犯罪現象を作り出しているという理論である。**非行下位文化理論**は、分化的接触理論をより精緻化したもので、コーエン（Cohen, A. K.）によって提唱されたものである。コンフリクト理論は、社会の発展を複数の階級や集団・国家間の対立によって説明しようとする社会学・政治学の理論の総称であるが、非行・犯罪を説明するための理論ではない。

したがって、正答は**1**である。

**10**

**犯罪・非行**

**問13** **アノミー理論** 　　　　　　　　　　　　正答 **4**

**マートン**（Merton, R. K.）の**アノミー理論**によると、社会は**文化的目標**として地位と名声や経済的な成功の獲得をすべての成員に推奨するが、これを実現するために社会が供する**社会制度**から一部の人たちは排除されている。たとえば、文化的目標を達成したくとも、そのために必要な高等教育を受けるだけの経済的な余裕を持っている人は限られている。これによって生じる欲求不満状態のことを、マートンはアノミーと呼んだ。

□マートン
□アノミー
□文化的目標
□社会制度
□適応様式
□革新

アノミーに対する**適応様式**には4種類のものがあるが、このうち**革新**は、文化的目標の達成を強く望み、これを非合法的手段によってでも成し遂げようとする行動で、これが犯罪と最も関連していると考えた。

したがって、正答は**4**である。

**問14 社会的絆理論**　　　　　　　　　　**正答　3**

ハーシ（Hirschi, T. W.）の**社会的絆理論**では、われわれの多くが犯罪を行わずに合法的な日常生活を送れるのは、犯罪を抑止する4つの**社会的絆**要因があるためと考える。

1．Attachment（**愛着**）は、身近な他者との心情的な結びつきをさし、こうした結びつきが失われることを恐れて、人々は犯罪を行わないとされる。

2．Commitment（**努力・傾倒**）は、人々が合法的な生活の維持に多くの時間と労力を費やして努力したり傾倒したりしていることをさす。犯罪に手を染めることでこうした努力や傾倒が水泡に帰すことを恐れて、人々は犯罪を行わないとされる。

3．正しい。Involvement（**巻き込み**）は、学業や仕事、充実した余暇活動など合法的な生活で多忙な人には、犯罪を計画したり実行したりする時間も余裕もないことを表す。

4．Belief（**規範信念**）は、違反（犯罪）を行ってはならないとする規範意識を持つことを表す。こうした信念を強く持つことが、人々から犯罪を遠ざけてくれる。

**問15 モフィットの理論**　　　　　　　　　**正答　1**

モフィット（Moffitt, T. E.）は、反社会的な行為が生じる年齢に注目し、発達的観点から非行や犯罪を分析した。そして、犯罪者には**青年期型反社会性タイプ**と、**生涯持続型反社会性タイプ**とがいることを見いだした。

青年期限定型反社会性タイプは、10代中頃に非行に走り、20歳頃になると自然と非行から手を引く。このタイプは、生涯持続型反社会性タイプと接触するとその自由な行動様式にあこがれ、青年期に見られる社会への反抗心とも相まって彼らの行動を模倣し、非行に走る。しかし、成人し、就職や結婚などのライフイベントをきっかけに、非行から離脱していく。

一方、生涯持続型反社会性タイプは、幼少期から多様な問題行動を示し、それを生涯にわたり維持する。彼らは行為への責任感が弱く、簡単に他者を裏切るため、浅い人間関係しか持つことができない。こうした行動様式が生じる原因に、モフィットは出生

前や直後の**神経心理学的**リスクを挙げる。たとえば、出生前や直後の有害物質の暴露は、子どもの**神経系**の発達に多大な悪影響を及ぼす。こうした神経系の負因が反社会的行動の発現を促し、離脱を困難にすると指摘する。特に、神経系の負因に基づく**言語機能**と**実行機能**の欠陥は反社会的行動に強く関与すると指摘している。

したがって、正答は**1**である。

**問16** ケンブリッジ非行発達研究　　　　正答　**1**

1．正しい。**ケンブリッジ非行発達研究**は、開始当初はウェスト（West, D. J.）、その後1969年より**ファリントン**（Farrington, D. P.）がリーダーとなって行われている大規模なプロジェクトである。
2．フラミンガムコーホート研究はアメリカ国立衛生研究所によって行われている大規模なコーホート研究であるが、その目的は主に疾病に関するものである。
3．**ピッツバーグ青少年非行研究**は、レーバー（Loeber, R.）によってアメリカのピッツバーグで行われたもので、非行問題に対する国の政策立案に大きな影響を与えている。特に青少年に対するテレビの影響を明らかにしたことで知られている。
4．**ロンドンおよびワイト島研究**は、ロンドンで行われた非行と犯罪に関する大規模な縦断的な研究であり、ラター（Rutter, M. L.）によって指導されたものである。この研究では特に非行・犯罪に対する家庭環境の役割に関して重要な知見が提供された。

□ケンブリッジ非行発達研究
□ファリントン
□ピッツバーグ青少年非行研究
□ロンドンおよびワイト島研究

**問17** 犯罪の発達的要因　　　　正答　**3**

　犯罪の発達的要因を明らかにした研究として、ケンブリッジ非行発達研究がある。この研究では、犯罪・非行の発現には、親からの不十分な養育、両親や兄弟の犯罪・非行、兄弟の問題行動等の**生育環境**が重要であることが報告されている。

　一方、幼少期の生育環境の影響は、個人が持つ資質によって緩和される可能性がある。それを示したのが、**ダニーディン子どもの健康と発達に関する長期追跡研究**である。この長期追跡研究

□生育環境
□ダニーディン子どもの健康と発達に関する長期追跡研究
□キャスピ
□マックレイ

**10**

犯罪・非行

は、ニュージーランドのダニーディン市のある病院で1972年から1973年に生まれた1,037名を、その後現在に至るまで追跡したものである。多分野にわたる調査内容を含み、このデータから犯罪を含め、健康、幸福などさまざまなテーマの論文が執筆されている。

その中で、**キャスピ**（Caspi, A.）、**マックレイ**（McClay, J.）、**モフィット**らは、幼少期の**不適切な養育**（虐待等）が**反社会的行動**に及ぼす影響が、モノアミン酸化酵素A（monoamine oxidase A; MAO-A。MAO-Aは神経伝達物質の不活性化に関与し、その機能異常はADHDや物質乱用と関連するといわれる）の活性度を調整する遺伝子型によって異なることを報告している。

つまり、幼少期の生育環境が十分であれば、MAO-Aの遺伝子型が何であれ反社会的行動は起こりにくい。一方、幼少期の生育環境が劣悪な場合、MAO-Aの活性度が低い遺伝子型の者ほど反社会的行動に至りやすいのである（幼少期の生育環境が劣悪でも、MAO-Aの活性度の高い遺伝子型の者は相対的に反社会的行動に至りにくい）。

これらの知見は、遺伝要因と環境要因が相互作用的に関与することによって犯罪が起こることを意味する。ただし、MAO-Aの影響力については現在も議論が続いている。

したがって、正答は**3**である。

---

**問18 犯罪・非行の遺伝と環境** 　　　　　**正答　4**

**一卵性双生児**と**二卵性双生児**についてある特性がどの程度一致しているのか、あるいは相関を持っているのかについて検討する方法は、**双生児法**といい、**遺伝要因**と**環境要因**の影響力を評価するための主要な方法論の一つである。

もし、遺伝要因が行動にあまり関係せず、環境要因が重要であれば、一卵性双生児の一致率と二卵性双生児の一致率は同様になることが予想され、その逆に遺伝要因が重要であり環境要因があまり関係しなければ、一卵性双生児の一致率は二卵性双生児の一致率よりも高くなることが予想される。

**1**．一卵性双生児の一致率と二卵性双生児の一致率が犯罪と非行では異なっているため、犯罪と非行では遺伝と環境の影響の

割合が異なっていることが予想される。

**2．** 1と同じ理由により誤り。

**3．** 非行の場合、一卵性双生児と二卵性双生児の一致率がほぼ同じなので、環境の影響力が大きいことが推定される。これに対して、犯罪では一致率が大きく異なり、一卵性双生児の一致率が二卵性双生児の一致率のほぼ倍になっているので、遺伝の影響が大きいことが推定される。

**4．** 妥当である。3と同じ理由による。

### 問19 子どもの虐待　　　　　　　　　正答　1

**a：** 正しい。多くの研究が未熟児出産は虐待のリスクを上げることを明らかにしている。たとえば、エルマーとグレッグ（Elmer, E. & Gregg, G. S.）は、虐待された子どもに占める未熟児出産の割合は12～30％程度になると指摘している。

**b：** 正しい。**性的虐待**は、被害児童は羞恥心や加害者に対する恐怖などからその被害を隠蔽（いんぺい）し、親やきょうだいもその事実を知っていても通報しないことが多いため、**身体的虐待、ネグレクト**（育児放棄・怠慢）、**心理的虐待**などに比べ、**暗数**（行政などがその発生を把握できない数）が非常に多いと考えられている。

**c：** 正しい。虐待する親は子どもに対してトイレットトレーニングなどを早くから始め、子どもが失敗すると体罰などを用いることが多いことが知られている。トイレットトレーニング以外でも、子どもの能力以上のことを要求し、失敗すると罰を与えるという行動が見られやすい。

**d：** 誤り。生命にかかわる虐待は実母が最もよく行う。

**e：** 正しい。虐待の通告は、「警察等」「近隣知人」などが多く、虐待された子ども自身が児童相談所などに通告するケースは1％に満たない。つまり、周りが気づかないと発覚しない。

したがって、正答は**1**である。

□性的虐待
□身体的虐待
□ネグレクト
□心理的虐待
□暗数

**10**

犯罪・非行

## 犯罪捜査と防犯 問題

➡解説はp.402〜

\*\*
**問20** 地理的プロファイリングとは、特に連続犯行において、犯罪の発生場所から犯人の居住地や次の犯行場所などを推定するための方法論である。犯人の居住地を推定する場合、犯人が「拠点型」つまり、自宅や職場などの拠点を中心として活動している場合には、推定をある程度の精度で行うことが可能であるが、犯人が「通勤型」つまり、自宅や職場などから別の場所まで通勤するように移動して犯罪を行う場合には、推定が困難になる。以下の犯罪のうち、犯人が「通勤型」の行動を最もとりやすいと考えられるものはどれか。

**1.** 社会に対する鬱憤を晴らすための無差別放火

**2.** 個人宅をねらった職業的侵入窃盗

**3.** 路上における性器の露出

**4.** カッターナイフなどを用いたコンビニ強盗

\*\*
**問21** 犯罪捜査におけるポリグラフ検査に関する記述として、最も妥当なものはどれか。

**1.** 犯罪捜査実務で行われているポリグラフ検査では、ポリグラフ検査を行う前に必ず「検査承諾書」を記載させて行うのが原則である。しかし、被疑者が検査に承諾しない場合には検察庁が強制執行命令を出して検査を実施することも可能である。

**2.** アメリカの司法機関で行われているポリグラフ検査は、CQT（コントロール質問法）と呼ばれているものが中心である。CQTは日本で行われている方法に比べて高い精度を持っている。

**3.** 日本の犯罪捜査実務における標準的なポリグラフ検査の手続きでは、呼吸、脈波（血圧や指尖脈波）、皮膚電気反応、脳波が指標として用いられている。

**4.** 日本の警察の科学捜査研究所で行われたポリグラフ検査の結果は「鑑定書」として裁判に提出される場合があり、この鑑定書は証拠として使用されることがある。

*
**問22** レイプ（強姦）事件に関する記述として、**適切でない**ものはどれか。

1．レイプ犯の大半は、独身の単身者で無職である。
2．レイプ犯罪の多くは、見ず知らずの人間によって行われるストレンジャーレイプではなく、知人間で行われるものである。
3．レイプ事件の裁判においては、加害者が「合意のうえの行為であって強制的に行ったものではない」と抗弁する場合が少なくない。
4．レイプ犯人の中には、「女性は深層心理では、レイプされたがっているのだ」といった誤った信念を持っている者が多い。

*
**問23** 近年、子どもに対する性犯罪を防ぐための地域の取組みが行われている。以下のa～dの記述で適切なものには○、適切でないものには×を付けた場合、組合せとして正しいものはどれか。

a：子どもを襲う犯人の多くは、40代以上の無職の男性である。
b：子どもを襲う犯人は、だらしない格好をしていたり、同じ場所を用もないのにぐるぐると徘徊したりしている場合が多い。
c：容易に侵入することができて、外から見えにくい場所が犯行現場になることが多い。
d：子どもに対する性犯罪が最も起きやすいのは、午前8時～午前9時の登校時間帯であり、この時間の見回り活動が極めて重要である。

　　　a　b　c　d
1．○—○—○—×
2．○—×—×—○
3．×—○—×—○
4．×—×—○—×

**問24** 犯罪に関する研究は、加害者の側に焦点を当てたものが多かったが、それに対して、被害者の視点から犯罪現象を研究しようとする「被害者学」というアプローチが、近年注目を集めている。このアプローチについて、以下のa～dの記述のうち適切なものの組合せはどれか。

a：ドイツの犯罪学者ヘンティッヒ（von Hentig, H.）は、被害者学の必要性を痛感し、1966年にモントリオールで開かれた国際犯罪学会で初めて被害者学のシンポジウムを開催した。

b：フロイト（Freud, S.）など精神分析の研究に基づいて、被害者の精神医学的な側面について研究を進めたのは、スイスの精神医学者エレンベルガー（Ellenberger, H.）である。

c：被害者学はvictimologyといわれるが、この言葉を初めて使ったのはイスラエルの法学者メンデルソーン（Mendelsohn, B.）である。

d：アメリカの犯罪学者ウォルフガング（Wolfgang, M.）は、殺人事件においてさえも被害者が事件を誘発して引き起こしているケースがあることを指摘して、被害者の有責性について論じた。

**1.** a、b

**2.** a、b、c

**3.** a、d

**4.** b、c、d

**問25** ニューマン（Newman, O.）は、犯罪を防止するためには、犯罪が起きにくい空間を物理的に作り出すことが重要だと考えた。彼の理論は「守りやすい空間」理論と呼ばれる。以下の記述のうち、彼の理論と最も整合的なものはどれか。

**1.** 犯罪を生じさせないためには、窓には2重以上のロックを付けることが重要である。

**2.** 防犯カメラは、暗視機能を持つものを選び、録画したものはある程度の期間保存することが重要である。

**3.** 人々が生活の中で自然に共有部分や他人の住居を監視することができるような集合住宅を設計することが重要である。

**4.** 集合住宅の防犯のためには、それを管理するための管理人だけでなく、防犯を専門として訓練を受けた職員を配置することが重要である。

**問26** 以下の事例のような経緯で殺人事件が起こった場合に、この事例を理解するための理論として最も妥当なものはどれか。

　Aの居住する地域は、Aが6年前に転居した頃には閑静な地域であった。しかし、転居後2年もすると、ごみの散乱や落書き、空き家の放置が目立つようになった。しかし、それらを気に留める住民はほとんどおらず、放置されたままであった。転居後4年もすると、駅前や商店街の駐輪場で自転車盗が頻発し、Aがアルバイトするスーパーでも万引きが多く起こった。また、この頃になるとコンビニエンスストアに若者がたむろしたり、言いがかりをつけたりするトラブルが頻発した。こうした荒廃した地域に嫌気がさしたり、子どもの安全に不安を感じたりして、この地域から次々に住民が転居していった。結果的に、この地域ではますます空室や空き家が目立つようになった。そして、転居後6年目の今年、Aの住むアパートの近くで若者同士の喧嘩を発端として、拳銃を使った殺人事件が起こった。

**1.** ウィルソンとケリング（Wilson, J. Q. & Kelling, G. L.）の割れ窓理論

**2.** コーエンとフェルソン（Cohen, L. E. & Felson, M.）の日常活動理論

**3.** ブランティンガムとブランティンガム（Brantingham, P. J. & Brantingham, P. L.）の犯罪パターン理論

**4.** クラークとエック（Clarke, R. V. & Eck, J. E.）の犯罪の三角形モデル

**10**

犯罪・非行

## 犯罪捜査と防犯　　解　説

### 問20　地理的プロファイリング　　　正答　2

1. **都市型の放火**であり**拠点型**をとりやすい。特に2～3kmの範囲で複数の放火が発生している場合、拠点型の可能性が大きい。
2. 正しい。職業的な侵入窃盗犯人は、自宅を中心として犯罪を行うよりも**通勤型**の犯行をとる場合が比較的多い。
3. 性犯罪は拠点型の犯行をとりやすい。
4. 強盗事件の中でも、計画性があり、銀行や資産家の自宅などをねらう綿密な犯罪は通勤型の犯行をとる場合が多いが、衝動的な犯行は拠点型の犯行が相対的に多くなる。

### 問21　ポリグラフ検査　　　正答　4

1. **ポリグラフ検査**は任意での検査が原則であり、基本的には被検査者の承諾が必要である。承諾は「承諾書」として書面で提出される。令状によって、強制的にポリグラフ検査を行うことも不可能ではない。ただし、令状を出すのは裁判所であり、検察庁が強制執行命令といった命令を出して行うことはない。
2. アメリカでも犯罪捜査でポリグラフ検査が行われているが、日本の警察で使用している方法（隠匿情報検査：CIT、あるいは犯行知識検査：GKT）ではなく、**CQT**という方法論が使用されている。ただし、CQTはCITなどと比べて精度が低く、特に無実の容疑者を「犯人」であるとしてしまう誤りが生じやすいことが知られている。
3. 日本の捜査実務で行われているポリグラフ検査では、研究目的以外では脳波は使用されていない。
4. 妥当である。日本の捜査実務におけるポリグラフ検査は鑑定として行われており、その結果は**鑑定書**としてまとめられる。ポリグラフ検査の結果を示した鑑定書やポリグラフ検査結果報告書は、裁判で証拠として用いられる場合がある。

**問22** レイプ（強姦）の質的特徴　　　　正答　1

1. 適切でない。警察で把握されている**レイプ**犯の半数以上は有職者であり、**知人間レイプ**も含めればその率はさらに上がると考えられる。また、犯人は両親と同居していたり（特に若年犯人の場合）、配偶者がいたりする場合も少なくない。

2. レイプ犯罪の多くは**ストレンジャーレイプ**ではなく、同僚、上司、友人、恋人、配偶者などの知人間で発生する。知人間レイプでは、警察に通報されるケースは極めて少ない。ただし、被害者調査などを行うと、多くの女性が自分の意に反した性行為を強いられた経験を持っていることがわかる。

3. 特に知人間レイプの裁判においては、加害者側の男性から行為が「合意のうえであり強姦に当たらない」という抗弁がなされることが多い。

4. このような誤った信念を**レイプ神話**といい、性犯罪者はレイプ神話を信じている場合が多いことが多くの研究で示されている。

- □レイプ（強姦）
- □知人間レイプ
- □ストレンジャー
  レイプ
- □レイプ神話

**問23** 防犯のための犯行地理分析　　　　正答　4

a：不適切である。**子どもに対する性犯罪**の約70％は30代以下の犯人が起こしており、40代以上の犯人は少ない。また、有職者も少なくない。

b：不適切である。子どもに対する性犯罪者は汚い身なりをしている老人であるという「**ダーティーオールドマン神話**」は広く信じられているが、実際の犯人には必ずしも当てはまらず、外見のみから犯人を識別するのは困難であると考えられている。

c：適切である。子どもに対する性犯罪はそれが発生しやすい場所があり、それを簡単にまとめれば「**入りやすく、見えにくい場所**」となる。そのため、子どもに対する防犯教育ではこのような場所を識別させるスキルを養うことが重要となる。

d：不適切である。子どもに対する性犯罪は午後3時〜午後6時の夕方に起こることが最も多く、登校時間帯に発生することは比較的少ない。

したがって、正答は**4**である。

- □子どもに対する
  性犯罪
- □ダーティーオー
  ルドマン神話
- □入りやすく、見
  えにくい場所

**10**

**犯罪・非行**

**問24　被害者学**　　　　　　　　　　　　正答　**4**

KEY WORD

**a**：適切でない。**ヘンティッヒ**（von Hentig, H.）は初めて**被害者学**の必要性を主張したドイツの犯罪学者である。彼は第二次世界大戦後、アメリカに亡命中に"The Criminal and His Victims"という著作を記し、そこで被害者の問題を熱心に論じた。しかし、彼が活動したのは、1940〜50年代のことである。

**b**：適切である。**エレンベルガー**（Ellenberger, H.）は、それまで法律学的な観点しか語られてこなかった被害者の問題を精神医学的、心理学的に解釈し、被害者学の新しいアプローチを行った。彼は精神分析の影響を大きく受けており、無意識的な欲求により自ら犯行を呼び寄せてしまうという問題を主に扱った。

**c**：適切である。**メンデルソーン**（Mendelsohn, B.）は、生物学、心理学、社会学などの観点から被害者の問題を総合的に扱う学問としての被害者学の体系を構築しようと尽力し、被害者学という用語も作り出した。

**d**：適切である。ウォルフガング（Wolfgang, M.）は、殺人に関する警察データを分析し、被害者側の挑発など被害者に原因のある（**被害者の有責性**）事件が少なくないことを明らかにしている。

　したがって、正答は**4**である。

□ヘンティッヒ
□被害者学
□エレンベルガー
□メンデルソーン
□被害者の有責性

**問25　環境設計による防犯**　　　　　　　正答　**3**

　**ニューマン**（Newman, O.）は、住環境のデザインが犯罪を引き起こしている可能性があるのではないかと考え、犯罪を誘発しにくい「**守りやすい空間**（defensible space）」理論をつくった。この理論では、**領域性**、**境界の画定**、**自然監視**などの要素を持つ住空間が防犯に有効だと考えられている。

1．この方法は確かに防犯には有効性があるかもしれないが、ニューマンの理論は窓やドアの個別の施錠などの問題には直接立ち入らない。

2．ニューマンの理論では、住民による自然な監視ができる環境を作り上げることは重視するが、**防犯カメラ**などのハードウ

□ニューマン
□守りやすい空間
□領域性
□境界の画定
□自然監視
□防犯カメラ

ェアを使用した監視については直接問題にはしない。

3．整合的である。ニューマンは住民によって住居が自然に監視されるような設計が防犯には重要であるとしている。

4．ニューマンは、人による防犯管理手法でなく、あくまで環境設計による防犯を重視したので、防犯専門家やガードマンの存在自体はニューマンの理論とは整合しない。

---

**問26 犯罪予防の理論**　　　　　　　　**正答　1**

事例には、地域の**秩序紊乱**(びんらん)に対して住民が無関心であることが、軽微な犯罪を引き込み、それが地域の解体とより重大な犯罪を呼び込むことにつながることが描写されている。

1．妥当である。**ウィルソン**と**ケリング**（Wilson, J. Q. & Kelling, G. L.）の**割れ窓理論**は、地域の秩序紊乱を放置することが、住民が**無秩序**や**無作法**に関心が薄いことの象徴となり、結果、その地域には犯罪者が流入しやすくなり、重篤な犯罪が起こりやすくなることを説明する。

2．**コーエン**と**フェルソン**（Cohen, L. E. & Felson, M.）の**日常活動理論**では、**犯意ある行為者**、**格好の標的**、**有能な監視者の不在**の条件が同時に存在する時に犯罪が起こると考える。

3．**ブランティンガム**と**ブランティンガム**（Brantingham, P. J. & Brantingham, P. L.）の**犯罪パターン理論**では、犯罪者と被害者の活動パターンが重なる場所で犯罪が起こると予測する。

4．**クラーク**と**エック**（Clarke, R. V. & Eck, J. E.）の**犯罪の三角形モデル**は、日常活動理論を拡張し、犯罪が起こる条件を「場所」を重視してモデル化した理論である。

□秩序紊乱
□ウィルソン
□ケリング
□割れ窓理論
□無秩序
□無作法
□コーエン
□フェルソン
□日常活動理論
□犯意ある行為者
□格好の標的
□有能な監視者の
　不在
□ブランティンガム
□犯罪パターン理論
□クラーク
□エック
□犯罪の三角形モ
　デル

**10**

犯罪・非行

# 10 犯罪・非行

**\***
**問27** 少年法第3条の「審判に付すべき少年」に**含まれない**ものは、次のうちどれか。
1. 虞犯少年（ぐはん）
2. 触法少年（しょくほう）
3. 不良行為少年
4. 犯罪少年

**\*\*\***
**問28** 日本の戦後の少年非行の動向に関しては、しばしば3つの波があることが指摘される。1951（昭和26）年をピークとする波、1983（昭和58）年をピークとする波のほかのもう一つの波として最も妥当なものはどれか。
1. 1964（昭和39）年をピークとする波
2. 2002（平成14）年をピークとする波
3. 2015（平成27）年をピークとする波
4. 2019（令和元）年をピークとする波

**\*\***
**問29** 事件の目撃者の証言に関する記述として、**適切でない**ものはどれか。
1. 事件や事故に遭遇すると、われわれは激しい恐怖やストレスを感じるが、この場合、われわれの注意は中央部分に集中し、周辺的な事象についての知覚や記憶は抑制される。
2. 犯人が銃やナイフなどの凶器を持っていた場合、われわれの注意はその凶器に引きつけられてしまい、犯人の顔や服装、特徴についての記憶が阻害される。
3. 何枚かの写真の中から自分が見た犯人を選択させる写真面割手続きを行う前に被疑者をあらかじめ見せておくことによって、面割の正確性を向上させることができる。
4. 事件の後に見たニュースなどで言及されていた情報が、事件の記憶に混入したり、その記憶を歪めたりしてしまう場合がある。

**問30** 以下の文章は、精神鑑定に関する説明である。空欄a〜cに当てはまる語句の組合せとして正しいものはどれか。

刑法では、第（ a ）条に責任能力についての条文が存在する。そこには、「心神喪失者の行為は罰しない」、「心神耗弱者の行為はその刑を（ b ）」と記載されている。心神喪失とは、責任能力を欠く場合のことで、心神耗弱とは、責任能力が著しく減退した場合のことである。責任能力とは、「事物の是非・善悪を弁別しかつ、それに従って行動する能力」のことで、前者を事理弁識能力、後者を（ c ）という。

|   | a | b | c |
|---|---|---|---|
| **1.** | 36 | 免除する | 判別行動能力 |
| **2.** | 36 | 減軽する | 行動判断能力 |
| **3.** | 39 | 免除する | 識別行動能力 |
| **4.** | 39 | 減軽する | 行動制御能力 |

＊＊

**問31** 少年鑑別所の主たる業務として、**妥当でない**ものはどれか。

**1.** 家庭裁判所の求めに応じ、鑑別対象者の鑑別を行うこと。

**2.** 試験観察を行い、少年に更生のための助言や指導を与えながら、少年が自分の問題点を改善していこうとしているかといった視点で観察すること。

**3.** 観護の措置が執られて少年鑑別所に収容される者等に対し、健全な育成のための支援を含む観護処遇を行うこと。

**4.** 地域社会における非行および犯罪の防止に関する援助を行うこと。

＊＊

**問32** 以下の事例の少年が収容される少年院として、最も妥当なものはどれか。

15歳のAは窃盗や傷害でたびたび問題を起こし、これまでにも少年院に送致された経験がある。ある日の夜、盗みを目的に閑静な住宅街の一軒家に侵入した。そこで在宅していた家人に見つかり、大声を出されそうになったため所持していたサバイバルナイフで相手を刺殺した。その後、犯行を知られるのを恐れて就寝していた他の家族4人も次々に襲い殺傷した。犯行後、死体を隠蔽しようとしたが、防犯カメラの映像からAが被疑者として浮上し、警察に検挙された。Aは家庭裁判所送致後に検察官に送られ、最終的に刑事裁判によって有罪となり、犯行の悪質性から15歳で懲役の刑事処分を受けることが確定した。なお、Aは犯行時の精神状態について精神鑑定を受け、事件当時の責任能力は認められている。

**1.** 第1種少年院　　　**2.** 第2種少年院

**3.** 第3種少年院　　　**4.** 第4種少年院

10

犯罪・非行

**＊＊**
**問33** 日本の刑事施設において、受刑者に対して行われる特別改善指導に**含まれないものはどれか。**

1．薬物依存離脱指導
2．性犯罪再犯防止指導
3．窃盗再犯防止指導
4．被害者の視点を取り入れた教育

**＊＊＊**
**問34** 更生保護施設の役割として、**妥当でない**ものはどれか。

1．宿泊場所や食事の提供など、入所者が自立の準備に専念できる生活基盤を提供すること。
2．仮釈放者について保護観察を行いながら社会内で円滑に生活することができるかどうかを試験し、釈放の最終判断のための資料を作成すること。
3．日常の生活指導など、入所者が地域社会の一員として円滑に社会復帰するための指導を行うこと。
4．就労支援や金銭管理の指導など、入所者ができるだけ早く独り立ちを果たし、退所した後も自立した生活を維持していけるように必要な指導や援助を行うこと。

**＊**
**問35** 以下のケースと関連する用語として、最も妥当なものはどれか。

　国際結婚をしてアメリカで暮らしていた日本人のA子は、アメリカ人の夫Bとの関係が悪化し、離婚を決意するに至った。そこで、ある日、夫婦の子どもCとDを連れてBに無断で日本に帰国した。

1．営利目的誘拐（ゆうかい）
2．ハーグ条約
3．児童虐待防止法
4．家事審判法

## 問27　非行少年の定義　　　　　　　正答　3

**少年法**第3条には、家庭裁判所の「審判に付すべき少年」として、以下が挙げられている。

一　罪を犯した少年

二　14歳に満たないで刑罰法令に触れる行為をした少年

三　次に掲げる事由があつて、その性格又は環境に照して、将来、罪を犯し、又は刑罰法令に触れる行為をする虞（おそれ）のある少年

　イ　保護者の正当な監督に服しない性癖のあること。

　ロ　正当の理由がなく家庭に寄り附かないこと。

　ハ　犯罪性のある人若しくは不道徳な人と交際し、又はいかがわしい場所に出入すること。

　ニ　自己又は他人の徳性を害する行為をする性癖のあること。

一は**犯罪少年**、二は**触法少年**、三は**虞犯少年**ともいわれる。

2022（令和4）年4月1日の改正少年法施行以降は、18歳以上で罪を犯した少年は**特定少年**とされる。特定少年は、**原則逆送事件**の拡大など、17歳以下の少年とは異なる取扱いがされる。

したがって、正答は**3**である。

## 問28　少年非行の動向　　　　　　　正答　1

犯罪白書によれば、少年による刑法犯・危険運転致死傷・過失運転致死傷等の検挙人員の推移には3つの波がある。1951（昭和26）年をピークとする**第一の波**、1964（昭和39）年をピークとする**第二の波**、1983（昭和58）年をピークとする**第三の波**である。その後、1984（昭和59）年以降はおおむね減少傾向にある。平成期においては、一時的な増加はあるものの、全体としては減少傾向にあり、2012（平成24）年以降戦後最少を記録し続けていたが、2022（令和4）年に微増した。令和5年版犯罪白書によれば、2022（令和4）年の検挙人員は29,897人であった。なお、虞犯少年については、犯罪白書の**家庭裁判所終局処理人員**を参考にすると、2022（令和4）年には159人であった。

したがって、正答は**1**である。

KEY WORD

□非行少年
□少年法
□犯罪少年
□触法少年
□虞犯少年
□特定少年
□原則逆送事件

□第一の波
□第二の波
□第三の波
□家庭裁判所終局
　処理人員

10
犯罪・非行

**問29** 目撃者の証言　　　　　　　　　　正答　**3**

1. 恐怖やストレスなどの情動喚起はわれわれの注意や記憶の範囲をせばめてしまう傾向がある。これは**注意集中効果**（イースターブルック効果）と呼ばれている。

2. 銃やナイフなどの凶器が目の前にあるとわれわれはそこに注意がとらわれてしまい、他の部分の記憶成績が低下する。これを**凶器注目効果**という。単に珍しい物やその場にふさわしくない物があった場合にも同様な現象が発生する。

3. 適切でない。**写真面割**手続きの前に被疑者を見せてしまうと、写真面割で、その被疑者にバイアスがかかった判断がなされ、実際に目撃した人物でなくてもその人物を犯人であると同定する可能性が上がってしまう。そのため、写真面割に先立って被疑者を見せてはならない。

4. 事件後に接触した情報が事件の記憶に混入したり、事件の記憶を書き換えたりしてしまう現象は**事後情報効果**といわれている。実際の犯罪捜査場面でも比較的生じやすい現象である。

**KEY WORD**
- 目撃者の証言
- 注意集中効果
- 凶器注目効果
- 写真面割
- 事後情報効果

**問30** 精神鑑定　　　　　　　　　　　　正答　**4**

　**刑法**では、**第39条**に**責任能力**について定められている（第36条は正当防衛の規定である）。責任能力は「事物の是非・善悪を弁別し、かつそれに従って行動する能力」のことで、前者を事理弁識能力、後者を行動制御能力という。これが失われている場合が**心神喪失**、著しく減退している場合が**心神耗弱**である。

　刑法第39条では、心神喪失者の行為は罰しない、つまり無罪になるとされている。また、心神耗弱者の行為は、その罪が減軽される。この減軽は、必要的減軽であり、減軽されることができるということでなく、心神耗弱が認められれば必ず減軽されなければならない。そのため、最高刑である死刑は、心神耗弱が認められれば科せられないことになる。

　責任能力の有無の判断は、起訴前や公判の段階で精神科の医師などによって行われるが、心理学者や臨床心理士も、特にアセスメントの段階で関与する場合がある。

　したがって、正答は**4**である。

**KEY WORD**
- 精神鑑定
- 刑法第39条
- 責任能力
- 心神喪失
- 心神耗弱

**問31 少年鑑別所** 　　　　　　　正答　2

　法務省では、**少年鑑別所**の主たる業務として、①家庭裁判所の求めに応じ、鑑別対象者の**鑑別**を行うこと、②観護の措置が執られて少年鑑別所に収容される者等に対し、健全な育成のための支援を含む**観護処遇**を行うこと、③地域社会における非行および犯罪の防止に関する援助を行うことを挙げている。少年鑑別所は、**法務少年支援センター**として、地域の非行・犯罪防止に関する活動や健全育成に関する活動の支援など**地域援助業務**を行う。

　なお、少年に更生のための助言や指導を与えながら、少年が自分の問題点を改善していこうとしているかといった視点で観察する**試験観察**を行うのは**家庭裁判所**である。

　したがって、正答は**2**である。

**問32 少年院** 　　　　　　　　　正答　4

　事例は、未成年者による殺人によって家庭裁判所で**検察官送致**（逆送）となり、**刑事裁判**で有罪となった少年のものと読み取れる。未成年で懲役の**刑事処分**を受ける場合、16歳以上であれば**少年刑務所**に収容されるのが妥当であるが、事例の少年は16歳に満たないことから満16歳になるまで**第4種少年院**で処分を受けることとなる。

　なお、2022（令和4）年4月1日施行の改正少年院法では、**保護観察**中に重大な遵守事項違反があった**特定少年**を1年以内の範囲で収容できる**第5種少年院**が新設された。

　したがって、正答は**4**である。

**10**

犯罪・非行

**問33 成人矯正施設**　　　　　　　　**正答　3**

KEY WORD

受刑者の処遇は、**刑事収容施設及び被収容者等の処遇に関する法律**に示される受刑者処遇の原則の達成に向けて行われる。具体的には、**作業（刑務作業）、改善指導、教科指導**の３つの柱で構成される**矯正処遇**が行われる。また、改善指導は、すべての受刑者を対象とした**一般改善指導**と、特定の事情を有することによって改善更生、円滑な社会復帰に支障が認められる受刑者を対象とした**特別改善指導**とに分けられる。さらに、特別改善指導には、薬物依存離脱指導、暴力団離脱指導、性犯罪再犯防止指導、被害者の視点を取り入れた教育、交通安全指導、就労支援指導がある。

したがって、正答は **3** である。

□刑事収容施設及び
　被収容者等の処遇
　に関する法律
□作業（刑務作業）
□改善指導
□教科指導
□一般改善指導
□特別改善指導

**問34 更生保護施設**　　　　　　　　**正答　2**

**更生保護施設**は、犯罪や非行をした人たちの社会的・経済的な自立を支援することを主たる目的とする施設であり、民間の非営利団体である更生保護法人、社会福祉法人、NPO法人などが運営する。

対象となるのは、**刑務所**の仮釈放者や満期出所者、刑の**執行猶予**の言い渡しを受けた者、**少年院**出院者などのうち、家族や公的機関などからの援助を受けられない者である。原則、**保護観察所**から委託されて入所する。

その役割は、①宿泊場所や食事の提供など、入所者が自立の準備に専念できる生活基盤を提供すること、②日常の生活指導など、入所者が地域社会の一員として円滑に社会復帰するための指導を行うこと、③就労支援や金銭管理の指導など、入所者ができるだけ早く独り立ちを果たし、退所した後も自立した生活を維持できるように必要な指導や援助を行うこと、④入所者の特性に応じた専門的な処遇を行うことである。

したがって、正答は **2** である。

□更生保護施設
□刑務所
□執行猶予
□少年院
□保護観察所

**KEY WORD**

□司法心理学

□離婚

□養育権

□面会交流

□国際結婚

□子の連れ去り

□ハーグ条約

　公認心理師資格において、犯罪心理学の中に**司法心理学**が取り入れられたため、今後「犯罪・非行」では司法犯罪分野の出題が増加することが考えられる。特に、**離婚、養育権、面会交流**についての知識は重要である。

　本問は、**国際結婚**が破綻した際、一方の親がもう一方の親の同意を得ることなく、子を自分の母国へ連れ出し、もう一方の親に面会させないといった「**子の連れ去り**」に関する問題で、このような場合には**ハーグ条約**（国際的な子の奪取の民事上の側面に関する条約）が適用されることになる。「子の連れ去り」は、子にとってそれまでの生活基盤が突然急変するほか、一方の親や親族・友人との交流が断絶されてしまい、また自分の育ってきた環境と異なる文化や言語に適応しなくてはならなくなるなど、有害な影響を与える可能性がある。そのような悪影響から子を守るために、本条約では原則としてもとの居住国に子を迅速に返還することとし、国際協力の仕組みや国境を越えた親子の面会交流の実現のための協力について定めている。

**1．**親による子の連れ去りは営利目的誘拐罪には当たらない。

**2．**妥当である。ハーグ条約が適用される典型的なケースである。

**3．**親による子の連れ去りは児童虐待防止法の対象ではない。

**4．**家事審判法は、家庭裁判所での審判手続きについての基本的な法律である。国際結婚の破綻に関連した子の養育権や離婚などに関しては家庭裁判所での審判が行われる場合があるが、本問のケースと直接的に関連しているわけではない。

**10**

犯罪・非行

●心理学検定公式ホームページ　https://jupaken.jp/
受検に関する最新情報は、公式X（Twitter）および
ホームページでご確認ください。

X（Twitter）

ホームページ

●**本書の内容に関するお問合せについて**

本書の内容に誤りと思われるところがありましたら，まずは小社ブックスサイト
（books.jitsumu.co.jp）中の本書ページ内にある正誤表・訂正表をご確認くださ
い。正誤表・訂正表がない場合や，正誤表・訂正表に該当箇所が掲載されていない
場合は，書名，発行年月日，お客様のお名前・連絡先，該当箇所のページ番号と具
体的な誤りの内容・理由等をご記入のうえ，郵便，FAX，メールにてお問合せください。

〒163-8671　東京都新宿区新宿1-1-12　実務教育出版　第二編集部問合せ窓口
FAX：03-5369-2237　　　E-mail：jitsumu_2hen@jitsumu.co.jp

【ご注意】
※電話でのお問合せは，一切受け付けておりません。
※内容の正誤以外のお問合せ（詳しい解説・受験指導のご要望等）には対応できません。

心理学検定　公式問題集［2025年版］

2024年11月5日　初版第1刷発行　　　　　　　　　　〈検印省略〉

編　者　一般社団法人日本心理学諸学会連合　心理学検定局
発行者　淺井　亨

発行所　株式会社　実務教育出版
　　　　〒163-8671　東京都新宿区新宿1-1-12
　　　　☎編集　03-3355-1812　　販売　03-3355-1951
　　　　振替　00160-0-78270
組　版　明昌堂
印　刷　壮光舎印刷
製　本　東京美術紙工

# 心理学の基礎知識を身につける。実力を試す。

一般社団法人日本心理学諸学会連合〈日心連〉認定

# 心理学検定

**第20回：2025年2月14日（金）〜3月31日（月）**

**第21回：2025年7月15日（火）〜8月31日（日）**

ご都合のよい日時を選んで、会場でコンピュータを用いて解答するCBT形式の試験です。

## ＼全国47都道府県で受検可能！／

### 受検予約受付期間

第20回：2024年12月17日（火）〜 2025年3月26日（水）
第21回：2025年5月17日（土）〜 8月26日（火）

### 受検チケット・団体申込期間

第20回：2024年12月9日（月）〜2025年1月31日（金）
第21回：2025年5月12日（月）〜 6月30日（月）

### 出題科目

【A領域】　原理・研究法・歴史／学習・認知・知覚／
発達・教育／社会・感情・性格／臨床・障害

【B領域】　神経・生理／統計・測定・評価／
産業・組織／健康・福祉／犯罪・非行

### 資格認定

【特１級】　A領域5科目・B領域5科目 全10科目の合格者
【 １級 】　A領域4科目を含む合計6科目以上の合格者
【 ２級 】　A領域2科目を含む合計3科目以上の合格者

### お問合せ

一般社団法人日本心理学諸学会連合　心理学検定局
〒113-0033　東京都文京区本郷5-26-5-901
E-mail：info@jupaken.jp　FAX：03-3830-0303

●心理学検定公式ホームページ●　https://jupaken.jp/

※一般社団法人日本心理学諸学会連合〈日心連〉は、56の心理学関係の学会が加盟する
団体で、日本における心理学ワールドの統合と発展をめざして、活動を続けています。